Gramática en contexto

Claudia Jacobi

Enrique Melone

Lorena Menón

edelsa

GRUPO DIDASCALIA, S.A.

Primera edición: 2011
Primera reimpresión: 2012
Segunda reimpresión: 2013
© Edelsa Grupo Didascalia, S.A. Madrid, 2011.

Autores:	**Claudia Jacobi, Enrique Melone y Lorena Menón**
Dirección y coordinación editorial:	**Departamento de Edición de Edelsa.**
Diseño de cubierta:	**Departamento de Imagen de Edelsa.**
Diseño y maquetación interior:	**Adrián y Ureña**
Imprime:	**Egedsa**
ISBN:	**978-84-7711-716-2**
Depósito legal:	**B-22244-2011**

Impreso en España / *Printed in Spain*

Fuentes, créditos y agradecimientos: **Archivo de Edelsa Grupo Didascalia, S.A. Archivo fotográfico www.photos.com**

do by yourself *

1. En contexto

1

Si yo te quiero
Y tú me quieres
Entonces por qué ya no vienes
Si sabes que por ti me muero.

Wisin & Yandel (dúo puertorriqueño de reggetón)

2

Entrevista con la actriz

SUSAN OLIVERAS

Nosotros damos energía a los niños y ellos nos devuelven un montón de energía .

CAMPAÑA CIUDADANA

3

"Vos podés construir el cambio"

4 ¿Vosotros qué pensáis que es más importante, la belleza o la inteligencia?

5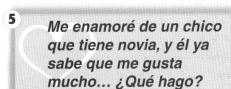

Me enamoré de un chico que tiene novia, y él ya sabe que me gusta mucho… ¿Qué hago?

Los pronombres personales sujeto se usan para referirse a quienes participan en una situación comunicativa: el hablante *(yo, nosotros)*; el oyente *(tú, vos, vosotros, ustedes, usted)*; y los que no son ni el hablante ni el oyente *(él, ella, ellos, ellas)*.

Completa el cuadro de abajo solamente con los pronombres sujeto presentes en los textos.

	¿Quién habla?	¿Con quién se habla?	¿De quién se habla?
TEXTO 1	yo	tú	ellos
TEXTO 2	ella		ellos
TEXTO 3			
TEXTO 4			
TEXTO 5			

Los pronombres concuerdan con las formas de los verbos

TEXTO 1	Yo → quiero	TEXTO 3	Vos → podés
	Tú → quieres	TEXTO 4	Vosotros → pensáis
TEXTO 2	Nosotros → damos	TEXTO 5	Él → sabe
	Ellos → devuelven		

2. Las formas

	SINGULAR		PLURAL	
	Masculino	Femenino	Masculino	Femenino
1.ª persona Quién habla	yo		nosotros	nosotras
2.ª persona Con quién se habla	tú (tratamiento familiar) vos (tratamiento familiar) usted (tratamiento formal)		vosotros (tratamiento familiar) ustedes (tratamiento familiar) ustedes (tratamiento formal)	vosotras (tratamiento familiar) ustedes (tratamiento familiar) ustedes (tratamiento formal)
3.ª persona De quién se habla	él	ella	ellos	ellas

3. Los usos

3.1. *Tú* y *vos, vosotros* y *ustedes*

Los usos dependen de la región:

> **¡Atención!**
>
> *Usto/ustedes* siempre va con verbos en tercera persona.
> *¿Usted es argentino?*

	TRATAMIENTO FAMILIAR		TRATAMIENTO FORMAL
	Uso general	Principalmente en Argentina y Uruguay	Uso general
Hablamos con una persona	tú *¿Cómo te llamas tú?*	vos *¿Cómo te llamás vos?*	usted *¿Cómo se llama usted?*
	Uso general	En el centro y norte de España	Uso general
Hablamos con más de una persona	ustedes *Chicos, ¿cómo se llaman ustedes?*	vosotros *Chicos, ¿cómo os llamáis vosotros?*	ustedes *Por favor, señores, ¿cómo se llaman ustedes?*

3.2. **Presencia y ausencia de los pronombres sujeto**

Los pronombres personales sujeto se usan en español con mucha menos frecuencia que en otras lenguas porque el sujeto se reconoce por la terminación del verbo.

En general, no se usan los pronombres de primera *(yo, nosotros, nosotras)* y segunda *(tú, vos, vosotros)* persona:

> (ø) Me llamo Lorena.
> ¿De dónde eres(ø)?

Pero es frecuente el uso de los pronombres *usted* y *ustedes*, que van con los verbos en tercera persona.

> ¿Cómo se llama **usted**?
> ¿De dónde son **ustedes**?

En tercera persona *(él, ella, ellos, ellas)* y *usted* y *ustedes*, el pronombre no se usa si antes se dice el nombre de la persona.

> <u>Marcela</u> está en Madrid. (ø) Va a quedarse quince días.

Casos especiales en que se utilizan los pronombres personales:

SE USAN PARA	EJEMPLO	COMENTARIO
a) evitar ambigüedad cuando hay un verbo con la misma terminación para más de una persona *(yo creía; él creía).*	*Se llama* <u>Ilana</u> <u>Yahav</u> *y no es tan anónima como* **yo** *creía. Es una artista famosa.*	En este caso, sin el pronombre, la frase se puede interpretar como que la propia <u>Ilana</u> <u>Yahav</u> creía ser una artista desconocida *(ella creía).*
b) evitar la repetición de un mismo verbo (elipsis).	*Claudia viene mañana.* **Nosotros,** *no.*	La ausencia del verbo exige el uso del pronombre sujeto, para saber de quién se está hablando.
c) señalar un contraste entre personas diferentes.	**Nosotros** *cuidamos a los niños y* **ellos** *nos dan amor.* **Yo** *voy a viajar en autobús, pero* **ella** *va a ir en avión.*	La presencia de los pronombres marca el contraste entre los sujetos y lo que se dice de ellos.
d) dar énfasis.	*¿No quieres ir a un gimnasio? Te lo pago* **yo.** *Eso lo dices* **tú,** *pero no es verdad.* **Vos** *podés construir el cambio.*	El efecto que se busca en los tres casos es enfatizar quién paga, quién dice y quién puede construir, subrayando que son esas personas y no otras.

> **PARA SABER MÁS**
>
> No deben usarse los pronombres de tercera persona para referirse a cosas u objetos.
> *Conocí una ciudad hermosa. Es pequeña y no tiene muchos habitantes.*
>
> No es correcto en estos casos decir: **Conocí una ciudad hermosa. Ella es pequeña y no tiene muchos habitantes.*

3.3. Uso de varios pronombres juntos

USO	EJEMPLOS
a) Si hay varios pronombres y uno de ellos es *yo,* este va al final de la secuencia.	*Tú y* **yo** *conocemos bien esa ciudad. Ella y* **yo** *vivimos en un pequeño apartamento. Tú, él y* **yo** *organizaremos la fiesta.*
b) Si hay varios pronombres, pero ninguno es *yo,* el orden es indistinto.	*Ella y vos siempre están de acuerdo en todo. Tú y él debéis ser más tolerantes con los niños.*

3.4. Uso de *yo* y *tú* con algunas preposiciones

Después de una preposición no se usan los pronombres personales sujeto (ver capítulo 31), excepto con las preposiciones *hasta, entre* y *según.*

4. Ejercicios

4.1. Identifica

1. Lee los textos y subraya los pronombres personales sujeto. Luego, completa el cuadro con las formas que faltan.

a. MONTAMOS SU PÁGINA PERSONAL. Usted escribe el texto, nosotros diseñamos su página en Internet.

b. Si tú no puedes, yo paseo tu perro por ti.
Vivo en el pueblo de Fuencarral.
Contacta conmigo: paseoperros@liber.com.es

c. Vos, que tenés cerebro: usá siempre el casco.

d. Alfredo y Alicia son un buen equipo de trabajo. Él es arquitecto, ella es diseñadora de interiores. En su casa, son una familia.

e. En julio viajamos a Granada. ¿Conocéis vosotros un buen hotel? Gracias.

f. Ustedes cuando aman
éxigen bienestar.
Nosotros cuando amamos [...]
con sábanas qué bueno
sin sábanas da igual.
Mario Benedetti

	SINGULAR		PLURAL	
	Masculino	Femenino	Masculino	Femenino
1ª persona Quién habla	yo		nosotros	nosotras .
2ª persona Con quién se habla	usted		vosotros ustedes	vosotras ustedes
3ª persona De quién se habla	Él	ella	ellos	ellas

2. Identifica el sujeto y relaciona.

a. ¿Eres colombiano o venezolano? 2
b. ¿De dónde eres?
c. Pedro tiene dos hermanos. 5
d. ¿Viajáis siempre a España? 1 0
e. Somos chilenos y vivimos en Santiago. 7
f. Pedro y Alicia viven en el centro. 9
g. Chicos, ¿cómo están? 8 ·
h. Sra. Pérez, ¿puede venir un instante? 4
i. Ahora no tengo hambre. 1
j. ¿Cómo te llamás? 3
k. Mi hermana se llama Julia. 6

1. Yo
2. Tú
3. Vos
4. Usted
5. Él
6. Ella
7. Nosotros
8. Vosotros
9. Ellos
10. Ustedes

3. Lee los diálogos e indica si es informal o formal y si es de uso general, propio de España o propio de Argentina y Uruguay.

a. – ¿Eres chileno o peruano? – Soy peruano. ¿Y tú?	❏ Formal ☒ Informal	☒ General ❏ España ❏ Argentina y Uruguay
b. – ¿Usted es la nueva profesora de Español? – Sí. Me llamo Lucía.	☑ Formal ❏ Informal	☑ General ❏ España ❏ Argentina y Uruguay
c. – ¿Cómo te llamás? – Andrea, ¿y vos?	❏ Formal ☑ Informal	❏ General ❏ España ☑ Argentina y Uruguay
d. – ¡Hola, chicos! ¿Cómo estáis? – Bien.	☑ Formal ☑ Informal	❏ General ☑ España ❏ Argentina y Uruguay
e. – ¡Hola! ¿Ustedes son nuevos en la empresa? – Sí. ¿Y vos?	❏ Formal ☑ Informal	❏ General ❏ España ☑ Argentina y Uruguay
f. – Tú, ¿estudias o trabajas? – Las dos cosas. – ¿Qué estudias?	❏ Formal ☑ Informal	☑ General ❏ España ❏ Argentina y Uruguay

4.2. Practica

1. Completa con los pronombres solo en caso necesario.

a. Mi compañera de clase se llama Claudia. __Ø__ es muy activa: _____ estudia por las mañanas, _____ juega al voleibol por la tarde y por la noche _____ tiene clases de alemán. En cambio, __yo__ soy más tranquilo: _____ solamente estudio en la universidad.

b. –Buenas tardes, _____ soy el ingeniero Alcorta.
–Buenas tardes, señor Alcorta. __yo__ soy Patricia, la directora de *marketing*, y __ella__ es Ángela, su secretaria.

c. Nora vive en un apartamento bonito. _____ no es grande, pero _____ es cómodo.

d. – ¿De dónde sois Daniel y __tú__?
– __él__ es de Paraguay y __yo__ soy colombiano.
– ¿Y __tú__, dónde vives actualmente?
– __yo__ vivo en una casa muy cerca de aquí.

e. – __yo__ quiero un café. ¿Y __ustedes__, qué toman?
– __yo__, un helado.
– Y __yo__, agua mineral.

1. En contexto

Lee los textos y marca la opción correcta:

1. El autobús es…
   ☐ un autobús específico.
   ¿Cuál?...
   ☐ un autobús cualquiera.
2. El pasajero es…
   ☐ una persona específica.
   ¿Quién?...
   ☐ una persona no identificada.
3. El delincuente es…
   ☐ una persona conocida.
   ¿Cómo se llama? ....
   ☐ un desconocido.

Un pasajero mata a un delincuente en el autobús Santa Rosa-capital

● El delincuente se llama Johny Josué Vázquez

1. «Una nave» es…
   ☐ información nueva (introduce el tema).
   ☐ información conocida (amplía el tema).
2. «La nave» es…
   ☐ información nueva (introduce el tema).
   ☐ información conocida (amplía el tema).

Una nueva nave americana en el espacio. La nave analizará estrellas durante tres años.

Las palabras subrayadas son artículos. Los artículos van delante del sustantivo y concuerdan con él en género y número. Hay dos tipos de artículos: los determinados (*el delincuente; la nave*) y los indeterminados (*un delincuente; una nave*). Con el artículo indeterminado (*un delincuente; una nave*) se presenta la información nueva, sin especificar el objeto o individuo. Con el determinado (*el delincuente; la nave*) se habla de una información ya dada y, además, se particulariza el objeto o el individuo.

2. Las formas

	ARTÍCULOS DETERMINADOS		ARTÍCULOS INDETERMINADOS	
	Singular	Plural	Singular	Plural
Masculino	el	los	un	unos
Femenino	la	las	una	unas

Los artículos coinciden en género y en número con los sustantivos a los que preceden.

el/un <u>empleado</u> trabajador
los/unos <u>empleados</u> trabajadores
la/una <u>cama</u> pequeña
las/unas <u>camas</u> pequeñas

> **¡Atención!**
>
> Delante de palabras femeninas que comienzan con **a** o **ha** con acento (*<u>a</u>gua; <u>a</u>rma; <u>a</u>ve; <u>a</u>lma; <u>ha</u>da;* etc.) en lugar de los artículos femeninos (*la* y *una*) se usan los artículos masculinos (*el* y *un*), pero no cambia el género de la palabra.
>
> **El** agua fría   **Las** aguas frías del mar
> **El** alma pura   **Las** almas puras

3. Los usos

3.1. Usos generales

Los sustantivos propios (nombres de personas, países, ciudades) no llevan artículo.
Los sustantivos comunes, en cambio, siempre van con artículo, excepto cuando llevan otros determinantes (posesivos, demostrativos, etc.) o en algunos casos particulares.

3.2. Ausencia del artículo con sustantivos comunes (casos particulares)

SE OMITEN DELANTE DE...	EJEMPLOS
a) sustantivos que expresan ideas abstractas.	*Quiero (Ø) libertad para vivir.* *No tengo (Ø) confianza en ese chico.*
b) cosas o personas negadas.	*Esta casa no tiene (Ø) jardín.* *Los obreros no tienen (Ø) herramientas para trabajar.*
c) sustantivos singulares que no se pueden contar.	*Voy a comprar (Ø) carne, pan y agua.* *Siempre tomo (Ø) leche.*
d) sustantivos plurales después de verbos como *necesitar* y *buscar*.	*Se buscan (Ø) vendedores con experiencia.* *Necesitamos (Ø) secretarias trilingües.*
e) *señor; señora; gerente; presidente,* etc., cuando se habla directamente con esas personas.	*(Ø) Presidente, ¿qué opina del nuevo plan económico?* *(Ø)Sra. Gómez, qué gusto verla por aquí.*
f) los días de la semana para hablar de la fecha.	*Hoy es (Ø) miércoles.* *Mañana es (Ø) sábado.*
g) sustantivos para indicar la profesión.	*Yo soy (Ø) profesor, ¿y tú?* *María es (Ø) bióloga y ahora trabaja como (Ø) técnica en un laboratorio.*
h) sustantivos con el verbo *saber* para indicar una asignatura, idioma o materia.	*Y sé (Ø) francés e (Ø) inglés.* *No sabe (Ø) gramática, pero habla muy bien.*

Contraste de algunos casos particulares

	SE USAN	SE OMITEN
Con títulos (señor; señora; gerente; presidente, etc.)	Cuando se habla sobre una persona. *La Sra. Barrios llega a las 9:00.*	Cuando se habla directamente a la persona. *Sra. Barrios, quiero pedirle un favor.*
Con expresiones de tiempo	Delante de palabras como *mes, año, semana,* de los días de la semana y de la hora. *El lunes tengo clase de canto.*	Delante de los días de la semana o los meses del año para indicar la fecha actual. *Hoy es miércoles.*
Con atributos	Para identificar a alguien. *Enrique es el profesor de este curso.*	Para indicar la profesión. *Enrique es profesor de español.*
Con nombres propios de persona	Para hablar de una familia. *Los Pérez son muy simpáticos.*	Cuando se nombra a una persona. *Pedro Pérez es muy simpático.*
Con nombres propios de lugares	Para hablar de los ríos, lagos, montañas. *Los Andes están en América del Sur. El Orinoco nace en Venezuela.*	Para hablar de países y ciudades. *Montevideo es la capital de Uruguay.*

3.3. **Usos de los artículos indeterminados**

SE USAN PARA…	EJEMPLOS
a) introducir una información nueva.	*Tengo un libro muy interesante.*
b) referirse a seres animados, objetos y lugares inespecíficos.	*Quiero una casa cerca del mar. Aquí van a construir un centro comercial.*
c) indicar existencia de objetos y lugares con el verbo *haber*.	*Hay una carta para ti. Hay unos hombres en la puerta.*
d) indicar valores aproximados con los números.	*La empresa tenía unas 2000 empleadas. En unos 40000 planetas hay vida.*
e) con el sentido de *algunos(as)*.	*Viví unos años en China. Juan se fue a la playa y vuelve en unos días.*

¡Atención!

Si el sustantivo está en plural, puede omitirse el artículo.

Tengo Ø / unos libros muy interesantes.

3.4. **Usos de los artículos determinados**

SE USAN PARA…	EJEMPLOS
a) retomar palabras ya mencionadas.	*Hoy entrevistamos a un famoso actor. El actor está de promoción de su última película.*
b) hablar de algo específico o conocido por los que hablan.	*La casa con jardín es demasiado cara. Aquí van a construir el centro comercial más moderno de la ciudad.*
c) hablar de las partes del cuerpo.	*Me duele la cabeza. Se miró las manos con atención.*

d) hablar de gustos (con verbos como *gustar, encantar, apetecer,* etc.).	*Me gusta **el** invierno, pero odio la lluvia.*
e) con los títulos *señor; señora; gerente; presidente,* etc., cuando se habla sobre esas personas.	***El** Sr. Juárez canceló la cita.* ***La** gerenta de ventas quiere contratar más vendedores.*
f) delante de palabras como *mes, año, semana,* de los días de la semana y de la hora.	*Llego **el** jueves a **las** tres.* *Empezamos este proyecto **el** año pasado.*
g) delante de los apodos (en lenguaje coloquial).	***La** Polaca te espera en el café de siempre.* ***El** Cabezón fue a jugar al fútbol.*

3.5. **Combinación de palabras**

SE PUEDE DECIR	NO SE PUEDE DECIR
Artículo determinado + *otro/a/os/as.* *Este no me gusta, me gusta más el otro.*	* Artículo indeterminado + *otro/a/os/as.* **Incorrecto:** *Este no me gusta, dame un otro.* **Correcto:** *Este no me gusta, dame (Ø) otro.*
Artículo determinado + *demás.* *Elena y Ana van conmigo, las demás van con Jorge.*	* Artículo indeterminado + *demás.* **Incorrecto:** *Elena y Ana van conmigo, unas demás van con Jorge.*
Artículo + sustantivo + posesivo. *La prima tuya se llama Belén, ¿no?*	* Artículo + posesivo + sustantivo. **Incorrecto:** *La tu prima se llama Belén, ¿no?* **Correcto:** *(Ø)Tu prima se llama Belén, ¿no?*
Todos/as + artículo determinado. *Todos los estudiantes aprenden mucho.*	* *Todos/as* + artículo indeterminado. **Incorrecto:** *Todos unos estudiantes aprenden mucho.*

3.6. **Artículos sin sustantivos**

Los artículos determinados y los indeterminados pueden usarse sin sustantivo.
Se trata de un recurso para evitar la repetición.

*¿Qué <u>pantalones</u> prefieres, **los** (Ø) blancos o (Ø) **los** negros?*
*¿Qué <u>libro</u> quieres? **El** (Ø) de cuentos que nos recomendó la profesora.*
*¿No encuentras tus <u>anteojos</u>? Hay **unos** (Ø) sobre la mesa.*
*¿De qué <u>mujeres</u> hablas? De **unas** (Ø) que entraron sin saludar.*

> **¡Atención!**
>
> Cuando no está acompañado de un sustantivo, se usa ***uno*** en vez de ***un***.
>
> ***Un*** *hombre alto* ➡ ***uno*** *(Ø) alto*

4. Ejercicios

4.1. Identifica

1. Lee los textos y escribe en el cuadro los artículos y sus sustantivos.

Texto 1
Compran una casa para crear una escuela, pero unas familias ocupan la casa.
Unas maestras piden justicia.

Las profesoras se llaman Laura, Liliana y Marta Sedile y desde 2007 tienen un edificio para abrir un colegio en la calle Helguera, 40. La escuela se llama Ayelén y la casa es un monumento histórico. Pero cuatro familias viven allí.

Texto 2
Un bebé cuesta unos ocho mil euros en su primer año de vida.

Texto 3
La tía Pepa es un cuadro de Picasso que representa a una tía del pintor, una mujer de carácter fuerte y además muy excéntrica y religiosa.

Texto 4
Ratones ciegos pueden «ver» gracias a unas células especiales de la retina.
El descubrimiento abre esperanzas a las personas con problemas visuales o ciegas.

el descubrimiento

Adaptado de www.tendencias21.net

	ARTÍCULOS DEFINIDOS		ARTÍCULOS INDEFINIDOS	
	Singular	Plural	Singular	Plural
Masculino	*unos ocho mil*	*→*	*un monumento*	*unos ocho mil*
Femenino	*la escuela*	*las profesoras*	una casa	*unas maestras*

2. Relaciona con el uso del artículo en los textos.

El artículo en el

texto 1:	una casa, una escuela, unas maestras, un edificio, un colegio la casa, las profesoras, la escuela *b c*	**a.** indica un valor aproximado
		b. se refiere a un objeto no especificado
		c. se usa para introducir información nueva
texto 2:	unos ocho mil euros *a*	**d.** se usa para retomar palabras ya mencionadas
texto 3:	una tía de *el b*	
texto 4:	unas células especiales *d .*	

4.2. Practica

1. Completa con el artículo *el, la, los, las* según corresponda.

a. _La_ televisión y _los_ niños: recomendaciones para _los_ padres

b. Elegir programas interesantes y divertidos que enseñan y aumentan _los_ conocimientos.

c. Grabar programas sobre _la_ vida de _los_ animales, _el_ cuerpo humano, _la_ ecología y
_el_ respeto al medioambiente, así _los_ niños pueden verlos muchas veces.

d. Apagar _el_ televisor durante _las_ comidas o cuando _la_ familia está reunida para conversar.

2. Cambia al plural o al singular.

a. el hada - _las hadas_   **b.** _la arma_ - las armas   **c.** _la ave_ - las aves

d. _el agua_ - las aguas   **e.** el área - _las áreas_

3. Marca la opción correcta.

a. Necesito **el/Ø** silencio para poder trabajar.

b. No alquilamos **Ø/el** piso porque no tiene **el/Ø** balcón.

c. Somos vegetarianos y no comemos **la/Ø** carne.

d. Hay **el/un** mensaje para ti en el contestador automático.

e. **Al/A el** Sr. López no le gusta **el/un** uniforme de **las/Ø** recepcionistas.

f. A José le duele **una/la** garganta y no va **al/a la** escuela. $a + el = al$
  $a + la = a\ la$

g. Ese pantalón es corto. Pruébate **el/un** otro.

h. Susi y Ana vienen conmigo y **las/unas** demás esperan aquí.

4. Completa los espacios en blanco con la preposición *a* o *de* y un artículo determinado.

a. El uniforme _de los_ jugadores de la selección de fútbol es muy bonito.

b. ¿Vamos _al_ cine hoy?

c. Muchos turistas visitan la ciudad _del_ Cairo.

d. El Día Internacional _de la_ Mujer es el 8 de marzo.

e. Este verano voy _a la_ playa con unos amigos.

f. El presidente visitó _a las_ familias de los trabajadores.

g. La esposa _del_ profesor es muy simpática.

h. Pronto es el día _de los_ enamorados y no sé qué regalarle a mi novio.

i. El primer paso para tener éxito en los negocios es tratar bien _de las_ clientes.

j. Me gustan las letras _de las_ canciones de Maná.

> **¡Atención!**
>
> – El artículo *el* va unido a las preposiciones *a* y *de*:
> De + el = del
> Somos los padres **del** novio.
> A + el = al
> Marcelo fue **al** banco.

5. Coloca los artículos cuando lo consideres necesario.

a. _Ø_ Sr. Soares, _la_ Sra. Pérez está en su despacho.

b. A mi hermano no le gustan _los_ helados.

c. Tengo una cita en el dentista a _las_ seis de la tarde.

d. Mañana es _—_ domingo y _los_ supermercados están cerrados.

e. _Los_ domingos siempre almorzamos con _los_ abuelos.

f. _la_ semana que viene nos vamos de vacaciones.

g. Mi tío Víctor es _el_ un médico del pueblo.

h. Pedro es _—_ enfermero y trabaja en _el_ hospital público.

i. _El_ piso de _—_ Salgado está en venta.

j. _—_ Mabel Díaz es _una_ abogada muy conocida.

k. _El_ Río de la Plata separa Uruguay y Argentina.

4.3. Aplica

1. Lee el texto y completa con los artículos necesarios. En algunos casos deberás unir la preposición y el artículo.

HOTEL AIRE DE BÁRDENAS: _un_ sitio verdaderamente especial

Te recomendamos pasar _los_ días en _el_ Hotel Aire de Bárdenas, muy cerquita de _una_ Tudela (Navarra).

_El_ hotel está en _una_ zona extremadamente seca, _el_ conocido desierto de Las Bárdenas, y es _un_ lugar realmente especial.

Las habitaciones son extraordinarias. Son cubos individuales y _el_ cliente puede elegir _una_ habitación «con vistas» o con «patio interior». Las primeras tienen _un_ ventanal que da a _los_ campos de trigo de _la_ zona. Es _una_ vista impresionante.

2. Describe un lugar como el texto anterior.

1. En contexto

Playa Bahamitas:

un área natural de singular belleza con aguas cristalinas, finas arenas y árboles tropicales.

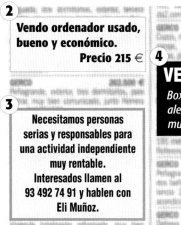

2 Vendo ordenador usado, bueno y económico.
Precio 215 €

3 Necesitamos personas serias y responsables para una actividad independiente muy rentable.
Interesados llamen al 93 492 74 91 y hablen con Eli Muñoz.

4 VENDO - REGALO
Boxer cruzado con pastor alemán. Perros marrones muy lindos y guardianes.

Texto 1

Transcribe el nombre de un lugar y de tres cosas que puedes encontrar allí._____

_____

Texto 2

a) ¿Qué objeto se vende?_____

b) ¿Qué características tiene ese objeto?_____

Texto 3

a) ¿Cómo deben ser los candidatos que pide el anuncio?_____

b) ¿Con quién hay que ponerse en contacto?_____

Texto 4

a) ¿Qué animales se venden o regalan?_____

b) ¿Qué características tienen?_____

Los **sustantivos** sirven para hablar de personas, lugares, animales, cosas e ideas abstractas. Pueden ser:
- Propios cuando designan un objeto único (*Bahamita, Eli Muñoz*). Siempre se escriben con mayúscula. Normalmente no llevan artículo y no tienen marca de género.
- Comunes cuando no se refieren a un objeto único, sino a una clase objetos. Pueden referirse a personas (*jóvenes, personas*), a animales (*peces, perro*), a objetos (*aguas, arenas, árboles, ordenador*) o a ideas abstractas (*belleza, actividad, oportunidad*).

Los **adjetivos** se usan para calificar los sustantivos (*singular, cristalinas, finas, tropicales, usado, bueno, económico, serias, responsables, independiente, rentable, marrones, lindos, guardianes*).

En español, los sustantivos y los adjetivos pueden ser masculinos o femeninos, singulares o plurales. Esto se refleja en la terminación de la palabra (*perro/perra – seria/serias*). En general, son masculinos los terminados en –*o* y femeninos los terminados en –*a*.

2. Las formas

2.1. El género (masculino o femenino) de los sustantivos

a) Sustantivos que se refieren a los seres vivos

● Son masculinos los sustantivos que se refieren a personas o animales de sexo masculino.
Son femeninos los que se refieren a personas o animales de sexo femenino.

MASCULINO	FEMENINO
hombre	mujer
padre	madre
marido	mujer
padrino	madrina
yerno	nuera
macho	hembra
carnero	oveja
toro	vaca
caballo	yegua

¡Atención!

Cuando solo existe una forma para designar a los animales, se utiliza *macho* o *hembra* para distinguir el sexo.
La jirafa mancho/la jirafa hembra

● Los sustantivos terminados en *–ante, –ente, –ista* son iguales para masculino y femenino:

MASCULINO	FEMENINO
cantante	cantante
estudiante	estudiante
paciente	paciente
artista	artista
periodista	periodista

● También los siguientes sustantivos:

MASCULINO	FEMENINO
criminal	criminal
joven	joven
militar	militar
testigo	testigo
intérprete	intérprete
fiscal	fiscal

● Hay sustantivos que cambian la terminación según el género:

MASCULINO	FEMENINO	EJEMPLO
Termina en *-o/-e*	Cambia a *-a*	*niño/niña; jefe/jefa; cliente/clienta;*
Termina en consonante	Añade *-a*	*director/directora; chaval/chavala; león/leona; burgués/burguesa; juez/jueza.*
Algunas palabras especiales	Cambia a *-esa/ -isa/-ina/-triz*	*príncipe/princesa; tigre/tigresa; poeta/poetisa; héroe/heroína; actor/actriz; emperador/emperatriz.*

b) Sustantivos que se refieren a los objetos e ideas abstractas

- Solo tienen un género (no cambia): *la boca, el brazo, la falda, el traje.*
- Son masculinos los nombres de los accidentes geográficos (ríos, mares, océanos, lagos y montañas), excepto si van acompañados de la palabra *cordillera* o *sierra*: *el Tajo, el Titicaca, el Atlántico, la cordillera de los Andes.*
- Son también masculinos los nombres de los días de la semana y de los meses del año: *el lunes, el martes, el miércoles, enero.*
- Son femeninos los nombres de las letras del alfabeto: *la a, la be, la ce.*
- En la mayoría de las palabras se sabe el género por la terminación de la palabra:

	SON MASCULINAS LAS PALABRAS TERMINADAS EN:	EXCEPTO:
-o	carro, piso, apellido, codo.	mano, foto, moto, radio.
-or	calor, rencor, candor.	flor.
-miento	casamiento, sentimiento, nacimiento, acontecimiento.	
-ma	tema, problema, drama, poema, sistema, clima, diploma.	crema, broma.
-aje	traje, garaje, viaje, pasaje, mensaje, coraje.	

	SON FEMENINAS LAS PALABRAS TERMINADAS EN:	EXCEPTO:
-a	*casa, silla, goma, boca, patata.*	día, mapa, planeta y los nombres de los colores: rosa, naranja…
-umbre	*legumbre, costumbre, incertidumbre.*	
-tud	*actitud, juventud, virtud.*	
-ad	*libertad, bondad.*	
-dad	*ciudad.*	
-ancia	*constancia, abundancia.*	
-anza	*confianza, esperanza.*	
-encia	*paciencia, conciencia.*	
-ez	*vejez, madurez.*	
-ción	*emoción, creación.*	
-sión	*ilusión, decisión.*	

c) Hay palabras que cambian el significado si son masculinas o femeninas

ÁRBOL (masculino)	FRUTO (femenino)
el manzano	la manzana
el naranjo	la naranja

LA DIFERENCIA DE GÉNERO IMPLICA DIFERENCIA DE TAMAÑO (en general, la femenina es más grande)	
bolso	bolsa
cuchillo	cuchilla
jarro	jarra
manto	manta
huerto	huerta

PALABRAS QUE SON IGUALES, PERO TIENEN DISTINTO SIGNIFICADO SI SON MASCULINAS O FEMENINAS		
	Masculina	**Femenina**
capital	el capital: patrimonio, bienes materiales	la capital: ciudad cabeza de un país o provincia
editorial	el editorial: artículo de un periódico	la editorial: casa editora
radio	el radio: mineral o línea de una circunferencia	la radio: aparato para escuchar
orden	el orden: organización	la orden: mandato
guía	el guía: persona que trabaja con turistas	la guía: libro sobre viajes
frente	el frente: primera línea de una guerra o un ejército	la frente: parte superior y delantera de la cara

2.2. El género (masculino o femenino) de los adjetivos

a) Los que tienen dos terminaciones: una para masculino y otra para el femenino

MASCULINO	FEMENINO	EJEMPLOS
-o	-a	hombre alto/mujer alta libro pequeño/casa pequeña escritor famoso/escritora famosa
-án -ín -ón -or	agregan -a	empleado haragán/empleada haragana hombre parlanchín/mujer parlanchina niño llorón/niña llorona libro seductor/noche seductora
-ote/-ete	cambian -e por -a	el hombre grandote/mujer grandota un niño regordete/niña regordeta

b) Los que tienen la misma terminación para el masculino y para el femenino

LOS ADJETIVOS QUE TERMINAN EN	MASCULINO	FEMENINO
-ista	político elitista hombre egoísta	revista elitista mujer egoísta
-ante/-ente	libro interesante café caliente	propuesta interesante comida caliente
-ble	tiempo agradable tema posible	noche agradable solución posible
consonante	hombre cortés vestido azul	mujer cortés blusa azul

c) Masculino y femenino de los adjetivos que expresan la nacionalidad o el origen

	MASCULINO		FEMENINO
Termina en -o	estudiante brasileño joven chileno escritor montevideano	Cambia a -a	estudiante brasileña joven chilena pintora montevideana
Termina en consonante	joven portugués escultor español	Añade -a	joven portuguesa cantante española
Termina en -a/-e/-í/-ú	periódico belga turista canadiense rabino israelí ingeniero hindú	No cambia	revista belga turista canadiense mujer israelí arquitecta hindú

2.3. El plural de los sustantivos y de los adjetivos

LA PALABRA TERMINA EN...	EN EL PLURAL...	EJEMPLOS
• vocal sin acento • -á/-é	se añade -s	cama grande/camas grandes niño alto/niños altos sofá blanco/sofás blancos café caliente/cafés calientes
-í/-ú	se añade -es	maní/maníes hindú/hindúes
consonante	se añade -es	reloj digital/relojes digitales pared azul/paredes azules colección difícil/colecciones difíciles
-z	cambia -z por -c y se añade -es	actriz/actrices primera vez/primeras veces lápiz/lápices
vocal sin acento + -s	no cambia	lunes/lunes crisis/crisis

3. Los usos

3.1. La concordancia entre el sustantivo y el adjetivo

El adjetivo concuerda en género (masculino y femenino) y en número (singular y plural) con el sustantivo:

- la *casa* moderna – las *casas* modernas
- el *coche* es rápido – los *coches* son rápidos

¡Atención!

En español, algunas palabras solo se usan en plural y pueden referirse a un objeto o a varios: *las gafas (los anteojos), las tijeras, los alrededores, los modales, los comestibles*, etc.

Casos especiales de concordancia

CASO	CONCORDANCIA	EJEMPLOS
● Dos o más sustantivos masculinos ● Dos o más sustantivos femeninos	Se sigue la regla general de la concordancia.	*El piso tiene un **dormitorio** y un **baño** pequeños. En cambio, la **sala** y la **cocina** son amplias.*
● Dos sustantivos en singular: uno masculino y otro femenino	El adjetivo va en masculino y plural.	*Tengo un **pantalón** y una **camisa** blancos.*
● Dos sustantivos en plural: uno masculino y otro femenino	El adjetivo puede estar en masculino o femenino plural, concordando con el sustantivo que está más próximo.	*Vendo **botas** y <u>**zapatos**</u> baratos. Vendo **zapatos** y <u>**botas**</u> baratas.*

3.2. La posición del adjetivo y su significado

Normalmente los adjetivos van detrás del sustantivo (*playas **grandes**; chica **linda***). En algunos casos, se ponen delante para dar mayor énfasis (***grandes** playas; **linda** chica*). Sin embargo, hay casos en los que el cambio en la posición del adjetivo implica un cambio también de significado.

ADJETIVO ANTEPUESTO	EL ADJETIVO SIGNIFICA	ADJETIVO POSPUESTO	EL ADJETIVO SIGNIFICA
un ***pobre*** chico	infeliz, desdichado	un chico ***pobre***	humilde, necesitado
ciertas noticias	algunas	noticias ***ciertas***	verdaderas
un ***viejo*** amigo	de antigua amistad	un amigo ***viejo***	de edad avanzada
una ***gran*** mujer	destacada	una mujer ***grande***	de tamaño
un ***único*** amigo	solo uno	un amigo ***único***	especial

3.3. La apócope

Buen(o), mal(o), sant(o) y *gran(de)* pierden el final cuando van delante de un sustantivo.

ADJETIVO	APÓCOPE	SE USA	EJEMPLOS
bueno/malo un hombre ***bueno*** un ejemplo ***malo***	buen-mal	delante de sustantivos masculinos	un ***buen*** hombre un ***mal*** ejemplo
santo Este es un lugar ***santo***	san	delante de nombres de personas masculinas	***San*** Juan
grande un hombre ***grande*** una ciudad ***grande***	gran	delante de sustantivos masculinos o femeninos	un ***gran*** hombre una ***gran*** ciudad

4. Ejercicios

4.1. Identifica

1. Lee los textos y responde a las preguntas.

a)
ESPAÑOL QUIERE PRACTICAR PORTUGUÉS E INGLÉS
Soy un español de 25 años. Quiero practicar mi portugués y mi inglés. Tengo nivel alto de los dos idiomas. Te puedo ayudar con la gramática española porque soy periodista. ¡Chau!

b)
¿Quién dijo que la amistad entre hombre y mujer no existe?
Joven venezolano: sincero, inteligente, educado y simpático busca amistad. No busco ni pido compromiso, noviazgo ni matrimonio. Solamente quiero conocer chicas para tener una conversación animada y agradable.
Espero tu mensaje.

c)
Vendo interesante piso soleado de 150 m² en Murcia
Vendo piso luminoso en una calle céntrica y espaciosa, Camino Real. El edificio es tranquilo. Hay solo un piso por planta.

d)
Buscamos escritores
Buscamos escritores de cuentos y relatos infantiles para colaborar en un nuevo proyecto.
Se trata de una web de cuentos de varias temáticas donde las imágenes son fotografías reales.

Más información en cuantoscuentos.es

Texto a	–¿De dónde es? _____ Es español. _____
	–¿A qué se dedica? _____
	–¿Qué idiomas habla? _____
	–¿Qué grado de conocimiento tiene del portugués y del inglés? _____
Texto b	–¿Cómo es este joven? _____
	–¿Qué es lo que busca? _____
	–¿Qué es lo que no busca? _____
Texto c	–¿En qué calle está el piso? _____
	–¿En qué ciudad se encuentra? _____
	–¿Qué características tiene el piso? _____
	–¿Y la calle? _____
Texto d	–¿Qué profesionales se buscan? _____
	–¿En dónde van a trabajar? _____

2. Extrae de los textos:

a. Dos adjetivos que expresen nacionalidad: ___español,_____

b. Dos sustantivos que se refieren a ocupaciones: _____

c. Dos sustantivos propios referidos a lugares: _____

d. Cuatro adjetivos con la misma terminación para masculino y femenino: _____

e. Cuatro sustantivos referidos a relaciones que se pueden establecer con otra persona: _____
_____

f. 2 ejemplos de un SUSTANTIVO + un ADJETIVO masculino y singular: _____

g. 2 ejemplos de un SUSTANTIVO + dos ADJETIVOS en femenino y singular: _____
_____

h. 1 ejemplo de dos SUSTANTIVOS + un ADJETIVO masculino y plural: _____

4.2. Practica

1. Escribe F para las palabras femeninas y M para las masculinas.

[F] costumbre	[ ] sistema
[ ] problema	[ ] mensaje
[ ] actitud	[ ] juez
[ ] dolor	[ ] vejez
[ ] computadora	[ ] flor
[ ] sillón	[ ] martes
[ ] moto	[ ] radio

2. Escribe las frases en femenino.

a. El niño es educado ____La niña es educada._____

b. El joven es amable. _____

c. El juez es alemán. _____

d. El vendedor es un hombre seductor. _____

e. El héroe no es un llorón. _____

f. El príncipe es un niño haragán. _____

g. El padrino de mi madre es un cantante famoso. _____

h. El toro está cansado de correr. _____

i. El bailarín es un artista encantador.

3. Completa los espacios con los artículos *el–la–los–las* y marca el adjetivo correcto.

a. __La__ habitación amplio/amplia.

b. _____ leche frío/fría.

c. _____ dolores molestos/molestas.

d. _____ viaje largo/larga.

e. _____ emociones repentinos/repentinas.

f. _____ trajes oscuros/oscuras.

g. _____ sofá blanco/blanca.

h. _____ nariz pequeño/pequeña.

i. _____ cremas dermatológicos/dermatológicas.

j. _____ mensajes claros/claras.

k. _____ color rojo/roja.

4. Escribe el plural.

El taxi	Los taxis	El esquí	
El jardín		El árbol	
El despertador		La cama	
El reloj		El paraguas	
El maní		El mantel	
La actriz		El autobús	

5. Completa el cuadro con las expresiones en singular o en plural según corresponda.

SINGULAR	PLURAL
Un vestido discreto	Unos vestidos discretos
El examen difícil	
	Unos compases rotos
La ciudad gris	
	Las jóvenes amables
El director cortés	
	Unos lápices marrones
El sofá francés	
	Las ciclistas veloces
Un criminal audaz	
	Los reyes felices

6. Completa las frases con los adjetivos de la caja en la forma correcta.

diminuto – ofensivo – ajustado – prestado – asombroso – inmenso – manchado

a. Su actitud y sus palabras son muy _ofensivas_ .

b. La habilidad y el ingenio de Carlos son _____.

c. Siempre pido un bolígrafo y un lápiz _____ porque nunca tengo.

d. El dormitorio y la sala son _____, en cambio la cocina y el baño son _____.

e. Andrés lleva una camisa y una camiseta _____ de aceite.

f. Sofía usa siempre camisas y pantalones _____.

7. Completa las frases con el adjetivo que te damos entre paréntesis en la forma correcta.

a. (grande)

–El portero de la selección es un ___grande___ entre los _____. Es difícil meterle un gol.

–Iker Casillas, el _____ portero español.

–Mi hermano vive en un apartamento _____ del centro.

b. (bueno)

–Hoy es un _____ día para empezar una dieta.

–Hoy es un día _____ para navegar.

–Si no te sientes bien con tu cuerpo, es una _____ razón para comenzar una dieta.

c. (malo)

–Tenemos que tener mucha paciencia para superar este _____ momento.

–Dicen los médicos que es _____ dormir demasiado, pero no es verdad.

–Partido _____ y sin goles en el estadio Bernabéu.

–No es una _____ idea ir a cenar a un restaurante esta noche.

d. (santo)

–La carrera de _____ Silvestre se realiza todos los años en San Pablo.

–Voy a prender una vela al _____ de mi devoción para que gane mi equipo.

–Este hombre es un verdadero _____, ayuda siempre a todos.

4.3. Aplica

Completa el texto con las palabras de la caja en la forma adecuada al contexto. Luego, escribe un anuncio similar.

> amueblado – completo – bajo – ambiente – excelente – precioso – pequeño
> – arbolado – común – amplio – habitación – equipado – inglés – bonito – área – empotrado.

Apartamento muy _____ de dos ambientes, ubicado en un edificio de estilo _____,

mantenido en _____ condiciones. Tiene dos _____ muy _____ con

cómodos armarios _____. El *living* comedor tiene una _____ vista a la calle. Baño

_____ con bañera y una cocina toda _____ y, al lado, un _____ lavadero.

Los gastos son muy _____. El edificio cuenta con _____ verdes

_____ y está frente a una plaza muy _____. Este apartamento está a la venta

tanto _____ como no.

4

1. En contexto

1

VIRGILIO PIÑERA

—¿Cómo se llama?

—Porfirio

—¿Quiénes son sus padres?

—Antonio y Margarita.

—¿Dónde nació?

—En América.

—¿Qué edad tiene?

—Treinta y tres años.

—¿Soltero o casado?

—Soltero.

—¿Oficio?

—Albañil.

—¿Sabe que se le acusa de matar a la hija de su patrona?

—Sí, lo sé.

—¿Tiene algo más que declarar?

—Que soy inocente.

Virgilio Piñera, El interrogatorio, en Francisco Uriz: ¡A Escena!, Madrid, Edelsa, colección Edi 6

2

El móvil es hoy un artículo de primera necesidad. ¡Qué absurdo! Hace 20 años vivíamos sin él muy felices, en cambio hoy no podemos prescindir de él.

Texto 1

Transcribe del texto las preguntas que piden información sobre:

    a) El nombre de una persona.
    b) La profesión.
    c) El lugar de nacimiento.
    d) La identidad de personas.
    e) El número de años que se tiene.
    f) El estado civil.

Texto 2

Elige la opción correcta.
El autor del texto considera **un absurdo**:

    a) que hace veinte años no había móviles.
    b) que hoy la gente no puede estar sin el móvil.

Las palabras subrayadas en los textos son los pronombres interrogativos y exclamativos. En el texto 1, podemos distinguir tres tipos de preguntas:

a) las preguntas cerradas, de respuesta **sí** o **no**:

    • *¿Sabe que se le acusa de haber dado muerte a la hija de su patrona?*
    • *Sí, lo sé.*
    • *¿Tiene algo más que declarar?*
    • *(Sí.) Que soy inocente.*

b) las preguntas de elección entre varias opciones:

    • *¿Soltero o casado?*   - Soltero.

c) las preguntas abiertas, de respuesta libre.

    • *¿Cómo se llama?*   - Porfirio.
    • *¿Quiénes son sus padres?*   - Antonio y Margarita.
    • *¿Dónde nació?*   - En América.
    • *¿Qué edad tiene?*   - Treinta y tres años.
    • *¿Oficio?*   - Albañil.

Las preguntas abiertas se inician mediante los interrogativos: *¿cómo?, ¿dónde?, ¿qué?, ¿cuándo?, ¿cuánto?, ¿quién?, ¿cuál?* Para las exclamaciones se emplean las formas *qué, quién, cuánto, cuánta, cuántos, cuántas* y *cómo*.

2. Las formas

	INTERROGATIVOS EXCLAMATIVOS	EJEMPLOS
Tienen singular y plural	● quién – quiénes ● cuál – cuáles	–¿*Quién* viene esta noche? –¿*Quiénes* son sus padres? –¿*Cuál* es tu oficio? –¿*Cuáles* son tus virtudes y tus defectos?
Tienen masculino, femenino, singular y plural	● cuánto – cuánta – cuántos – cuántas	–¿*Cuánto* cuesta este diccionario? –¿*Cuánta* harina lleva la tarta? –¿*Cuántos* alumnos van a la excursión? –¿*Cuántas* veces al mes vas al cine? –¡*Cuánto* me alegro de verte!
Son invariables	● qué ● dónde ● cuándo ● cómo	–¿*Qué* estás haciendo ahora? –¡*Qué* tonto eres! –¿*Dónde* queda el Banco Nacional? –¿*Cuándo* viajas a Francia? –¿*Cómo* me queda esta blusa?

2.1. Dos reglas ortográficas

1. Los interrogativos y los exclamativos siempre llevan acento gráfico.

¿*Dónde* vives? ¿*Qué* haces? ¡*Qué* vergüenza!

2. En las preguntas, el signo de interrogación va al inicio y al final de la frase. Lo mismo ocurre con la exclamación.

¿*Quién* es? ¿*Vienes* esta noche? ¡*Qué* hermoso día!

3. Los usos

3.1. Los interrogativos

INTERROGATIVOS	USOS	EJEMPLOS
quién – quiénes	Para pedir información sobre la identidad de las personas: *quién – quiénes* + verbo	¿*Quién* conoce al nuevo profesor de historia? –<u>Alberto</u>. ¿*Quiénes* quieren ir al cine? –<u>Ana y Enrique</u>.
qué	a) Para pedir información sobre objetos o acciones: *qué* + verbo	¿*Qué* bebes durante las comidas? –<u>Agua o jugo</u>. ¿*Qué* quieres hacer? –<u>Caminar</u>.
	b) Para pedir información sobre personas u objetos específicos: *qué* + sustantivo	¿*Qué* <u>películas</u> prefieres? –<u>Las de terror</u>. ¿*Qué* <u>escritores</u> españoles conoces? –<u>Lorca, Cervantes, Unamuno</u>…

cuál – cuáles	Para proponer una elección entre dos o más personas u objetos que pertenecen a un mismo grupo:
	cuál – cuáles + verbo
	cuál – cuáles + de… + verbo
		*Tengo estos dos diccionarios. ¿**Cuál** prefieres?*
		   –El de bolsillo.
		*¿**Cuál** de las dos películas te gustó más?*
		   –«Volver».
		*De los dos hermanos de Juan, ¿**cuál** está casado?*
		   –Roberto.

dónde	Para preguntar por un lugar. **dónde** + verbo	*Perdone, ¿**dónde** está el Museo de Bellas Artes?* *–En Avenida Libertador.*
cuándo	Para pedir información sobre un momento en el tiempo. **cuándo** + verbo	*¿**Cuándo** llega tu amigo?* *–Mañana.*
cómo	Para pedir información sobre el modo de ser, estar o actuar. **cómo** + verbo	*¿**Cómo** prefieres la carne?* *¿**Cómo** vas hasta el trabajo?* *–Generalmente voy a pie.*

cuánto – cuánta
cuántos – cuántas
	Para pedir información sobre la cantidad.
	cuánto + verbo
	cuánto/**a**/**os**/**as** + sustantivo
		*¿**Cuánto** cuesta?*
		   –2 euros.
		*¿**Cuántos** libros tienes?*
		   –Muchos.

3.2. Los exclamativos

EXCLAMATIVOS	USOS	EJEMPLOS
cuánto, cuánta, cuántos, cuántas	Para exclamar sobre la cantidad de un objeto o una acción. Equivalen a «mucho». **cuánto** + verbo **cuánto**/**a**/**os**/**as** + sustantivo	*¡**Cuánto** sabe de historia Daniel!* *(= Daniel sabe mucho de historia)* *¡**Cuánto** café tomas! (= Tomas mucho café)* *¡**Cuántos** parques que hay en esta ciudad!* *¡**Cuánta** gente en la calle!*
qué	Para exclamar sobre la intensidad de un objeto, una propiedad o una acción. **qué** + sustantivo **qué de** + sustantivo (equivale a «cuántos/cuántas») **qué** + adjetivo o adverbio **qué** + verbo	*¡**Qué** lluvia!* *¡**Qué** playas grandes!* *¡**Qué** de libros hay en esta casa! Parece una biblioteca. (= ¡Cuántos libros hay en esta casa!)* *¡**Qué** bonita es la hija de Miguel!* *¡**Qué** lejos está el museo!* *¡**Qué** bien hablas español!* *Pero ¡**qué** dices!*
cómo	Para exclamar sobre la manera o sobre la intensidad con que se realiza una acción. **cómo** + verbo	*¡**Cómo** baila! Parece una bailarina profesional.* *(= Baila muy bien)* *¡**Cómo** trabaja Pedro! (= Pedro trabaja mucho)*
quién	Para exclamar sobre un deseo con poca o ninguna probabilidad de cumplirse. **quién** + verbo en pretérito imperfecto de subjuntivo (ver capítulo 44).	*¡**Quién** pudiera viajar como tú!* *¡**Quién** tuviera la suerte de Daniel que ganó dos veces la lotería!*

4. Ejercicios

4.1. Identifica

1. Lee los siguientes textos.

a)

b)

c)

d)

e)

f)

g)

2. Transcribe las frases de los textos en que:

a. se hace referencia a la manera de realizar algo:	¿Cómo se escribe una telenovela?
b. se da a entender que alguien se aprecia mucho:	cómo decir no?
c. se pide una información específica a partir de una elección entre varias personas:	¿cuál es mi bebé?
d. se pregunta por la identidad de una persona:	¿y tú quién eres?
e. se pregunta por una información específica:	¿que día es hoy?
f. se pide información sobre la localización de alguien:	¿Dónde está la marquesa?
g. se hace referencia a un momento en el tiempo en que se debe realizar algo:	

4.2. Practica

1. Relaciona los elementos de las dos columnas y escribe las frases. En algunos casos puede haber más de una posibilidad.

1 ¿Quién Who	es la chica de ojos verdes? 1
2 ¿Quiénes Who	vive tu familia? 8
3 ¿Qué	cuesta el kilo de arroz? 4
4 ¿Cuánto how many how much	es tu postre favorito? 3 7
5 ¿Cuántas how much	dormitorios tiene la casa? 6
6 ¿Cuántos how much	quieres cenar esta noche? 3
7 ¿Cuál which	es la casa? ¿Es amplia? 10
8 ¿Dónde where	viajas a Chile? 9
9 ¿Cuándo when	tarjetas quieres? 5
10 ¿Cómo how	son los dos muchachos sentados allí? 2

2. Completa las frases con un pronombre interrogativo.

a. ¿ _Qué_ dices? ¡No entiendo!

b. ¿ _con quien_ viven en esta casa? ¿Tus padres? x Quiénes

c. ¿ _Por qué_ tiene un bolígrafo para prestarme? x Quién

d. ¿ _Cuando_ comienzan las clases de español?

e. ¿ _cuáles_ son las comidas preferidas de Ricardo?

f. ¿ _Qué_ pesa este paquete? x Cuánto

g. ¿ _Dónde_ están mis llaves? No las encuentro.

h. ¿ _qué_ es tu número de teléfono? x Cuál?

i. ¿ _cómo_ te gusta la ensalada? ¿Con o sin vinagre?

j. ¿ _Cuántas_ veces por semana haces gimnasia?

k. ¿ _Qué_ haces normalmente los fines de semana?

3. Completa las frases con un pronombre exclamativo.

a. ¡ _Qué_ rica está la paella! Quiero otro plato.

b. ¡ _cómo_ bonita es Sofía! Tiene unos ojos preciosos. x Qué

c. ¡ _Cuántos_ cuadros tienes! Son muchísimos.

d. ¡ _____ me gusta Alejandra! Estoy enamorado de ella. x Cómo

e. ¡ _Cuanta_ gente hay en la fiesta! Están todos mis amigos.

f. Vamos ya mismo a casa. ¡ _Qué_ tarde es!

g. ¡ _Qué_ ciudad más bonita es México DF! ¡ _Cuál_ museos! ¡ _Qué_ iglesias!
Cuál   cuantos   cuantas

4. Subraya la opción correcta.

a. ¿Qué/Cuáles países de Latinoamérica conoces?

b. ¿Qué/Cuál es tu bebida preferida?

c. ¿Qué/Cuál quieres hacer: ir al cine o al teatro?

d. ¿Qué/Cuál quieres para tu cumpleaños?
Un coche nuevo.

e. Tenemos pollo al horno o frito. ¿Qué/Cuál de los dos prefiere?

f. ¿Qué/Cuál significa en español *pizarra*?

g. ¿Qué/Cuál de estos caminos es el más corto?

h. ¿Qué/Cuál es mi habitación?

i. ¿Qué/Cuál película ponen esta noche en la televisión?

5. Formula la pregunta teniendo en cuenta la parte marcada en cada caso.

a. ¿ __A dónde__ vas los fines de semana? Generalmente voy <u>a la casa</u> <u>de mis padres</u>.

b. ¿ __Quién__ es este cuaderno? Es <u>de José Luis</u>.

c. ¿ __con quién__ vas al cine? Al cine voy <u>con Alicia</u>.

d. ¿ __de qué__ es la mesa de la sala? La mesa es <u>de mármol</u>.

e. ¿ __para quiénes__ son los dos ramos de flores? Son <u>para María</u> <u>y Carmen</u>. Hoy cumplen años.

f. ¿ __de qué__ te ríes? Me río <u>de toda la situación</u>.

g. ¿ __A qué__ juegan los niños? Los niños juegan <u>a las escondidas</u>.

> **¡Atención!**
> Los interrogativos pueden estar acompañados de preposiciones.
> *¿A qué hora te levantas?*

4.3. Aplica

Lee primero las respuestas. Luego escribe las preguntas correspondientes usando la información del paréntesis.

a. __¿Cómo se llama tu hermana?__ (se llama – tu hermana) Andrea.

b. __¿Cuántos años tienen –__ (tienen – tus sobrinos – años) Marcelo, 18 y Jorge, 15.

c. __¿cuál es tu número?__ (es – tu número de teléfono) Es el 2154-3696.

d. __¿Dónde trabajas?__ (trabajas) En un banco.

e. __¿cuándo es tu –__ (ser – tu cumpleaños) El 3 de septiembre.

f. __¿De qué ciudad?__ (eres – ciudad) Soy de Buenos Aires.

1. En contexto

1

Este es mi auto nuevo. Muchos dicen que es un auto de diseño antiguo, pero a mí me gusta.

2

Horóscopo hindú. MESHA 15/04 al 15/05
El nacido bajo el signo de Mesha es emocional, dominante y orgulloso. Es una persona sentimental, le gusta liderar, tiene un carácter fuerte y, además, es muy honesto.

3

Diseño en el Mamba
La muestra es en el Museo de Arte Moderno de Buenos Aires. El Mamba está en la calle San Juan 350 y está abierto los días hábiles de 10 a 20 y los fines de semana de 11 a 20. La entrada cuesta 1 peso, y los miércoles el acceso es libre.

4

La estatua de cera de Lewis Hamilton ya está en el Museo de Londres
La figura fue presentada este miércoles en el Real Museo de Londres. La imagen es idéntica al piloto de McLaren y realmente impresiona.

Responde las preguntas y completa con un ejemplo extraído de los textos.

¿En qué texto
✓ se presenta un objeto? _____1_____
✓ se localiza un objeto en el espacio? _2_
✓ se explica el lugar donde ocurre un evento? _3_
✓ se describe el carácter de una persona? _2_

2. Las formas

	SER	ESTAR
yo	soy	estoy
tú	eres	estás
vos	sos	estás
él, ella, usted	es	está
nosotros, nosotras	somos	estamos
vosotros, vosotras	sois	estáis
ellos, ellas, ustedes	son	están

3. Los usos

3.1. *Ser*

SE USA PARA...	EJEMPLOS
a) identificar algo o a alguien.	*Este **es** mi primo Quique.* *Esos **son** los sillones que me gustan.*
b) describir o identificar a alguien por su profesión, religión, ideología, etc.	*Lorena **es** profesora de español en un instituto.* *Mis padres **son** socialistas.* *Tus abuelos **son** muy católicos, ¿no?*
c) explicar las cualidades físicas y el carácter.	*Enrique **es** alto.* *Claudia **es** muy simpática.*
d) expresar tiempo.	*Hoy **es** viernes, 27 de julio.* *La boda **es** el viernes 27 de julio.* ***Son** las diez y media de la mañana.*
e) describir el material.	*La falda **es** de lana.* *La silla **es** de madera.*
f) indicar el origen o la nacionalidad.	*Pedro **es** español./Pedro **es** de España.* *Esta alfombra **es** mexicana./Esta alfombra **es** de México.*
g) indicar propiedad o autoría.	*Esta pelota **es** del perro. (La pelota le pertenece al perro).* *Estas valijas **son** de Juan. (Las valijas le pertenecen a Juan).* *Esta canción **es** de Julio Iglesias. (Julio Iglesias es el autor).*
h) constatar y valorar algo.	***Es** evidente que me estás mintiendo.* *¿**Es** cierto que despidieron a Elena?* *No **es** verdad lo que dicen de Juan.* ***Es** horrible la guerra.*
i) indicar cantidades y precios.	*Hoy **somos** tres para comer.* *La camisa y los pantalones **son** 60 euros.*
j) valorar actividades.	*Esta película **es** muy buena, te la recomiendo.*

3.2. *Estar*

SE USA PARA...	EJEMPLOS
a) describir estados físicos o de ánimo.	*Hoy he trabajado mucho y **estoy** muy cansado.* ***Está** enfadado porque no fui a su fiesta.*
b) situar espacialmente.	*Bolivia **está** al norte de Argentina.* *Ya **estamos** aquí. ¡Buenos días!*
c) expresar una opinión favorable o desfavorable.	***Estoy** a favor de este político.* *La empresa **está** en contra de bajar los precios.*
d) constatar algo que puede ser demostrado o comprobado.	***Está** claro que **está** enfadado.*
e) expresar seguridad.	***Estamos** seguras de haber oído un ruido raro.* *Sandro **está** seguro de que no lo vio nadie.*

3.3. *Ser* y *estar* con adjetivos

I- El adjetivo no cambia de significado.

SER + adjetivo: se usa para describir la cualidad de algo o alguien.	ESTAR + adjetivo: se usa para describir un estado.
*Andrea **es** muy nerviosa, siempre tiene que estar haciendo algo.* *El departamento **es** muy moderno y sofisticado.*	*Andrea **está** muy nerviosa por el examen.* *El departamento **está** muy moderno y sofisticado.*

II- El adjetivo cambia de significado.

SER + adjetivo con su significado original.	ESTAR + adjetivo con cambio de significado.

*Mario **es** alegre*
(es una cualidad de Mario).
	*Mario **está** alegre.*
	    1. Mario está alegre hoy.
	    2. Mario está borracho.

*Tu hijo **es** muy atento*
(= amable).
	Tu hijo está muy atento.
	    1. Tu hijo está hoy más amable que de costumbre.
	    2. Tu hijo está prestando atención.

*Ella **es** buena*
(= bondadosa).
	Ella está buena.
	    1. Hoy está más bondadosa.
	    2. Está recuperada de una enfermedad.
	    3. Es guapa.

*¿Por qué María **es** tan molesta?*
(= importuna a los demás).
	¿Por qué María está tan molesta?
	    1. No siempre María importuna a la gente, pero en este momento sí lo está haciendo.
	    2. ¿Por qué María está disgustada/enfadada?

Mi nieto **es** *despierto* (= listo, inteligente).	*Mi nieto* **está** *despierto*. 1. Mi nieto está hoy más listo que de costumbre. 2. Mi nieto no está durmiendo.

III- **El adjetivo cambia de significado con el verbo *ser*.**

SER + adjetivo con cambio de significado.	ESTAR + adjetivo con su significado original.
Los niños **son** *aburridos*. 1. Los niños siempre se aburren. 2. Los niños aburren a los demás.	*Los niños* **están** *aburridos* (= *en este momento no tienen nada para hacer*).
Mabel **es** *una persona interesada*. 1. Mabel siempre muestra interés. 2. Mabel solo busca su propio beneficio.	*Mabel* **está** *interesada en la propuesta* (= *mostró interés*).
Nosotros **somos** *listos y por eso no nos despiden*. 1. Somos inteligentes.	*Nosotros* **estamos** *listos. Cuando quieras salimos* (= *preparados para salir*).

3.4. **Casos especiales**

Se usa para…	SER	ESTAR
a) hablar del precio.	*Ser* + número cardinal. *¿Cuánto* **es**? **Son** *120,00 pesos*. Indica el valor total de una compra.	*Estar a* + número cardinal. *Las manzanas* **están a** *12 pesos.* Expresa un precio cambiante.
b) hablar de la profesión o de la ocupación.	*Ser* + sustantivo. *Pedro* **es** *médico*. **Somos** *estudiantes de Filosofía.* Expresa la profesión u ocupación.	*Estar de* + sustantivo. *Simón* **está de** *licencia por paternidad.* *Este mes* **estoy de** *vendedora.* Indica una actividad laboral provisional.
c) localizar en el tiempo.	*Ser* + día de la semana/fecha. *Hoy* **es** *miércoles*. *Hoy* **es** *2 de abril*. *Ser* + artículo definido + número cardinal. **Es** *la una de la mañana*. **Son** *las tres de la tarde*. *Ser* + adverbio (*tarde* o *temprano*). *Es* **tarde**, *tengo que irme.*	*Estar a* + número/*en* + mes. **Estamos a** *2 de abril.* **Estamos en** *abril.*
d) localizar en el espacio. (Ver capítulo 7, *Haber, tener* y *estar*).	Acontecimiento + *ser* + preposición. *La película* **es en** *el Cine Astor.* Sitúa en el espacio un acontecimiento.	*Estar* + preposición. *La película* **está dentro** *del cajón.* *Fabio* **está en** *París.* Sitúa en el espacio una cosa o persona.
e) hablar de la temperatura.	*Ser de.* *La temperatura* **es de** *20 ºC.* *La humedad* **es de** *70%.*	*Estar a.* **Estamos a** *20 ºC.*

Voz pasiva con *ser* (Ver capítulo 49, *Las oraciones pasivas e impersonales*).

4. Ejercicios

4.1. Identifica

Lee los textos y realiza las actividades.

1

Xavi Hernández y Lionel Messi son los candidatos al Balón de Oro

2

La nueva ministra de Cultura es ingeniera, política y licenciada por la Universidad Complutense.

3

Re: ME PRESENTO, SOMOS DE VALENCIA

Hola a todos, me llamo Carlos y mi mujer es Amparo, somos los papás de Adrián y Ana.

 Bienvenidos

4

 ¿Cómo eres?

¿Sabes cómo eres? Compruébalo con nuestros divertidos tests.

- ¿Eres machista?
- ¿Eres feminista?
- ¿Eres normal?
- ¿Eres sociable?

5

La temperatura media de la superficie terrestre es de unos 15 °C

7

El auto es de mi hermano –dijo el jugador de fútbol cuando lo paró la policía.

8

por **Skuall18** 27 Sep 2005 18:22
¿Estáis contentos con vuestro trabajo?

por **SLAYER_G.3** 27 Sep 2005 18:34
Yo estoy en una empresa de telefonía y estoy muy satisfecho.

por **txavi** 28 Sep 2005 08:55
Trabajo en una oficina técnica y gano muy poco. No estoy contento con mi trabajo.

6

 ¿Es cierto que la Copa del Mundo no es de oro macizo?

9

El restaurante del hotel es magnífico y el bar es animado por la noche.

10

óscar 2010

Ya estamos aquí transmitiendo los premios Óscar

11

El Gobierno está a favor de subir los impuestos

12

Está claro que el nuevo culebrón de canal 25 es un éxito.

1. Transcribe oraciones de los textos que ilustren el uso del verbo *ser* para…

– indicar propiedad _El auto es de mi hermano._____

– identificar a alguien por su profesión _____

– hablar del carácter de una persona _____

– valorar actividades _____

– indicar una cantidad _____

– indicar el origen, el lugar de procedencia _____

– describir el material _____

– identificar a alguien _____

2. Transcribe oraciones de los textos que ilustren el uso del verbo *estar* para…

– situar espacialmente _____

– expresar una opinión favorable _____

– constatar algo que puede ser demostrado o comprobado _____

– describir estados de ánimo _____

4.2. Practica

1. Completa el cuadro con la información que falta.

	SER	ESTAR
	Soy	estoy
tú	eres	Estás
vos	sos	Estás
	Es	está
nosotros, nosotras	somos	Estamos
	sois	Estáis
ellos, ellas, ustedes	Son	están

2. Marca la opción correcta.

a. Tengo 20 años y son/**soy** alta y delgada.

b. ¿Tú **eres**/es Samira, la hermana de Samuel?

c. Tu piso **es**/eres muy luminoso.

d. Vos **sos**/sois el primo de Rubén, ¿no?

e. ¿Vosostros **sois**/son los responsables de la limpieza del hotel?

f. Las computadoras nuevas **son**/es muy modernas.

g. Roberto eres/**es** muy guapo.

3. Completa con *ser* o *estar* conjugado en la persona apropiada.

a. Los padres de Jorge __son__ ingleses.

b. Tu vestido __es__ muy original.

c. Este __es__ el dormitorio de mis padres.

d. ¿Qué hora __es__, por favor?

e. La reunión __es__ el jueves a las 14:00.

f. Los chicos no __están__ en casa a esta hora.

g. __Es__ verdad que voy a cambiar de trabajo.

h. Este abrigo no __es__ de buena calidad.

i. Los padres de Leo __están__ en contra del casamiento.

j. __es__ claro que Sofía quiere separarse de Antonio. x está

k. Tomás, ¿ __estás__ seguro de que tienes la dirección correcta?

l. __están__ contentos porque mañana no trabajamos.

m. La mesa __está__ de madera. x es

n. Federico __es__ actor, pero trabaja de camarero en un bar.

ñ. El jefe __está__ en su despacho. x es

o. Mi jefe __es__ autoritario.

p. La temperatura en estos momentos en la ciudad de Buenos Aires __está__ de 25 ºC. x es

q. Aquí generalmente no hace frío, pero hoy, la temperatura __es__ a 2 ºC. x está

4. Completa las oraciones con una expresión de la caja. Debes conjugar el verbo y hacer concordar el adjetivo.

a. Valentín __es listo__ y solo acepta buenos negocios.

b. Los niños __están listos__ para salir.

c. __Estoy interesado__ en comprar este piso.

d. Mi hermana __es aburrida__, solo me llama cuando necesita algo.

e. Las clases del prof. Gutiérrez __son aburridas__

f. Julia, si __estás aburrida__, busca algo útil para hacer.

> ser/estar listo
> ser/estar interesado
> ser/estar aburrido

4.3. Aplica

1. Completa los microdiálogos con *ser* o *estar*.

- ¿De dónde __eres__?
- __soy__ de Colombia.

- ¿A cuánto __están__ las manzanas?
- __están__ a 12 pesos.

- Quiero un kilo de papas y dos cabezas de ajo.
- Aquí tiene.
- ¿Cuánto __es__ todo?
- __es__ 15 pesos.

- ¿Cómo __es__ tu novio?
- __es__ moreno, alto y delgado.

- ¿Cómo __está__ tu novio?
- Bien, pero muy ocupado.

- ¿Qué hora __es__?
- __es__ las tres y media.

- ¿Qué día __es__ hoy?
- Hoy __es__ miércoles.

2. Haz una descripción de ti mismo, de tu físico, tu carácter, personalidad, profesión, estado de ánimo, etc.

6

LOS COMPARATIVOS Y LOS SUPERLATIVOS

1. En contexto

1

Negociar con el corazón es más provechoso que hacerlo con la cabeza.
Explicar algo con los sentimientos pueden dar mejores resultados que dar una opinión fría y objetiva.

2 ## Salarios: las mujeres ganan menos
Las mujeres ganan menos que los hombres, sufren más el desempleo y tienen más problemas para conseguir un puesto de responsabilidad.

Adaptado de http://www.terra.com

3 ## Afirman que bailar tango es tan saludable como hacer gimnasia.

4
BONITO Y TRANQUILÍSIMO APARTAMENTO EN ÚLTIMA PLANTA, MUY CERCA DEL MAR
PLAYA DEL INGLÉS

Este espacioso apartamento de 1 dormitorio es muy céntrico y tranquilo en el corazón de la playa del Inglés. Completamente renovado y amueblado. Complejo muy bien cuidado con piscinas grandes, cancha de tenis y aparcamientos.
Precio: 120 000.

Lee los cuatro textos y escribe si estas afirmaciones son **V (verdaderas)** o **F (falsas).**

Texto 1	Es mejor negociar con opiniones objetivas que con los sentimientos.	
Texto 2	Las mujeres tienen más problemas de desempleo que los hombres.	
Texto 3	Hacer gimnasia y bailar tango son dos actividades igualmente saludables.	
Texto 4	El apartamento está próximo del mar, pero alejado del centro.	

Las palabras marcadas en los textos sirven para hacer comparaciones. En español, los sustantivos, los adjetivos, los adverbios y los verbos se pueden comparar. Las comparaciones pueden ser de tres tipos:

   a) Superioridad: *hay más desempleo femenino que masculino*.
   b) Inferioridad: *las mujeres ganan menos que los hombres*.
   c) Igualdad: *el tango es tan bueno como la gimnasia*.

2. Las formas

2.1. **Los comparativos**

a) De superioridad

SUSTANTIVOS, ADJETIVOS Y ADVERBIOS	EJEMPLOS

a) **más** + sustantivo + **que**
        adjetivo
        adverbio
	*Jorge trabaja **más** <u>horas</u> **que** sus compañeros.*
	*Los dormitorios son **más** <u>amplios</u> **que** la sala.*
	*Andrea escribe **más** <u>rápido</u> **que** Carolina.*

b) verbo + **más** + sustantivo + **de lo que** + verbo
        adjetivo
        adverbio
	*José tiene **más** <u>experiencia</u> **de lo que** demuestra.*
	*Ana es **más** <u>inteligente</u> **de lo que** todos pensamos.*
	*Luciano vive **más** <u>cerca</u> **de lo que** supones.*

VERBOS	EJEMPLOS
a) verbo + **más que**	*Por la noche, Pedro <u>sale</u> **más que** sus amigos.*
b) verbo + **más de lo que** + verbo	*<u>Gasta</u> **más de lo que** <u>gana</u>.*

Comparativos especiales

bien/bueno	**mejor que**	*Carlos trabaja **mejor que** su hermano.*
mal/malo	**peor que**	*Su última novela es **peor que** la primera.*
grande	- **mayor que** (edad) - **mayor que/más grande que** (tamaño)	*Ana es dos años **mayor que** su marido.* *Creo que mi apartamento es más <u>grande</u> **(mayor) que** el de Rubén.*
pequeño	- **menor que** (edad) - **menor que/más pequeño que** (tamaño)	*Pedro es tres años **menor que** su hermano.* *El pantalón gris es más <u>pequeño</u> **(menor) que** el azul.*
alto	- **superior que/a** (cantidad) - **más alto que** (tamaño)	*El desempleo es **superior que** el año pasado.* *Juan es **más** <u>alto</u> **que** su padre.*
bajo	- **inferior que/a** (cantidad) - **más bajo que** (tamaño)	*Mi sueldo es **inferior que** el tuyo.* *Juan es **más** <u>bajo</u> **que** Paco.*

¡Atención!

Más bueno/Más malo pueden usarse en algunas expresiones coloquiales:
*Mi abuelo es **más bueno que el pan***: muy buena persona.
*Este chico es **más malo que el demonio**.*

b) De inferioridad

SUSTANTIVOS, ADJETIVOS Y ADVERBIOS	EJEMPLOS

a) **menos** + sustantivo + **que**
        adjetivo
        adverbio
	*Julio tiene **menos** <u>paciencia</u> con los niños **que** Ricardo.*
	*Lidia es **menos** <u>elegante</u> **que** Julia para vestirse.*
	*Isabel habla **menos** <u>rápido</u> **que** Sofía.*

b) verbo + **menos** + sustantivo + **de lo que** + verbo
        adjetivo
        adverbio
	*Tomamos **menos** <u>agua</u> **de lo que** deberíamos.*
	*Mi vestido azul es **menos** <u>caro</u> **de lo que** parece.*

VERBOS	EJEMPLOS
a) verbo + **menos que**	*Los perros <u>duermen</u> **menos que** los gatos.*
b) verbo + **menos de lo que** + verbo	*Lidia <u>come</u> **menos de lo que** le <u>recomendó</u> su médico.*

c) De igualdad

ADJETIVOS Y ADVERBIOS	EJEMPLOS
a) **tan** + adjetivo + **como** adverbio	*La receta de la paella es **tan** <u>fácil</u> **como** la de la fideuá.* *Pedro duerme **tan** <u>plácidamente</u> **como** su hermano.*
b) **igual de** + adjetivo + **que** adverbio	*El ejercicio 2 es **igual de** <u>complicado</u> **que** el 3.* *El teatro está **igual de** <u>lejos</u> **que** el cine.*

SUSTANTIVOS	EJEMPLOS
a) **tanto/a/os/as** + sustantivo + **como**	*En esta clase hay **tantos** <u>adolescentes</u> **como** adultos.* *La comida de mi suegra tiene **tanto** <u>sabor</u> **como** la de mi madre.* *José no tiene **tanta** <u>paciencia</u> **como** su compañero para pescar.*
b) **la misma cantidad de** + sustantivo + **que**	*En esta clase hay **la misma cantidad de** <u>adolescentes</u> **que** de adultos.*

VERBOS	EJEMPLOS
verbo + **tanto que** **igual que** **lo mismo que**	*Diana <u>gana</u> **tanto como** su marido.* *Pedro <u>habla</u> sobre el tema **igual que** un experto.* *Este apartamento <u>cuesta</u> **lo mismo que** una casa.*

2.2. Los superlativos

El superlativo es el grado máximo que puede tener un adjetivo o un adverbio. En español se puede formar de tres maneras.

a) *Muy* + adjetivo/adverbio

*Diego no deja de sorprenderme con sus ideas. Es un chico **muy** ingenioso.*
*Carolina sale **muy** temprano de su casa y vuelve de trabajar **muy** tarde.*

b) *–ísimo/–ísima*

ADJETIVO O ADVERBIO TERMINADO EN	USOS	EJEMPLOS
vocal	se sustituye la vocal por -*ísimo/-ísima/-ísimos/-ísimas.* temprano–tempranísimo tarde–tardísimo bueno–buenísimo	*Pablo está **contentísimo** con su nuevo juguete.* *Marcela llegó **tardísimo** de la facultad.* *La comida estaba **buenísima**.* *Los dos dormitorios son **grandísimos**.*
consonante	se agrega -*ísimo/-ísima/-ísimos/-ísimas.* difícil–dificilísimo hábil–habilísimo	*Este ejercicio es **dificilísimo** de resolver.* *Messi es un jugador **habilísimo** con la pelota.*
-n u *-or*	se agrega -*císimo/-císima/-císimos/-císimas.* Mayor–mayorcísimo Ladrón–ladroncísima	*Mi bisabuelo murió **mayorcísimo**.* *La urraca es **ladroncísima**.*
-z	cambia la *-z* por *-c* y se agrega -*ísimo/-ísima/-ísimos/-ísimas.* feliz–felicísimo audaz–audacísimo	*Están **felicísimos** en su luna de miel.* *Me gusta mucho tu proyecto porque es **audacísimo**.*
-ble	se agrega -*bilísimo/-bilísima/-bilísimos/-bilísimas.* amable–amabilísimo	*Es **notabilísima** su falta de educación.* *Es un hombre **amabilísimo**, siempre ayuda a los demás.*

Existen algunos superlativos irregulares: rico–riquísimo; largo–larguísimo; antiguo–antiquísimo; nuevo–novísimo; fiel–fidelísimo.

Superlativos especiales

bien/bueno	**óptimo**	*Esta persona es **óptima** para este trabajo.*
mal/malo	**pésimo**	*Has hecho un trabajo **pésimo**, tienes que hacerlo de nuevo.*
grande	**máximo**	*Alejandro Sanz es el **máximo** exponente de la música popular española.*
pequeño	**mínimo**	*Esto es lo **mínimo** que te puedo pedir. Hazlo, por favor.*

Más

Coloquialmente se usa también *re-, requete-, archi-, super-, extra-* y *ultra-* para formar los superlativos.
*Los parques de Madrid son **requetebonitos**.*
*Andrés es un chico **reinteligente**.*
*Ese restaurante es **archiconocido**.*

Algunos adjetivos, por su propio significado, ya tienen un valor superlativo. Por consiguiente no tienen una forma especial: *precioso* (muy bonito), *pésimo* (muy malo), *horrible* (muy feo), *fantástico* (muy bueno), etc. Para darles mayor intensidad se puede agregar *realmente* o *verdaderamente*.
*La cena fue **realmente fantástica**.*
*El vestido de Clara es **verdaderamente horrible**.*

c) El/la/los/las… más/menos de

Se utilizan para destacar a un o unos individuos u objetos de un grupo.

Superioridad	el/la//los/las (+ sustantivo) + **más** + adjetivo + **de…**	Carlos es **el más estudioso** <u>de la clase</u>. El Aconcagua es **la** montaña **más alta** <u>de América</u>. En esta calle están **las mejores** tiendas <u>de la ciudad</u>.
Inferioridad	el/la//los/las (+ sustantivo) + **menos** + adjetivo + **de…**	Es **la** decisión **menos justa** <u>de todas</u>. Pedro es **el menor** <u>de los hermanos</u>.

3. Los usos

3.1. Los comparativos con pronombres

Cuando comparamos personas y utilizamos pronombres, se usan los pronombres sujeto.
Yo soy más alto que tú.

3.2. Las comparaciones sin el segundo término

Frecuentemente no se expresa la segunda parte de la comparación cuando está clara en el contexto.

– *¿Tu auto y el de Pablo son del mismo año?*
– *No. El de Pablo es más antiguo.* (Se presupone «que el mío»)

– *¿Carlos y tú tienen la misma edad?*
– *No. Yo soy mayor.* (Se presupone «que Carlos»)

– *¿Las dos camisas cuestan igual?*
– *No, la blanca es más cara.* (Se presupone «que la otra»)

¡Atención!

En las comparaciones de igualdad con *tanto como* solo podemos omitir el segundo término de la comparación si la frase es negativa.
Yo no como tanto (como tú).
Carlos no hace tanta gimnasia (como ella).

3.3. Otras formas de expresar comparación

FORMA	USO	EJEMPLO
Parecerse a *Parecido/a a*	Expresa una semejanza entre dos elementos.	*Ana* **se parece** *mucho* **a** *sus tías.* *Esta comida es* **parecida a** *una que prepara mi madre.* *El niño es* **parecido a** *su padre.*
Idéntico/a a	Expresa una semejanza fuerte entre dos elementos.	*Esta prueba escrita está* **idéntica a** *la prueba de José Manuel.* *Esta blusa es* **idéntica a** *una que vi en otra tienda, pero esta es más barata.*
Distinto/a de *Diferente de*	Expresa la diferencia entre dos elementos.	*Hoy la ciudad está muy* **distinta de** *cuando yo vivía allí.* *Andrés es un chico* **diferente de** *sus compañeros de curso.*
Igual que	Expresa la misma manera de algo y también en la misma cantidad.	*Los chinos comen* **igual que** *los japoneses (con palitos/la misma cantidad).*
Lo mismo que	Expresa solo cantidades iguales.	*Tú ya no comes* **lo mismo que** *antes (cantidad de comida).*

4. Ejercicios

4.1. Identifica

Lee, marca las expresiones comparativas y superlativas, y clasifícalas.

1-

¿Mi empresa puede pagarme menos de lo que marca la ley?
Es que mi sueldo está por debajo.

2-

El aumento de precios es mayor que otros años, casi el doble

3- Enviar esta noticia   Imprimir

El sedentarismo es igual de peligroso que la hipertensión o el tabaquismo

4-

¿Cuánto cuesta la **más cara del mundo?**
Probar esta maravilla cuesta lo mismo que dar la vuelta al mundo.

5- Imprimir

Hotel Oasis Jandía Golf ★★★★

Avda. la Mancha s/n
Barranco de Vinamar,
Playas de Jandía
(España)

Nuria: Las habitaciones son tan amplias como en una casa, con terraza, cocina y baño. La limpieza, el servicio y la comida del hotel, estupendos.

6-

Vendo ordenador muy potente a un precio bajísimo

Equipo con menos de dos años en perfectísimo estado. Tiene un procesador AMD FX62, 2 gigas de ram ddr2, monitor de 19 pulgadas plano, teclado y ratón *logitech* de competición, etc. **Precio: 1 600 €**

Comparativos de superioridad	más amplio que
Comparativos de inferioridad	*menos de*
Comparativos de igualdad	*es igual de*
Superlativos en grado máximo	*más caro / bajísimo*
Superlativo limitado a un grupo	*más caro del mundo*

4.2. Practica

1. Completa las frases con las formas comparativas de superioridad o inferioridad según se indica en el paréntesis.

a. Raúl es _más gentil que_ su hermano Pedro. (gentil +)
b. Jorge tiene _meno   que_ su padre. (preocupaciones -)
c. Vivir en un departamento puede ser _mas   que_ vivir en una casa. (seguro +)
d. Pasar las vacaciones en el campo es _mas d que_ pasarlas en la playa. (divertido -)
e. Esta secretaria tiene _mas ex   que_ la anterior. (experiencia +)
f. La gente paga en efectivo _marras fr   que_ con tarjeta. (frecuentemente -)
g. En la clase de Guadalupe hay _menos - que_ en la clase de Marcelo. (alumnos -)
h. Felipe gasta _mas din que_ puede. (dinero +)
i. Consumimos _menos v que_ deberíamos. (verduras -)
j. Siempre digo que trabajar por cuenta propia _es mejor que_ hacerlo para otro. (bueno +)
k. Ana es mucho _mas mayor que_ su hermana. Ana le lleva diez años. (grande +)
l. Al final, el vestido resultó _menos caros de lo que_ pensamos. (caro -)

2. Relaciona las palabras de la caja con las frases. Luego usa esas palabras para completar los espacios con la forma comparativa indicada en el paréntesis.

> impacto – caro – ~~veloz~~ – facilidad – peligroso – polémicos – grande – ansioso – comodidades – rebeldes

a. El corredor venezolano es _más veloz que_ su rival paraguayo. (+)
b. Andrea no tiene _tanta felicidad_ su hermana para las Matemáticas. (=)
c. El territorio paraguayo es _más pequeños grand_ el territorio del Uruguay. (+)
d. En esta ciudad, viajar en autobús es _menos peligroso_ tomar un taxi. (-)
e. Pedro está _tan ansioso que_ sus compañeros de equipo por competir. (=)
f. Este hotel no ofrece _tantas comoo_ el hotel del centro. (=)
g. La noticia causó _menos im que_ las imágenes que pusieron en televisión (-)
h. Los canales públicos de televisión pasan programas de debates _más pole ar_ los canales privados. (+)
i. Dicen que las nenas son _menos rebeldes com_ los nenes, pero no sé si es verdad. (-)
j. Comprar un piso en Londres es _más caro que_ en Madrid. (+)

3. Completa los espacios con las formas comparativas de igualdad.

a. Esta casa tiene __tantos__ dormitorios __como__ baños. Es enorme.
b. La fiesta de este año fue __tan__ animada __como__ la del año pasado.
c. Creo que el francés es un idioma __tan__ difícil __como__ el español.
d. En nuestro país, los sueldos no aumentan __tanto como__ nos gustaría.
e. Para este cargo no piden __tantos__ requisitos __como__ para el cargo de gerente.
f. El sedentarismo tiene __tantas__ consecuencias malas __como__ el tabaquismo.
g. Mi madre ya no tiene __tanta__ paciencia con los niños __como__ antes.
h. Nunca me sentí __tan__ joven, con __tantas__ energías, con __tanto__ entusiasmo __como__ ahora.
i. En el cumpleaños de Sofía no hubo __tantos__ invitados __como__ el año anterior.

4. Elige el adjetivo adecuado de la caja y completa la frase con la forma del superlativo.

respetable–claro–hábil–feliz–largo–feo–audaz–bello

a. Mi hijo es _habilísimo_ con las manos. Arregla cualquier cosa.
b. La pintura de la pared quedó _felísimo_. Voy a cambiarla.
c. El doctor Pereda es un abogado _respetabilísimo_ Todos lo consultamos siempre.
d. Marcela es _audacísima_. Se metió sola a investigar dentro de la selva amazónica.
e. Son _bellísimos_ los ojos del bebé.
f. Estamos verdaderamente _felicísimos_ de poder compartir este momento contigo.
g. Esta película es _larguísimo_. ¡Parece que nunca termina!
h. La explicación del profesor fue _clarísimo_.

5. Forma frases con los elementos que damos. Ten en cuenta la forma del comparativo que te indicamos entre paréntesis.

a. (+) Jorge – inteligente – la clase. _Jorge es el más inteligente de la clase._
b. (+) María – más alta – su familia. _María es la más alta de su fam_
c. (–) Esta película – comercial – la muestra. _esta pec es la menos comercial que_
d. (–) Mis hijos – menos estudiosos – el curso. _mis hijos son los menos est_
e. (+) Esta catedral – antigua – España. _esta cat es la más antigua en_
f. (+) La tienda Leones – cara – el barrio. _la tiend es la más cara en el barrio_

4.3. Aplica

Lee los datos de Nora y Aldo y completa las frases.

	NORA	ALDO
Edad	49	58
Estado civil/hijos	Casada/2 hijos	Casado/4 hijos
Por la mañana	Se despierta a las 8. Desayuna un café y come una tostada.	Se despierta a las 6.30. Desayuna un café con leche, dos tostadas y una banana.
Trabajo	Empieza a trabajar a las diez de la mañana. Regresa a su casa a las seis de la tarde.	Empieza a trabajar a las ocho en punto. Regresa a su casa a las cinco. Dos veces por mes trabaja los sábados.
Tiempo libre	Hace gimnasia, natación y practica boxeo cuatro veces por semana. Por la noche sale una o dos veces por semana.	Sale a correr dos veces por semana. Casi todas las noches sale y se encuentra con amigos.

Aldo es nueve años _mayor_ _que_ Nora.
Los dos están casados y los dos tienen hijos: Aldo tiene cuatro y ella tiene dos _menos_ _que_ él.
Durante la semana, Aldo se despierta _más_ temprano _que_ Nora y come _mucho_ _más_ _que_ ella en el desayuno.
Nora empieza a trabajar _más_ tarde _que_ Aldo, pero él vuelve a su casa _más_ temprano _que_ ella.
De todas maneras, Nora no trabaja _tantas_ horas _que_ él. Por ejemplo, ella no trabaja los sábados.
Y a Nora no le gusta la vida nocturna _tanto_ _como_ a Aldo. Ella se queda en su casa _más_ _que_ él por las noches. Hace _más_ ejercicios físicos. Lo que pasa es que él tiene _menos_ tiempo libre _que_ ella para dedicarse al deporte.

7
HABER, TENER Y ESTAR

1. En contexto

APARTAMENTOS

Alquiler:	Apartamento Santa Catalina
Situación:	cerca de plaza Santa Catalina
Capacidad:	2-6 personas
Precio:	100-140 € por día
Permanencia:	Estancia mínima 3 días

El apartamento tiene dos dormitorios. El primer dormitorio está en la planta inferior y tiene dos camas individuales. El segundo dormitorio tiene cama de matrimonio y una pequeña sala de estar dentro de la habitación. Ambos dormitorios tienen un baño bien equipado.

◆ Vida nocturna en Barcelona

Barcelona es una ciudad muy animada durante la noche. En Barcelona hay una gran variedad de posibilidades para todos los gustos. Incluso hay tablaos flamencos, como el Tablao Flamenco Cordobés. Para los interesados en las tapas, hay bares de este tipo por toda la ciudad.

El Museo Dalí - en Figueres

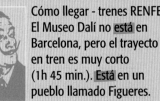

Cómo llegar - trenes RENFE. El Museo Dalí no está en Barcelona, pero el trayecto en tren es muy corto (1h 45 min.). Está en un pueblo llamado Figueres.

Lee los textos y responde las preguntas.

Texto 1 ¿Cuántas habitaciones tiene el apartamento? _dos_
¿En qué planta está la habitación con dos camas? _inferior_
¿Qué cosas tiene el segundo dormitorio? _una cama de matrimonio_

Texto 2 ¿Qué lugares hay en Barcelona para salir de noche? _muchos lugares_

Texto 3 ¿Dónde está el Museo Dalí? _en un pueblo que se llama Figueres_

Los verbos *haber*, *tener* y *estar*, subrayados en los textos, se usan generalmente para describir.

En general, con el verbo *tener* expresamos la posesión de objetos: «El departamento tiene dos dormitorios…»; «El primer dormitorio tiene dos camas individuales»; «El segundo dormitorio tiene una cama de matrimonio y una pequeña sala de estar dentro de la habitación» y «Ambos dormitorios tienen un baño bien equipado».

Con el verbo *haber* expresamos la existencia: «En Barcelona hay una gran variedad de bares y pubs para todos los gustos…»; «Incluso hay tablaos flamencos» y «…hay bares de este tipo por toda la ciudad».

Y con el verbo *estar* indicamos la localización en el espacio: «El Museo Dalí no está en Barcelona…» y «Está en un pueblo llamado Figueres».

2. Las formas

VERBOS	ESTRUCTURA	EJEMPLOS
HABER	Con sustantivos indeterminados. Localización espacial + *hay* + personas. Objetos indeterminados.	*En la esquina **hay** una panadería.* ***Hay** varias personas en la sala.* ***Hay** un coche mal estacionado.*
TENER	Con objetos, personas y lugares.	*Esta ciudad **tiene** buenos museos.* *La cocina no **tiene** armarios.* *El cuarto no **tiene** baño privado.*
ESTAR	Con sustantivos determinados + *estar* + localización espacial.	*El cine **está** a dos cuadras.* *Pedro **está** en la fiesta de Ana.* *En la esquina **está** el restaurante que buscas.*

3. Los usos

3.1. Contraste *haber, tener* y *estar*

VERBOS	USOS	EJEMPLOS
HABER	Expresa la existencia de objetos, personas o lugares en un espacio. Las frases no tienen sujeto.	*Sobre la mesa **hay** un jarrón chino.* ***Hay** personas esperando.*
TENER	Indica que alguien o algo posee, contiene o comprende los objetos, personas y lugares.	*Mi casa es grande. **Tiene** cuatro dormitorios.*
ESTAR	Localiza un objeto o una persona en un espacio determinado.	*Los niños **están** en el jardín.* *Encima de la mesa **está** el equipo de música.*

3.2. Posibles combinaciones con *haber* y *estar*

HABER	Sustantivos comunes sin artículo.	*¿**Hay** médicos de guardia hoy?*
	Artículos indefinidos: *un, una, unos, unas.*	***Hay** un nuevo alumno en la clase.*
	Números: *uno, dos, tres,* etc.	*En el equipo **hay** dos jugadores españoles.*
	Alguien, algo, alguno, nadie, nada, todo lo que, mucho, poco, ninguno.	*¿**Hay** alguien que conoce esta calle?*

ESTAR	Sustantivos propios.	*En la reunión **está** Daniel.*
	Artículos definidos: *el, la, los, las.*	*Sobre la mesa **está** el diccionario de español.*
	Demostrativos y posesivos.	*En la puerta **está** esa chica que va contigo a la escuela.* *Como no **están** mis amigos, me voy.*
	Pronombres personales.	***Estamos** tú y yo solos, podemos conversar.*

4. Ejercicios

4.1. Identifica

1. Lee los textos y responde las preguntas.

1-

¿Qué hay en Buenos Aires para gente joven?

En Buenos Aires hay un barrio con mucha movida joven que se llama Palermo Hollywood, *donde hay muchos bares y restaurantes. Cerca de allí, está Plaza Serrano, un lugar con varias discotecas para divertirse.*

3-

¿Dónde hay una tienda macrobiótica en Madrid?

Mira, hay una que se llama Ecocentro. *La tienda está cerca del metro Ríos Rosas.*

5-
INMOBILIARIA (6642)

Cambio apartamento en Ocumare por casa en Caracas, Venezuela

Mi apartamento tiene sala, cocina, baño, dos habitaciones, lavandería y está en buen estado. En todas las habitaciones hay aire acondicionado. Está a dos cuadras del mar.

Mi número de teléfono es 02397163303

2- **El barrio de Boedo de Buenos Aires** es un barrio residencial y tranquilo,

con casas antiguas y modernos edificios. El barrio no tiene espacios verdes, pero las veredas tienen hermosos árboles que le dan vida.

4-

VEN A MÉXICO

México tiene volcanes de belleza increíble, son como paisajes lunares de La Tierra.

6-

La estación de Ollantaytambo–Perú

La estación está camino a Machu Picchu. Hay puestos de venta de comidas y bebidas, y artesanía. La estación tiene mucha actividad porque hay trenes locales que van a Cuzco y Aguascalientes. ➡

Texto 1	¿Qué es Palermo Hollywood? *un barrio con muchos jovénes* ¿Qué hay cerca de allí? *está plaza serrano*
Texto 2	¿Cómo son los edificios de Boedo? *son modernas* ¿Qué no tiene este barrio? *es unos espacios verdes*
Texto 3	¿Cómo se llama la tienda macrobiótica? *ecocentro* ¿Dónde está? *cerca del metro rías rosas*
Texto 4	¿Por qué recomiendan visitar México? *es como paisajes lunares de la terra*
Texto 5	¿Es grande el apartamento? ¿Por qué? *si, hay muchas habitaciones* ¿Qué tienen las habitaciones? *aire acondicionado* ¿Dónde está? *dos cuadras del mar*
Texto 6	¿Dónde está la estación? *está camino a machu picchu* ¿Qué se puede comprar? *comedias, bebidas, artesanía*

2. Transcribe las frases del texto que se corresponden con las descripciones.

Se expresa la existencia de objetos, personas o lugares. Se pregunta por la existencia de un objeto, persona o lugar.	– – – – – –
Se expresa que alguien o algo posee o contiene los objetos, personas y lugares.	– – – –
Se localiza un objeto o una persona en un determinado espacio.	– – –

4.2. Practica

1. Subraya la forma verbal correcta en cada caso.
   a. En mi casa no **está/hay** lavadora.
   b. El jardín **tiene/hay** unas sillas muy bonitas.
   c. ¿Qué **está/hay** detrás de la nevera?
   d. **Está/Hay** un hombre sospechoso en la puerta de tu casa.
   e. La cafetería **hay/está** a dos cuadras.
   f. Mi casa **hay/tiene** un bello jardín.
   g. En Madrid **están/hay** muchos museos.
   h. Mi edificio **tiene/hay** varios apartamentos en venta. **Hay/Están** en el primero y en el segundo piso.
   i. Perdón, señor, ¿dónde **tiene/está** la parada de autobuses?
   j. En la casa de mi abuela **hay/tiene** un piano muy antiguo.

2. Completa las frases con *un, una, unos, unas, el, los, la, las* o escribe ø.
   a. ¿Dónde está ___la___ tienda de la abuela?
   b. En la calle principal está ___el___ mejor hotel de la ciudad.
   c. Por aquí cerca hay ___un___ conocido restaurante de comida vegetariana.
   d. Marcelo, creo que no hay _____ leche en la nevera.
   e. En Cartagena, en Colombia, hay ___unos___ edificios antiguos que debes visitar.
   f. ¿Puedes decirme dónde hay ___una___ panadería en el barrio?
   g. En la fiesta no está _____ Gloria.
   h. Últimamente hay ___unos___ programas muy interesantes en la tele.
   i. En esta avenida están ___las___ mejores tiendas de ropa de la ciudad.
   j. Al lado de mi casa hay ___unos___ vecinos muy antipáticos.

3. Completa con *hay, tiene, tienen, está, están.*

a. En la sala __está__ el jarrón chino de mi abuela.

b. La sala de mi casa __tiene__ solamente una mesa y dos sillas.

c. A la derecha de la entrada de mi apartamento __está__ *x hay* un baño pequeño.

d. Estas pequeñas ciudades de provincia no __tienen__ ni cines ni teatros.

e. El laboratorio de la escuela __tiene__ cinco microscopios.

f. Sobre la mesa __está__ *x hay* una carta para ti.

g. Sobre la mesa __hay__ *x está* la carta de los abuelos.

h. Mi abuela __tiene__ varios gatos y perros. Adora los animales.

i. __está + hay__ un poco de café. ¿Quieres?

j. En la empresa __hay__ dos nuevas computadoras. __están__ en el Departamento Financiero.

4. Completa con las frases que faltan.

a.	Mi ciudad no tiene muchos edificios altos.	En mi ciudad no hay muchos edificios altos.
b.	estos libros no tienen im	En estos libros no hay imágenes.
c.	¿Tu casa no tiene balcones?	Hay balcones en tu casa?
d.	Qué sala tiene más -	¿En qué sala hay más alumnos?
e.	Las habitaciones del hotel no tienen tele.	No hay un tele en
f.	Mi barrio tiene varios -	En mi barrio hay varios restaurantes.
g.	El hospital no tiene espacio para tantos enfermos.	en el hos, hay espacio

5. Completa esta descripción con los verbos *haber, tener* y *estar* debidamente conjugados.

El barrio Rosedal __está__ en la entrada de la ciudad y es un barrio pequeño que __tiene__ pocas calles. El Rosedal casi no __tiene__ comercios. Son muy pocos y __están__ todos muy cerca uno del otro. Al lado de mi casa __hay__ un pequeño supermercado. Al lado del supermercado __está__ la oficina de Correos y enfrente __está x hay__ un banco. A dos cuadras del banco __hay x están__ el hospital y la farmacia. Pocas calles tienen semáforos porque __tiene / hay__ pocos coches y casi no hay autobuses. Es un barrio muy tranquilo y no __hay__ problemas de seguridad.

4.3. Aplica

Describe esta sala. Usa el siguiente vocabulario.

Objetos: ventana – cortina – sillón – alfombra – mesa de centro – varias plantas – pequeño aparador – mesita lateral pequeña – cuadros – libro – objeto de decoración – estante – lámpara de techo

Localización: encima de *on top* – al lado de – delante de – sobre – a la derecha de – a la izquierda de

LOS ADVERBIOS, LAS LOCUCIONES Y LAS PREPOSICIONES DE LUGAR

8

1. En contexto

1 Gabriela-Sabatini: «Volver a jugar acá, en la Argentina, es increíble».

2  Nadal confirma su participación en Queen's: «Jugar allí es especial».
Es agradable volver a un sitio donde has sido campeón.

3 Cuando vivís afuera y deseás volver, es muy triste escuchar:
«¡Quedate allá, porque no sabés cómo está todo acá!».

4

JAVIER BARDEM
MAR ADENTRO
una película de
ALEJANDRO AMENÁBAR

FUERA DE CARTA

Marca la alternativa correcta

Texto 1
En la frase *Volver a jugar acá, en la Argentina,* *acá* indica que:

   a) Gabriela está en Argentina. ☐

   b) Gabriela no está en Argentina. ☐

Texto 2
En la oración *Jugar allí es especial,* la palabra *allí* indica que:

   a) Nadal está en Queen s. ☐

   b) Nadal no está en Queen's. ☐

Texto 3
En la frase *Quedate **allá**, allá* indica:

   a) un lugar donde el hablante no está. ☐

   b) el lugar donde está el hablante. ☐

Texto 4
Las expresiones resaltadas en *Mar adentro* y *Fuera de carta* se usan para:

   a) situar y localizar elementos en el espacio. ☐

   b) situar y localizar elementos en el tiempo. ☐

Las palabras marcadas en los textos se utilizan para ubicar personas o cosas en el espacio con relación a la persona que habla.

2. Las formas

2.1. Adverbios de lugar demostrativos

Adverbios	Relacionado con...	Relacionado con el demostrativo	Ejemplos
aquí/acá	en este lugar (yo)	este, esta, estos, estas.	Vivo **aquí**, en esta ciudad maravillosa.
ahí	en ese lugar (tú)	ese, esa, esos, esas.	Espérame **ahí** en tu casa.
allí/allá	en aquel lugar (él/ella)	aquel, aquella, aquellos, aquellas.	¿Eres de Suecia, no? Me han dicho que **allí** hace mucho frío.

2.2. Adverbios, locuciones y preposiciones de lugar

Adverbios	Locuciones	Preposiciones
abajo/debajo	abajo de/debajo de	bajo
arriba	arriba de	sobre
encima	encima de	
atrás/detrás	atrás de/detrás de	tras
adelante/delante	adelante de/delante de	ante
adentro/dentro	adentro de/dentro de	en
afuera/fuera	afuera de/fuera de	
cerca	cerca de	
lejos	lejos de	
enfrente	frente a	
alrededor	alrededor de	
	al lado de	

¡Atención!

En algunos países de Hispanoamérica se utiliza **acá** en lugar de **aquí** y **allá** en lugar de **allí**.

3. Los usos

Ubicación	Expresión	Contexto de uso	Ejemplo
En la parte **inferior** de un lugar	abajo	Una posición absoluta inferior, sin compararla con otra.	Niños, ¿por qué no juegan **abajo**? Jorge está **abajo**. Llámalo.
	debajo de	Una posición inferior en relación con otra.	Luis vive **debajo de** su madre, él en el 4.º y su madre en el 5.º
	bajo	En contextos figurados.	A Luis le encanta caminar **bajo** la lluvia. **Bajo** la dictadura, no se podría opinar.

1. En algunas variedades dialectales del español de América, se usa indistintamente *abajo de, debajo de, bajo.*

   *Antonio esconde el dinero **abajo de/debajo de/bajo** la cama.*

2. ***Debajo de*** indica localización en relación con un segundo elemento. Este segundo elemento puede no expresarse si es conocido por los interlocutores o ya fue mencionado.

   *Los chicos se escondieron **debajo** de la mesa.*

   *Los chicos vieron la mesa y se escondieron **debajo**.*

3. Otros usos de ***abajo***:

   a. Cuando está al lado de un sustantivo indica 'en dirección a la parte inferior':

      *Carlos corre escaleras **abajo**.*   *La canoa iba río **abajo**.*

   b. Se usa para expresar desaprobación de algo o alguien:

      *¡**Abajo** la dictadura!*   *¡**Abajo** el director!*

   c. En Hispanoamérica, puede indicar cantidad con el significado de 'menos'.

      *Ese apartamento no cuesta **abajo de** 200 000 pesos.*

Ubicación	Expresión	Contexto de uso	Ejemplo
En la parte **superior** de un lugar	arriba	Una posición absoluta superior, sin compararla con otra.	*Los dormitorios están en el piso de **arriba**.* *Deja tu equipaje **arriba**.*
	encima de	Una posición superior en relación con otra.	*No dejes tus cosas **encima de** la mesa.* *Cuelga la lámpara **encima de** la cama.*
	sobre	Indica una posición superior con respecto a otra, pero indica un contacto físico.	*No dejes tus cosas **sobre** la mesa.* *La invitación está **sobre** tu cartera.*

1. ***Encima de*** indica localización en relación con un segundo elemento. Este segundo elemento puede no expresarse si es conocido por los interlocutores o ya fue mencionado.

   *Deja tus cosas **encima de** la mesa.*

2. Con los verbos *llevar* o *tener* seguido de objetos de uso personal se utiliza ***encima*** con el sentido de 'tener o llevar algo sobre la propia persona'.

   *¿Cuándo dinero tienes/llevas **encima**?*

3. Otros usos de ***arriba***.

   a. Cuando está al lado de un sustantivo indica 'en dirección a la parte inferior':

      *Carlos corre calle **arriba**.*   *Río **arriba**.*

   b. Se usa para expresar desaprobación de algo o alguien y celebrarlo:

      *¡**Arriba** el Barcelona!*   *¡**Arriba** Maradona!*

Ubicación	Expresión	Contexto de uso	Ejemplo
En la parte **posterior** de un lugar	atrás	Una posición absoluta posterior, sin compararla con otra.	*Los baños están **atrás**.* *Mira para **atrás**, a ver si ves a los chicos.*
	detrás de	Una posición posterior en relación con otra.	*Hay un bonito jardín **detrás de** la casa.* *Se escondió **detrás de** una cortina.*
	tras	En contextos figurados.	*Cambió de opinión **tras** tus palabras.*

1. En algunas variedades dialectales del español de América se usa indistintamente **atrás de, detrás de** y **tras** con significado equivalente.
   *La mujer se escondió **atrás de/detrás de/tras** la cortina.*

2. **Detrás de** indica localización en relación con un segundo elemento. Este segundo elemento puede no expresarse si es conocido por los interlocutores o ya fue mencionado.
   Detrás de *la puerta hay una pequeña sala de reuniones.* **Detrás** *hay una pequeña sala de reuniones.*

3. **Atrás** cuando va después de un sustantivo expresa tiempo con idea de anterioridad.
   *Tiempo **atrás** íbamos con mis amigos a jugar al fútbol.*

Ubicación	Expresión	Contexto de uso	Ejemplo
En la parte **anterior** de un lugar	adelante	Con verbos de movimiento.	*No podemos seguir **adelante**.*
	delante	Una posición absoluta anterior, sin compararla con otra.	*En el cine, me siento **delante** para ver mejor.*
	delante de	Una posición anterior en relación con otra.	*Dejé la basura **delante de** la puerta de casa.*
	ante	En contextos figurados.	*El acusado declaró **ante** el juez de la causa.*

1. En algunas variedades dialectales del español de América, se usa indistintamente **adelante** y **delante** con significado equivalente.
   *En el desfile, las personalidades van **delante/adelante**.*

2. **Delante de** indica localización en relación con un segundo elemento. Este segundo elemento puede no expresarse si es conocido por los interlocutores o ya fue mencionado.
   *Carlos estacionó el coche **delante de** un camión.*

3. La preposición **ante** significa estar *delante de* o en *presencia de* algo o alguien.

Ubicación	Expresión	Contexto de uso	Ejemplo
En la parte **interior** de un lugar	adentro	Con verbos de movimiento.	*Vamos **adentro** que aquí hace frío.* *Se metió bosque **adentro**.*
	dentro	Una posición interior absoluta.	*Carlos se queda **dentro**. No quiere salir.* *Luis ve una caja vacía y pone sus juguetes **dentro**.*
	dentro de	Una posición interior en relación con otra.	*A María la esperan sus padres **dentro** de la casa.* **Dentro** *de la gaveta están mis gafas.*

1. En algunas variedades dialectales del español de América, se usa indistintamente ***adentro*** y ***dentro*** con significado equivalente. De la misma manera, se usa indistintamente ***adentro de*** y ***dentro de***.
   *Una mujer compró un sofá que **dentro/adentro** tenía un gato.*
   *No se puede fumar **dentro de/adentro de** este restaurante.*

2. ***Dentro de*** indica localización en relación con un segundo elemento. Este segundo elemento puede no expresarse si es conocido por los interlocutores o ya fue mencionado.
   *Ana puso las fotos **dentro de** una caja.*

3. ***Dentro de*** con cantidad de tiempo indica el tiempo que debe transcurrir para que ocurra una acción futura.
   *Nos vemos **dentro de** tres días.*
   ***Dentro de** una hora habré terminado este ejercicio.*

4. ***Adentro***, cuando va después de un sustantivo, significa 'en dirección a la parte interior' del lugar indicado por el sustantivo.
   *Mar **adentro**.*

Ubicación	Expresión	Contexto de uso	Ejemplo
En la parte exterior de un lugar	afuera	Con verbos de movimiento.	*Nos vamos **afuera**, que hace bueno.*
	fuera	Una posición exterior absoluta.	*Estaremos **fuera** durante todo el verano.*
	fuera de	Una posición exterior en relación a otra.	*Hay gente que no se acostumbra a vivir **fuera** de su país.*

1. En algunos países de Hispanoamérica, se usa indistintamente ***afuera*** y ***fuera*** con significado equivalente. De la misma manera, puede usarse indistintamente ***afuera de*** y ***fuera de***.
   *Juan no para un mes en su casa. Vive todo el año **afuera/fuera**.*
   *Ana duerme **afuera de/fuera** de su casa dos veces por semana.*

2. ***Fuera de*** indica localización en relación con un segundo elemento. Este segundo elemento puede no expresarse si es conocido por los interlocutores o ya fue mencionado.
   *El director salió un momento **fuera de** la sala.*
   *El director salió un momento **fuera**.*

3. Otros usos de ***fuera de***:
   a. ***Fuera de* + pronombre** también puede tener el sentido de 'estar muy enojado':
   *La discusión con su marido puso **fuera de sí** a Marcela.*
   *Cuando estoy **fuera de mí**, no quiero hablar con nadie.*
   b. Significa también 'excepto, salvo':
   ***Fuera de** Marcelo, nadie más conoce esta historia.*

Ubicación	Expresión	Contexto de uso	Ejemplo
En la parte próxima	Cerca	Una posición próxima absoluta.	*La panadería queda **cerca**. Puedes ir a pie.*
	Cerca de	Una posición próxima en relación a otra.	***Cerca del** teatro, está el restaurante que te recomendé.*
En la parte distante	Lejos	Una posición distante absoluta.	*Debes ir en coche porque están **lejos**.*
	Lejos de	Una posición distante en relación a otra.	*Vive **lejos de** aquí a 10 km.*

1. Con ***cerca de*** también podemos expresar un tiempo aproximado.
*Pedro vivió **cerca de** cinco meses en Bolivia.*
*Son **cerca de** las ocho. ¿Nos vamos?*

2. La expresión ***de cerca*** significa 'a corta distancia':
*Carlos vio **de cerca** el accidente.*

3. Con ***lejos de*** expresamos también 'distancia', pero en sentido figurado:
***Lejos de** Marcela ofenderte.* (= Marcela no tenía la intención de ofenderte)
***Lejos de mí** querer hacer ese viaje.* (= no quiero en absoluto hacer ese viaje)

Para ubicar objetos o seres animados	Se usa	Ejemplo
en un lugar **contiguo**	al lado/al lado de	*¿Conoces el bar de Alfredo? Bueno, pues la pizzería está **al lado**.* * **Al lado de** mi casa hay una pequeña tienda de ropa.*
en un lugar **opuesto** o que está **cara a cara** con otro	enfrente frente a/enfrente de	*Urgente, vendo hotel con estacionamiento **enfrente**.* * En la cena, me senté **frente a/enfrente de** mi cuñada.* * **Enfrente de/Frente a** mi edificio está el famoso restaurante Planeta s.*
en un lugar **circundado** o **rodeado** por otros	alrededor/alrededor de	*Si miras **alrededor**, verás muchas construcciones modernas.* * En este hotel, todas las habitaciones están **alrededor de** la piscina.*

1. ***Frente a*** y ***enfrente de*** se usan indistintamente y con significado equivalente.
*Por las tardes a Juan le gusta sentarse **enfrente de/frente a** la ventana.*

2. ***Alrededor de*** se usa también con el significado de 'aproximadamente':
*Mariana tiene **alrededor de** quince años.*
*Nos encontramos en tu casa **alrededor de** las nueve. ¿Te parece bien?*

■ Las preposiciones y las expresiones de lugar

Delante de las expresiones de lugar se pueden colocar diferentes preposiciones:

*Desde la ventana miro **hacia** <u>fuera</u> y no veo a nadie.*

De <u>adentro</u> del apartamento salía un fuerte
olor a gas.

*El jugador lanzó el balón **hacia** <u>arriba</u>.*

*Te aseguro que **desde** <u>adelante</u> vamos a ver
mejor el escenario.*

*Marcelo se acercó lentamente **por** <u>atrás</u> y
le hizo una broma a su hijo.*

> **¡Atención!**
>
> No se usa la preposición **a** delante de las expresiones
> que empiezan con **a-**
> Pedro iba **a** arriba. → Pedro iba arriba.
> Miré a Juan de arriba **a** abajo. → Miré a Juan de arriba abajo.
> Andrea va **a** adelante. → Andrea va adelante.

■ Los posesivos y las expresiones de localización espacial: *¿detrás de mí?* o *¿detrás mío?*

En el español actual es posible escuchar las dos formas: con pronombre personal (*mí, ti, vos, él, etc*)
y con posesivos (*mío, tuyo, suyo, etc*), aunque esta segunda forma no es correcta.

Otras expresiones

Expresión	Ejemplos	Sentido
aquí/acá ahí + nomás/mismo allí/allá aquí/acá tiene	*Déjeme **aquí** <u>nomás</u>* *Quédate **ahí** <u>mismo</u>, ya voy a buscarte.* ***Aquí** <u>tiene</u> su tarjeta de embarque.*	Enfatiza el lugar que se señala. Acompaña el acto de entregarle algo a alguien.
de **ahí**	*Juan aún no ha vuelto; <u>de</u> **ahí** mi preocupación.*	Quiere decir: «por eso».
ni **ahí**	*No estoy <u>ni</u> **ahí** con tus problemas.*	Indica indiferencia a algo.
allá por	*Mis padres vinieron de Italia **allá** <u>por</u> los años 20.*	Indica un momento no preciso.
el más **allá**	*¿Tú crees en el <u>más</u> **allá**?*	Quiere decir: «el mundo de ultratumba».
allá tú/él/vosotros/ellos /ustedes	*¡**Allá** <u>tú</u> con tus problemas!*	Manifiesta desdén o despreocupación.

4. Ejercicios

4.1. Identifica

Lee los textos y realiza las actividades propuestas.

(1) Yoga: La Postura Cabeza Abajo *(Shirshasana)* o Reina de *las Asanas tiene muchos beneficios*, tanto físicos como *mentales*.

(2) *¿Por qué las cucarachas mueren boca arriba?*

Al morir, las patas de la cucaracha se contraen, pero no todas al mismo tiempo ni a la misma velocidad. Por eso el insecto pierde el equilibrio y queda volteado panza arriba.

(3) **Chimpancés detrás de las cámaras**

No se trata de una broma. Ayer, el segundo canal de la BBC estrenó Chimpcam, el primer documental del mundo grabado íntegramente por chimpancés.

(4) **CINE**
«Estar delante de las cámaras no me gusta nada, soy tímido»

Ian Querejeta, el joven director de quince años, comparte con su madre y su abuelo la pasión por el cine.

(5) **Allá lejos y hace tiempo**

(Armando Tejada Gómez - Ariel Ramírez)
Lejos, muy lejos del sol
vuelve el recuerdo de allá
siento en mis ojos brillar
el azul soledad de mi tierra
natal.

(6) *¿Qué información puede encontrar dentro de nuestro sitio?*

Aquí encontrará todo lo necesario para tener su propio sitio o aplicación web.

7 **Comer fuera no siempre engorda**

La Fundación Española del Corazón (FEC) asegura que salir a comer fuera a menudo no tiene por qué engordar.

8 **¿Te mojas más o te mojas menos si corres bajo la lluvia?**

Tras una investigación se demuestra que, si corres bajo la lluvia, te mojas ligeramente menos.

1. Marca las alternativas correctas.

Texto 1	En el ejercicio de yoga: **a.** los pies están en el aire. X **b.** la cabeza está apoyada en el piso. X
Texto 2	Cuando mueren, las cucarachas quedan: **a.** sobre la espalda. ☐ **b.** de lado. ☐ **c.** sobre las patas. ☐
Texto 3	Los chimpancés: **a.** son los actores de un documental. ☐ **b.** registran las imágenes para un documental. ☐
Texto 4	**a.** Ian Querejeta es un actor joven. ☐ **b.** A Ian Querejeta no le gusta actuar. ☐
Texto 5	El personaje: **a.** no vive en el mismo lugar donde nació. ☐ **b.** recuerda el lugar donde nació. ☐
Texto 6	**a.** El sitio contiene información y productos para tener un sitio web. ☐ **b.** Aquí se refiere al propio sitio. ☐
Texto 7	En el texto, *comer fuera* significa comer: **a.** en un restaurante. ☐ **b.** en el jardín. ☐ **c.** en el campo. ☐
Texto 8	**a.** Para no mojarse cuando llueve, hay que correr. ☐ **b.** Si uno corre, se moja un poco menos. ☐

2. Subraya los adverbios, locuciones y preposiciones de lugar presentes en los textos y transfiérelos al cuadro.

	Adverbios	**Locuciones**	**Preposiciones**
Texto 1	*abajo*		
Texto 2			
Texto 3			
Texto 4			

Texto 5		
Texto 6		
Texto 7		
Texto 8		

4.2. Practica

1. Subraya la opción correcta.

   a. ¿Qué precio tiene la chaqueta que está **allí/aquí/ahí** en aquel mostrador?

   b. **Aquí/Ahí/Allí** en este museo se encuentra lo mejor del arte de América Latina.

   c. ¿Tienes un bolígrafo **ahí/acá/allá** entre tus cosas?

   d. Aquella mujer que está **allá/ahí/acá** a la derecha es una actriz muy famosa.

   e. Los libros que se encuentran **ahí/allí/aquí,** en esa mesa, están con descuento.

   f. ¿Vivís **aquí/ahí/allí,** en esta playa maravillosa, hace mucho tiempo?

   g. Hola, Antonio, habla Josefina. ¿Tienes luz **allá/ahí/acá** en tu casa? Es que **aquí/ahí/allí** estamos a oscuras.

2. Combina un elemento de cada columna de acuerdo con el significado de la palabra subrayada.

   1. En la parte inferior

   2. En la parte superior

   3. En la parte anterior

   4. En la parte posterior

   5. En la parte interior

   6. En la parte exterior

   7. En una parte próxima

   8. En una parte distante

   a. Encontraron el perro muy <u>lejos</u> de casa.

   b. <u>Afuera</u>, en el jardín, tenemos una parrilla.

   c. Abelardo pasa el día <u>delante</u> del ordenador.

   d. El gato se esconde <u>debajo</u> de la cama.

   e. Los zapatos nuevos están <u>dentro</u> de la caja.

   f. Me parece que hay un ratón <u>detrás</u> del ropero.

   g. Mis amigos viven <u>en</u> el barrio, <u>cerca</u> de mi casa.

   h. Deja los contratos <u>sobre</u> el escritorio del Dr. Gómez.

3. Marca la(s) alternativa(s) correcta(s) para cada caso.

   a. La alfombra está   **1.** debajo de la cama. ☒   **2.** abajo. ☐

   b. La lámpara está   **1.** sobre la mesa. ☐   **2.** arriba de la mesa. ☐

   c. Los excursionistas caminan monte   **1.** arriba. ☐   **2.** encima. ☐

   d. La fruta está   **1.** sobre la nevera. ☐   **2.** arriba de la nevera. ☐

   e. Juan es mi vecino   **1.** de abajo. ☐   **2.** bajo. ☐

   f. La mujer está   **1.** tras el hombre. ☐   **2.** detrás del hombre. ☐

   g. Julieta tiene un jardín **1.** adentro de casa. ☐   **2.** dentro de casa. ☐

   h. Las flores están   **1.** dentro del jarrón. ☐   **2.** sobre el jarrón. ☐   **3.** en el jarrón. ☐

   i. Vendo casa   **1.** frente al mar. ☐   **2.** en frente del mar. ☐

4. Completa los espacios en blanco con una expresión de la caja.

enfrente – afuera – frente – delante – al lado – ~~alrededor~~

a. Los niños bailan ___alrededor___ del árbol de Navidad.

b. Tía Coca siempre sale _____del marido en las fotos.

c. En el sueño, un hombre se detiene _____ a mí y me abraza.

d. Yo vivo aquí y mi hermana, en el edificio de _____.

e. No dejes el coche estacionado _____. Te lo pueden robar.

f. Gabriela pasa horas _____ de la ventana mirando el mar.

4.3. Aplica

1. Observa la ilustración y marca con V las oraciones verdaderas y con F las falsas.

a. La mesita baja está sobre una alfombra blanca. ☐

b. La palmera está al lado de la ventana. ☐

c. La palmera está atrás de la ventana. ☐

d. La mesa redonda está frente a la ventana. ☐

e. Hay 6 sillas alrededor de la mesa redonda. ☐

f. La mesa redonda está sobre una alfombra roja. ☐

g. Los dos sofás están sobre el piso de madera. ☐

2. Observa la ilustración y escribe oraciones verdaderas para describir el lugar que ocupan los muebles.

_____
_____
_____
_____
_____
_____
_____
_____

9

EL PRESENTE DE INDICATIVO

1. En contexto

1

Hola, soy Stephy, <u>tengo</u> 18 años y <u>soy</u> universitaria. <u>Soy</u> ilustradora y dibujante. <u>Busco</u> un trabajo para realizar en casa.

2

Jorge Luis Borges nace en Buenos Aires, Argentina, el 24 de agosto del año 1899. En 1914 se traslada a Europa en donde cursa el Bachillerato. Regresa en 1921 a Buenos Aires y publica su primera obra titulada *Fervor de Buenos Aires* en 1923. Muere en el año 1986 en Ginebra. Borges es reconocido como uno de los más grandes poetas de la lengua española.

3

El próximo fin de semana se <u>realiza</u> la ruta de senderismo a San José y Las Salinas.

4 *Normalmente salgo de mi casa a las seis y media de la mañana para tomar un tren a la escuela, que empieza a las ocho. A las tres de la tarde termina, pero casi todos los días tengo actividades extracurriculares. Llego a mi casa a las cinco y media.*

Responde las preguntas usando la información de los textos.

Texto **1**	¿Cuántos años tiene Stephy?	18
	¿A qué se dedica?	a la universidad
	¿Qué necesita?	un trabajo
Texto **2**	¿De dónde es Borges?	Buenos Aires
	¿Qué hace en Europa?	él cursa el bachillerato
	¿En qué año publica *Fervor de Buenos Aires*?	1923
Texto **3**	¿Cuándo es la ruta de senderismo?	el próximo fin de la semana
Texto **4**	¿Cuándo realiza esas actividades?	después de la escuela
	¿A qué hora regresa de la escuela?	5:30

Todos los verbos marcados están en presente de indicativo. Este tiempo se usa para expresar acontecimientos que están sucediendo en el mismo momento en que se habla (texto 1). Con este tiempo podemos expresar también acontecimientos pasados (texto 2), eventos futuros (texto 3) o podemos hablar de acciones que ocurren habitualmente (texto 4).

2. Las formas

2.1. Los verbos regulares

	CANTAR	COMER	VIVIR
yo	canto	como	vivo
tú	cantas	comes	vives
vos	cantás	comés	vivís
él, ella, usted	canta	come	vive
nosotros, nosotras	cantamos	comemos	vivimos
vosotros, vosotras	cantáis	coméis	vivís
ellos, ellas, ustedes	cantan	comen	viven

2.2. Los verbos irregulares

a) Verbos que tienen irregularidad propia

	ESTAR	VER	DAR	CABER	HABER	SABER
yo	estoy	veo	doy	quepo	he	sé
tú	estás	ves	das	cabes	has	sabes
vos	estás	ves	das	cabés	has	sabés
él, ella, usted	está	ve	da	cabe	ha, hay*	sabe
nosotros, nosotras	estamos	vemos	damos	cabemos	hemos	sabemos
vosotros, vosotras	estáis	veis	dais	cabéis	habéis	sabéis
ellos, ellas, ustedes	están	ven	dan	caben	han	saben

* El verbo *haber* solo se utiliza como auxiliar en su forma conjugada y como verbo en su forma impersonal.

	SER	IR
yo	soy	voy
tú	eres	vas
vos	sos	vas
él, ella, usted	es	va
nosotros, nosotras	somos	vamos
vosotros, vosotras	sois	vais
ellos, ellas, ustedes	son	van

Curiosidades de la lengua

- Las formas *nosotros* y *vosotros* son siempre regulares, excepto en los verbos *ir* y *ser*.

- También son regulares las formas para *vos*.

b) Verbos en los que cambian las vocales

E → IE (la vocal **e** cambia por las vocales **ie**)

	PENSAR	ENTENDER	SENTIR
yo	pienso	entiendo	siento
tú	piensas	entiendes	sientes
vos	pensás	entendés	sentís
él, ella, usted	piensa	entiende	siente
nosotros, nosotras	pensamos	entendemos	sentimos
vosotros, vosotras	pensáis	entendéis	sentís
ellos, ellas, ustedes	piensan	entienden	sienten

Se forman igual estos verbos y sus derivados:

–ar: acertar, alentar, apretar, arrendar, atravesar, calentar, cegar, cerrar, comenzar, concertar, confesar, despertar, desterrar, empezar, encomendar, enmendar, enterrar, fregar, gobernar, manifestar, merendar, negar, pensar, quebrar, recomendar, regar, reventar, segar, sembrar, sentar, temblar, tentar, tropezar, etc.

–er: ascender, atender, defender, descender, encender, entender, extender, perder, querer, tender, etc.

–ir: advertir, convertir, divertir, herir, hervir, invertir, mentir, preferir, sentir, sugerir, etc.

> **¡Atención!**
>
> Los verbos *pretender* y *depender* se conjugan como verbos regulares:
> – pretendo, pretendes, pretendés, pretende, pretendemos, pretendéis, pretenden.
> – dependo, dependes, dependés, depende, dependemos, dependéis, dependen.

O →UE (la vocal **o** cambia por las vocales **ue**)

	VOLAR	VOLVER	DORMIR
yo	vuelo	vuelvo	duermo
tú	vuelas	vuelves	duermes
vos	volás	volvés	dormís
él, ella, usted	vuela	vuelve	duerme
nosotros, nosotras	volamos	volvemos	dormimos
vosotros, vosotras	voláis	volvéis	dormís
ellos, ellas, ustedes	vuelan	vuelven	duermen

Se forman igual estos verbos y sus derivados:

–ar: acordar, acostar, almorzar, apostar, aprobar, avergonzar, colar, colgar, consolar, contar, costar, encontrar, forzar, mostrar, probar, recordar, renovar, rodar, rogar, soltar, sonar, soñar, tostar, volar, volcar, etc.

–er: absolver, cocer, disolver, doler, llover, moler, morder, mover, oler, poder, resolver, soler, torcer, volver, etc.

–ir: dormir y morir.

U → UE (la vocal **u** cambia por las vocales **ue**)

	JUGAR
yo	juego
tú	juegas
vos	jugás
él, ella, usted	juega
nosotros, nosotras	jugamos
vosotros, vosotras	jugáis
ellos, ellas, ustedes	juegan

Curiosidades de la lengua

● *Jugar* es el único verbo en que cambia *u* → *ue*

E → I (cambio de la vocal **e** por la vocal **i**)

	PEDIR	REÍR
yo	pido	río
tú	pides	ríes
vos	pedís	reís
él, ella, usted	pide	ríe
nosotros, nosotras	pedimos	reímos
vosotros, vosotras	pedís	reís
ellos, ellas, ustedes	piden	ríen

Se forman igual estos verbos y sus derivados: competir, concebir, corregir, derretir, elegir, freír, medir, pedir, reír, rendir, reñir, repetir, seguir, servir, sonreír, teñir, vestir, etc.

I → IE (cambio de la vocal **i** por las vocales **ie**)

	ADQUIRIR
yo	adquiero
tú	adquieres
vos	adquirís
él, ella, usted	adquiere
nosotros, nosotras	adquirimos
vosotros, vosotras	adquirís
ellos, ellas, ustedes	adquieren

Se forma igual el verbo *inquirir.*

c) **Verbos en que cambian las consonantes**

Verbo + -GO (solo en *yo*)

	PONER	VALER	SALIR
yo	pongo	valgo	salgo
tú	pones	vales	sales
vos	ponés	valés	salís
él, ella, usted	pone	vale	sale
nosotros, nosotras	ponemos	valemos	salimos
vosotros, vosotras	ponéis	valéis	salís
ellos, ellas, ustedes	ponen	valen	salen

C → G (la consonante **c** cambia por la **g** solo en *yo*)

	HACER
yo	hago
tú	haces
vos	hacés
él, ella, usted	hace
nosotros, nosotras	hacemos
vosotros, vosotras	hacéis
ellos, ellas, ustedes	hacen

Se forma igual el verbo *satisfacer.*

Verbo + -IGO (solo en *yo*)

	CAER	TRAER
yo	caigo	traigo
tú	caes	traes
vos	caés	traés
él, ella, usted	cae	trae
nosotros, nosotras	caemos	traemos
vosotros, vosotras	caéis	traéis
ellos, ellas, ustedes	caen	traen

C → ZC (la consonante **c** cambia por la **zc** solo en *yo*)

	NACER	AGRADECER
yo	nazco	agradezco
tú	naces	agradeces
vos	nacés	agradecés
él, ella, usted	nace	agradece
nosotros, nosotras	nacemos	agradecemos
vosotros, vosotras	nacéis	agradecéis
ellos, ellas, ustedes	nacen	agradecen

	CONOCER	CONDUCIR
yo	conozco	conduzco
tú	conoces	conduces
vos	conocés	conducís
él, ella, usted	conoce	conduce
nosotros, nosotras	conocemos	conducimos
vosotros, vosotras	conocéis	conducís
ellos, ellas, ustedes	conocen	conducen

Se forman igual los verbos terminados en **-acer, -ecer, -ocer** y **-ucir**:

—**acer**: compl**acer**, etc.

—**ecer**: abast**ecer**, aborr**ecer**, agrad**ecer**, apar**ecer**, apet**ecer**, car**ecer**, compad**ecer**, conval**ecer**, cr**ecer**, embell**ecer**, establ**ecer**, estrem**ecer**, favor**ecer**, flor**ecer**, fortal**ecer**, mer**ecer**, obed**ecer**, ofr**ecer**, pad**ecer**, par**ecer**, perman**ecer**, perten**ecer**, rejuven**ecer**, etc.

—**ocer**: los derivados del verbo *conocer:* recon**ocer**, descon**ocer**, etc.

—**ucir**: ded**ucir**, ind**ucir**, introd**ucir**, l**ucir**, prod**ucir**, red**ucir**, etc.

I → Y (cambia la vocal **i** por la consonante **y** en los verbos terminados en **-uir**.)

	HUIR	CONSTRUIR
yo	hu**yo**	constru**yo**
tú	hu**yes**	constru**yes**
vos	huis	construís
él, ella, usted	hu**ye**	constru**ye**
nosotros, nosotras	huimos	construimos
vosotros, vosotras	huis	construís
ellos, ellas, ustedes	hu**yen**	constru**yen**

Se forman igual los verbos: concluir, excluir, incluir, constituir, sustituir, destruir, disminuir, intuir, atribuir, contribuir, distribuir.

d) **Verbos en los que cambian las vocales y las consonantes**

Verbo + IGO (solo en *yo*) y **I → Y** (cambia **i** por **y**)

	OÍR
yo	oi**go**
tú	o**yes**
vos	oís
él, ella, usted	o**ye**
nosotros, nosotras	oímos
vosotros, vosotras	oís
ellos, ellas, ustedes	o**yen**

¡Atención!

Los verbos *hacer* y *cocer,* y sus derivados, no hacen *–zco*, pero tienen otras irregularidades: *hago, cuezo…*

EC → IG (cambia **ec** por **ig** solo en *yo*) y **E → I** (cambia **e** por **i**)

	DECIR
yo	di**go**
tú	d**i**ces
vos	decís
él, ella, usted	d**i**ce
nosotros, nosotras	decimos
vosotros, vosotras	decís
ellos, ellas, ustedes	d**i**cen

Se forman igual los verbos derivados de *decir:* maldecir, bendecir, predecir, contradecir.

Verbo + GO (solo en *yo*) y **E → IE** (cambia la vocal **e** por **ie**)

	TENER	VENIR
yo	ten**go**	ven**go**
tú	t**ie**nes	v**ie**nes
vos	tenés	venís
él, ella, usted	t**ie**ne	v**ie**ne
nosotros, nosotras	tenemos	venimos
vosotros, vosotras	ten**éi**s	venís
ellos, ellas, ustedes	t**ie**nen	v**ie**nen

Se forman igual los verbos derivados de *tener* y *venir:* detener, entretener, obtener, mantener, sostener, retener, prevenir, provenir, intervenir, sobrevenir, convenir.

2.3. Verbos en los que cambia la ortografía

–GER / –GIR → –JO (solo en *yo*)

	COGER	EXIGIR
yo	co**j**o	exi**j**o
tú	co**g**es	exi**g**es
vos	co**g**és	exi**g**ís
él, ella, usted	co**g**e	exi**g**e
nosotros, nosotras	co**g**emos	exi**g**imos
vosotros, vosotras	co**g**éis	exi**g**ís
ellos, ellas, ustedes	co**g**en	exi**g**en

Se forman igual los verbos: *prote**g**er, fin**g**ir, sur**g**ir, ru**g**ir.*

–GU → –G (solo en *yo*)

¡Atención!

Observa que también es un verbo que cambia **e** por **i.**

	SEGUIR
yo	si**g**o
tú	si**g**ues
vos	se**g**uís
él, ella, usted	si**g**ue
nosotros, nosotras	se**g**uimos
vosotros, vosotras	se**g**uís
ellos, ellas, ustedes	si**g**uen

Se forman igual los derivados del verbo *seguir*: *perse**g**uir, conse**g**uir, prose**g**uir.*

3. Los usos

SE UTILIZA EL PRESENTE PARA...	EJEMPLOS
a) expresar acontecimientos que suceden en el momento en que estamos hablando.	–*Carlos, ¿no **escuchas** el teléfono? ¿Por qué no lo **atiendes**?* –*Ahora no **puedo**, **estoy** ocupado.*
b) dar informaciones generales.	***Soy** profesor y **vivo** en Buenos Aires.*
c) dar datos universales, como definiciones, refranes y máximas.	*Los mamíferos **son** animales vertebrados.* *Perro que **ladra** no **muerde**.*
d) hablar de acciones que se repiten o son habituales.	*Al trabajo, **llego** generalmente a las ocho; **enciendo** la computadora y me **preparo** un café. Mientras **tomo** el café, **leo** mi correo electrónico. Después, le **pido** a mi secretaria la agenda del día.*
e) expresar hechos pasados: –se usa como recurso para darle más vivacidad a la narración escrita. –en una conversación coloquial, con el mismo efecto.	*Tras la dictadura militar en Argentina, se **produce** la vuelta a la democracia (1983); las elecciones **dan** el triunfo a Raúl Alfonsín, que **obtiene** el 52% de los votos.* *Resulta que ayer **voy** al supermercado y me **encuentro** con Sofía en la caja. Nos **ponemos** a charlar y no me **doy** cuenta de que una mujer me **quita** el lugar en la cola…*
f) expresar acontecimientos futuros. Normalmente se usa para expresar acciones seguras y programadas (ver capítulo 34).	*El fin de semana que viene **vamos** a la playa. Mañana **empiezan** las clases de español. Nos **vemos** en cinco minutos en el bar de la esquina.*
g) dar órdenes (ver capítulo 26).	*Ahora mismo **vas** a la casa de Sandra y le **pides** disculpas por lo que dijiste.*

4. Ejercicios

4.1. Identifica

1. Lee el texto y responde a las preguntas. Luego, marca los verbos e indica la persona gramatical.

Es un día de verano por la tarde. Todos están en el jardín. Como tienen calor, beben refrescos y té helado y conversan animadamente. De pronto oímos un ruido y nos levantamos por una fuerza extraña. Entonces veo que todo está en desorden: todos corren, algunos gritan, otros caen al suelo.
–¿Te sientes bien? –le pregunto a Pilar.
–Más o menos –me responde.
–Vamos a la casa –le digo enérgicamente.
–Bueno –me dice con voz de espanto.

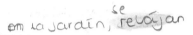

em la jardín, se relajan

a) ¿Dónde están los personajes y qué hacen?
b) ¿Qué interrumpe la situación? *un ruido*
c) ¿Por qué todo se transforma en un desorden?
Hay una fuerza extraña

2. Lee las frases y relaciónalas.

4 **a.** Pedro, la comida está servida.
5 **b.** Viene a mi oficina y me invita a almorzar, pero al final pago yo.
7 **c.** Ya mismo ordenas tu cuarto, haces la cama y pones la ropa a lavar.
1 5 **d.** Tres veces por semana, voy al gimnasio.
6 **e.** La cultura es el conjunto de costumbres, creencias y prácticas de un grupo específico.
3 **f.** La próxima semana no vengo a trabajar porque voy a un congreso.
5 **g.** Mi hermano se llama Alfredo, es ingeniero, está casado y tiene tres hijos.
2 **h.** –¿No lleváis paraguas?
–Pero si ahora no llueve.

1. Expresa un acontecimiento habitual.
2. Expresa un acontecimiento pasado.
3. Expresa un acontecimiento futuro.
4. Expresa un acontecimiento que ocurre en el momento de hablar.
5. Expresa una información general más o menos permanente.
6. Expresa una definición o verdad general.
7. Expresa una orden.

4.2. Practica

1. Completa la conjugación de los verbos regulares.

	COCINAR	APRENDER	ABRIR
yo	cocino	aprendo	abrío
tú	cocinas	aprendes	abries
vos	cocina	aprende	abrie
él, ella, usted	cocina	aprende	abrie
nosotros, nosotras	cocinamos	aprendemos	abrimos
vosotros, vosotras	cocináis	aprendéis	abrimos
ellos, ellas, ustedes	cocinan	aprenden	abrían

2. Completa con la forma correcta de los verbos.

a. Si quieres, _puedes_ (poder, tú) acariciar al perro porque no _muerde_ (morder).

b. Pedro _niega_ (negar) que está cansado, pero todos sabemos que _miente_ (mentir).

c. Todas las mañanas _suena_ (sonar) el reloj a la seis. Me _despierto_ (despertar), me _visto_ (vestir) rápidamente y voy a comprar el pan.

d. No estoy de acuerdo con lo que _dicen_ (decir) ustedes. Este equipo _juega_ (jugar) muy bien y _pienso_ (pensar) que va a ser el futuro campeón.

e. Normalmente yo _empiezo_ (empezar) a trabajar a las ocho. Y vos, ¿a qué hora _comienzas_ (comenzar)?

f. Cada vez que nos _encontramos_ (encontrar) con amigos, Marisa y yo nos _acostamos_ (acostar) muy tarde. Al día siguiente, como estoy cansado, _duermo_ (dormir, yo) normalmente mucho.

g. Hoy, el doctor Pereda no _atiende_ (atender). Si no se _siente_ (sentir) bien, _puede_ (poder, usted) solicitar una consulta con la doctora Domínguez.

h. ¿Qué me _recomendáis_ (recomendar, vosotros) comer en este restaurante? ¿Qué es lo que _pedís_ (pedir, vosotros) normalmente?

i. Te _adviertes_ (advertir) que ese diccionario _cuesta_ (costar) muy caro. ¿Por qué no _eliges_ (elegir) otro?

3. Completa las frases con los verbos de la caja.

tener – pedir – poder – cerrar – poner – dirigir – volver – oír – depender – apostar – encender – aprobar – querer – perder – leer – jugar

a. Carolina _tiene_ 25 años y todavía _depende_ de sus padres.

b. Antonio a veces _juega_ a la ruleta. Por suerte no _apuesta_ mucho dinero porque siempre _pierde_.

c. Felipe, ¿_puedes_ hablar más fuerte porque no te _oigo_?

d. La farmacia _cierra_ a las ocho y media. Voy ahora y _vuelvo_ en cinco minutos.

e. Cuando llego a casa, _enciendo_ la computadora, _pongo_ música y _dirijo_ mi correo electrónico.

f. Los sindicatos _quieren_ un 20% de aumento para los empleados. En cambio, los empresarios _aprueban_ dar solamente un 5%.

g. Niños, os aseguro que si no _pedís_ los exámenes, durante dos días no os _leéis_ la palabra.

4. Completa las frases con los verbos del paréntesis conjugados en la forma adecuada.

a. Si mi hijo no ____hace____ la tarea, lo ___castigo___. (castigar – hacer)

b. Todos ___parecen___ que me ___parecen___ mucho a mi madre. (parecer – decir)

c. Te __agradezco__ los elogios, pero __intuyo__ que __quieres__ algo.
¡Te __conozco__ bastante! (querer – agradecer – conocer – intuir)

d. Yo __pienso__ que en esta ciudad muchas empresas no __contribuyen__ con el medio
ambiente. Al contrario, me __parece__ que día a día lo __destruyen__ un poco más.
(contribuir – pensar – destruir – parecer)

e. No __conduzco__ por la ciudad. Jamás __vengo__ con el coche a trabajar. Tomo el tren o
el autobús. De esta forma __reduzco__ un poco la contaminación. (venir – reducir – conducir)

f. ¿Qué os __hacéis__ si el domingo nos juntamos a comer? Yo __traigo__ la bebida
y vosotros __parecéis__ la paella. (hacer – parecer – traer)

4.3. Aplica

1. Esta es la agenda de Ricardo para la próxima semana. Describe lo que hace.

Febrero   **17** Jueves

lunes: *llevar el coche al mecánico.*

martes: *ir al nutricionista y empezar la dieta.*

miércoles: *renovar el carné de conducir.*

jueves: *al mediodía almorzar con Jorge.*
Por la noche salir con los amigos del club.

viernes: *por la mañana tener el examen de Matemática*
Financiera. Por la noche, encontrarse con Alicia.

sábado: *hacer las compras para todo el mes.*

El lunes, lleva el coche al mecánico.

el martes = va

2. Haz una lista con tus actividades para esta semana y escribe un texto similar.

LOS VERBOS PRONOMINALES

1. En contexto

1

24/3/2009 · **FINAL FELIZ EN BANGKOK**

disguises

Un bombero tailandés se disfraza de *Spiderman* para evitar que un niño autista salte al vacío

2

En Argentina nos saludamos con un beso en la mejilla, pero veo que en otros países solo se saludan estrechándose las manos...

3

Hola, me llamo Antonio, estudio idiomas y busco personas para hablar vuestra lengua. Quiero contactar con vosotros porque os dedicáis a la enseñanza de idiomas. Gracias.

4

Como cada noche desperté pensando en ti.
Y en mi reloj todas las horas vi pasar.
Por qué te vas.

clock

(JOSÉ LUIS PERALES)

Completa el cuadro con los sujetos de las frases extraídas de los textos de arriba:

se disfraza →	1 un bombero
nos saludamos →	→ el país Argentina
se saludan estrechándose →	2 → otros países
me llamo →	3 Antonio
os ocupáis →	→ the people
te vas →	

Todos los verbos marcados se llaman *pronominales* porque están acompañados de un pronombre (*me, te, se, nos, os, se*) que siempre se refiere al sujeto de la frase. Por eso, cuando se usan los verbos pronominales, el verbo y el pronombre que lo acompaña coinciden en persona y número.

2. Las formas

Los verbos pronominales vienen acompañados por pronombres, que coinciden con la persona del sujeto:

	PRONOMBRE	VERBO
yo	me	disfraz**o**
tú	te	disfraz**as**
vos	te	disfraz**ás**
él, ella, usted	se	disfraz**a**
nosotros, nosotras	nos	disfraz**amos**
vosotros, vosotras	os	disfraz**áis**
ellos, ellas, ustedes	se	disfraz**an**

Los pronombres van delante del verbo, excepto con los infinitivos, gerundios e imperativos afirmativos.

3. Los usos

3.1. Verbos reflexivos

Algunos verbos de acción se usan con pronombres para indicar que la acción recae sobre el sujeto de la frase. En este caso, funcionan como verbos reflexivos.

VERBO CON PRONOMBRE	EJEMPLO	VERBO SIN PRONOMBRE	EJEMPLOS
Lavarse	*¿**Os laváis** las manos antes de comer?*	Lavar	*¿Por qué no **laváis** los platos ahora?*
Levantarse	*Mis hijos **se levantan** todos los días a las 7.*	Levantar	*Pedro y Juan **levantaron** la mesa de roble.*
Vestirse	***Me visto** y salimos.*	Vestir	*¿Qué te parece si **visto** a la nena con este vestido?*

3.2. Verbos recíprocos

También se utilizan los verbos en forma pronominal para indicar que son acciones recíprocas, la acción de uno recae en el otro y viceversa.

> **¡Atención!**
>
> No se usan los posesivos con los verbos pronominales y las partes del cuerpo, las vestimentas y los objetos de uso personal.
> *Me lavo ~~mis~~ las manos y me siento a almorzar.*
> *Siempre te olvidas ~~tu~~ la cartera en el auto.*
> *María se pone ~~su~~ la blusa blanca para ir a trabajar.*

VERBO CON PRONOMBRE	EJEMPLO	VERBO SIN PRONOMBRE	EJEMPLOS
Quererse	*Mi mujer y yo **nos queremos** mucho.*	Querer	*Mi mujer y yo **queremos** mucho a los niños.*
Besarse	*Pedro y Marcela **se besaron** apasionadamente.*	Besar	*Carlos siempre **besa** a sus hijos antes de dormir.*

3.3. Verbos con pronombres

Hay algunos verbos (*quejarse, esmerarse, suicidarse, atreverse, jactarse, vanagloriarse*, etc.) que siempre son pronominales aunque no son reflexivos ni recíprocos.

*Juan siempre **se queja** de su trabajo.*

*No **me arrepiento** de estar soltero todavía.*

*Todavía no **nos atrevemos** a conducir en la carretera.*

*Mis padres **se jactan** de la paciencia que tienen conmigo.*

> **¡Atención!**
>
> Son pronominales algunos verbos de cambio (ver capítulo 50).

3.4. Verbos que cambian de significado

Algunos verbos cambian de significado cuando son pronominales.

VERBO CON PRONOMBRE	EJEMPLO	VERBO SIN PRONOMBRE	EJEMPLOS
Dormirse (empezar a dormir, quedarse dormido)	*¿A qué hora **te duermes**?*	**Dormir** (realizar el acto de dormir)	*¿**Duermes** todos los días 8 horas?*
Irse (abandonar un lugar, marcharse)	*¿**Te vas** de aquí así, sin decir nada?*	**Ir** (dirigirse a otro lugar)	*¿**Vas** al mercado hoy?*
Acordarse (recordar algo)	*¿Usted **se acuerda** de su última compra?*	**Acordar** (decidir o determinar algo)	*Los comerciantes **acordaron** bajar el precio de algunos productos.*
Echarse (acostarse)	*Todos los días **me echo** un rato después del almuerzo.*	**Echar** (arrojar, expulsar)	*Nunca **echo** papeles a la basura. Los reciclo.*
Ocuparse (ejercer un trabajo, una tarea)	*¿Son ustedes los que **se ocupan** de las reclamaciones?*	**Ocupar** (llenar un espacio, invadir)	*Nuestra empresa **ocupa** dos pisos de este edificio.*
Llamarse (tener un nombre o apellido)	*¿**Os llamáis** Pedro los dos?*	**Llamar** (hablar por teléfono, nombrar, etc.)	***Llama** ahora a tu madre, para que vea lo que has hecho.*
Dedicarse (tener una ocupación o profesión)	***Me dedico** a arreglar ordenadores.*	**Dedicar** (destinar, aplicar, etc.)	***Dedico** este triunfo a mis padres.*

4. Ejercicios

4.1. Identifica

Lee los textos y resuelve las tareas.

1-

coger = catch (handwritten)

Te cojo la mano y no siento tu mano

*y nos damos un beso y no siento
tus labios* *lips* (handwritten)

en tus ojos no brilla el azul del cielo

*te miro y lo que veo me parece
extraño.*

Jarabe de Palo

2- ¿Usted se acuerda de mí, papá querido, como yo me acuerdo de usted? Lo recuerdo levantándose con el canto del gallo, y saliendo a sembrar. (...) *the rooster* (handwritten)

Patricia Suárez

3-

«No me quejo nada de la vida, es un privilegio estar aquí», dice la famosa poetisa.

Carilda Oliver Labra

4- ✉

¿A qué os dedicáis?

por **Josefina** el Jue Abr 15, 2010 11:16 am

*Quiero conoceros y esta es una buena forma de empezar.
Yo soy estudiante, estoy en 2º de Bachillerato. Bueno, pues contadme a qué os dedicáis.*

¡¡Saludos!!

a. Transcribe de cada texto los verbos pronominales e indica su infinitivo. Identifica quién realiza la acción.

	Verbo pronominal conjugado	Infinitivo	Sujeto
Texto 1	Nos damos	darse	nosotros
Texto 2	Se acuerda ✓	acordarse ✓	usted ✓
Texto 3	me quejo ✓	quejarse ✓	yo
Texto 4	os dedicáis ✓	dedicarse	vosotros

b. Separa las acciones teniendo en cuenta las siguientes características:

remember (handwritten)

–se trata de la acción de recordar	Acordarse (me acuerdo/se acuerda)
–se usa para expresar disconformidad	quejarse
–se expresa una acción mutua y simultánea	dedicarse
–se utiliza para hablar de la ocupación	darse

4.2. Practica

1. Completa el cuadro con las formas de los verbos pronominales en presente de indicativo.

	ESMERARSE	ATREVERSE	ARREPENTIRSE
yo	me esmero	me atrevo	
tú	te esmeráste	a trevás	
vos	te esmeras	te atrevás	
él, ella, usted	le esmera	le atreve	
nosotros, nosotras	nos esmeramos	nos atrevemos	
vosotros, vosotras	os esmeráis	os atrevéis	
ellos, ellas, ustedes	los esmeran	les atreven	

2. Marca la opción correcta.

a. ¿A qué hora **vas/te vas** al supermercado?

b. ¿A qué hora **duerme/se duerme** el nene normalmente?

c. ¿De qué **acordáis/os acordáis** de la reunión?

d. ¿Por qué no **echas/te echas** en el sillón a ver un poco la televisión?

e. ¿De qué **ocupa/se ocupa** el gerente de recursos humanos?

f. ¿Puedes **llamar/llamarte** inmediatamente al Sr. Gómez?

g. ¿A quién **le dedicas/te dedicas** tus logros?

h. ¿A qué hora **despiertas/te despiertas** a los niños?

i. ¿A qué hora **acuestan/se acuestan** a los niños?

3. Completa con los pronombres en el lugar adecuado y cuando sea necesario.

a. Si usted toma una dosis una vez al día a la hora de ____ acostar _se_ y no ____ acuerda ____ de tomarla hasta el día siguiente, salte la dosis que olvidó tomar. Es importante ____ recordar ____ que no es recomendable tomar una dosis doble para compensar el olvido.

b. En la policía, se inicia el interrogatorio:
−Respóndanme las siguientes preguntas: ¿cómo _se_ llaman ____?; ¿a qué _se_ dedican ____?; ¿____ ocupan ____ o no un espacio público sin autorización?

c. El insomnio infantil puede desencadenar _se_ cuando los niños, acostumbrados a ciertas prácticas u objetos para conciliar el sueño, no pueden disponer de estos hábitos. ____ Poder dormir _se_ es el primer paso. ____ Poder dormir_se_ bien toda la noche es otra cuestión que depende de otros factores.

d. La mejor forma que tenemos de prevenir enfermedades es ____ lavándo_nos_ las manos correctamente y constantemente. Especialmente a la hora de cocinar, debemos ____ lavar _nos_ las manos con agua y jabón, ____ lavar _se_ cuidadosamente las verduras y frutas que se ingieran crudas y ____ lavar _____ el cuchillo antes de usarlo para cortar verduras y frutas, si antes lo hemos usado para cortar carne cruda.

4. Señala el tipo de frases que son.

	La acción recae sobre el sujeto	La acción es mutua y simultánea	La acción recae sobre otra persona o cosa
Lavo los platos del almuerzo.			X
Me lavo el pelo todos los días.	✓		
Le lavo el pelo a mi bebé con un champú especial.			✓
Mis hijos se quieren mucho.		✓	
No es nada fácil levantar un mueble de madera.	✓		
Se acuestan tarde todos los días.	✓		
Me visto formalmente porque me siento más cómodo así.	✓	✓	
El padre besa a su hijo en la frente todas las noches.			
Se besan intensamente.		✓	

5. Completa con los verbos de la caja en el presente de indicativo y con los pronombres en caso necesario.

atrever(se) – ir(se) – esmerar(se) – llamar(se) – acordar(se) – dormir(se) – lavar(se) – vestir(se)

a. Como se lo han enseñado, Pedro __se lava__ las manos con agua y jabón después de ir al baño.
b. Si ya no me quieres más, me lo dices y _____.
c. Los estudiantes de esta escuela _nos acordan_ tanto que hasta la municipalidad los ha homenajeado.
d. José y Patricio no _se duermen_ bien. Se despiertan varias veces por la noche.
e. Mi novia _se veste_ rápido cuando la apuro. Sino se pasa horas eligiendo la ropa para salir.
f. ¿Estáis seguros de que _no se vere_ a pedir un aumento en plena época de crisis?
g. Me gustaría saber cómo _____ los nuevos empleados de la agencia.
h. Puede ser que mis tíos _se acuerda_ de ti. Hace dos años los visitamos juntos.

4.3. Aplica

1. Observa la rutina mañanera de Federico y descríbela.

07:00: Despertarse.
07:05: Levantarse.
07:10: Ducharse.
07:15: Vestirse.
07:30: Desayunar.
07:40: Despertar a los niños.
07:55: Cepillarse los dientes.
08:00: Irse al trabajo.

Federico _se despierta a las siete, pero a las 7.05, se levanta. Se ducha a 7.10 y se visten que después a las siete y media, él desayuna_

2. Escribe la rutina de un día normal tuyo.

11
LOS VERBOS CON PRONOMBRE
(gustar, agradar, encantar, parecer, interesar, doler, etc.)

1. En contexto

1

«A mí me **gusta** tener responsabilidades cada vez mayores», dijo el gobernador

2

Películas para grandes que les **gustan** a los chicos

3

AUTOR
Margarita Daz
USUARIO REGISTRADO

MENSAJE
Hola, Pablo: me encantan tus opiniones. Me alegra mucho que estés en este foro.

4 ¿Te **duele** la espalda? Probá con R.P.G.

5

NOS **INTERESA** TU OPINIÓN
Queremos saber qué temas te preocupan para ofrecerte el curso que necesitas.

6 A Brad Pitt le preocupan sus hijos y combatir la pobreza

7

P. ¿Qué os **parece** la película *Los abrazos rotos* de Almodóvar?

R. Es una película compleja, pero fascinante que confirma a su autor como uno de los grandes.

Lee los textos y marca la opción correcta.

Texto 1
- ☑ El gobernador quiere tener más responsabilidades.
- ☐ El periodista que escribió el artículo quiere tener responsabilidades.

Texto 2
- ☑ Los adultos quieren ver películas para niños.
- ☐ Los niños quieren ver películas para adultos.

Texto 3
- ☑ Margarita es una admiradora de Pablo.
- ☐ Pablo admira a Margarita Daz.

Texto 4
- ☐ La RPG causa dolor en la espalda.
- ☑ Quien siente dolor en la espalda debe probar la RPG.

Texto 5
- ☐ Están interesados en conocer la opinión del lector.
- ☑ El lector está interesado en conocer la opinión de quien escribe el texto.

Texto 6
- ☐ Brad Pitt y sus hijos quieren combatir la pobreza.
- ☑ El centro de atención de Brad Pitt son sus hijos y el combate a la pobreza.

Texto 7
- ☐ La pregunta está dirigida a una persona.
- ☑ La pregunta está dirigida a varias personas.

Los verbos subrayados en los textos siempre llevan delante un pronombre objeto indirecto (*me, te, le, nos, os, les*). Son verbos que expresan gustos (*gustar, interesar*), sensaciones físicas (*doler*) u opiniones (*parecer*).

2. Las formas

2.1. La conjugación

LA PERSONA QUE EXPERIMENTA LA SENSACIÓN		LA SENSACIÓN	LA COSA O PERSONA QUE PROVOCA LA SENSACIÓN
Objeto indirecto	Pronombre indirecto	Verbo	Sujeto
(A mí)	me	gusta, encanta interesa parece, duele	ir al cine. comer comida china. hacer negocios con ustedes.
(A ti)	te		
(A él, ella, usted)	le	gustan, encantan interesan parecen, duelen	las películas de aventura. los sabores exóticos.
(A nosotros, nosotras)	nos		
(A vosotros, vosotras)	os		
(A ellos, ellas, ustedes)	les		

> **¡Atención!**
>
> Los pronombres que están entre paréntesis no son obligatorios.
> Solo se usan para enfatizar a la persona o contrastar personas diferentes.
> *A ti te gusta el pescado, pero yo lo detesto.*

2.2. La concordancia con el sujeto (la cosa o la persona que provoca la sensación)

	VERBO	LO QUE PROVOCA LA SENSACIÓN	EJEMPLOS
3.ª persona del singular	gusta–agrada– encanta–parece– interesa–duele	➢ verbo en infinitivo ➢ determinante + sustantivo singular ➢ pronombres *él–ella–usted*	*Te gusta bailar. Nos encanta el flamenco. ¿Te gusta ella?*
3.ª persona del plural	gustan–agradan– encantan–parecen– interesan–duelen	➢ determinante + sustantivo plural ➢ pronombres *ellos–ellas–ustedes*	*A Diego le encantan las canciones de Serrat. No nos interesan ustedes.*

> **¡Atención!**
>
> El verbo *doler* solo se utiliza en tercera persona. Además, no se utiliza con posesivos, como en otras lenguas:
> *Me duele mucho **la** cabeza.*
> (No se dice: **Me duele mucho mi cabeza*).

Curiosidades de la lengua

Aunque no es de uso muy frecuente y solo en contextos concretos, se pueden usar estos verbos en otras personas gramaticales (no solo en las terceras). Dos enamorados se preguntan:
- *Cariño, ¿yo te gusto?*
- *Sí, mi cielo, tú me gustas mucho.*

3. Los usos

3.1. Los verbos

SE UTILIZA PARA...	LOS VERBOS...	EJEMPLOS
a) expresar preferencias y gustos.	gustar encantar agradar	*A mi hermano **le gustan** las comidas picantes.* ***Nos encantan** los edificios antiguos.* *A Fernanda **le agradan** los elogios.*
b) expresar opiniones o intereses.	parecer interesar	*Esa propaganda **me parece** tonta.* *A ella no **le interesan** los problemas sociales.*
c) indicar sensaciones físicas.	doler	***Me duelen** los pies de tanto caminar.* *Si **te duele** la cabeza, quédate en la cama.*
d) rechazar cortésmente una invitación.	gustar encantar (en condicional)	***Nos encantaría** ir a tu fiesta, pero no estaremos en la ciudad.* ***Me gustaría** mucho poder ir a la playa con ustedes, pero tengo que estudiar*
e) hacer una petición gentilmente.	gustar (en condicional)	***Me gustaría** ver aquella falda morada.* ***Nos gustaría** probar la sugerencia del chef.*
f) expresar un deseo.	gustar (en condicional)	*A mis primos **les gustaría** vivir en el campo.*

3.2. *A* + pronombres para responder

Para expresar	EL VERBO ESTÁ EN FORMA...	
	afirmativa	negativa
acuerdo	*–A mí me encanta patinar.* *–**A nosotras** también.*	*–A mí no me gusta patinar.* *–**A nosotras** tampoco.*
desacuerdo	*–A nosotros nos interesa el arte.* *–Pero **a mí** no.*	*–A nosotros no nos interesa el arte.* *–Pero **a mí** sí.*

3.3. Las expresiones de intensidad (*mucho, bastante, un poco, nada*) con estos verbos

SE UTILIZA CON VERBOS EN FORMA...	LOS ADVERBIOS...	EJEMPLOS
a) afirmativa	bastante (un) poco	*–¿Te duele mucho el tobillo?* *–Sí, me duele un poco.*
b) afirmativa o negativa	mucho	*A Felipe no le interesa mucho la arquitectura.* *A nosotros nos gustan mucho los cuadros de Miró.*
c) negativa	nada	*La moda no le interesa nada.*

4. Ejercicios

4.1. Identifica

Lee los textos y subraya los verbos con pronombres. Luego, completa el cuadro.

1 A mi marido y a mí nos gusta el turismo ecológico y creemos que es una experiencia importante para nuestros hijos. A ellos les encanta acampar y no les molesta pasar un mes sin televisión ni computadores.

2 VIRGO

Te gusta vivir bien y te encanta ayudar a los demás si puedes hacerlo. Sueles preocuparte demasiado y a veces a tus amigos les molesta esa actitud exagerada. Cuida tu estómago, porque si algo te preocupa esa es tu zona sensible.

3 ¿Os molesta abrir los ojos bajo el agua?

A mí no, pero sí me molestan las gafas.

4 Somos populares,

somos espectaculares,

somos netas y reales,

somos especiales.

Nos gusta ser amigas y pelear con las divinas.

No nos gustan las mentiras ni las hipocresías,

preferimos la canción como manifestación.

Venceremos el rencor [*grudge*], preferimos el amor.

Queremos compartir, nos gusta ser así

porque somos muy sencillas, nos agrada ser oídas.

No nos gustan las envidias ni ser superdivinas.

Somos buenas y leales, distintas, pero iguales.

No nos gusta la tristeza, preferimos la alegría,

compartir con las amigas y ser superunidas.

Letra de la canción «Somos populares»
de Las Populares – *Atrévete a soñar*

	La persona que experimenta la sensación	La sensación	La cosa o persona que provoca la sensación
Texto 1	A mi marido y a mí	nos gusta	el turismo ecológico.
	les encanta	les encanta	acampa
	les molesta.	no les molesta	estar sin tv
Texto 2		te gusta	vivir bien
		te encanta	ayudar a los demas
	tus amigos	les molesta	esa actind.
		te preocupa	tu estómago

Texto 3	_los lectors_	os molesta	abrir los ojos bajo
		no me molesta	abrir los
		sí me molesta	las gafas
Texto 4	_el grupo_	nos gusta	ser amigos
		no nos gusta	las mentiras
		nos gustan	las envidias
		nos agrada	la alegría

4.2. Practica

1. Marca la opción correcta.

a. –¿Qué es lo que más te **molesta/molestas**?

   –En realidad me **molestan/molesto** dos cosas: los insectos y el ruido.

b. Mi marido y yo empezamos a hacer gimnasia ayer y ahora nos **duele/duelen** todos los músculos.

c. Horacio es músico y le **encanta/encantan** tocar en conciertos.

d. Mi hijo Pedrito solo tiene 10 años y ya le **preocupa/preocupan** los temas ambientales.

e. ¿Os **gustan/gusta** nuestro nuevo piso?

f. A tu hermana le **gustan/gusta** los perfumes y a ti no te **agradan/agradas** nada, ¿no?

g. Si te **interesa/interesas** la política y quieres estar bien informado, lee nuestro *blog*.

2. Completa los microdiálogos con los pronombres *me, te, le, nos, os* o *les*.

a. –Sr. Torres, ¿ _le_ molesta hablar en público?

   –No, no. En realidad, hablar en público _me_ gusta mucho.

b. –Pablo, mi amor, mira el vestido que me he comprado. ¿_te_ gusta?

   –No mucho. _te_ parece demasiado corto.

c. –A Sabrina y a Claudia _les_ encanta este hotel. ¿Tú qué opinas?

   –A mí no _me_ gustan los hoteles tan modernos.

d. –Si esta mesa _os_ parece cara, os puedo ofrecer otras opciones.

   –El precio no _le_ importa. Lo que no _me_ gusta es el color.

e. –¿A ustedes _os_ gusta el cine de Saura?

   –A mí _me_ encantan sus películas, pero creo que a Jorge no _le_ gustan mucho.

3. Elige un elemento de cada columna y forma oraciones.

1 A tus niños	3 le preocupa	4 la política.
2 A mis amigos no	4 te gustan	5 caminar por la ciudad.
3 Al profesor de Matemáticas	1 les gusta	3 el desinterés de sus alumnos.
4 A ti nunca	4 me gustan	7 admitir que estáis equivocados.
5 A Julia y a mí	7 os molesta	1 hacer deporte.
6 A mí	1 les interesa	2 tus zapatos nuevos.
7 A vosotros	5 nos encanta	2 mis regalos.

4. Forma oraciones como en el ejemplo.

Gustar–nosotros–cruceros marítimos   (A nosotros) nos gustan los cruceros marítimos.

a. Encantar–yo–ir de compras.   me encanta ir de compras

b. No gustar–ella–fiestas ruidosas.   no me gustan fiestas ruidosas

c. ¿Molestar–vosotros–música?   ¿os - molesta música?

d. Doler–mi padre–cabeza.   me duelo cabeza

e. Preocupar–mis hermanos–situación familiar.   les preocupan la situación

f. No interesar–tú–nada.   no te interesa nada

g. Gustar–Pablo y yo–comida mexicana.   (Pablo) nos gusta la comida

5. Responde a los enunciados expresando acuerdo (+) o desacuerdo (-), como en el ejemplo.

a. A mí me gusta levantarme temprano para aprovechar el día.   (–) __A mí no.__

b. A nosotros no nos gustan las playas llenas de gente.   (+) nos gustan

c. Me encantan los cuentos de Cortázar.   (+) me acueda

d. No me gusta conducir de noche.   (–) me gustar

e. Me molesta estudiar con la tele a todo volumen.   (–) no me molest

f. Me interesa mucho la Astronomía.   (+) no me interesa

g. No me gustó el libro que nos recomendó el profesor.   (+) me gustó

h. Me preocupa la actitud de tu hermana.   (–) no me preocupa

4.3. Aplica

Completa el cuadro con la información solicitada. Luego escribe las frases.

	gustar	no gustar	encantar	preocupar	molestar	interesar
A tu pareja	el pescado					
A tus padres	yo	mi ropa	comida			
A tu mejor amigo(a)						
A ti						

LOS POSESIVOS

1. En contexto

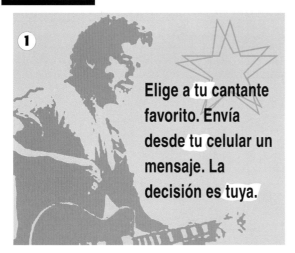

1 **Elige a tu cantante favorito. Envía desde tu celular un mensaje. La decisión es tuya.**

2 Soy estadounidense y doy clases particulares de inglés. Estoy disponible por las tardes en mi casa o la suya.

3 Si queréis cambiar vuestros datos de acceso o la dirección de *e-mail* de vuestra cuenta de cliente, enviad un correo a atencionalconsumidor@compras.com. Uno de nuestros representantes os escribirá para confirmar la solicitud.

Las palabras subrayadas en los textos anteriores son posesivos y se usan para indicar posesión o pertenencia de objetos o seres animados. Lee con atención y tacha lo que no corresponda:

Texto 1	Elige a **tu** cantante favorito.	Quien tiene la posibilidad de elegir es la persona **que escribió el anuncio /que lee el anuncio/de la que se habla**.
	Envía desde **tu** celular un mensaje.	El celular le pertenece a la persona **que escribió el anuncio/ que lee el anuncio/de la que se habla**.
	La decisión es **tuya**.	La decisión es de la persona **que escribió el anuncio/que lee el anuncio/ de la que se habla**.
Texto 2	Estoy disponible por las tardes en **mi** casa o la **suya**.	Las clases de inglés se pueden dictar en la casa **de quien escribió el anuncio/de quien lee el anuncio/de uno de los dos**.
Texto 3	Si queréis cambiar **vuestros** datos de acceso o la dirección de *e-mail* de **vuestra** cuenta de cliente, enviad un correo a atencionalconsumidor@ compras.com. Uno de **nuestros** representantes os escribirá para confirmar la solicitud.	1. Los datos y la cuenta que se pueden cambiar son **de la empresa que escribió el mensaje/de los clientes de la página de compras/de la empresa y de los clientes**. 2. El representante que se pondrá en contacto es **un empleado de la empresa/un cliente/de otra empresa**.

2. Las formas

Los posesivos tienen dos formas y su uso depende de si van antes del sustantivo o de si van después del sustantivo o sin él.

2.1. Los posesivos que van antes del sustantivo

¿QUIÉN POSEE?	¿QUÉ POSEE?	
	Un objeto o ser animado	Más de un objeto o ser animado
yo	*mi* Mi <u>auto</u> es un modelo antiguo.	*mis* **Mis** <u>hermanos</u> no viven aquí.
tú/vos	*tu* **Tu** <u>vecina</u> nunca me saluda.	*tus* No conozco a ninguno de **tus** <u>amigos</u>.
usted	*su* ¿Cuál es **su** <u>dirección</u>, señor?	*sus* Señora, ¿cómo se llaman **sus** <u>padres</u>?
él/ella	*su* Ana se olvidó de dejarnos **su** correo.	*sus* **Sus** amigo<u>s</u> no me caen muy bien.
nosotros(as)	*nuestro(a)* Este es **nuestro** <u>amigo</u> Javier.	*nuestros(as)* Estas son **nuestras** <u>amigas</u> Ana y Raquel.
vosotros(as)	*vuestro(a)* ¿Cómo se llama **vuestra** <u>gata</u>?	*vuestros (as)* ¿Cómo están **vuestros** <u>tíos</u>?
ustedes	*su* Pueden dejar **su** <u>comentario</u> aquí.	Señores, **sus** <u>opiniones</u> son muy importantes para nosotros.
ellos/ellas	*su* Hace mucho que no los veo pasear con **su** <u>mascota</u>.	*sus* Hace mucho que no los veo pasear con **sus** <u>mascotas</u>.

Los posesivos seguidos de sustantivo concuerdan en número (singular o plural) con el sustantivo al que acompañan y solo **nuestro** y **vuestro** concuerdan además con el género (masculino o femenino).

Vuestra <u>opinión</u> es muy importante. → *Vuestras <u>opiniones</u> son muy importantes.*

2.2. Los posesivos que van detrás del sustantivo o sin él

¿QUIÉN POSEE?	¿QUÉ POSEE?	
	Un objeto o ser animado	Más de un objeto o ser animado
yo	*mío(a)* Esta <u>chaqueta</u> es **mía**.	*míos(as)* Aquellos <u>libros</u> no son **míos**.
tú/vos	*tuyo(a)* Mi <u>auto</u> es un poco antiguo, pero el **tuyo** es nuevo.	*tuyos(as)* No conozco a esas dos <u>vecinas</u> **tuyas**. ¿Son nuevas en el barrio?
usted	*suyo(a)* ¿Esta <u>maleta</u> es **suya**, señor?	*suyos(as)* ¿Estos <u>documentos</u> son **suyos**?

él/ella	*suyo(a)* Ana perdió la <u>billetera</u>. Estoy seguro de que esta es la **suya**.	*suyos(as)* Van a la fiesta con unos <u>amigos</u> **suyos** que no conocemos.
nosotros(as)	*nuestro(a)* El domingo viene Cristina, una <u>amiga</u> **nuestra** de Perú.	*nuestros(as)* Silvana y Raquel son <u>amigas</u> **nuestras** de la época del colegio.
vosotros(as)	*vuestro(a)* Nuestro <u>hijo</u> se llama Felipe, ¿y el **vuestro**?	*vuestros(as)* Nuestros <u>nietos</u> van a la colonia en verano. ¿Y los **vuestros**?
ustedes	*suyo(a)* Señores, esta <u>propuesta</u> es la **suya**.	*suyos(as)* Señoras, ¿estos <u>papeles</u> son **suyos**?
ellos/ellas	*suyo(a)* Ya argumenté mi <u>punto de vista</u>. Ellos ahora defienden el **suyo**.	*suyos(as)* Dicen que no hay <u>familiares</u> **suyos** entre los ganadores.

Los posesivos pospuestos al sustantivo o sin sustantivo concuerdan en género (masculino y femenino) y número (singular o plural) con el sustantivo al que acompañan o sustituyen.

*Este <u>libro</u> es **mío**.* → *Estos <u>libros</u> son **míos**. Esta <u>carpeta</u> es **mía**.* → *Estas <u>carpetas</u> son **mías**.*

2.3. **Los posesivos con otros determinantes (*otro/otra, todo/toda,* etc.)**

Los posesivos también pueden ir:

- <u>delante</u> de ***otro/a/os/as*** y de ***poco/a/os/as***: *Este es su hermano Lucas, su otro hermano se llama Pablo./Mi poca experiencia me ha perjudicado para encontrar un empleo.*
- <u>delante</u> de los números: *Sus dos hijos están casados.*
- <u>detrás</u> de ***todo/a/os/as***: *Se ha gastado todo su dinero en apuestas.*
- <u>detrás</u> de un **demostrativo seguido de un sustantivo**: *¿De dónde son esos amigos vuestros?*

3. Los usos

3.1. **El artículo y los posesivos**

USO	EJEMPLOS
a) No se usa el artículo con los posesivos que van antes del sustantivo.	*Tu amiga me visitó ayer.* *~~La tu amiga me visitó ayer~~.*
b) Se usa el artículo con los posesivos pospuestos al sustantivo.	*Una amiga **tuya** me visitó ayer.* *La propuesta **suya** no es mala.*
c) Solamente se puede usar el artículo con los posesivos que van sin sustantivo.	✢Tu primo es muy simpático, **el mío** es un plomo.

¡Atención!

Los posesivos sin sustantivo pueden aparecer con o sin artículo definido:

*¿Este coche es **tuyo**?* → se pregunta por la relación de posesión, pero sin hacer alusión a otro(s) coche(s).
*¿Este coche es **el tuyo**?* → se pregunta por la relación de posesión, distinguiendo «este coche» de otro(s) coche(s).

3.2. Casos en los que no se utilizan los posesivos

CASOS	EJEMPLOS
1. Cuando nos referimos a las partes del cuerpo (la relación entre una parte y su todo).	*El joven perdió **la** vista en una penosa expedición.* *Me duele la cabeza.* *Le lavo el pelo a la niña.* ~~*Le lavo su pelo a la niña.*~~
2. Con el verbo *haber*.	***Mi** coche está en el garaje.* ~~*Hay mi coche en el garaje.*~~

> **¡Atención!**
>
> Sí se usa el posesivo pospuesto con el verbo *haber*:
> *Hay un coche **mío** en el garaje.*

3.3. La ambigüedad de los posesivos *(su/sus y suyo/suya/suyos/suyas)*

Pueden referirse a *usted; ustedes; él/ella; ellos/ellas.*

Para evitar la ambigüedad, se descarta el posesivo y se utiliza la expresión *de* + nombre de persona o sustantivo o pronombre personal:
*Esta es **su** casa.* → *Esta es la casa <u>de Juan</u>.*
*¿Cuál es **su** número de teléfono?* → *¿Cuál es el número de teléfono <u>de</u> <u>tu</u> <u>prima</u>?*

3.4. Los posesivos enfáticos

En frases exclamativas, el posesivo sirve para dar más énfasis a la exclamación. Comparemos las dos frases siguientes: *¡Dios!   ¡Dios **mío**!*

Curiosidades de la lengua

Existen algunas expresiones con los posesivos:
—Los <u>tuyos</u>/Los <u>míos</u> ➡ fórmula para referirse a los familiares.
 Siempre trato de proteger a los míos en situaciones de peligro.
—Salirse <u>con la suya</u>/Salirte <u>con la tuya</u>/Salirme <u>con la mía</u> ➡ fórmula que expresa que se ha conseguido lo que se quería.
Ricardo se salió con la suya: los padres le van a dar el coche que quería.
—Muy señor <u>mío</u> ➡ fórmula para iniciar una carta formal.
Muy señor mío:
Con esta carta, quisiera….
—Ser muy <u>mío</u> / <u>tuyo</u> / <u>suyo</u> ➡ fórmula que expresa que se tiene una personalidad muy marcada o que se es algo raro.
Yo soy muy mío y no me gusta que me toquen los papeles.
Es muy raro, muy suyo, no habla con nadie.
—Ser muy <u>mío/tuyo/suyo</u> ➡ fórmula que expresa que se trata de algo característico de una persona.
Eso de tener todo organizado es muy suyo.
—Tú a lo <u>tuyo</u> ➡ fórmula que expresa que alguien no participe o no opine de algo que no sabe o que no le corresponde.
Mira, no discutas de economía que eres de letras. Tú a lo tuyo.
—Esta es la <u>mía</u> ➡ fórmula que expresa que se tiene una oportunidad.
Francisco siempre me ha estado molestando, pero ahora que yo soy su jefe... ¡Esta es la mía!

4. Ejercicios

4.1. Identifica

1. Lee el texto y marca los posesivos.

A mis años y a tus años

Nos dicen que a tus años y a mis años ya no tenemos edad para amarnos.

¡Yo sigo vivo! Mis manos todavía pueden acariciar, y mis labios quieren besar los tuyos. Mis pies aún recuerdan los viejos pasos de baile, y mis brazos todavía pueden abrazarte, para protegerte, otra vez, de cualquier viento.

Ni tus sentimientos ni los míos tienen arrugas, están limpios, claros a la luz de nuestros ojos. Tu cuerpo y el mío hace mucho que dejaron de ser niños; pero tienes los ojos azules de niña traviesa, y mi alma te busca.

El tiempo ha pasado y nuestras vidas han vivido mucho. Pero ahora volvemos a unirnos, no en nuestra hora final, sino en una nueva hora primera. No importan nuestros hijos y nietos, que llevan nuestra sangre; pero no nuestros sentimientos. Que a tus años y a los míos vamos a amarnos hasta el final.

Antonio Rodríguez Dosantos

2. Completa la versión del primer texto con los posesivos de 3.ª persona o con *de + él/ella*.

Les dicen que a los años _de él_ y a los años _de ella_ ya no tienen edad para amarse. Pero él sigue vivo. _Sus_ manos todavía pueden acariciar, y _sus_ labios quieren besar los _de ella_. _Sus_ pies aún recuerdan los viejos pasos de baile, y _sus_ brazos todavía pueden abrazarla, para protegerla, otra vez, de cualquier viento.

Ni los sentimientos _de ella_ ni los sentimientos _de él_ tienen arrugas, están limpios, claros a la luz de _sus_ ojos. El cuerpo _de ella_ y el cuerpo _de él_ hace mucho que dejaron de ser niños; pero ella tiene los ojos azules de niña traviesa, y el alma _de él_ la busca. El tiempo ha pasado y _____ vidas han vivido mucho. Pero ahora vuelven a unirse, no en _____ hora final, sino en una nueva hora primera.

No importan _____ hijos y nietos, que llevan _____ sangre; pero no _____ sentimientos. Que a _____ años van a amarse hasta el final.

4.2. Practica

1. Completa las frases con los posesivos adecuados.

a. Juan, me gusta mucho ___tu___ coche nuevo. Te felicito por la compra.

b. Lola y yo tenemos muchos secretos y ___nuestros___ secretos nos pertenecen a nosotras y a nadie más.

c. Mis compañeros de trabajo tienen tanta suerte que ___sus___ cumpleaños caen un día viernes.

d. Por favor, señorita, ¿cuál es ___su___ número de documento de identidad?

e. El domingo vienen a casa el hermano de mi mamá y su esposa, o sea, ___mis___ tíos.

f. Fernando y Carmen se casan, pero no sé cuándo es ___su___ boda.

g. Estoy esperando ___vuestra___ respuesta para hacer la reserva. Por favor, decidme algo hoy.

h. –¿Qué te pasa? ¿Estás enojada?

–Sí, estoy enojada. ¿Por qué has traído a ___tus___ amigotes si habíamos quedado en que pasaríamos ___nuestro___ aniversario de bodas juntos y solos?

2. Completa el cuadro transformando las frases como en el ejemplo.

	Un poseedor	Dos o más poseedores
Esta es mi habitación.	Esta habitación es la mía.	Esta habitación es la nuestra.
Estas son mis llaves.	___ son las mías	_ la nuestra
Este es mi lugar.	es mob el mío lugar	_ el nuestro
Estos son mis apuntes.	son los míos	- los nuestros
Este es tu coche.	es tu el tuyo	el vuestro
Esta es tu casa.	es la tuya	la vuestra
Estos son tus lapiceros.	son las tuyas	los vuestros
Estos son tus perros.	son los tuyos	los vuestros
Esta es su cartera.	es la suya	la vuestra
Estas son sus compras.	son las suyas	las vuestras
Este es su gorro.	es el suyo	el vuestro
Estos son sus paquetes.	son los suyos	los vuestros

3. Completa las frases con los posesivos adecuados.

a. Vivo cerca de ___mi___ familia y eso me agrada. Solamente dos tíos ___míos___ no viven en la ciudad y es una pena porque no los veo mucho, principalmente a ___mis___ primos, o sea, ___sus___ hijos.

b. ¿A usted le parece bien que ___su___ perro ensucie ___mi___ vereda? ¡Cómo se nota que no es la ___suya___!

c. Estamos aquí para escucharlo: ___sus___ problemas son los ___nuestros___.

d. Sin duda, _tu_ amistad y la _mía_ pueden ayudar a Fermín en este momento. Vamos a visitarlo.

e. ¿Estás bien? _tu_ voz está extraña, no parece la _tuya_.

f. Chicos, dejad _vuestras_ mochilas y _vuestros_ abrigos en el guardarropas del museo.

g. _nuestros_ objetivos son comunes y eso nos hace un buen grupo de trabajo.

4. Lee los diálogos y complétalos con los posesivos adecuados.

a. –Señora, ¿este monedero es _suyo_?

–Sí, gracias. Es _el mío_.

–De nada.

b. –Niños, ¿esta pelota es _vuestra_?

–No, no es _nuestra_.

c. –¿Ómnibus o taxi? ¿Cuál es _tu_ preferencia?

–Si de preferencias hablamos, la _mía_ es caminar.

Cuando no lo puedo hacer, cojo un ómnibus o un taxi.

d. –¿Cuál es _tu_ nombre?

–Renata. ¿Y el _tuyo_?

–Gustavo.

e. –¡Hola, Gretel! Te presento a _mi_ amiga Hilda y a una hermana _suya_

–Chicas, esta es Gretel, una gran amiga _mía_

5. Elige la opción adecuada.

a. ¿Hay/**Está** tu hermano en esta escuela?

b. Me duelen **mis**/las rodillas de tanto correr.

c. La su/**Su** hermana es muy simpática, en cambio **la tuya**/tuya no.

d. Estos libros son **míos**/mis.

e. Le cepillo **el**/su pelo al gato dos veces al día.

6. Inserta las expresiones de la caja en los siguientes textos.

es muy suya – tú a lo tuyo – los míos – salirte con la tuya – muy señor mío – esta es la mía

a. Cuando los necesito, sé que puedo acudir a _los míos_.

b. _muy señor mío_, le escribo para solicitarle el envío del material…

c. ¡No te metas en mis asuntos! _tú a lo tuyo_, si no quieres que me enoje.

d. Al fin Ana se ha peleado con su novio. ¡_esta es la mía_! La voy a invitar a salir hoy mismo.

e. Siempre quieres _salirte con la tuya_ pero esta vez será diferente: tendrás que aceptar lo que hemos decidido tu padre y yo.

f. No me sorprende que Julia no te deje ver sus informes. _es muy suya_.

LOS DEMOSTRATIVOS

1. En contexto

Las palabras marcadas en los textos son demostrativos *(esta, aquellos, aquella, ese, este)* y se usan para apuntar o mostrar objetos y seres vivos, teniendo en cuenta la ubicación de las personas que participan en la situación.

Observa la ubicación del peluche, de la agenda y de los guantes en la ilustración y completa el cuadro con los demostrativos que faltan y las siguientes frases: lejos de las personas que están dialogando; cerca de la persona que habla; cerca de la persona con quien se habla, según corresponda.

OBJETO	UBICACIÓN	DEMOSTRATIVO
peluche		este
peluche		
agenda		
agenda		esta
guantes		

2. Las formas

	SINGULAR		PLURAL	
	Masculino	Femenino	Masculino	Femenino
Cerca del hablante	este	esta	estos	estas
Cerca del interlocutor	ese	esa	esos	esas
Lejos del hablante y del interlocutor	aquel	aquella	aquellos	aquellas

a) Los demostrativos pueden ir con un sustantivo:

- Normalmente van delante.

  Este chico es mi primo Pablo.

- A veces, van detrás de sustantivo acompañado de un artículo, con matices extras.

  El primo <u>ese</u> no es muy simpático, ¿no? (desprecio)

  Recuerdo con cariño los almuerzos <u>aquellos</u> con toda la familia. (nostalgia)

  Vuelve a contarme la historia <u>esta</u> de tu amiga escritora. (énfasis)

> **Curiosidades de la lengua**
>
> El demostrativo *aquel* y sus derivados, tanto delante como detrás del sustantivo, pueden emplearse con un matiz de admiración o de emotividad:
>
> *Aquel hombre sí que es todo un personaje.*
>
> *La mujer aquella que siempre me consuela y me ayuda es mi madre.*

b) Los demostrativos también pueden ir:

- <u>delante</u> de *otro/a/os/as* y de *poco/a/os/as*: *Este libro es para mí y ese otro, para ti./Esos pocos ahorros que tengo no me alcanzan para comprarme el piso.*
- <u>delante</u> de **numerales cardinales**: *Aquellos tres empleados son nuevos./Aquellos tres son los empleados nuevos.*
- <u>detrás</u> de *todo/a/os/as*: *Todo ese ruido viene de la calle.*
- <u>delante</u> de un **sustantivo seguido de un posesivo**: *¿De dónde son esos amigos vuestros?*

3. Los usos

3.1. El valor espacial

Muestran objetos y seres animados teniendo en cuenta la ubicación espacial de las personas que participan en una situación de comunicación.

¿Dónde?	¿Qué se muestra?		Noción espacial
	Un objeto o ser animado Singular	Más de un objeto o ser animado Plural	
Lo que se muestra está cerca de quien habla (yo/nosotros/nosotras)	*este/esta* Mira **este** libro.	*estos/estas* Toma **estas** llaves.	aquí

Lo que se muestra está cerca de con quien se habla (tú/vos/usted/vosotros /vosotras/ustedes)	*ese/esa* Dame **ese** libro.	*esos/esas* Dame **esas** llaves.	ahí
Lo que se enseña está lejos de todos los interlocutores (él/ella/ellos/ellas)	*aquel/aquella* A ver **aquel** libro.	*aquellos/aquellas* Vamos a buscar **aquellas** llaves.	allí/allá

3.2. El valor temporal

También pueden señalar objetos y seres vivos teniendo en cuenta la ubicación temporal.

¿Cuándo?	¿Qué se señala?		Noción temporal
	Un objeto o ser animado Singular	Más de un objeto o ser animado Plural	
Actualmente	*este/esta* **Este** año ha llovido mucho.	*estos/estas* **Estas** compañeras de trabajo son agradables.	Presente
Recientemente	*ese/esa* **Ese** año llovió mucho en marzo.	*esos/esas* **Esas** compañeras de tu trabajo anterior eran agradables.	Pasado
Hace tiempo	*aquel/aquella* **Aquel** año creo recordar que llovió mucho.	*aquellos/aquellas* Ya no me acuerdo del nombre de **aquellas** compañeras de trabajo.	Pasado lejano

3.3. El valor discursivo

Se usan para señalar partes dentro de un texto, teniendo en cuenta la proximidad o distancia que hay entre los demostrativos y lo que señalan:

– *este/esta/estos/estas* indican algo que se acaba de mencionar o algo que se mencionará inmediatamente después:
*Primero pones la leche en una cazuela y luego la pones a cocer. **Este** procedimiento (cocer la leche) de cocción se tiene que hacer muy despacio.*
*Señores, **esta** es la verdad: nadie quiere ceder, por lo que no habrá acuerdo.*

– *aquel/aquella/aquellos/aquellas* indican algo que se ha mencionado anteriormente:
Pérez presentó su tesis doctoral y publicó su primer libro.
*Pero, sin duda, **aquella** (la tesis doctoral) fue su mejor trabajo este año.*
San Pablo y Salvador: dos capitales brasileñas.
***Esta** (Salvador), conocida por sus bellas playas; **aquella** (San Pablo), centro del turismo de negocios.*

Sobre las formas *eso, aquello, ello*, ver el capítulo 33.

Curiosidades de la lengua

Existen algunas expresiones fijas con los demostrativos:

- *¿Con que esas tenemos?* → fórmula que expresa sorpresa.
- *¡No me vengas con esas!* → fórmula que expresa incredulidad.
- *¡Esa es otra!* → fórmula que expresa impertinencia o dificultad.
- *En una de esas* → fórmula que expresa posibilidad.

4. Ejercicios

4.1. Identifica

Lee los textos y marca los demostrativos. Luego, indica si tienen un valor espacial, temporal o textual.

a) <u>Este</u> nuevo aparato te permite jugar sin usar ningún control por solo 149,99 € (más impuestos).

b) Aquella Managua que se nos fue hace 35 años

Tras el terremoto, la ciudad cambió completamente. En la avenida central había dos hermosos edificios: el casino y un hermoso edificio ocupado por el Bank of America. Este inmueble fue diseñado por el estadounidense John Dentz, de la firma Hopkins and Dentz.

Adaptado de http://www.elnuevodiario.com/ni

c) El cantor que siempre está volviendo

De aquel muchachito que le cantaba serenatas a la más linda del barrio a este hombre que hoy conversa serenamente dista una distancia enorme. Víctor Hugo Godoy, el antiguo miembro del grupo *Los cuatro de Córdoba,* nos cuenta sus recuerdos. Cuántas cosas pasaron desde aquellos años cuando era un pibe y lustraba zapatos en la esquina; y están ahí, en la memoria de todos, aquellas picardías con sus amigos, y ni hablar de aquellos ensayos en la calle, aquellos primeros amoríos furtivos. Ha pasado tanto...

Adaptado de http://www.laarena.com.ar

4.2. Practica

1. Transforma las frases como en el ejemplo. Luego, reescribe las frases con las palabras subrayadas en plural.

a. El <u>auto</u> es de Marcelo.
   Cerca de la persona que habla → <u>Este auto es de Marcelo.</u>

b. La <u>llave</u> es de tu casa.
   Cerca de la persona con la que se habla → *esta llave*

c. La <u>casa</u> tiene tres dormitorios.
   Lejos de todas las personas → *aquella casa* ✓

d. El <u>jardín</u> es muy bonito.
   Lejos de todas las personas → *aquellos jardín* ✓

e. El <u>ordenador</u> está roto.
   Cerca de la persona que habla → *este ordenador.* ✓

f. El <u>edificio</u> es muy antiguo.
   Cerca de la persona con la que se habla → *este edificio*

g. El <u>libro</u> tiene 300 páginas.
   Lejos de todas las personas → *aquellos libros*   × sing

h. La <u>mesa</u> está llena de papeles.
   Cerca de la persona con la que se habla → *esta mesa* ✓

i. La <u>puerta</u> está abierta.
   Cerca de la persona que habla → *esta puerta*

j. La <u>ventana</u> no tiene cortina.
   Lejos de todas las personas → *aquella ventana* ✓

2. Completa los textos con los demostrativos adecuados.

a. Juan vive en un país lejano cuya lengua no habla. Sin embargo, _aquella_ situación le gusta.

b. Parece mentira: _ese_ ~~aquel~~ sueño de hace muchos años es _esta_ realidad que vivo hoy.

c. i _estos_ zapatos nuevos me están matando!

d. Ernesto, _esa_ camisa que llevas puesta te queda de maravilla.

e. iAy, si pudiera reencontrar _aquellos_ ojos negros que me hicieron suspirar en el pasado!

f. _este_ pastel está mejor que _aquel_ ~~ese~~ que comimos el otro día.

g. Julieta terminó su tesina y su pasantía. _esta_ última con gran éxito.

3. Lee los diálogos y complétalos con los demostrativos adecuados.

a. –Abuela, ¿te acuerdas de cómo era tu infancia? _aquella_
–Sí, cómo no me voy a acordar. i _esos_ tiempos en los que se podía jugar en la calle hasta tarde!

b. –iHola, chicas! _este_ es Felipe, el amigo del que les hablé. Felipe, _estas_ son Fernanda y Gisela, dos grandes amigas.

c. –¿ _ese_ balón que llevas es tuyo?
–No, es de Javier. Me lo ha prestado para jugar contigo.

d. –¿ _esta_ es tu casa?
–No, es _aquella_ de allí.

e. –¿Te gusta cómo está jugando el equipo?
–iNo, nada! _este_ equipo no se compara a _aquel_ de 1975.
–Sí, es verdad. El equipo del 75 era fantástico, el actual hace lo que puede.

4. Completa los espacios en blanco con las expresiones de la caja.

no me vengas con esas – esa es otra – con que esas tenemos – en una de esas

a. ¿Que si pude hablar con Luis? i _esa es otra_ ! Nunca está en su casa y no me contesta los *e-mails*.

b. _en una de esas_ tenemos más suerte el año que viene.

c. Estoy harta de que siempre tengas excusas para todo, así que _no me vengas con esas_ de que no sabías llegar.

d. ¿ _con que esas tenemos_ ? Pues, ienhorabuena! ¿Cuándo nace el bebé?

4.3. Aplica

Observa las situaciones y construye pequeños diálogos con la ayuda de los elementos que te damos y de tu imaginación.

	clase–compañero–ser
	zapatos–parecer–preferir
	escritor–gustar–no–novelas policiales
	correo–novio interesante

14

LOS NÚMEROS

1. En contexto

1

Maxi López anotó dos goles en la gran victoria de Gremio en Lima.

2

Barcelona, ya casi campeón

El Barcelona va **primero** en la Liga. Le lleva muchos puntos al **segundo** y al **tercero**. Ya es muy difícil que gane otro equipo la Liga.

3

Nadal ya está en cuartos de final de la Copa Davis.

4

FÚTBOL

Deportivo Cuenca visita hoy a El Nacional; **ambos** equipos buscan pasar a la **tercera** etapa.

Responde las preguntas a partir de los textos anteriores:

Texto 1: ¿Cuántos goles metió Maxi López?

Texto 2: ¿Por qué el Barcelona es casi campeón de la Liga?

Texto 3: ¿Quién representa a España en el torneo de tenis?

¿En qué fase del torneo se encuentra?

Texto 4: ¿Qué equipos quieren avanzar?

Las palabras marcadas en los textos son los numerales. Dentro de esta clase extensa de palabras podemos distinguir:

a) los números básicos o cardinales: *Maxi López anotó dos goles…*

b) los números ordinales: *A estas alturas el Barcelona va primero en la Liga. Le lleva muchos puntos al segundo y al tercero.*

c) los numerales partitivos: *Nadal metió a España en cuartos de final de la Copa Davis.*

d) los numerales distributivos: *Ambos equipos buscan pasar a la tercera etapa.*

e) y los numerales multiplicativos: *el doble, el triple…*

2. Las formas

2.1. Los números básicos (o numerales cardinales)

Del **0** al **30** se escriben en una sola palabra.	**0** cero – **1** uno – **2** dos – **3** tres – **4** cuatro – **5** cinco – **6** seis – **7** siete – **8** ocho – **9** nueve – **10** diez – **11** once – **12** doce – **13** trece – **14** catorce – **15** quince – **16** dieciséis – **17** diecisiete – **18** dieciocho – **19** diecinueve – **20** veinte – **21** veintiuno – **22** veintidós – **23** veintitrés – **24** veinticuatro – **25** veinticinco – **26** veintiséis – **27** veintisiete – **28** veintiocho – **29** veintinueve – **30** treinta.
Del **31** al **99** se escriben separados y con la conjunción **y**.	**31** treinta y uno – **32** treinta y dos – **44** cuarenta y cuatro – **49** cuarenta y nueve – **67** sesenta y siete, etc.
Las decenas son:	**30** treinta – **40** cuarenta – **50** cincuenta – **60** sesenta – **70** setenta – **80** ochenta – **90** noventa.
Las centenas son:	**100** cien/ciento – **200** doscientos – **300** trescientos – **400** cuatrocientos – **500** quinientos – **600** seiscientos – **700** setecientos – **800** ochocientos – **900** novecientos.
Las unidades de 1000.	**1000** mil – **2000** dos mil – **3000** tres mil – **4000** cuatro mil y así sucesivamente.
Los números mayores que **999 000**	**1000 000** un millón – **10 000 000** diez millones – **1000 000 000** mil millones – **1000 000 000 000** un billón.
Con *millón, millones* y *billón, billones* se utiliza la preposición *de* solo si no va ningún número después.	**1000 000** de personas vio la exposición. **1000 200** personas utilizan el metro todos los días.
La conjunción **y** solo se coloca entre las decenas y las unidades.	**105** ciento cinco – **109** ciento nueve – **1004** mil cuatro – **134** ciento treinta y cuatro – **293** doscientos noventa y tres – **2576** dos mil quinientos setenta y seis.

MÁS

1. El número *uno(a)* y sus compuestos *(veintiuno(a), treinta y uno(a), cuarenta y uno(a)*, etc.) pierden la vocal final **-o/-a** cuando acompañan a un sustantivo masculino o a un sustantivo femenino que empieza con **a-** o **ha-** tónicas.
*Mi hija tiene **un** <u>año</u>. Faltan **veintiún** <u>días</u> para que comience el festival.*

2. El número *uno* y sus derivados *veintiuno, treinta y uno*, etc., y los números formados por *–cientos* son los únicos números que tienen femenino.
*Carlos tiene solamente **una** <u>hija</u>.*

3. Se escribe *cien*:
　　a. delante de sustantivos.
　　　*La ciudad tiene **cien** <u>millones de habitantes</u>. Hay **cien** <u>libros</u> en la caja.*

b. delante de los sustantivos *mil, millones* y *billones. Hay* **cien** *mil personas más sin empleo este mes. Estas obras costarán* **cien** *millones de euros.*

c. solo en la expresión *100% (cien por* **cien***).* En otros porcentajes se utiliza *ciento (3% tres por ciento).*

4. Se escribe **ciento** seguido de decenas y unidades.
   El libro tiene **ciento** <u>veinte</u> *páginas. Faltan* **ciento** <u>un</u> *días para finalizar las clases.*

2.2. **Los números ordinales (o numerales ordinales)**

	1.º primer(o)	11.º undécimo–decimoprimer(o)
	2.º segundo	12.º duodécimo–decimosegundo
	3.º tercer(o)	13.º decimotercer(o)
	4.º cuarto	14.º decimocuarto
Del 1 al 20	5.º quinto	15.º decimoquinto
	6.º sexto	16.º decimosexto
	7.º séptimo	17.º decimoséptimo
	8.º octavo	18.º decimoctavo
	9.º noveno	19.º decimonoveno
	10.º décimo	20.º vigésimo

MÁS

1. Los ordinales superiores se forman con *–gésimo*, sin embargo, en general, no se usan por parecer excesivamente cultas. En su lugar se usan los números básicos.

2. Se usan **primer** y **tercer** y sus derivados (**decimoprimer** y **decimotercer**) delante de sustantivos masculinos singulares. De lo contrario se usa **primero, tercero, decimoprimero** y **decimotercero**.
   Ronaldinho metió el **primer** *gol del partido.*
   Mi equipo de fútbol está en **tercer** *lugar en la tabla de posiciones.*
   El atleta llegó **tercero** *en la carrera.*
   De los dos cantantes que actuaron me gustó más el **primero***.*

3. Los ordinales tienen femenino y plural.
   Juliana fue la **primera** *invitada en llegar a la fiesta.*
   Leí hasta la **tercera** *página del libro.*
   En las **primeras** *páginas de la novela ya se conoce el final.*
   Ya se conocen los **terceros** *colocados del certamen de poesía.* (Es decir, más de una persona ocupa el tercer lugar en el certamen).

4. Para escribirlos de forma abreviada se utilizan dos procedimientos: o ponerlos en números romanos *(I, II, III, IV…)* o poner el número con un º para la forma masculina y una ª para la forma femenina.
   Plaza Ciudad de Salta, 15–2.º A
   Este equipo de fútbol forma parte de la 3.ª división.
   Alfonso X el Sabio fue un rey español muy importante.

2.3. **Los números partitivos**

Se usan para expresar números fraccionarios.

Del 1 al 20	1/2 medio	1/7 séptimo
	1/3 tercio	1/8 octavo
	1/4 cuarto	1/9 noveno
	1/5 quinto	1/10 décimo
	1/6 sexto	
A partir del 11	Se agrega la terminación **–avo(s)**:	
	1/12 un doce**avo**	
	3/15 tres quince**avos**	
	2/20 dos veinte**avos**	

> **¡Atención!**
>
> Observa que de *cuarto* a *décimo*, los partitivos coinciden con los ordinales.

2.4. **Los números multiplicativos**

Se usan para expresar la noción de multiplicación.

De 2 a 5	Doble
	Triple
	Cuádruple
	Quíntuple

MÁS

Además de los anteriores, existen otras formas para los números superiores, pero casi no se utilizan. En su lugar se utiliza el número básico correspondiente y la expresión «veces mayor» o «veces más».

Tu casa es diez veces mayor que la mía. ¡Qué grande!

En la primera manifestación solo hubo 200 personas. Pero en la segunda hubo seis veces más, unas 1200 personas.

2.5. **Los números distributivos**

Cambian en género	*Ambos (as)*
	Sendos (as)
Es invariable	*Cada*

3. Los usos

3.1. **Los números básicos (o numerales cardinales)**

USO	EJEMPLOS
a) *Ser* + número, para informar del número de personas u objetos.	*En clase **somos seis**.* *__Son siete__ para cenar.*

b) Número + *de* + grupo, para referirse a un determinado número de elementos de un grupo conocido por los participantes.	*Hoy almuerzo con **dos de mis compañeros**.* *Deme **uno de estos**.* *La policía detuvo a **tres de los ladrones**.*
c) *El* + número, para referirse a un día del mes.	*Viajé en abril a Bolivia, **el 4** y volví **el 18**.* *Marcelo se va a casar **el 15** de agosto.*

3.2. Los números ordinales (o numerales ordinales)

USO	EJEMPLOS
a) Se usan para hablar de la secuencia en que aparece alguien o algo. En este caso siempre van acompañados de un determinante (artículo o posesivo) y normalmente van delante del sustantivo.	*La novela alcanzó el **segundo** lugar en ventas.* *Varela es el **quinto** empleado que despiden en la empresa.* *Este es su **primer** empleo.*
b) Para organizar las ideas dentro de un texto. En este caso nunca llevan determinante.	***Primero**, vamos a tratar los factores económicos y **segundo** vamos a hablar de los factores sociales.*
c) En general se usan los números ordinales del 1 al 10. Para los restantes se emplean casi siempre los básicos.	*El rey Carlos II **(segundo)** de España.* *Vivo en el **tercer** piso.* *Hoy es la **novena** función del espectáculo de tango.*

3.3. Los números partitivos

USO	EJEMPLOS
a) Expresan cantidad teniendo en cuenta las partes (o la fracción) en que se divide algo.	*Quiero comer **media** naranja.* *Llegó tres **cuartos** de hora tarde al entrenamiento.* *Un **tercio** de los conductores ha dejado de ir al trabajo en coche.* *Nalbandian llegó a los **octavos** de final del torneo.*
b) Excepto *medio*, los partitivos van seguidos de la preposición *de*.	*La mitad **de** los participantes habla español.* *Más de un tercio **de** los argentinos vive en Buenos Aires.*

3.4. Los números multiplicativos

USO	EJEMPLOS
Expresan el resultado de una multiplicación.	*Mi madre gana el **doble** que mi padre.* *Marta tiene el **triple** de la edad de Andrea.* *250 años de prisión para autor de **quíntuple** asesinato.*

¡Atención!

Los partitivos se pueden usar también agregando al partitivo la palabra *parte(s)*. *Francisco recibió la **doceava parte** de todo el dinero que dejó su abuelo.*

3.5. Los números distributivos

NUMERAL	USO	EJEMPLOS
ambos/ambas	Para referirse a **dos** personas u objetos previamente mencionados.	*Estuve almorzando con Pedro y Ángela.* ***Ambos** quieren cambiar de trabajo.* *Probé la tarta de limón y la de chocolate. Me gustaron **ambas**.*
sendos/sendas	Para expresar la idea de «uno para cada uno» o «uno con cada uno».	*Los tres diputados presentaron **sendos** proyectos en la Cámara.* *Los dos ganadores recibieron **sendas** medallas por su triunfo.*
cada	a) Para referirse a todos los elementos de un grupo, uno por uno.	***Cada** jugador del equipo recibirá un premio de 20 000 €.*
	b) Para expresar la frecuencia con que se produce un acontecimiento.	*Carlos viene a visitarnos **cada tres días**.* ***Cada año** aumenta el número de turistas.*

3.6. Otras expresiones para hablar de cantidades

USO	EXPRESIONES	EJEMPLOS
a) Para referirnos a cantidades de tiempo.	**lustro** o **quinquenio** = cinco años. **década** = diez años. **siglo** = cien años.	*Llega a su primer **lustro** la Feria de la Rumba.* *Ya estamos casi llegando al final de la primera **década** del **siglo** XXI.*
b) Para hablar de la edad.	**quinceañero/a** = tiene quince años **cuarentón/a** = tiene cuarenta años. **cincuentón/a** = tiene cincuenta años	*Mi padre es un **cuarentón**, pero se mantiene en forma.* *Marisa se viste como una **quinceañera**.*
c) Para hablar de la música.	**dúo**: dos músicos o instrumentos musicales. **trío**: tres músicos o instrumentos musicales. **cuarteto**: cuatro músicos o instrumentos musicales. **sexteto**: seis músicos o instrumentos musicales.	*Vamos a escuchar un **cuarteto** de cuerdas de Schubert.* *Carlos forma parte de un **trío** de instrumentos de viento.*

4. Ejercicios

4.1. Identifica

1. Lee los textos y marca si las frases son V (verdaderas) o F (falsas).

a. Se necesitan quince camareros para un restaurante en Cádiz. *15*	**b.** Nuestro país necesita el triple de expertos en informática.
c. En una institución educativa trabajan cien profesores. La onceava parte de mujeres están casadas y la quinta parte de los varones están solteros. ¿Cuántas mujeres hay? ¿Cuántas son solteras?	**d.** Tiger Woods es el deportista mejor pagado y Messi, el sexto.
	e. En este torneo de fútbol se busca la competencia sana, leal y por ello se entregan sendos trofeos iguales al ganador y perdedor.
f. Encuentran en Tilcara, Jujuy, piezas de mil trescientos años de antigüedad.	**g.** Pagamos doscientos cincuenta pesos por cuatro noches de hotel. ¡Demasiado para un lugar así!
h. La enseñanza privada cuesta siete veces más que la pública.	**i.** España logra el primer puesto en el Mundial 2010.
j. Casi un sexto de la población mundial usa las redes sociales.	**k.** Cada jugador tiene un objetivo secreto que cumplir que los demás jugadores desconocen.

	V	F
a. En Cádiz necesitan más de catorce camareros y menos de dieciséis.	X	
b. Los expertos en informática en ese país son suficientes.		X
c. Hay cincuenta mujeres y veintiuna son solteras. *50 · 21*		X
d. Tiger Woods ocupa el primer lugar entre los deportistas que ganan más dinero.	X	
e. En el torneo mencionado se entregan varios premios a cada equipo.		
f. Las piezas encontradas en Tilcara tienen más de siete siglos.		
g. Cada noche en el hotel cuesta sesenta y dos pesos.		
h. Cuesta menos estudiar en una escuela pública.		
i. España está entre los tres mejores equipos del mundo.		
j. Pertenecer a una red social ocupa el sexto lugar en la vida de las personas.		
k. En este juego hay jugadores que tienen un mismo objetivo.		

2. Subraya y transcribe en el cuadro los números de los textos.

NÚMEROS	
Cardinales	quince –
Ordinales	
Partitivos	
Múltiplos	
Distributivos	

4.2. Practica

1. Continúa la serie.

a. dieciséis – dieciocho – _veinte_ – _veintidús_ – veinticuatro – _veintiséis_ – _____ – _____ – _____ – _____ – _____ –

b. sesenta y ocho – setenta y uno – _____ – _____ – _____ – _____ – _____ – _____ .

c. _____ – ciento cuarenta y ocho – ciento cincuenta y dos – _____ – _____ – _____ .

d. ochocientos uno – ochocientos dos – ochocientos cuatro – _____ – _____ – _____ – ochocientos diez – ochocientos once – ochocientos trece – _____ – _____ – _____ .

2. Escribe con letras las siguientes cifras.

a. 1245 _mil doscientos cuarenta y cinco_

b. 2009 _dos mil nueve_

c. 3037 _tres mil treinta y siete_

d. 6723 _seis mil setecientos veintitrés_

e. 7989 _sete mil, novecientos ochenta y nueve_

f. 14366 _catorce mil, trescientos sesenta y seis_

g. 78544 _setenta y ocho_

h. 256897 _____

i. 763268 _____

j. 1977412 _un millón novecientos, setenta y seis mil cuarto ciento y once_

3. Completa las frases con *uno/un* y sus derivados. Ten en cuenta la cifra que aparece en el paréntesis.

a. Daniela tiene _un_ hermano, se llama Ricardo. (1)

b. Me gustan mucho tus cuadros. Voy a comprar _uno_ . (1)

c. Esta semana, Carlos cumple _cuarenta y un_ años. (41)

d. La noche del _treinte y uno_ de diciembre siempre ceno con mis padres. (31)

e. Puedo darte _cincuenta y un_ motivos para no comprar ese coche. (51)

f. El _sesenta y uno_ es el número de mi suerte. (61)

g. Mi sobrina tiene diecinueve años y mi sobrino, _veintiuno_ . (21)

h. La casa de mi abuela tiene _ciento un_ años. ¡Es del siglo pasado! (101)

4. Observa el cuadro de entrada de un edificio de oficinas y apartamentos y completa las frases.

1º - Sánchez Elizondo – Abogados
2º - Seguros La Buena Vida
3º - Sastrería Gómez y Servando
4º - Estudio de Arquitectura
5º - Dr. Iñiguez – Clínico General
6º - Se alquila
7º - Se alquila
8º - Editorial El Aljibe
9º - Flia. Delores del Río
10º - Volare – Agencia de viajes
11º - Julio Nievas
12º - Teresa Paredes Gil
13º - Federica Toro García
14º - Restaurante El Águila

a. La sastrería está en la _tercera_ planta.

b. En el _quinto_ hay un médico.

c. Hay un buen restaurante en el _décimo cuarto_ piso. Se llama El Águila.

d. La señora Teresa Paredes Gil vive en la _décimo segundo_ planta.

e. La oficina de seguros está en el _____ .

f. Los abogados están en la _____ planta.

g. Quiero ver las oficinas del _____ y del _____ que están en alquiler.

h. ¿El apartamento de la señora Toro García es en el _____ ?

i. La editorial El Aljibe está en el _____ piso.

j. Hay una agencia de viajes en el _____ piso.

k. El apartamento del señor Nievas está en el _____ piso.

5. Completa con *primer/primero, tercer/tercero* y sus derivados. Ten en cuenta el número que está entre paréntesis.

a. Hoy se conmemora el _primer_____ aniversario de la muerte del más grande dirigente sindical que ha tenido nuestro país. (1)

b. ¡Qué ironía! El corredor que salió el último en la carrera y llegó el _____. (1)

c. Este es el _____ jarrón que rompe mi hijo en una semana. (3)

d. Voy por el capítulo _____. Me faltan dos para terminar el libro. (3)

e. Hay una oficina de reparaciones en el _____ piso. (1)

f. En la empresa donde trabajo no quieren pagar el _____ sueldo. (3)

g. Nos gustó mucho el _____ concierto de la tarde. (3)

h. Nuestro mejor jugador de tenis está _____ en el *ranking* mundial. (1)

i. Julián es el _____ de cinco hermanos. (3)

6. Completa los espacios con los números partitivos para conocer más sobre las proporciones humanas.

El Hombre de Vitruvio es el dibujo realizado por Leonardo da Vinci alrededor del año 1492 en uno de sus diarios y que se acompaña de notas anatómicas. Se trata de un estudio de las proporciones del cuerpo humano, realizado a partir de los textos del arquitecto romano Vitruvio.

a. La distancia entre el pelo y la barbilla es _un décimo_____ de la altura de un hombre. (1/10)

b. La altura de la cabeza hasta la barbilla es _____ de la altura de un hombre. (1/8)

c. La distancia entre el pelo a la parte superior del pecho es _____ de la altura de un hombre. (1/7)

d. La altura de la cabeza hasta el final de las costillas es _____ de la altura de un hombre. (1/4)

e. La distancia del codo al extremo de la mano es _____ de la altura de un hombre. (1/5)

f. La distancia entre el pelo y las cejas es _____ de la longitud de la cara. (1/3)

g. La distancia desde la rodilla hasta los genitales es la _____ parte del hombre. (1/4)

h. El inicio de los genitales marca la _____ de la altura del hombre. (1/2)

7. Completa las frases con los números multiplicativos. Ten como referencia las cifras del paréntesis.

a. España tiene el _doble_____ de residentes extranjeros que el promedio de la UE. (2)

b. El cantante argentino Fito Páez, en 1993, ganó el _____ disco de platino, con 240 000 discos vendidos. (4)

c. La nadadora Verónica Romero Serwatka es _____ campeona en la Copa Austral. (5)

d. Sentado, el baloncestista metió un _____ desde su propia zona hacia el otro aro. Toda una proeza. (3)

e. Tengo ganas de tomar un café _____. ¿Vamos? (2)

15

LOS INDEFINIDOS

1. En contexto

1 Nadie puede predecir qué va a pasar en el futuro con el sida.

2
Dos mil manifestantes protestan por la violencia

Hasta la fecha, las autoridades nada han informado
de los resultados de las investigaciones

3
? ¿Qué se le regala a alguien que lo
tiene todo?
El viernes es el cumpleaños de mi novio.
Es una persona muy importante para mí
y no puedo dejar de darle algo. Pero no
se me ocurre ninguna idea brillante.
Él lo tiene todo, gana muy bien, vive con
sus papás. Si quiere algo, lo compra.
¿Qué le puedo dar?

4
Tengo dos billetes de 500 €
euros. ¿Es conveniente
llevarlos a Cuba para
cambiarlos por CUC, o al ser
billetes tan altos puedo tener
algún problema? Aquí es
bastante difícil lograr que
alguien me los cambie.

Marca con **V** las opciones verdaderas y con **F** las falsas.

Texto 1 ☐ a) Los especialistas saben qué va a pasar con el virus.
☐ b) Los especialistas no saben qué va a pasar con el virus.

Texto 2 ☐ a) Las autoridades han informado de los resultados de las investigaciones.
☐ b) Las autoridades no han informado de los resultados de las investigaciones.

Texto 3 La persona que escribe…
☐ a) quiere hacerle un regalo a su novio.
☐ b) no sabe qué regalo comprarle a su novio.

Texto 4 La persona que escribe…
☐ a) considera muy difícil cambiar un billete de 500 euros en Europa.
☐ b) sabe quién le cambiará el billete.
☐ c) no sabe si tendrá problemas en Cuba para cambiar el billete.

Todos las palabras marcadas son indefinidos y reciben ese nombre porque:
● no especifican ni identifican a las personas o cosas que señalan,
● expresan una cantidad imprecisa de personas o cosas.

2. Las formas

2.1. **Los indefinidos que se refieren a personas y cosas no concretas**

	INDEFINIDO	SE APLICA A	EJEMPLO
EXISTENCIA	alguien	persona	Llamó **alguien** que no quiso identificarse.
	alguien + adjetivo masculino singular		Buscamos a **alguien** educado y simpático.
	algo	cosa	Quiero comer **algo**, pero no sé qué.
	algo + adjetivo masculino singular		Para esa cena tienes que ponerte **algo** elegante.
INEXISTENCIA	nadie	persona	**Nadie** puede entrar en la sala durante la película.
	nadie + adjetivo masculino singular		No hay **nadie** conocido en la fiesta.
	nada	cosas	Los padres de Marcela no dicen **nada** si llega tarde.
	nada + adjetivo masculino singular		No hay **nada** nuevo en el periódico.

> **¡Atención!**
>
> Son invariables, concuerdan con adjetivos masculinos en singular y con verbos en tercera persona singular.

> **¡Atención!**
>
> Cuando **nada** o **nadie** están después del verbo, se coloca el adverbio **no** delante del verbo.
> *Está triste porque **nadie** la invita a salir.*
> *Está triste porque **no** la invita nadie a salir.*

2.2. **Los indefinidos de cantidad**

	INDEFINIDO		EJEMPLO
INEXISTENCIA	ningún ninguna	+ sustantivo	**Ningún** político opina como tú. Engordé y **ninguna** falda me queda bien.
	ninguno ninguna	+ ∅	- ¿Ves aquellos pájaros? - No, no veo **ninguno**. - ¿Tienen alguna duda? - No, **ninguna**.
EXISTENCIA	algún alguna algunos algunas	+ sustantivo	¿Has leído **algún** libro interesante recientemente? **Algunas** personas hablan cuatro idiomas. En la reunión solo participan **algunos** trabajadores.
		+ ø	Quiero un libro de misterio. ¿Tienes **alguno**? Estas casas son antiguas. **Algunas** tienen más de cien años.
	poco poca pocos pocas	+ sustantivo	Tengo **poca** harina para hacer una torta. Hay **pocos** hombres en la sala. Son **pocas** las personas que piensan como tú.
	poco	+ adjetivo + verbo	Hoy te noto poco atenta, ¿qué te pasa? Javier busca una buena secretaria, pero paga **poco**.

<table>
<tr><td rowspan="30">EXISTENCIA</td><td>mucho
mucha
muchos
muchas</td><td colspan="2">+ sustantivo</td><td>Tengo **muchas** ganas de ver a mis amigos.
Muchos empleados están a favor de la huelga.
Mucha gente ya no cree en los políticos.</td></tr>
<tr><td colspan="2">+ comparativo</td><td>Aquí hay **muchas** más personas que en el otro bar.
Ahora vivo **mucho** más cerca del trabajo que antes.</td></tr>
<tr><td>muy</td><td colspan="2">+ adjetivo</td><td>Estamos **muy** contentos.</td></tr>
<tr><td>verbo</td><td colspan="2">+ **mucho**</td><td>Estudia **mucho** y duerme poco.</td></tr>
<tr><td rowspan="3">todo
toda
todos
todas</td><td>+ artículo</td><td rowspan="3">+ sustantivo</td><td rowspan="3">**Todos** los amigos de mi hijo son estudiantes.
Por favor, pon **toda** tu ropa en el armario.
Todas esas mesas están ocupadas.</td></tr>
<tr><td>+ posesivo</td></tr>
<tr><td>+ demostrativo</td></tr>
<tr><td>todo</td><td colspan="2">+ verbo</td><td>**Todo** ha salido a las mil maravillas.</td></tr>
<tr><td>varios
varias</td><td colspan="2">+ sustantivo</td><td>**Varios** clientes han venido a quejarse.
Necesito decirte **varias** cosas.</td></tr>
<tr><td>bastante
bastantes</td><td colspan="2">+ sustantivo</td><td>¿Tienes **bastante** dinero para comprar esto? Es caro.
Hemos comprado **bastantes** patatas, pero ya no hay.</td></tr>
<tr><td rowspan="3">bastante</td><td colspan="2">+ verbo</td><td>Trabaja **bastante**, pero su salario es bajo.</td></tr>
<tr><td colspan="2">+ adjetivo</td><td>Es joven, pero **bastante** inteligente.</td></tr>
<tr><td colspan="2">+ adverbio</td><td>Mi hijo come **bastante** mal.</td></tr>
<tr><td>demasiado
demasiada
demasiados
demasiadas</td><td colspan="2">+ sustantivo</td><td>Ya le has dado **demasiado** dinero. No le des más.
En la fiesta hay **demasiada** gente y poca comida.
Si tú ves **demasiados** problemas en ese negocio,
mejor decir que no.</td></tr>
<tr><td rowspan="3">demasiado</td><td colspan="2">+ verbo</td><td>Come **demasiado**, por eso tiene problemas de peso.</td></tr>
<tr><td colspan="2">+ adjetivo</td><td>Juana es **demasiado** alta para su edad.</td></tr>
<tr><td colspan="2">+ adverbio</td><td>Tú sabes **demasiado** bien de lo que estoy hablando.</td></tr>
</table>

¡Atención!

Delante de sustantivo masculino singular, *alguno*
y *ninguno* pierden la vocal *o* final.
–¿Tienes **algún** vestido largo para prestarme?
–Sí, tengo estos. ¿Te gusta alguno?
No tenemos **ningún** pantalón de su talla.

¡Atención!

Otro/otra puede llevar artículo
definido (*el/la/los/las*), pero
nunca artículo indefinido
(*un/una/unos/unas*).
Estamos solo él y yo, porque *los
otros* invitados ya se han ido.

2.3. **Los indefinidos que se refieren a personas o cosas diferentes**

INDEFINIDO		EJEMPLO
otro otra otros otras	+ sustantivo	Llámame en **otro** momento. Esa vendedora es antipática; por eso quiero hablar con **otra**. ¿Tienen **otras** novelas de este mismo autor?
diferente diferentes	+ sustantivo	Juan se comporta de forma **diferente** cuando está con sus amigos. Se puede ir al centro de la ciudad por **diferentes** calles.

diverso diversa diversos diversas	+ sustantivo	*En la reunión se ha hablado de **diversos** temas.* *Hay **diversas** soluciones contra la contaminación.*
Artículo determinado	+ demás	*Dile a mi hermana que me he ido y a los **demás** no les digas nada.*
Posesivo		*Llévate ahora lo esencial, tus **demás** cosas te las llevo yo mañana.*

2.4. Los indefinidos que se refieren a personas o cosas parecidas

INDEFINIDO		EJEMPLO
mismo misma mismos mismas	+ sustantivo	*Tú y yo no tenemos las **mismas** ideas.* *Todas las chicas llevan la **misma** ropa. ¡Qué falta de originalidad!*
igual iguales		*En la fiesta hay dos mujeres con vestidos **iguales**.* *Quiero un escritorio **igual** al tuyo. ¿Dónde lo compraste?*
semejante semejantes		*Problemas **semejantes** pueden resolverse de forma **semejante**.* *No estábamos preparados para **semejante** noticia.*
tal tales		*No podemos decir que **tal** pueblo es más inteligente que **tal** otro.*

2.5. Los indefinidos que se refieren a personas o cosas de un mismo grupo

INDEFINIDO		EJEMPLO
cada	+ sustantivo (en singular)	***Cada** carpeta es de un color diferente, según el tema.* *Es una escuela muy moderna, **cada** alumno tiene su propio ordenador.*
	+ número	*9 de **cada** 10 correos electrónicos son spam.* *Tengo que tomarme esta medicina **cada** 12 horas.*
cualquier	+ sustantivo (en singular)	***Cualquier** persona puede entrar aquí.* *En su estado **cualquier** esfuerzo puede ser fatal.*
cualquiera cualesquiera		***Cualquiera** puede entrar aquí.* ***Cualesquiera** que sean tus opiniones políticas, debes respetar a todos.*

2.6. Los indefinidos con otros determinantes

a. Los indefinidos que se refieren a personas o cosas no especificadas se combinan con posesivos y demostrativos en construcciones con *de*.
*¿Quieres **alguno** de <u>mis</u> sombreros para ir a la playa?*
*No me gusta **ninguno** de <u>estos</u> vestidos que te probaste.*

b. Poco/a/os/as y otro/a/os/as se combinan con otros indefinidos, con demostrativos y posesivos.
*Tengo mucha hambre porque he comido <u>demasiado</u> **poco**.*
*Mi novio gana <u>bastante</u> **poco** y, por eso, no quiere casarse.*

¡Atención!

Delante de estos indefinidos nunca se coloca artículo.

*A pesar de su **poca** edad ya es abogado.*
*Con esos **pocos** pesos no puedo comprar nada.*
*Me llevo esta falda. Esas **otras** no me gustan.*
*No sé dónde está mi **otro** bolso.*
*¿Ningún **otro** cliente ha preguntado por mí?*

c. **Cualquier/-a** puede combinarse con el indefinido **otro/a**.
*Tu marido es un insensible. **Cualquier otra** persona entendería tu situación.*
*No quiero esa blusa. Deme **otra cualquiera** más barata.*

3. Los usos

SE UTILIZAN LOS INDEFINIDOS PARA...	EJEMPLO
a) hablar de la existencia de una persona o cosa sin precisarla.	*¿Hay **algo** bueno para ver en la tele?* ***Alguien** ha dejado estas flores para ti en la puerta.*
b) referirse a como mínimo uno de los elementos de los que se habla.	*Seguro que ha tenido **algún** novio. (Uno por lo menos).* ***Alguna** de sus amigas la acompañará al médico. (Por lo menos una amiga).*
c) negar la existencia de una persona o una cosa.	*No hay **nadie** que pueda acompañarme.* *No hemos hecho **nada** en todo el día.*
d) responder a un agradecimiento.	*– Gracias por la información.* *– **De nada**.*
e) referirse a una cantidad insuficiente de personas o cosas.	*Tenemos **poco** pan para el desayuno.* *Ahora hay **pocos** empleados porque es la hora del almuerzo.*
f) referirse a una cantidad no especificada de personas o cosas.	*¿Tienes **algo de/un poco de** dinero para prestarme?*
g) referirse a una cantidad suficiente de personas o cosas.	*Tengo **bastante** tiempo libre. ¿Te ayudo?* *El candidato cuenta con el apoyo de **bastante** gente.*
h) indicar una cantidad grande, inferior a mucho.	*Manuela está **bastante** cansada y prefiere no salir.* *La profesora es **bastante** exigente.*
i) referirse a una cantidad excesiva.	*La prueba fue **demasiado** difícil para todos.*
j) indicar una persona o cosa completa (todas sus partes).	***Toda** la ciudad es bonita.*
k) referirse a la totalidad de los miembros de un grupo.	***Todos** los invitados traen regalos.*
l) indicar variedad.	*Hizo **de todo** para quedarse embarazada, pero al final adoptó un bebé.* *Come **de todo** y no engorda.*
m) dar instrucciones para llegar a un lugar.	*Camina **todo** recto hasta llegar a la avenida.* *Sigue **todo** derecho y gira a la izquierda en la plaza.*
n) referirse a más de uno de los elementos de los que se habla.	*Compran **varios** cuadros para el Museo Nacional.* *Necesito decirte **varias** cosas.*
ñ) añadir un elemento a otro ya mencionado o conocido.	*¿Quieres **otro** pedazo de torta?* *Quédate con este libro, yo tengo **otros** en casa.*
o) expresar que todos los elementos de una clase son equivalentes.	*– ¿Qué quieres de regalo?* *– **Cualquier** cosa.* ***Cualquier** persona puede hacer funcionar esta máquina.*
p) hablar de otros elementos no mencionados de un grupo.	*Preséntale al nuevo empleado a sus jefes, a los **demás** ya se los presento yo más tarde.*

4. Ejercicios

4.1. Identifica

1. Lee los textos y marca las frases que corresponden a los textos.

1. Os deseo a <u>todos</u> feliz año nuevo. Hasta pronto, nos vemos.	**5.** ¿Cómo enviar *mails* a varias personas, pero sin que aparezcan como mensajes enviados en cadena?
2. Cuando nadie me ve (Alejandro Sanz) […] Cuando nadie me ve puedo ser o no ser. Cuando nadie me ve pongo el mundo al revés.	**6.** ¿Buscas trabajo? Aquí lo encontrarás para cualquier nivel de estudios.
	7. Tú eres una mujer diferente. Todas las demás me aburren.
3. Gano bastante dinero, pero mi trabajo no me gusta. ¿Qué debo hacer?	**8.** Shakira, Ricky Martin y otros artistas se manifiestan contra ley de inmigración en Arizona.
4. Demasiado ruido Un estudio en tres barrios de Madrid revela que los niveles superan los recomendados.	

1	**a.** Se despide de sus lectores.	☒
	b. Determina un día y un lugar para encontrarse con sus lectores.	☐
2	**a.** El cantante se siente libre cuando las personas no lo ven.	☐
	b. El cantante se siente libre cuando las personas lo ven.	☐
3	**a.** Gana poco dinero.	☐
	b. Gana mucho dinero.	☐
4	**a.** El ruido en Madrid puede dañar la salud.	☐
	b. El ruido en Madrid no representa un riesgo para la salud.	☐
5	**a.** Pide información.	☐
	b. Da un consejo.	☐
6	**a.** Publica ofertas de trabajo altamente especializado.	☐
	b. Ofrece oportunidades de trabajo para personas con y sin formación superior.	☐
7	**a.** Se divierte con todas las mujeres.	☐
	b. Solo se divierte con una.	☐
8	**a.** Shakira y Ricky Martin fueron los únicos artistas que se manifestaron contra la ley.	☐
	b. Shakira y Ricky Martin no fueron los únicos artistas que se manifestaron contra la ley.	☐

2. Subraya los indefinidos en los textos y cópialos en el cuadro.

Texto	INDEFINIDOS QUE SE REFIEREN A			
	personas y cosas no especificadas	cantidad	personas o cosas diferentes	personas o cosas de un mismo grupo
1		todos		
2				
3				
4				
5				
6				
7				
8				

4.2. Practica

1. Subraya el pronombre indefinido e indica si se refiere a una persona (P) o a una cosa (C).

a. ¿Alguien puede decirme si acá para el colectivo 60? (P)

b. ¿Puedo hacer algo por ti? (C)

c. ¿Raúl no te dice nada cuando llegas tarde? (C)

d. No veo a nadie conocido. ¿Estaré en la fiesta equivocada? (P)

e. Ana dice que es farmacéutica, pero no sabe nada de química. (C)

2. Marca la opción correcta.

a. Juan, en la recepción hay **algo/alguien** que quiere hablar contigo.

b. – ¿El cartero dejó **algo/alguien** para mí?

   – No, no dejó **nadie/nada**.

c. ¿Tienes **algo/alguien** rico para comer?

d. – ¿Les apetece un postre?

   – No, no queremos comer **nada/nadie** más, gracias.

e. Aquí **nadie/nada** llega puntualmente a las citas.

f. ¿**Alguien/Algo** conocido te espera en el aeropuerto?

3. Elige la opción correcta.

a. Ningún/**Ninguno** de ustedes tiene experiencia en programación.

b. No hay **ningún**/ninguno operador desocupado.

c. Algún/Alguna/**Algunos** oyentes nos piden que pasemos más canciones de Maná.

d. ¿Hay **algún**/alguna mesa libre en la terraza?

e. Si tenemos **algún**/alguno problema, te llamamos al móvil.

f. El salón parece grande porque tiene poco/**pocos** muebles.

g. Niños, estáis mucho/**muy** atentos a mis explicaciones.

h. Ramiro tiene **muchas**/mucho/muy cualidades.

i. Comen **mucho**/muy y después les duele la barriga.

j. Carmen es una mujer mucho/**muy** elegante.

k. El nuevo empleado tiene **bastante**/bastantes fuerza de voluntad, pero es
mucho/**muy** distraído.

l. Florencia tiene bastante/**bastantes** amigos.

m. Estoy **bastante**/bastantes ocupada ahora, hablamos más tarde.

n. Es **demasiado**/demasiada tarde para llamar por teléfono a su casa.

ñ. Hay **demasiado**/demasiada luz para sacar una foto.

4. Completa el texto con los indefinidos de la caja.

cualquier (4)	cualquiera (1)	cada (1)

Una característica interesante de esta era de mundialización es cómo ___cualquier___ empresario –con la
imaginación apropiada, banda ancha de Internet y un pequeño capital– puede formar una empresa mundial
usando trabajadores y clientes de ___cualquier___ lugar para que hagan ___cualquier___ cosa para
___cualquier___. Quizás la regla de mayor importancia en este mundo ___cada___ vez más plano sea
la siguiente: ___cualquier___ cosa que se pueda hacer, se hará; ya que hoy día hay muchísima gente que
tiene acceso a las herramientas de innovación y conectividad.

5. Completa con *igual*, *mismo* o *semejante* y realiza los cambios necesarios.

a. Hoy en día parece que los adolescentes son todos _iguales_ : todos usan la _misma_ ropa, llevan el _mismo_ corte de pelo, se ponen los _mismos_ _____ *piercing*.

b. Los hombres y las mujeres tenemos los _mismos_ _____ derechos, pero no somos _iguales_ .

c. Recuerdo a mi madre usando un vestido _semejante_ al que tú llevas puesto hoy. Es impresionante como la moda se repite.

d. Empleados de la _misma_ _____ categoría, que desempeñan funciones _semejantes_ deben ganar lo _mismo_ .

6. Relaciona y completa las oraciones.

1. esos	**a.** otro
2. estas	**b.** pocos
3. tú	**c.** otros
4. muchos	**d.** otra
5. alguna	**e.** otras
6. muy	**f.** sus
7. ninguno de	**g.** poca

a. _____ Esos pocos _____ caramelos cómetelos tú solo.

b. Aquella falda no me gusta, pero _estas otras_ me las llevo.

c. ¿_Tu otro_ _____ hermano no viene a la fiesta?

d. Maná, Manu Chao y _muchos otros_ cantantes participan en el *show*.

e. ¿Quieres _alguna otra_ cosa del supermercado?

f. Estoy más gorda y _muy poca_ ropa me sirve.

g. Cuando más los necesita, _ninguno de sus_ amigos viene a visitarlo.

4.3. Aplica

Gabriela es una persona muy crítica y organizada. Una vez al año analiza aspectos de su vida para decidir si debe cambiarlos o no. Lee lo que ha escrito Gabriela. Su marido, Renato, es completamente diferente. Describe los aspectos importantes de su vida siguiendo el modelo.

TRABAJO	VIDA SOCIAL/OCIO	ALIMENTACIÓN	ESTUDIOS
Hay algunas cosas de mi trabajo que no me gustan: por ejemplo, nadie me enseña nada, pero todos son muy simpáticos.	Es muy intensa. Tengo muchos amigos y algunos muy buenos. Salgo bastante y paso poco tiempo sola. No tengo ningún *hobby*.	En general me alimento bastante bien. No como nada de comida basura, pero como demasiado chocolate.	Me van bastante mal porque no me gusta lo que estudio. Tengo que encontrar algo que me entusiasme.

LOS ADVERBIOS Y LAS EXPRESIONES DE TIEMPO

1. En contexto

① Mañana estrena sus emisiones en España el canal mexicano *Onda Latina*

②

¿A quiénes suele mentir «piadosamente» más **a menudo**?

Compañeros de trabajo/Jefe — 29.2%
Familiares — 21.7%
Amigos — 12.6%
Pareja — 25.1%
Otros — 11.4%
3 756 votos

③

Todavía cantamos, **todavía** pedimos,
todavía soñamos, **todavía** esperamos;
por un día distinto,
sin apremios ni ayuno,
sin temor y sin llanto,
porque vuelvan al nido
nuestros seres queridos.

(VÍCTOR HEREDIA, *TODAVÍA CANTAMOS*)

④

«Besos que vienen riendo, *luego* llorando se van, y en ellos se va la vida, que *nunca más* volverá».

MIGUEL DE UNAMUNO

⑤ Y *hoy* al encontrar
la protección de tus manos tan serenas,
recién siento que me apena
saber que te hice mal.

HOMERO MANZI

Las palabras subrayadas son expresiones temporales que indican cuándo ocurre la acción. Marca la opción correcta.

Texto 1	La acción de *estrenar* mañana se realiza…	☐ el día inmediatamente anterior del día presente. ☐ el día presente. ☐ el día inmediatamente después del día presente.
Texto 2	La acción de *mentir* se realiza…	☐ pocas veces. ☐ con frecuencia. ☐ nunca.
Texto 3	Las acciones de *cantar/pedir/soñar/esperar* se realizan…	☐ desde el pasado y se siguen realizando. ☐ en el pasado, ya no se realizan. ☐ en el presente.
Texto 4	La acción de *llorar* luego se realiza…	☐ después de la realización de otra acción. ☐ antes de la realización de otra acción. ☐ al mismo tiempo que la otra acción.
	La acción de *volver*…	☐ no se realizó. ☐ se va a realizar en el futuro. ☐ no se va a realizar en ningún tiempo.
Texto 5	La acción de *encontrar* se realiza…	☐ el día inmediatamente anterior del día presente. ☐ el día presente. ☐ el día inmediatamente después del día presente.
	La acción de *sentir*…	☐ se empieza a realizar. ☐ se termina de realizar. ☐ no se realiza.

2. Las formas

2.1. Las expresiones de tiempo

Adverbios de tiempo	Adverbios de secuencia	Locuciones adverbiales	Adverbios en -mente	Hace/Hacía + tiempo
hoy, ahora, mañana, ayer, anoche, nunca, siempre, etc.	primero, luego, después, etc.	por la mañana, en breve, de vez en cuando, hoy en día, antes de, después de, etc.	frecuentemente, recientemente, previamente, actualmente, antiguamente, etc.	hace tiempo, hace dos meses, hacía una semana, hace un rato, hacía diez años, etc.

MÁS

Los adverbios terminados en –*mente* se forman a partir de la forma femenina del adjetivo:
previa (de previo) + *mente*
antigua (de antiguo) + *mente*

2.2. La colocación de los adverbios y las expresiones temporales

Pueden aparecer:

a) detrás del verbo (posición tradicional).
Nos vemos mañana.

b) delante del verbo (posición enfática).
Mañana nos vemos.

2.3. Los adverbios de frecuencia

Algunos adverbios y locuciones de tiempo expresan la cantidad de veces que se realiza un evento, y pueden indicar desde la repetición a la ausencia de realización, por eso se denominan *adverbios de frecuencia*. Observa el siguiente cuadro con algunos adverbios que expresan la gradación de lo que es muy frecuente a lo que no lo es:

¡Atención!

Cuando los adverbios de tiempo **jamás** y **nunca**, que tienen valor negativo, van pospuestos al verbo, llevan delante el adverbio negativo *no*.
Nunca *vienes a mi casa.*
No *vienes* **nunca** *a mi casa.*

+++++	siempre
++++	casi siempre
+++	a menudo
++	a veces
+	casi nunca
ø	nunca

2.4. *Hace* y *hacía*

		cantidad de tiempo		
Hace	+	(tiempo, un rato, unos minutos, media hora, un mes, dos meses, cinco días, tres semanas, cinco años, etc.)		*Joaquín vino* **hace** *un rato.* *Nos encontramos* **hace** *dos semanas.*
			+ que	**Hace** *cinco días* **que** *no lo veo.*
Hacía				*Se había ido* **hacía** *dos meses cuando volvió a casa.*
			+ que	**Hacía** *unos minutos* **que** *se había ido cuando llegaste.*

3. Los usos

SE UTILIZAN PARA…	ADVERBIOS Y LOCUCIONES DE TIEMPO		EJEMPLOS
a) referirse a un momento específico.	Presente	hoy ahora a esta hora en este momento este día/semana/mes/año esta mañana/tarde/noche	***Ahora*** *no la voy a llamar por teléfono. Es tarde.* *La llamo **mañana por la tarde**.* ***Dentro de una hora** la pasa a buscar Fabián para ir a la fiesta de Sofía. Y **pasado mañana** van juntos a la inauguración de la exposición.* ***Anoche** no me podía dormir porque los perros del vecino no paraban de ladrar. Espero que **esta noche** sea diferente.*
	Pasado	ayer anteayer anoche	
	Futuro	mañana, pasado mañana, dentro de una hora/un mes	
	Una parte del día	por/a la mañana/tarde/noche a las… de la mañana/tarde/noche temprano tarde	

¡Atención!

Anoche = ayer a/por la noche
Esta noche = hoy a/por la noche

b) calcular la cantidad de tiempo transcurrido desde que se realizó la acción.	Desde el pasado hasta el presente	hace + *expresión* de *tiempo* (+ que)	***Hace un mes*** *que no lo vemos.* ***Hace dos años*** *estuve en París.*
	Desde el pasado hasta otro momento pasado	hacía + *expresión* de *tiempo* (+ que)	***Hacía un mes*** *que no lo veíamos.* ***Hacía dos años*** *que no visitaba París.*
c) indicar la frecuencia.	jamás, nunca, casi nunca, raramente, pocas veces, a veces, casi siempre, a menudo, frecuentemente, todos los días/meses/años /las tardes, etc., diariamente, semanalmente mensualmente, habitualmente, constantemente, siempre		*María y yo **casi nunca** salimos a comer fuera. Antes lo hacíamos **frecuentemente**, pues **siempre** nos ha gustado probar platos exóticos. **Diariamente**, el señor Domínguez sale de su casa a las 6 de la mañana y **habitualmente** desayuna en la cafetería de la oficina.*
d) expresar que una acción continúa.	todavía aún		*Felipe no ha llegado **aún**.* *Son las 11 de la mañana y Rodrigo **todavía** está durmiendo.*
e) expresar secuencia anterior o posterior.	antes después luego enseguida		*–Mamá, **enseguida** vuelvo.* *–**Antes** de irte, dime qué prefieres para la cena: ¿fideos o pescado?*
f) indicar que una acción esperada está realizada.	recién ya		***Ya*** *repasé todos los temas para la prueba de Sociales.*

4. Ejercicios

4.1. Identifica

Lee los textos. Subraya los adverbios y clasifícalos. Luego, marca las alternativas.

1. **La tormenta de anoche en Madrid**
   25 junio 2010
   Blog con las fotos de la tomenta de ayer en Madrid y fotos de la tormenta sobre Chicago hace solo unos días.

2. Las mujeres sanas de 35 o más usualmente no tienen problemas para quedarse embarazadas. Sin embargo, si no lo logra en un año, consulte a su médico.

3. **Manglares del mundo desaparecen a un ritmo acelerado y los lugares donde aún quedan a menudo están degradados**
   La superficie mundial de manglares es equivalente al territorio de Surinam, o al estado de Illinois, o a la mitad del territorio de Filipinas. Sin embargo, a menudo, la costa está muy poblada y, por eso, se construye en los manglares. En otros lugares, muchas veces hay un exceso de agricultura.

4. ¿Por qué cuesta tanto abrir la nevera de casa si recién ya sacaste algo de la misma?
   Porque entra aire caliente del exterior, que al enfriarse crea un vacío. Esto dificulta algo abrirla inmediatamente después que se cerró.

LOCALIZACIÓN PUNTUAL	SECUENCIA	FRECUENCIA	CANTIDAD DE TIEMPO TRANSCURRIDO	DURACIÓN	INICIO/ TÉRMINO
anoche					

TEXTO 1 a. *Anoche* se refiere a:
- ☐ el 25 junio 2010 por la noche.
- ☑ ayer por la noche.

b. **Las tormentas en Madrid y en Chicago ocurrieron:**
- ☐ simultáneamente.
- ☑ cerca una de la otra.

TEXTO 2 a. **Las mujeres no tienen problemas para quedar embarazadas:**
- ☐ nunca.
- ☑ normalmente.

b. *Usualmente* se opone a:
- ☐ casi nunca.
- ☑ casi siempre.

TEXTO 3 La expresión *a menudo* podría sustituirse por:
- ☐ nunca.
- ☑ frecuentemente.

TEXTO 4 a. Marca la expresión similar a *inmediatamente después:*
- ☐ justo después.
- ☐ un tiempo después.

b. **La combinación *recién ya* indica que:**
- ☐ la acción de sacar acabó de ocurrir.
- ☐ la acción de sacar se inició.

4.2. Practica

1. Observa la agenda de Juan e inserta la expresión que más convenga teniendo en cuenta cuándo ocurre la acción y que el día de hoy es 29 de mayo.

MAYO						
Lunes	Martes	Miércoles	Jueves	Viernes	Sábado	Domingo
26 Responder e-mails	27 Practicar deportes	28 Responder e-mails	29 Responder e-mails. Practicar deportes	30 Reunión con clientes	1	2
3 Responder e-mails	4 Responder e-mails. Practicar deportes	5 Responder e-mails	6 Responder e-mails. Practicar deportes	7 Responder e-mails	8	9
10 Responder e-mails	11 Responder e-mails. Practicar deportes	12 Responder e-mails	13 Responder e-mails. Practicar deportes	14 Ir al oculista	15	16
17	18 Responder e-mails. Practicar deportes	19 Responder e-mails	20 Responder e-mails. Practicar deportes	21	22 Responder e-mails	23
24 Responder e-mails	25 Practicar deportes	26 Responder e-mails. Ir a la biblioteca	27 Responder e-mails. Practicar deportes	28 Responder e-mails. Almorzar con clientes	HOY: 29 Ir al cine con Marcos	30 Cumpleaños de Sofía
31 Almorzar con la familia	1 Responder e-mails. Practicar deportes	2 Responder e-mails	3 Dar una charla	4	5 Responder e-mails	6

> el mes pasado – hace tres días – ayer – esta tarde – a menudo – ya – pasado mañana – mañana por la tarde – casi todos los días – el mes que viene

a. Casi todos los días lee y responde *e-mails*.

b. _Ayer ya_ tuvo una reunión con todos los clientes de la empresa.

c. _mañana_ tiene el cumpleaños de Sofía.

d. _Hace 3 días_ fue a la biblioteca.

e. _el mes que viene_ dará una charla.

f. _a menudo_ practica deportes.

g. _ayer_ almorzó con los clientes de la empresa.

h. _pasado mañana_ almorzará con su familia.

i. _esta tarde_ va al cine con Marcos.

j. _____ fue al oculista este mes.

2. Marca la opción adecuada según las orientaciones que te damos.

a. Mi secretaria **todavía/recién/ya** está trabajando en los informes que le pedí. → duración

b. Martín y Graciela **todavía/recién/ya** están aprendiendo a leer y a escribir. → inicio

c. John **todavía/recién/ya** estudió español y francés. → término

d. Lamentablemente, **todavía/recién/ya** me di cuenta de su mentira cuando **todavía/recién/ya** se había ido. → inicio/término

e. Gerardo dijo que no volvería más, pero Susana **todavía/recién/ya** lo espera. → duración

3. Une las frases con el conector que te damos y luego inserta el par de conectores más adecuado.

> por la mañana/por la noche – siempre/frecuentemente – recién/ya – ayer/hoy – primero/enseguida – aún/desde hace una semana

a. Sofía está enferma. Los médicos no saben qué tiene. Pero.
   Desde hace una semana Sofía está enferma, pero los médicos aún no saben qué tiene.

b. Los niños juegan a la pelota en el jardín. Los niños juegan a los videojuegos dentro de casa. En cambio.
   _____

c. Empezamos a trabajar en el proyecto. Encontramos muchos problemas. Y.
   _____

d. Pedro come mucha grasa y fritura. Pedro tiene que controlarse el colesterol. Por eso.
   _____

e. Te lavas las manos. Empiezas a cocinar. Para.
   _____

f. No me levanto temprano. Me acuesto tarde. Porque.
   _____

4.3. Aplica

Describe una semana normal en tu vida. ¿Qué haces? ¿Cuándo? ¿Con qué frecuencia?

   _____
   _____
   _____
   _____
   _____
   _____
   _____

EL PRETÉRITO PERFECTO SIMPLE (INDEFINIDO)

1. En contexto

Testimonios de una vejez plena

Ejemplos de personas de más de 65 años que estudian, son voluntarios, ayudan a sus familias, dan cursos y son independientes.

Mirar al cielo

Beatriz Pérez Alzúa está orgullosa de sus 80 años. Pasó la mayor parte de su vida en el campo, en Cholila, y hace diez que se mudó a Esquel para estar más cerca de sus hijos. Casi por casualidad se anotó en el proyecto *El cielo patagónico para los abuelos de Esquel* y ahora da clases de astronomía para personas de la tercera edad.

Marcado por los libros

Su vida estuvo siempre marcada por los libros, desde que aprendió a leer a los 7 años, y su cabeza se llenó de letras desordenadas. Durante 64 años fue maestro, director e inspector de escuelas, y aún hoy, a sus 89, sigue leyendo y estudiando Filosofía en la Universidad Nacional del Sud, en Bahía Blanca. «Recién me jubilé en 2004, y me adecué a un nuevo estilo de vida», dice Américo Mazzucca.

Lee los textos anteriores y escribe **1** si el acontecimiento corresponde a Beatriz; **2**, si corresponde a Américo y **3**, si no corresponde a ninguno de los dos.

a) ☐ Siempre leyó libros.

b) ☐ Vivió casi siempre en el campo.

c) ☐ Se fue a vivir a otra ciudad para estar cerca de la familia.

d) ☐ Estudió la carrera de Letras.

e) ☐ Trabajó en la dirección de escuelas.

f) ☐ Nació en la Patagonia.

g) ☐ Se retiró de la vida laboral en 2004.

Todos los verbos marcados están en pretérito perfecto simple o pretérito indefinido. Este tiempo se usa para expresar acontecimientos pasados y acciones terminadas y sin relación con el presente. A veces, se emplea acompañado de expresiones de tiempo que marcan la idea de pasado concluido:

***Hace diez** años que se mudó a Esquel…*
*Su vida estuvo siempre marcada por los libros desde que aprendió a leer **a los 7 años**…*
*Recién me jubilé **en 2004**.*

2. Las formas

2.1. Los verbos regulares

	CANTAR	COMER	VIVIR
yo	canté	comí	viví
tú, vos	cantaste	comiste	viviste
él, ella, usted	cantó	comió	vivió
nosotros, nosotras	cantamos	comimos	vivimos
vosotros, vosotras	cantasteis	comisteis	vivisteis
ellos, ellas, ustedes	cantaron	comieron	vivieron

2.2. Los verbos irregulares

a) Verbos que tienen irregularidad propia

	SER / IR	DAR
yo	fui	di
tú, vos	fuiste	diste
él, ella, usted	fue	dio
nosotros, nosotras	fuimos	dimos
vosotros, vosotras	fuisteis	disteis
ellos, ellas, ustedes	fueron	dieron

> **Curiosidades de la lengua**
>
> La forma *nosotros* de los verbos regulares en *–ar* y en *–ir* es igual en presente y en pretérito perfecto simple, se distinguen por el contexto.

> **Curiosidades de la lengua**
>
> Los verbos *ser* e *ir* tienen las mismas formas en pretérito perfecto simple, se distinguen por el contexto.

b) Verbos en los que cambian las vocales

E → I (la vocal *e* cambia por la vocal *i* en las terceras personas)

	PEDIR	SENTIR
yo	pedí	sentí
tú, vos	pediste	sentiste
él, ella, usted	pidió	sintió
nosotros, nosotras	pedimos	sentimos
vosotros, vosotras	pedisteis	sentisteis
ellos, ellas, ustedes	pidieron	sintieron

> **¡Atención!**
>
> Son todos verbos en *–ir* que en presente cambian de vocal (ver capítulo 9).

Se forman igual estos verbos y sus derivados: competir, concebir, conseguir, corregir, derretir, despedir, elegir, freír, impedir, medir, pedir, reír, rendir, reñir, repetir, seguir, servir, sonreír, teñir, vestir, etc.

Y los verbos y sus derivados: advertir, convertir, divertir, herir, hervir, invertir, mentir, preferir, sentir, sugerir, etc.

O → U (la vocal *o* cambia por la vocal *u* en las terceras personas)

> **¡Atención!**
>
> Son los mismos verbos en *–ir* que en presente cambian *o* por *ue* (ver capítulo 9).

	DORMIR	MORIR
yo	dormí	morí
tú, vos	dormiste	moriste
él, ella, usted	durmió	murió
nosotros, nosotras	dormimos	morimos
vosotros, vosotras	dormisteis	moristeis
ellos, ellas, ustedes	durmieron	murieron

I → Y (la vocal *i* cambia por la consonante *y* en las terceras personas)

	CAER	LEER	CONSTRUIR
yo	caí	leí	construí
tú, vos	caíste	leíste	construiste
él, ella, usted	cayó	leyó	construyó
nosotros, nosotras	caímos	leímos	construimos
vosotros, vosotras	caísteis	leísteis	construisteis
ellos, ellas, ustedes	cayeron	leyeron	construyeron

¡Atención!

Son los mismos verbos terminados en –*uir* que en presente cambian *i* por *y* y los verbos *caer, creer, leer* y *oír* (ver capítulo 9).

Se forman igual, además de los verbos *caer, creer, leer* y *oír,* todos los verbos terminados en -*uir: atribuir, concluir, constituir, contribuir, destruir, disminuir, distribuir, excluir, huir, incluir, intuir, sustituir,* etc.

c) Verbos en los que cambian la raíz y las terminaciones

	ESTAR	TENER	ANDAR	VENIR
yo	estuve	tuve	anduve	vine
tú, vos	estuviste	tuviste	anduviste	viniste
él, ella, usted	estuvo	tuvo	anduvo	vino
nosotros, nosotras	estuvimos	tuvimos	anduvimos	vinimos
vosotros, vosotras	estuvisteis	tuvisteis	anduvisteis	vinisteis
ellos, ellas, ustedes	estuvieron	tuvieron	anduvieron	vinieron

(nota manuscrita al margen: e este o unos istis ieron)

	DECIR	TRAER	QUERER	HACER
yo	dije	traje	quise	hice
tú, vos	dijiste	trajiste	quisiste	hiciste
él, ella, usted	dijo	trajo	quiso	hizo
nosotros, nosotras	dijimos	trajimos	quisimos	hicimos
vosotros, vosotras	dijisteis	trajisteis	quisisteis	hicisteis
ellos, ellas, ustedes	dijeron	trajeron	quisieron	hicieron

	SABER	CABER	PONER	PODER
yo	supe	cupe	puse	pude
tú, vos	supiste	cupiste	pusiste	pudiste
él, ella, usted	supo	cupo	puso	pudo
nosotros, nosotras	supimos	cupimos	pusimos	pudimos
vosotros, vosotras	supisteis	cupisteis	pusisteis	pudisteis
ellos, ellas, ustedes	supieron	cupieron	pusieron	pudieron

MÁS

El pretérito perfecto simple del verbo *haber* en la forma impersonal es *hubo.* Recuerda que se usa esta forma para expresar existencia de objetos y personas (ver capítulo 7).
Ayer por la tarde **hubo** *un accidente automovilístico en la carretera que va a las playas del norte.*
Durante el congreso **hubo** *varias conferencias interesantísimas.*

Verbos terminados en -ducir

	PRODUCIR	CONDUCIR
yo	produje	conduje
tú, vos	produjiste	condujiste
él, ella, usted	produjo	condujo
nosotros, nosotras	produjimos	condujimos
vosotros, vosotras	produjisteis	condujisteis
ellos, ellas, ustedes	produjeron	condujeron

Se forman igual todos los verbos terminados en -ducir, como: *inducir, seducir, aducir, reducir, traducir,* etc.

2.3. **Verbos con cambios ortográficos**

-CAR → -QUÉ (solo en *yo*)

	SACAR
yo	saqué
tú, vos	sacaste
él, ella, usted	sacó
nosotros, nosotras	sacamos
vosotros, vosotras	sacasteis
ellos, ellas, ustedes	sacaron

Se forman igual todos los verbos terminados en -car, como: acercar, arrancar, atacar, colocar, convocar, criticar, chocar, educar, explicar, fabricar, identificar, marcar, notificar, provocar, publicar, sacar, secar, significar, tocar, etc.

-GAR → -GUÉ (solo en *yo*)

	LLEGAR
yo	llegué
tú, vos	llegaste
él, ella, usted	llegó
nosotros, nosotras	llegamos
vosotros, vosotras	llegasteis
ellos, ellas, ustedes	llegaron

Se forman igual todos los verbos terminados en -gar, como: apagar, castigar, conjugar, interrogar, jugar, llegar, obligar, pagar, etc.

-ZAR → -CÉ (solo en *yo*)

	EMPEZAR
yo	empecé
tú, vos	empezaste
él, ella, usted	empezó
nosotros, nosotras	empezamos
vosotros, vosotras	empezasteis
ellos, ellas, ustedes	empezaron

Se forman igual todos los verbos terminados en -zar, como: adelgazar, alcanzar, analizar, avanzar, comenzar, empezar, organizar, realizar, utilizar, etc.

3. Los usos

SE UTILIZA EL PRETÉRITO PERFECTO SIMPLE PARA...	EJEMPLOS
a) expresar acontecimientos terminados en un momento del pasado.	*El viernes pasado* **terminó** *el congreso.* *Matías* **llegó** *ayer de Europa.*
b) narrar y relatar.	**Entró** *y* **vio** *a Marcela.*
c) contar una biografía.	*Cortázar* **nació** *en Bruselas.*

MÁS

Frecuentemente, el pretérito perfecto simple va acompañado de expresiones de tiempo que refuerzan la idea de un acontecimiento terminado en un momento del pasado (ver capítulo 16), como: *ayer, anteayer, anoche, la semana pasada, el año pasado, hace* + cantidad de tiempo, etc.

Ayer *tuvimos mucho trabajo en la empresa.*

La semana pasada *vinieron a visitarme mis primos de Asunción.*

Hace quince días, *Pedro compró una casa nueva.*

4. Ejercicios

4.1. Identifica

Lee el texto, localiza las formas del pretérito perfecto simple y escribe el infinitivo.

Varias peleas callejeras protagonizadas por mujeres

La semana pasada ocurrieron varias peleas en la vía pública protagonizadas por mujeres mayores de edad. El primero de los episodios ocurrió en un supermercado donde discutieron acaloradamente dos vecinas. Según algunos testigos, las mujeres no solo se dijeron de todo sino que hasta llegaron a agredirse físicamente. No se divulgaron los motivos de la discusión.

Las otras dos peleas se produjeron el jueves. La primera fue a las 11:40 de la mañana en la esquina del Banco Nación. Allí tuvieron una fuerte discusión Blanca Rosa V. y Susana Beatriz F. Tras los insultos verbales, ambas se agarraron de los cabellos y se arrastraron por la vereda. Intervino el personal policial para separarlas. Una de ellas resultó lesionada. El motivo de la pelea fue una deuda impaga. El mismo día, a las 19:15 María de los Ángeles F. fue agredida por dos hermanas de apellido Aguirre.

Adaptado de http://www.radiodepartamental.com.ar

Pretérito perfecto	Infinitivo	Pretérito perfecto	Infinitivo
ocurrieron	ocurrir	fue	ser
ocurrió	ocurrir	tuvieron	tener
discutieron	discutir	gagaron	agarro
dijeron	decir	arrasroon	arraskcr
llegaron	llegar	resultó	resultar
divulgaron	divulgar		
produjeron	producir		

4.2. Practica

1. Clasifica las formas.

> dividí – cogieron – estudiasteis – dividisteis – estudié – cogiste – dividimos – estudió – dividiste
> – estudiaron – cogí – dividió – cogisteis – estudiaste – cogió – dividieron – estudiamos – cogimos

yo	tú/vos	él, ella, usted	nosotros/as	vosotros/as	ellos/as, ustedes
dividí	cogiste	estudió	dividimos	estudiasteis	cogieron
estudié	dividiste	dividió	estudiamos	dividisteis	estudiaron
cogí	estudiaste	cogió	cogimos	cogisteis	dividieron

2. Completa el cuadro.

	yo	tú/vos	él, ella, usted	nosotros/as	vosotros/as	ellos/as, ustedes
Seguir	seguí	Seguiste	Siguió	Seguimos	seguistes	Siguieron
Repetir	repetí	repetiste	repitió	repetimos	repetistes	repitieron
Intuir	intuí	intuiste	intuyó	intuimos	intuisteis	intuyeron
Dormir	dormió	dormiste	durmió	dormimos	dormisteis	durmieron
Poner	pude	pudiste	pudo	pudimos	pudistas	pudieron
Saber	supe	supiste	supo	supimos	supistes	supieron
Traer	traí	traiste	trayó	traimos	traisteis	trayeron
Estar	estuve	estuviste	estuvo	estuvimos	estuvisteis	estuvieron
Seducir	seduje	sedujiste	sedujó	sedujimos	sedujistes	sedujeron

3. Cambia las frases a la primera persona, *yo*.

a. Ayer, Pedro empezó el trabajo a las ocho. → Ayer empecé el trabajo a las ocho.

b. Daniel jugó toda la tarde en la plaza. → Jugué toda

c. Los periodistas criticaron su actuación. → critiqué

d. Finalmente pagaste todas las cuentas. → pagué

e. El médico analizó los exámenes. → analicé

f. Identificamos al ladrón. → Identifiqué

g. Ana adelgazó gracias a la dieta. → adelgué
gar.

gar → gué   car → qué   zar → cé

4. Forma frases con el verbo en pretérito perfecto simple.

a. sentir – durante todo el viaje – Daniel – frío – ayer.

Ayer Daniel sintió frío durante todo el viaje.

b. destruir – la ciudad – el temporal – el mes pasado.

el mes pasado, el temporal destruyó la ciudad.

c. dormir – durante toda la película – los chicos – el sábado pasado.

Durante la película, los chicos durmieron

d. elegir – el sábado pasado – el restaurante – Marcela.

Marcela eligió el restaurate

e. oír – en la cocina – un ruido extraño – mis padres – ayer.

mis padres oyó un ruido.

f. competir – bajo la lluvia – los deportistas – anteayer.

Los deportistas compitieron

5. Completa las frases con los verbos en pretérito perfecto simple en la persona correspondiente.

> ver – ~~pedir~~ – ~~haber~~ – ~~tener~~ – ~~construir~~ – conseguir – ~~conducir~~ – ~~venir~~ – ~~sentir~~ – ~~poder~~
> – ~~morir~~ – ~~traer~~ – producir – ~~incluir~~

a. Andrea me ___pidió___ un regalo de Argentina y yo le
___traje___ un poncho de vicuña.

b. Leí en el diario que ayer ___murió___ el famoso escritor José Saramago.

c. El sábado, Alejandra y yo no ___pudimos___ viajar a Santiago, pues su madre no se
___sintió___ bien y ___tuvimos___ que llevarla al médico.

d. Un famoso arquitecto ___construyó___ un moderno teatro de ópera en la ciudad. En
el frente del edificio ___~~hat hube~~ incluyó___ detalles de arte clásico.

e. ___hubo___ mucha gente en la fiesta de casamiento de Daniela.
___vinieron___ invitados de diversas partes del país.

f. El director _____ la reunión de la semana pasada con tanta habilidad
que, por suerte, no se _____ altercados entre los participantes.

g. El domingo pasado, como mi marido y los chicos no _____ entradas
para la cancha, _____ el partido por televisión.

6. Lee este fragmento de una entrevista a la actriz española Penélope Cruz y completa con los verbos en la forma adecuada.

-¿Cómo te ___eligió___ (elegir) Woody Allen para su película?
-Le ___conocí___ (conocer) en Nueva York, en una reunión que
___duró___ (durar) menos de un minuto. Me ___propuso___
(proponer) trabajar en su próxima película y le ___dije___ (decir) que sí. Al cabo
de un tiempo me ___llegué___ (llegar) el guion y, cuando lo
___~~leyó~~ leí___ (leer), me ___encantó___ (encantar), me
___~~hice~~ hizo___ (hacer) reír.

7. Lee el fragmento de una biografía de Fernando Botero en presente histórico y reescríbelo utilizando el pretérito perfecto simple.

Biografía de Fernando Botero

nació
El 19 de abril de 1932 nace Fernando Botero en Medellín, Colombia.

1938-1949
cursó
Cursa estudios primarios en el Colegio Bolivariano de secundaria. Lleva sus primeros dibujos –toros y toreros–
vendó
al almacén de don Rafael Pérez. Su primera obra se vende por dos pesos. En 1948 dos de sus acuarelas se fueron
incluyen en una muestra colectiva en el Instituto de Bellas Artes de Medellín.

1949-1950 estudió
Botero estudia en el Liceo San José y en la Normal de Marinilla. Trabaja como dibujante en el suplemento do-
minical de *El Colombiano*. Diseña la escenografía para la obra *Ardiente oscuridad*, de Bueno Vallejo. Colabora
diseñó

en el programa radial *Panorama Intelectual*. Se instala en Bogotá, donde se une a la vanguardia artística y participa en varias exposiciones colectivas. *fue*

1951
Realizó
Realiza su primera exposición individual en la Galería Leo Matiz. Importantes artistas se interesan *aron* por su trabajo. Viaja a Tolú, en la costa caribe del país. Allí, en la pensión de Isolinia García paga sus cuentas con un mural. *viajó* *pagó*

Adaptado de http://www.artelatino.com/botero/Biografia.asp

4.3. Aplica

Completa la entrevista al actor chileno con las preguntas adecuadas, teniendo en cuenta las respuestas en cada caso. Luego, imagina que te hacen a ti una entrevista similar. Escríbela.

TÚ: ¿ _____ ?

CRISTIAN: Nací en Santiago, Chile, el 10 de marzo de 1974.

TÚ: ¿ _____ ?

CRISTIAN: Mi carrera de actor comenzó en 1994, cuando un cazatalentos me descubrió.

TÚ: ¿ _____ ?

CRISTIAN: Mi primer papel fue en la serie *Champaña*.

TÚ: ¿ _____ ?

CRISTIAN DE LA FUENTE

CRISTIAN: Después de *Champaña*, trabajé en otras 13 series de televisión.

TÚ: ¿ _____ ?

CRISTIAN: Los personajes que me marcaron más fueron Sam Belmontes, en *CSI: Miami*, Damián, en *Fuego en la Sangre*, y Renato Vidal Montes de Oca, en *Corazón Salvaje*.

TÚ: ¿ _____ ?

CRISTIAN: Sí, en el 2001, por ejemplo, participé del elenco de la película cinematográfica *Driven*, en la que hice de Memo Moreno.

EL PRETÉRITO IMPERFECTO DE INDICATIVO

1. En contexto

① **Era** un señor gordo que **usaba** sombrero; **tenía** la cara redonda y un gran bigote.

②  Algunos biógrafos de Einstein sostienen que, mientras *estudiaba* y *construía* sus grandes hipótesis sobre la teoría de la relatividad, *escuchaba* a Mozart.

③

Inicio: Nosotros martes 04 de mar, 2003

¿Qué **comíamos** y qué comemos actualmente los mexicanos?

Por: Dra. Élida Sánchez Rodríguez

http://www.el siglodetorreon.com.mx

④ *Él venía de su valle. Traía unas bolsas llenas de queso, maní, verduras frescas, mandioca, choclo y frutas, que iba bajando del auto.*

Asunción bajo toque de siesta,
de Hermes Giménez Espinoza

Marca la opción correcta en cada uno de los casos:

Texto 1
- ☐ a) se presenta una descripción actual de un hombre.
- ☐ b) se presenta una descripción pasada de un hombre.
- ☐ c) se presenta una descripción hipotética de un hombre.

Texto 3
- ☐ a) se expresa simultaneidad entre el hoy y el ayer.
- ☐ b) se expresa contraste entre el hoy y el ayer.
- ☐ c) se expresa alternancia entre el hoy y el ayer.

Texto 2
- ☐ a) se presentan hechos que ocurren al mismo tiempo en el pasado.
- ☐ b) se presentan hechos que ocurren uno después del otro en el pasado.
- ☐ c) se presentan hechos que ocurren al mismo tiempo en el presente.

Texto 4
- ☐ a) se relatan las acciones de un hombre en un momento del presente.
- ☐ b) se relatan las acciones de un hombre en un futuro hipotético.
- ☐ c) se relatan las acciones de un hombre en un momento pasado.

Todos los verbos marcados están en pretérito imperfecto del indicativo. Este tiempo se usa para expresar, básicamente, acontecimientos no terminados en un momento del pasado.

2. Las formas

2.1. Los verbos regulares

	CANTAR	COMER	VIVIR
yo	cantaba	comía	vivía
tú, vos	cantabas	comías	vivías
él, ella, usted	cantaba	comía	vivía
nosotros, nosotras	cantábamos	comíamos	vivíamos
vosotros, vosotras	cantabais	comíais	vivíais
ellos, ellas, ustedes	cantaban	comían	vivían

Curiosidades de la lengua

Las formas de *yo* y de *él, ella* y *usted* son iguales. Se distinguen por el contexto.

2.2. Los verbos irregulares

	SER	IR	VER
yo	era	iba	veía
tú, vos	eras	ibas	veías
él, ella, usted	era	iba	veía
nosotros, nosotras	éramos	íbamos	veíamos
vosotros, vosotras	erais	ibais	veíais
ellos, ellas, ustedes	eran	iban	veían

3. Los usos

SE UTILIZA EL IMPERFECTO PARA...	EJEMPLOS
a) expresar acontecimientos pasados sin especificar su comienzo y su fin.	*Mis padres **vivían** en un pueblito.* *Estudiábamos en el colegio del centro.*
b) hablar de acciones habituales en el pasado.	*Siempre **salía** muy temprano y **volvía** al atardecer.* *Frecuentemente mis primos nos **visitaban** en verano.*
c) describir en el pasado.	***Atardecía.** El horizonte se **vestía** de un fuego intenso.*

d) expresar simultaneidad de dos acciones o acontecimientos en el pasado.	*El último cliente **pagaba** la cuenta mientras se **cerraba** la puerta del restaurante.*

e) establecer el contraste antes/ahora.	*Antes no **había** el caos de tránsito que hay hoy, porque antiguamente **había** pocos coches, ahora hay millones.*
f) expresar intención inminente.	*¡Hola, Milena! Justo **salía** para tu casa.*
g) pedir algo cortésmente.	*Por favor, **queríamos** ver el vestido de la vidriera.*
h) expresar un deseo de forma atenuada.	***Pensaba** salir de vacaciones, ¿qué te parece?*
i) para presentar una acción que es interrumpida por otra.	***Salía** de casa cuando me crucé a Raquel en la puerta.* *Perdón, se me ha ido la idea, ¿qué os **estaba** diciendo?*
j) expresar una ficción:	
● contar un sueño:	*He soñado que **volaba** y que **iba** por las nubes.*
● describir un juego de niños:	*Juguemos a que yo **era** un policía y tú **eras** un ladrón que **robabas** un banco y entonces yo te **perseguía**.*
● iniciar un cuento:	***Había** una vez un rey muy avaro que **juntaba** monedas de oro bajo el colchón y no las **gastaba** nunca.*

4. Ejercicios

4.1. Identifica

1. Lee este texto de la arquitecta argentina Mirta Fernández y marca si las frases son verdaderas (V) o falsas (F).

Cuando era chica

Cuando era chica, más o menos tendría siete u ocho años, jugaba con mi prima Isabel, en la terraza de mi casa. Yo era *Annie Oackley*, y ella… no recuerdo quién era ella. Cuando subíamos a la terraza, ,ya nos transformábamos. Sin disfrazarnos, nos veíamos vestidas de vaqueras, con un caballo blanco, cartucheras y revólveres.

Yo, que en la realidad era morocha y tenía trenzas, en ese momento tenía cabello rubio, lacio y largo. El indio *Toro Sentado* existía aunque no lo veíamos. En ese momento nos inventábamos historias de película, basadas en alguna serie televisiva. Algún bandido imaginario entraba al *Saloon* y rompía todo y amenazaba a los parroquianos. Isabel llamaba a *Annie* y *Toro Sentado* la aconsejaba. *Annie* con tiro certero hería al bandido y el *sheriff* lo metía entre rejas.

La terraza separaba el mundo real del imaginario. En la terraza no había deberes, ni tareas, ni obligaciones. La terraza significaba una comedia que podía jugarse porque los actores la vivían como una realidad alejada de lo cotidiano.

Adaptado de http://mirta-fernandez.idoneos.com/index.php/Escritos

F	Relata un hecho puntual de su niñez, única vez que jugó con su prima Isabel.
☐	Presenta dos protagonistas en su relato: ella y su prima Isabel.
☐	Describe el juego que se repitió durante un determinado tiempo de su niñez.
☐	Presenta la realidad de la terraza como el mundo imaginario de dos niñas.
☐	Utiliza «aquel entonces» para hacer referencia al presente.
☐	Utiliza «en ese momento» para retomar «cuando subíamos a la terraza».

2. Lee las frases extraídas del texto e indica lo que expresan.

hechos simultáneos en el pasado – descripción en pasado – hecho/acción habitual en el pasado

Cuando era chica, más o menos tendría siete u ocho años, jugaba con mi prima Isabel.	hechos simultáneos en el pasado
Cuando subíamos a la terraza, nos transformábamos.	
En la terraza no había deberes, ni tareas, ni obligaciones.	
En realidad yo era morocha y tenía trenzas.	
La terraza separaba el mundo real del imaginario.	

4.2. Practica

1. Cambia los verbos en pretérito imperfecto a la persona indicada en cada caso.

a. Solía quedarme horas en la biblioteca. → (Raquel y yo) Solíamos quedarnos horas en la biblioteca.

b. ¿Cantabas en un coro? → (Juan) *Si cantaba en un coro*

c. Ustedes vivían por aquí, ¿no? → (Vosotros) *vivíais*

d. Mi abuela me contaba anécdotas increíbles. → (Mis abuelos) *me contaban*

e. Usted no comía carne, ¿verdad? → (Tú) *tu comías*

f. Tú y Miguel erais fans de un grupo de *rock*. → (Sofía y Federica) *eran*

g. Siempre superábamos los problemas. → (Usted) *supería*

h. Juan y Fermín no bebían más que agua en las fiestas. → (Yo) *no bebía*

2. Completa las frases con los verbos en pretérito imperfecto en la persona correspondiente.

ser – ir – ver – tener – empezar – sentir – estar – ~~vivir~~ – llamarse – terminar – usar

a. Cuando Helena _____vivía_____ con su familia en una casa con jardín, *veía* _____ un perro que _se llamaba_ _____ Salchi.

b. En la época de mi abuela las clases _____ antes y _____ más tarde.

c. Leandro _____ a venir a la fiesta, pero no se _____ bien, _____ con un fuerte dolor de cabeza.

d. Los dos hermanos _____ médicos oftalmólogos muy famosos y no _____ nada bien. _____ anteojos con muchísimo aumento. ¡Qué ironía!

3. Relaciona los usos con los ejemplos.

a. Hablar de acciones habituales en el pasado.

b. Expresar simultaneidad en el pasado.

c. Establecer el contraste *antes/ahora*.

d. Expresar intención inminente.

e. Pedir algo cortésmente.

f. Expresar un deseo.

g. Contar un sueño.

h. Describir en el pasado

1. El hombre era moreno y llevaba gafas.

2. Tenía ganas de verte, por eso estoy aquí.

3. Frecuentemente íbamos al cine con mis amigas.

4. Mis hermanos estudiaban mientras todos dormían.

5. Si me permite, quería tomar la palabra.

6. Mira, estaba a punto de llamarte por teléfono. ¿Qué te ha pasado que llegas tan tarde?

7. No sé cómo explicarte… sentía que me caía a un precipicio y después estaba en una sala de estar coqueta. Vos pasabas y me saludabas. Raro, ¿no?

8. Cuando yo era chica jugábamos en la vereda, ahora los chicos tienen que jugar adentro de sus casas.

4.3. Aplica

Describe un sueño que tuviste.

_____

_____

_____

_____

CONTRASTE ENTRE EL PRETÉRITO PERFECTO SIMPLE Y EL PRETÉRITO IMPERFECTO

1. En contexto

1

Yo **nací** en un país donde, como en casi toda América, se **practicaba** la hechicería y los brujos se **comunicaban** con lo invisible. Esto no **desapareció** con la llegada de los conquistadores, más bien **aumentó**. En la ciudad en que **pasé** mis primeros años se **hablaba** de fantasmas y de duendes. En una familia pobre, que **habitaba** en la vecindad de mi casa, **ocurrió**, por ejemplo, que el espectro de un coronel peninsular se **apareció** a un joven y le **reveló** un tesoro enterrado en el patio.

ADAPTADO DE RUBÉN DARÍO,
VERÓNICA Y OTROS CUENTOS.
MADRID: ALIANZA EDITORIAL (1995)

2

Llovía a cántaros. Salvador **se protegía** con una gabardina, pero su cabeza **estaba** al descubierto. **Tenía** el pelo empapado y los zapatos sucios de barro. No le **importaba**, lo **prefería** así. El contacto con la lluvia, de algún modo, lo **hacía** sentirse vivo y **atenuaba** ese sentimiento de desolación que le **provocaban** los cementerios.
[…] El guardián se **sorprendió** cuando le **abrió** la puerta de su despacho-casa y lo **vio** chorreando agua por los cuatro costados.
[…]Salvador le **explicó** que estaba en el pueblo de paso y tenía un gran interés en visitar la tumba de Eva Belmonte.

ADAPTADO DE JESÚS CUÉLLAR FERNÁNDEZ,
LABERINTOS DE ESPUMA. ALICANTE:
EDITORIAL CLUB UNIVERSITARIO.

Clasifica los verbos marcados en los textos según se utilicen para describir una situación o para narrar acontecimientos.

	Describir la situación	Narrar los acontecimientos
Texto 1		
Texto 2		

Los dos textos son fragmentos de relatos. En el primero, el narrador habla de su pasado y del país donde nació. En el segundo, se describe la situación en la que se encuentra el protagonista, Salvador, y se relatan algunos acontecimientos. Los verbos marcados están en pretérito perfecto simple o indefinido (*nací, desapareció, aumentó, pasé, ocurrió, apareció, reveló; se sorprendió, abrió, vio, explicó*) o en pretérito imperfecto (*practicaba, comunicaban, hablaba, habitaba, llovía; se protegía, estaba, tenía, no le importaba, prefería, hacía, atenuaba*).

En los textos narrativos, el pretérito imperfecto se usa fundamentalmente para:
✓ describir el escenario donde transcurren los hechos
... en un país en donde, como en casi toda América, se practicaba la hechicería (Texto 1).
✓ describir a los protagonistas
Salvador se protegía con una gabardina, pero su cabeza estaba al descubierto (Texto 2).

El pretérito perfecto simple se utiliza para narrar los acontecimientos:
...ocurrió, por ejemplo, que el espectro de un coronel peninsular se apareció a un joven y le reveló un tesoro enterrado en el patio (Texto 1).
El guardián se sorprendió cuando le abrió la puerta de su despacho-casa y lo vio chorreando agua por los cuatro costados (Texto 2).

2. Los usos contrastados

SE UTILIZA EL IMPERFECTO PARA…	EJEMPLOS
a) expresar un acontecimiento habitual en el pasado. En este caso los verbos suelen ir acompañados de expresiones temporales que indican frecuencia, como *siempre, frecuentemente, todos los días/años/meses, a menudo.*	*Con mis amigos frecuentemente nos **encontrábamos** en el mismo café y después **íbamos** a bailar.*
b) expresar un acontecimiento pasado sin importar su comienzo y su fin.	*Su familia **tenía** campos en el sur del país.*
c) describir en el pasado el lugar y el momento en que ocurren los hechos de una narración.	*La casa **era** muy grande, no **tenía** calefacción y **hacía** mucho frío.*
d) describir en el pasado a los protagonistas de una narración.	***Era** un hombre alto y **llevaba** barba.*

SE UTILIZA EL PERFECTO SIMPLE (INDEFINIDO) PARA…	EJEMPLOS
a) expresar acontecimientos o secuencia de acontecimientos en el pasado.	***Me levanté** temprano, **desayuné** y **me bañé**.*
b) expresar acciones que interrumpen una acción.	*Dormía cuando **sonó** el teléfono.*

2.1. Narrar acciones pasadas

El pretérito perfecto simple (indefinido) indica acciones o secuencias de acciones en las que se marca el comienzo y el fin.

Escribió tres novelas muy interesantes.   *Tuvo tres hijos con su primer marido.*

2.2. Describir acciones

El pretérito imperfecto indica acciones en su desarrollo, sin importar su comienzo y fin, o acciones habituales en el pasado.

*En las vacaciones **salíamos** todas las noches.*   *Mi abuelo **escribía** poesía en sus momentos de ocio.*

2.3. Situar acciones

a) Cuando estos dos tiempos se combinan en una narración, el pretérito imperfecto puede describir el escenario, el entorno o las circunstancias en las que ocurren los hechos (*Era tarde, hacía frío y nevaba*), mientras que el pretérito perfecto simple (indefinido) indica los acontecimientos en sí *(salió de su casa, subió al ómnibus y se **sentó** en el fondo)*.

b) Estos dos tiempos verbales también pueden combinarse para expresar acciones que vienen transcurriendo en el pasado (pretérito imperfecto) y que son repentinamente interrumpidas por otra acción también en el pasado (pretérito perfecto simple).
*Paseaba por el parque cuando de repente oí unos gritos que me **helaron** la sangre.*

3. Ejercicios

3.1. Identifica

Lee el cuento y realiza las actividades.

Hace muchos, muchísimos años, en la ciudad de Bagdad vivía un joven llamado *Simbad*. Era muy pobre y, para ganarse la vida, trabajaba llevando pesados fardos, por eso la gente lo llamaba *Simbad el Cargador*. A Simbad no le gustaba su trabajo y se quejaba de su destino.

–¡Pobre de mí! -se lamentaba- ¡Qué triste suerte la mía!

Pero un día un hombre desconocido escuchó las quejas del joven y lo invitó a su casa. Era un hombre muy rico que vivía en una casa hermosa, muy grande y llena de flores.

Cuando Simbad llegó a la residencia, un criado lo condujo a una sala muy grande donde había una mesa llena de comidas y bebidas. Alrededor de ella estaban sentadas varias personas, entre las que había un anciano, que habló de la siguiente manera:

–Me llamo Simbad el Marino y te voy a contar mis aventuras...

Adaptado de http://yo.mundivia.es/llera/cuentos/simbad.htm

a. Marca con (V) las oraciones verdaderas y con (F) las falsas.

a. Solo una vez Simbad se lamentó de su suerte. ☐ F

b. Simbad siempre se quejaba de su suerte. ☑

c. Simbad iba siempre a la casa del hombre rico. ☑

d. En la casa del hombre rico, Simbad se encontró con un hombre de mar. ☐

e. En la frase *Pero un día un hombre desconocido* escuchó *las quejas del joven y lo* invitó *a su casa* los verbos subrayados pueden sustituirse por *escuchaba* e *invitaba*. ☐

b. Completa el cuadro con las frases del cuento.

Frases que	Ejemplos	Tiempo verbal
a. describen la vida que llevaba Simbad	vivía en Bagdad	Pretérito imperfecto
b. describen la actitud de Simbad		
c. describen al hombre desconocido		
d. describen la sala		
e. se cuentan acontecimientos pasados puntuales		

3.2. Practica

1. Forma frases como en el modelo.

Ayer alguien tocar el timbre – cuando – ducharse (yo). Ayer alguien tocó el timbre cuando me duchaba.

a. Ayer ponerse un abrigo (él) – porque – hacer frío.

b. Ayer estar muy ocupados (nosotros) – cuando – llamar (tú).
c. La semana pasada caminar (yo) por el parque – cuando – ver a mi exnovio.
d. Anoche salir a cenar (ellos) – porque – no haber comida en casa.
e. El viernes pasado no ir al colegio (nosotros) – porque – ser día festivo.
f. Conocerse (nosotros) – cuando – estudiar Medicina.
g. Cuando – trabajar en el banco (ella) – ingresar (ella) en la universidad.

2. Completa el diálogo con los verbos entre paréntesis.

– Cuéntame un poco de tu vida.
– Bueno, mi familia ___vivía___ (vivir) en Alemania, pero _mudó_ (mudarse) a Caracas cuando
  yo _tenía_ (tener) dos años.
– Quiere decir que hablas alemán, ¿no?
– En realidad _hablaba_ (hablar) alemán cuando _estaba_ (ser) niño, pero luego _dejé_
  (dejar) de practicarlo y ahora lo hablo muy mal.
– ¿A qué _dedicaba_ (dedicarse) tu familia en Europa?
– Mi padre _trabajaba_ (trabajar) como ingeniero en una fábrica y mi madre _era_ (ser) maestra.
– ¿Y por qué _____ (mudarse/ustedes) a Venezuela?
– Es que mi tío ya _____ (vivir) aquí. _____ (Tener) una empresa que
  _____ (funcionar) muy bien e _____ (invitar) a mi padre para ser su socio.

3.3. Aplica

Eres una persona famosa del deporte y una importante revista del corazón te hace una entrevista. Responde las preguntas de la entrevistadora.

–Entrevistadora: Cuéntame, ¿cómo fue tu infancia?
–Tú:

_____

_____

–Entrevistadora: ¿Cómo empezaste tu carrera?
–Tú:

_____

_____

–Entrevistadora: ¿Cómo conociste a quien actualmente es tu pareja?
–Tú:

_____

_____

–Entrevistadora: Muchas gracias.
–Tú: De nada.

1. En contexto

 1

Nombre de la receta:

Chuletas de ternera a la castellana

Enviada el:	28.06.2011
Categoría:	Carnes
Receta para:	12 personas
Tiempo preparación:	25 min.
Tiempo de cocción:	40 min.
Dificultad:	fácil
Leída:	4232 veces

Ingredientes

12 chuletas de ternera,

1 kg de judías verdes,

1/2 vasito de vino blanco,

1/2 litro de caldo,

100 c.c. de aceite,

1 diente de ajo, pimienta y sal.

Instrucciones

1. Ponemos las chuletas bien extendidas en el centro de una cazuela untada previamente con aceite y las freímos.

2. Añadimos el caldo y las cocemos a fuego suave.

3. Mientras se cuecen las chuletas, limpiamos las judías, las cortamos y las cocemos con agua y sal. Una vez hechas, las ponemos en una sartén con aceite después de haber frito en él un diente de ajo.

4. Finalmente, colocamos las judías en el centro de la fuente, acomodamos las chuletas a su alrededor y bañamos la carne con el jugo en el que se han cocinado. Servir muy caliente.

Indica con qué sustantivo se relacionan las palabras extraídas del texto.

	SUSTANTIVO CON EL QUE SE RELACIONA
extendidas	
untada	
hechas	
enviada	
leída	

Todos los verbos marcados en el texto son participios. No tienen conjugación, pero sí presentan género (masculino y femenino) y número (plural y singular) cuando se relacionan con un sustantivo. Además, se combinan con otros verbos formando tiempos compuestos o grupos verbales:
Han cocinado, haber frito.

138

2. Las formas

2.1. Los participios regulares

Terminación del infinitivo	Terminación del participio	Ejemplos
-ar	-ado	hablar → hablado
-er	-ido	comer →comido
-ir	-ido	vivir → vivido

2.2. Los participios irregulares

Verbos en infinitivo	Participios
abrir	→ abierto
cubrir	→ cubierto
decir	→ dicho
escribir	→ escrito
hacer	→ hecho
morir	→ muerto
poner	→ puesto
pudrir	→ podrido
resolver	→ resuelto
romper	→ roto
satisfacer	→ satisfecho
ver	→ visto
volver	→ vuelto

2.3. Los verbos con dos participios

Verbo en infinitivo	Participio regular	Participio irregular
bendecir	bendecido	bendito
elegir	elegido	electo
freír	freído	frito
imprimir	imprimido	impreso
maldecir	maldecido	maldito
poseer	poseído	poseso
proveer	proveído	provisto
sepultar	sepultado	sepulto

3. Los usos

3.1. En los tiempos compuestos

El participio se combina con el verbo *haber* y forma los tiempos compuestos. Solo en este uso, el participio ni cambia ni se puede separar del verbo *haber*.

(…) bañamos la carne con el jugo en el que se **han cocinado**.
Rehogamos las chuletas después de **haber frito** en él un diente de ajo.
No **he probado** nunca las chuletas ajioli.

¡Atención!

En los casos de verbos con dos participios, generalmente las formas regulares forman los tiempos compuestos.
*Habían **elegido** dos pasantes para la próxima temporada.*
*He **maldecido** millones de veces la hora y el día de nuestro encuentro.*

Sin embargo, con los verbos **freír**, **imprimir** y **proveer**, es más frecuente el empleo de la forma irregular.
*¿Ya has **frito** las papas?*
*Ya se ha **impreso** el libro.*
*Nos hemos **provisto** la información sobre el tema.*

3.2. **La voz pasiva**

Cuando el participio se combina con el verbo *ser* y forma la voz pasiva y cambia en género (masculino y femenino) y número (singular y plural) según el sustantivo con el que se relaciona (ver capítulo 49).

*Los <u>platos</u> **fueron servidos** en todas las mesas al mismo tiempo.*
*La <u>mesa</u> **fue puesta** antes que llegaran los invitados.*
*El <u>discurso</u> **es leído** por un representante del gobernador.*
*Todos los <u>mensajes</u> **serán respondidos** rápidamente.*
*Ningún <u>discurso</u> **fue improvisado**.*

3.3. **Los grupos verbales con participio**

El participio se combina con otros verbos y forma grupos verbales o perífrasis verbales, y cambia en género (masculino y femenino) y número (plural y singular) según el sustantivo con el que se relaciona (ver capítulo 40).

***Tenemos** cien **recetas publicadas** en nuestra página web.* (tener + participio)
*Mi **romance** con Jimena **está terminado**.* (estar + participio)
***Llevamos visitados** cinco **restaurantes** en esta ciudad, pero solo uno es bueno.* (llevar + participio)
*Ayer por la tarde **quedó firmada** la **unión** de las dos grandes empresas.* (quedar + participio)

3.4. **El participio independiente**

El participio también puede aparecer solo funcionando como una forma verbal única. En este caso, expresa que una acción es inminentemente anterior a otra. Concuerda en género y número con el sustantivo con el que se relaciona.

	primero	después
*Una vez **terminada** la lectura del texto, realizan las actividades.*	Se lee el texto	se realizan las actividades.
***Hechas** las tareas, pueden irse.*	Se hacen las tareas	se van.
*Una vez **leído** el libro, escriben la reseña.*	Se lee el libro	se escribe la reseña.

3.5. **El participio como adjetivo**

El participio puede funcionar como adjetivo y cambia en género (masculino y femenino) y número (plural y singular) según el sustantivo con el que se relaciona.

*Una buena ración de <u>chuletas</u> de ternera **salpimentadas**, **guisadas** con aceite, vino blanco y **acompañadas** con judías verdes.*

¡Atención!

En los casos de verbos con dos participios, generalmente las formas irregulares funcionan como adjetivos:
*Las <u>papas</u> ya están **fritas**, así que se puede pasar a la preparación del plato.*
*Con todo el <u>material</u> **impreso**, podemos empezar el trabajo.*

4. Ejercicios

4.1. Identifica

Lee el texto, localiza los participios, relaciona los verbos con el significado y escribe los participios y los sustantivos.

> Un entretenido día de campo
> La estancia La Tarde, en Tomás Jofré, propone una clásica jornada criolla con nobles argumentos: buena comida, juegos y baile.
>
> A unos pocos kilómetros de la ciudad, los dueños de la ajardinada finca, Mónica y Alfredo, reciben a sus huéspedes con sabrosas empanadas de carne.
>
> El paseo guiado comienza a las 11 por los establos. Una de las particularidades de la estancia es el sector dedicado al caballo y a las clases para principiantes. A las 13:30 una campanada anuncia que el asado está a punto. El almuerzo está acompañado de bailes tradicionales realizados por artistas bien preparados.

http://edant.clarin.com/suplementos/viajes/

1. ajardinar	**a.** Hacer.	
2. guiar	**b.** Destinar.	
3. dedicar	**c.** Poner un jardín.	Finca ajardinada.
4. acompañar	**d.** Conducir.	
5. realizar	**e.** Entrenar.	
6. preparar	**f.** Estar o ir junto de otra cosa.	

4.2. Practica

1. Clasifica los verbos.

> explicar – imprimir – poseer – resolver – beber – entreabrir – contradecir – partir – inscribir – proponer – amar – hacer – elegir – leer – volver – vivir – estudiar – dividir – jugar – sentir – analizar

Participios regulares	Participios irregulares	Participios con dos posibilidades
explicado		

2. Completa las frases con los participios del ejercicio anterior.

a. ___Explicada___ la lección del día, la profesora pone ejemplos.

b. El niño había _____ tanta agua que tuvo que pedir permiso para ir al baño.

c. Como la puerta está _____, Julieta y yo entramos sin llamar.

d. _____ el trabajo, Héctor se fue a descansar.

e. Felipe ha _____ muchos libros de poesía y ha _____ a su poeta favorito: Rubén Darío.

f. Miguel y Cristina se han _____ tanto que es imposible verlos separados.

g. Después de haber _____ dos décadas en el exterior, José ha _____ a su país natal.

h. _____ todas las dificultades, el proyecto ha _____ su fin.

i. Las opiniones están _____ en dos: a favor o en contra.

j. El equipo ganador lleva _____ tres partidos.

3. Marca la forma correcta del participio en cada caso.

a. Las informaciones fueron **proporcionadas/proporcionado** por el presidente.

b. La inauguración del parque ha **proporcionada/proporcionado** gran felicidad entre los niños.

c. ¡Nunca había **hecho/hechas** un guiso de lentejas!

d. Pepa y Paco, **hecho/hechas** las tareas de la escuela, podéis salir a jugar.

e. Los libros viejos son **vendidos/vendido** muy baratos en este mercadillo.

f. Esta heladera es el producto más **vendido/vendida**.

g. **Terminado/Terminada** la conferencia, empezó el debate.

h. Graciela ha **terminada/terminado** con Juan.

i. Las visitas **guiadas/guiado** a los museos fueron **sugerido/sugeridas** por la agencia de viajes.

j. La excursión fue **guiada/guiado**, pero a partir de todo lo que habíamos **sugerido/sugeridos** nosotros antes.

4.3. Aplica

1. Lee la propuesta de itinerario turístico en Granada (España) y complétala con los participios de estos verbos.

guiar (6) – pensar – instruir – entrar – elegir – habilitar – incluir – prever – aproximar – recoger

Nuestras visitas y precios

Precios del «paseo _____ diario» _____ para particulares - *La historia de la transformación desde el Islam al Cristianismo*:

Adultos: **12 €** - Estudiantes y pensionistas: **10 €** - Menores de 14 años: **0 €**

Visitas _____ a la «Alhambra y al Generalife» para particulares, formando parte de un grupo:
Adultos **49 €** - Menores de 12 años **gratis.**

Servicios que incluye:
- _____ en el hotel.
- _____ al monumento.
- Visita _____ por un guía oficial.
- Duración _____: 3:00 horas.

Precios de nuestros paseos _____ 2010-11 para grupos y servicios privados:
En días laborables: 140 + IVA (18%) = 165,2
Sábados, domingos y festivos (también visitas y paseos nocturnos): 170 + IVA (18%) = 200
En algunos casos, la agencia ofrece la posibilidad de incrementar la duración y el contenido del itinerario

_____, a veces alargando el itinerario, otras visitando a su paso el interior de algún monumento no _____.

Suplemento de visita extraordinaria (1hora extra): 35 + IVA (18%) = 41 €

El coste de las entradas a los monumentos no está _____.

Se pueden hacer tantos grupos como se desee, pues en **la agencia** contamos con un **equipo de guías** _____ ya _____ en nuestros itinerarios y sus contenidos, lo que nos permite ofrecer las visitas y paseos _____ a varios grupos de forma simultánea.

La agencia ofrece sus servicios _____ en los siguientes idiomas: **castellano, inglés, alemán, francés** e **italiano.**

http://www.ciceronegranada.com/espanol/web/nuestrasvisitasyprecios.asp

2. Escribe una propuesta de itinerario turístico sobre algún lugar que conozcas. No te olvides de utilizar participios.

_____
_____
_____
_____
_____
_____
_____
_____
_____
_____

21
EL PRETÉRITO PERFECTO COMPUESTO DE INDICATIVO

1. En contexto

1 Más de 7000 personas **han participado** esta mañana en la carrera popular *Madrid corre por Madrid*, que **ha recorrido** diez kilómetros por lugares emblemáticos de la capital y **ha tenido** como ganadores a Chema Martínez (29 minutos y 30 segundos) y Teresa Pulido, en categoría femenina.

Adaptado de http://wwwadn.es

2

¿Dónde nos habéis traído?

Llega el pesquero español con 26 inmigrantes que **han desembarcado** esta madrugada en Trípoli. Los inmigrantes fueron rescatados el miércoles a 90 millas de Libia, **ha explicado** hoy el patrón José Luis Sestayo.

Adaptado de www.elpais.com

3 **¿Alguna vez habéis pensado en crear vuestro propio videojuego?**

Hola, colegas. Seguro que alguna vez habéis tenido ganas de crear vuestro propio videojuego, con vuestros propios personajes. Pues esto ya se puede hacer realidad con *Game Maker*, un estupendo programa que permite diseñar, dibujar y programar nuestros propios juegos de PC.

4 **Penélope Cruz** afirma en rueda de prensa: *«Siempre he sido honesta y siempre me he mostrado como soy».*

Marca la opción correcta en cada uno de los casos:

| **Texto 1** | ☐ a) 7000 personas participan en este momento en una carrera popular. |
| | ☐ b) La carrera popular ya ha finalizado. |

Texto 2	Los 26 inmigrantes…
	☐ a) están camino a Libia.
	☐ b) ya están en Libia.

Texto 3	La pregunta se dirige a personas que…
	☐ a) hasta el momento no han creado su propio videojuego.
	☐ b) tienen experiencia en crear videojuegos.

Texto 4	La actriz…
	☐ a) se considera hoy menos honesta que en el pasado.
	☐ b) se considera como una persona que fue y continúa siendo honesta.

Todos los verbos marcados están en pretérito perfecto compuesto de indicativo. Este tiempo se usa para expresar acontecimientos pasados que guardan relación con el momento presente: *han participado, ha recorrido* y *han tenido* (texto 1) indican acciones finalizadas que ocurrieron en un periodo de tiempo aún presente (esta mañana); *el desembarque* y *la explicación*, en *han desembarcado y ha explicado*, (texto 2) son acontecimientos pasados que ocurrieron en un periodo de tiempo que incluye el momento en que se habla (esta madrugada, hoy); *habéis pensado* y *habéis tenido* (texto 3) indican que, en el pasado y hasta el momento en que se habla, la acción de pensar y tener no se concretó y en *he sido honesta, me he mostrado como soy* (texto 4) los verbos indican una actitud pasada que se prolonga hasta el presente.

2. Las formas

Este tiempo verbal se construye con el verbo *haber* en presente del indicativo, seguido del participio (ver capítulo 20) del verbo.

	HABER	Participio
yo	he	
tú, vos	has	cantado
él, ella, usted	ha	comido
nosotros, nosotras	hemos	vivido
vosotros, vosotras	habéis	
ellos, ellas, ustedes	han	

3. Los usos

SE UTILIZA EL PERFECTO PARA…	EJEMPLOS
a) expresar acontecimientos terminados en un momento todavía presente.	*Este año no **he salido** de vacaciones.* *(Salir de vacaciones es un acontecimiento que ya pasó, pero el tiempo, este año, todavía no ha terminado).* *Hoy me **he levantado** de madrugada y ahora estoy cansadísima. (Levantarse es un hecho pasado, pero hoy no ha terminado).*
b) expresar acontecimientos pasados cuyas consecuencias afectan al presente.	*Las lluvias **han provocado** inundaciones en casi todo el país. (Las inundaciones persisten en el momento en que se habla).*
c) hablar de acontecimientos pasados que continúan en el presente.	*Fernández siempre **ha sido** un empleado ejemplar. (Fernández fue y continúa siendo un empleado ejemplar).* *¿Ya **habéis visto** la película que ganó el Óscar? (Se pregunta si se ha visto la película en algún momento del pasado hasta ahora).* *¿Alguna vez **has nadado** en el mar por la noche? (La pregunta abarca desde el pasado hasta el momento actual).*
d) expresar acciones futuras anteriores a un momento futuro.	*No me quedan muchos deberes, en diez minutos **he terminado** y nos podremos ir.*

MÁS

Frecuentemente, el pretérito perfecto va acompañado de expresiones de tiempo que refuerzan la idea de un acontecimiento relacionado con el presente (ver capítulo 16), como: *este año, esta semana, hoy, ya, siempre, nunca,* etc.
*¡**Hoy** hemos trabajado y estudiado como nunca!*
***Esta semana** me he encontrado dos veces con Diego.*
***Nunca** ha salido del país.*

4. Ejercicios

4.1. Identifica

1. Lee los textos y escribe V (verdadero) o F (falso).

1 - Dormir en los aeropuertos

Seguramente alguna vez habéis dormido en un aeropuerto, sentados en incómodas sillas. Para evitar esto unos diseñadores han creado unas cabinas prácticas y bonitas.

2-

Terribles consecuencias tras el paso de un huracán

El paso del huracán Álex ha provocado la destrucción de miles de viviendas y ha dejado un centenar de muertos. Sin embargo, sus consecuencias han sido menos terribles de lo esperado.

4-

Vanas promesas

«A comienzos de este año, el gobierno ha prometido a los profesores un aumento de sueldo. Sin embargo, hasta el momento no lo han pagado», dijo el secretario general del sindicato de los docentes.

5-

Asunto: FW: Hola, Paco:

Lo siento si hoy por la mañana no he podido llamarte por teléfono, es que he tenido una mañana agitada. Me he levantado a las siete, y he preparado el desayuno porque han venido a casa Luci y Alfredo a trabajar en un nuevo proyecto.
Hablamos por la noche.
Un abrazo, Matías

3-

– David, ¿cuál es el último viaje que has hecho?
– Este año, en Semana Santa, hemos ido con toda la familia a Sitges. Las playas son estupendas. Nos han encantado y queremos volver el próximo año.
– ¿Y un destino que quieres conocer?
– Pues quiero ir a México. Ya he estado allí por trabajo, pero todavía no he ido de vacaciones.

Texto 1	☑ Unos diseñadores han creado cabinas para dormir cómodamente en los aeropuertos.
Texto 2	☐ El huracán ha destruido viviendas, pero no ha habido víctimas.
	☐ El huracán ha producido muchos problemas, pero menos de los esperados.
Texto 3	☐ A David y a su familia les ha gustado mucho Sitges.
	☐ David nunca ha ido a México.
Texto 4	☐ El secretario del sindicato de profesores ha prometido un aumento de sueldo a los profesores.
	☐ Los profesores aún no han recibido el aumento.
Texto 5	☐ Matías se disculpa porque no ha ido a la casa de Paco.
	☐ Durante la mañana, Matías ha trabajado en su casa.

2. Completa con las formas del pretérito perfecto compuesto de los textos.

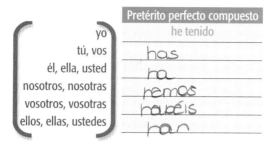

	Pretérito perfecto compuesto
yo	he tenido
tú, vos	has
él, ella, usted	ha
nosotros, nosotras	hemos
vosotros, vosotras	habéis
ellos, ellas, ustedes	han

3. Relaciona.

Usos	Frases
a. Acontecimiento terminado en un momento presente.	**1.** A comienzos de este año, el gobierno ha prometido a los profesores un aumento de sueldo.
b. Acontecimiento pasado que continúa en el presente.	**2.** Sin embargo, hasta el momento no lo han pagado.
	3. El paso del huracán Álex ha provocado la destrucción de miles de viviendas.
c. Acontecimiento pasado cuyas consecuencias afectan al presente.	**4.** Lo siento, pero hoy por la mañana no he podido llamarte por teléfono.
	5. Todavía no he ido de vacaciones a México.

4.2. Practica

1. Transforma las frases.

a.	Alejandro <u>pone</u> la mesa.	Alejandro ha puesto la mesa.
b.	Estos niños <u>dicen</u> la verdad.	han dicho
c.	¿Te <u>entrego</u> el informe?	has entregado
d.	¿Dónde <u>compráis</u> la ropa?	habéis comprado
e.	¿A qué hora <u>recoges</u> a los niños en la escuela?	has recogido
f.	En la playa <u>compartimos</u> la habitación del hotel.	hemos compartido
g.	Juan <u>vuelve</u> a las seis de la mañana.	ha vuelto
h.	¿<u>Ves</u> ese pantalón azul?	has visto
i.	Los abogados no <u>resuelven</u> el caso.	han resuelto vuelto
j.	<u>Hago</u> muy bien el trabajo.	he hecho

2. Construye frases con los elementos que te damos.

a.	¿Alguna vez – descubrir un tesoro – (tú)?	¿Alguna vez has descubierto un tesoro?
b.	Pedro – no volver de Caracas – todavía.	Pedro no vuelto
c.	¿Esta mañana – romper el jarrón chino – (vosotros)?	habéis roto.
d.	¿Alguna vez – viajar en barco – (ustedes)?	habéis navegado han

e. Esta semana – tener mucho trabajo – (nosotros)   *hemos tenido*
f. Ya – descubrir la solución – (yo).   *he descubierto*
g. Este año – morir – mis abuelos.   *han muerto*
h. Carlos – no volver de la fiesta – todavía.   *carlos no ha vuelto*
i. Este mes – ver varias películas – (tú)   *has visto*

3. Completa el siguiente diálogo con los verbos de la caja en pretérito perfecto compuesto.

> encontrar – ~~enterarse~~ – poner – quedar – ver – llamar – pedir

Alicia: ¿ _Te has enterado_ de que este mes empiezan las rebajas?

Julia: Sí, precisamente esta semana _he visto_ la publicidad en el periódico y quiero aprovechar las ofertas.

Alicia: ¿Y cuándo piensas ir?

Julia: Mira, esta mañana _he llamado_ a Sofía y las dos _____ en ir el viernes. ¿No quieres venir con nosotras?

Alicia: No puedo porque esta semana mi marido _____ un anuncio en el diario para vender el piso donde vivimos actualmente. Queremos mudarnos a uno más grande.

Julia: ¡Qué bien!

Alicia: Sí, y ya _____ uno que está muy bien, pero nos _____ un precio excesivo.

4. Aldo y Nora parten mañana de vacaciones. Ordena las frases de la caja y escribe el texto.

> almorzar en un pequeño restaurante – hacer las maletas – separar la ropa para el viaje – limpiar toda la casa – levantarse bien temprano – ir a hacer compras de último momento – llevar el coche al taller mecánico

Nora y Aldo se han levantado bien temprano. _____

_____

_____

_____

4.3. Aplica

Completa las frases con tus propias informaciones.

a. Esta semana ___ _he tenido_ ___ varias reuniones de trabajo.
b. Este año _____ película buena todavía.
c. Este mes _____ más de lo normal.
d. Todavía no _____ interesante.
e. Ya _____, pero todas solo.
f. Nunca hasta el momento _____, pero quiero hacerlo.
g. Hoy _____. ¿No me crees?

22

CONTRASTE ENTRE EL PRETÉRITO PERFECTO SIMPLE (INDEFINIDO) Y EL COMPUESTO

1

Esta semana ha comenzado la XVI Campaña Escolar de Vela

Hasta el pasado viernes se inscribieron 1556 participantes de 35 centros escolares de Navarra, 108 más que el año pasado.

2

El desempleo en Chile cae, pero aún es elevado

SANTIAGO (REUTERS)

El número de parados bajó sorprendentemente la semana pasada, pero la cantidad de personas que necesita ayuda ha alcanzado este año un nuevo máximo histórico.

3

Hoy han empezado en toda Andalucía los exámenes de admisión en la universidad

Durante tres días, un gran número de estudiantes realizan el examen de acceso a la universidad. A las nueve de esta mañana se han iniciado las pruebas de selectividad.

4

Ayer llovió en varios puntos del interior, pero no fue suficiente

Ayer hubo pocas lluvias y tormentas aisladas en algunos puntos del país, pero sin ser importantes. Sin embargo, es la primera vez que ha llovido en lo que va de este mes.

Indica cuándo ocurrieron las acciones señaladas.

¿QUÉ OCURRIÓ?	¿CUÁNDO OCURRIÓ?
Texto 1 ☐ Ha comenzado la campaña de vela. ☐ Se inscribieron 1556 participantes.	
Texto 2 ☐ Bajó el número de parados. ☐ La cantidad personas que necesitan ayuda ha alcanzado un nuevo máximo histórico.	
Texto 3 ☐ Han empezado los exámenes de admisión en la facultad. ☐ Se han iniciado las pruebas de selectividad.	
Texto 4 ☐ Llovió en varios puntos, pero no fue suficiente. ☐ Se produjeron escasas lluvias. ☐ Es la primera vez que ha llovido.	

Los verbos marcados están en pretérito perfecto simple o indefinido *(iniciaron, bajó, llovió, hubo)* o en pretérito perfecto compuesto *(ha comenzado, ha alcanzado, han empezado, han iniciado, ha llovido)*. El pretérito perfecto simple o indefinido y el pretérito perfecto compuesto se parecen en que ambos tiempos expresan un acontecimiento pasado, pero se diferencian en que el simple (indefinido) expresa un acontecimiento puntual, cerrado y terminado en el pasado, sin relación con el presente.

El acontecimiento pasado	**¿Cuándo se relata?**
El número de parados <u>bajó</u> sorprendentemente *la semana pasada*.	En una semana diferente a la semana en que ocurrió el hecho.
Ayer <u>llovió</u> en varios puntos del interior, pero no <u>fue</u> suficiente.	En un día pasado y diferente al día en que ocurrió el hecho.

En cambio, el pretérito perfecto compuesto expresa un acontecimiento pasado que guarda relación con el momento presente:

El acontecimiento pasado	**¿Cuándo se relata?**
Esta semana <u>ha comenzado</u> la XVI Campaña Escolar de Vela.	En la misma semana en que ocurre la campaña, y la semana no ha terminado todavía.
Hoy <u>han empezado</u> en toda Andalucía los exámenes de admisión en la universidad.	El mismo día en que están ocurriendo los exámenes, y ese día no ha terminado todavía.

Para marcar si un acontecimiento pasado guarda relación o no con el momento presente, generalmente se usan determinadas expresiones de tiempo:

Pretérito perfecto simple (indefinido)	**Pretérito perfecto (compuesto)**
El número de parados bajó sorprendentemente la semana pasada.	*Esta semana ha comenzado la XVI Campaña Escolar de Vela.*
Ayer llovió en varios puntos del interior, pero no fue suficiente.	*Hoy han empezado en toda Andalucía los exámenes de selectividad.* *A las nueve de esta mañana se han iniciado las pruebas de selectividad.*

2. Los usos contrastados

SE UTILIZA EL PERFECTO COMPUESTO PARA…	EJEMPLOS
a) enunciar un acontecimiento pasado y concluido, pero que se produce en un periodo de tiempo dentro del cual está situado el hablante. Generalmente en estos casos se usan las expresiones de tiempo: *hoy; esta mañana/tarde/semana; este mes/año/siglo; estos días/meses/años.*	*Esta mañana **ha llovido** mucho. (Ya no llueve, pero el hablante dice la frase en un periodo que incluye el presente: el día de hoy).* *Esta semana nos **hemos reunido** dos veces con los directores. (Las reuniones ya han ocurrido, pero la semana no ha terminado).*
b) expresar un acontecimiento pasado que se extiende hasta el momento presente de quien habla. Generalmente, en estos casos se usan las expresiones de tiempo: *siempre, nunca, ya, alguna vez, todavía no, en todo momento.*	*Nunca **he ido** a Estados Unidos. (Ni hoy ni antes).* *Juan todavía no **ha terminado** la traducción. (Hasta el momento presente).*
c) expresar acontecimientos cuyos resultados o consecuencias duran hasta el momento presente.	*Los incendios **han destruido** el bosque. (Ahora está destruido).* *El accidente **ha dejado** cuatro heridos. (Hay cuatro heridos).*
d) sin referente temporal cuando está implícita una unidad de tiempo no terminada.	*Nunca **he vivido** una experiencia igual (en toda mi vida).*

SE UTILIZA EL PERFECTO SIMPLE PARA…	EJEMPLOS
a) expresar acontecimientos puntuales y acabados en el pasado y sin ninguna relación con el momento presente en que se relatan los hechos. Generalmente se usan las expresiones de tiempo: *ayer, anoche, la semana pasada,* etc.	*Anteayer **terminaron** las vacaciones.* *El año pasado **hubo** menos turistas que este año.* *A mi novio lo **conocí** por Internet.*
b) sin referente temporal cuando está implícita una unidad de tiempo terminada.	*Nunca **viví** en ese barrio (de pequeño/en aquella época).*

MÁS

1. Cuando **no** se usan expresiones temporales con el pretérito perfecto compuesto, se enfatizan los efectos o los resultados de un acontecimiento pasado en el presente.
   *El gobierno **ha** construido más de mil nuevas escuelas.* (Las escuelas están construidas).
   *Carlos se **ha** disgustado mucho.* (Carlos está disgustado).

2. Cuando **no** se usan expresiones temporales con el pretérito perfecto simple (indefinido) se refuerza que el acontecimiento está cerrado y terminado en relación con el momento en que se habla.
   El gobierno construyó más de mil nuevas escuelas. (Es un hecho pasado).
   Carlos se disgustó mucho con tus palabras. (Es un hecho pasado).

3. En Hispanoamérica y en el noroeste de España es frecuente usar el pretérito perfecto simple con las expresiones de tiempo propias del pretérito compuesto.
   – **Esta mañana** estuve reunido con el ministro de Planeamiento.
   – **Nunca** tuvimos problemas con la heladera; esta es la primera vez.
   – **Todavía** no encontré la solución para este problema.

3. Ejercicios

3.1. Identifica

Lee los siguientes textos y realiza las actividades.

1. Este año se ha construido un parque en la plaza del ayuntamiento.

2. Espectáculos
El cantante guatemalteco Ricardo Arjona llegó ayer por la tarde a Santo Domingo.

3. Nuevas obras en el polideportivo
Esta tarde se han inaugurado tres obras en el polideportivo municipal de Jumilla. Al acto han asistido las autoridades de la ciudad.

4. Según un estudio, el año pasado se enviaron 107 trillones de *e-mails*.

5. Terremotos en Almería
En Almería (España) la semana pasada se produjeron treinta terremotos. Esta semana ha habido uno de 2,4 grados y el lunes pasado hubo uno de 4,3 grados, el más fuerte.

1. Responde las preguntas.

Texto 1	¿Cuándo se ha construido el parque?	Este año
Texto 2	¿Quién llegó a Santo Domingo? ¿Cuándo llegó?	
Texto 3	¿Qué evento se ha producido en Jumilla? ¿Cuándo se ha producido?	
Texto 4	¿Cuándo se enviaron los 107 trillones de *e-mails*?	
Texto 5	¿Cuándo se produjo el terremoto más fuerte? ¿Qué pasó la semana pasada?	

2. Completa con los verbos y las expresiones de tiempo como en el ejemplo.

Pretérito perfecto simple (indefinido)	Expresiones de tiempo	Pretérito perfecto compuesto	Expresiones de tiempo
		se han realizado	este año

3.2. Practica

1. Lee este correo electrónico y marca la forma correcta. Presta atención a las expresiones de tiempo.

Querido Óscar:
¿Cómo estás? Hace mucho tiempo que no tengo noticias tuyas. La semana pasada **me encontré/he encontrado** con tu madre en la calle y me **contó/ha contado** sobre tu vida.
La razón de este correo es para contarte que esta semana **recibí/he recibido** una noticia estupenda. ¿Recuerdas que el año pasado **envié/he enviado** una solicitud para un puesto en un banco en Madrid? Bueno... pues este lunes me **dieron/han dado** una respuesta muy positiva, así que dentro de una semana debo viajar a Madrid para algunas entrevistas. ¿Alguna vez te **sen-**

tiste/**has sentido** muy nervioso y ansioso? Bueno, pues es así como estoy yo. Ayer mismo **fui/he ido** a renovar mi pasaporte, y hoy por la mañana **recorrí/he recorrido** algunas tiendas para comprarme ropa de invierno, que allí en esta época hace mucho frío. Todavía no les **dije/he dicho** nada a mis padres. Le quiero dar una sorpresa a mi papá mañana, que es su cumpleaños.

Óscar, si tienes un minuto de tiempo (sé que últimamente **estuviste/has estado** muy ocupado), ¿puedes llamarme?

Un fuerte abrazo,
Ricardo

2. **Completa los diálogos con los verbos del paréntesis en pretérito perfecto simple (indefinido) o compuesto.**

a.
– ¿Qué te ___ha pasado___ hoy, Carlos? ¿Por qué _has llegado_ tan tarde?
– Es que esta mañana _he tenido_ yo a los niños al colegio porque mi esposa _se enfermó_
(llevar – enfermarse – llegar – pasar)

b.
– ¿Ya _habéis estado_ vosotros en Perú?
– No. La verdad es que Roberto y yo siempre _hemos querido_ ir, pero hasta ahora no _hemos podido_.
(poder – estar – querer)

c.
– Hace un mes que ___dejé___ de fumar.
– ¿Y cómo te sientes?
– Magnífico. Ayer, por ejemplo, ___fui___ al gimnasio e ___hice___ una hora de ejercicios. Antes eso era imposible.
– Pues te felicito. (hacer – dejar – ir)

d.
– ¿Sabes que Juliana _se casó_ el año pasado?
– ¡No me digas! ¿Y con quién?
– Con un chico que _conoció_ en un viaje que ___hizo___ al Caribe en 2008.
– ¿Y cómo está?
– Estupenda. Este mes _ha tenido_ su primer hijo. Es una niña preciosa. (tener – conocer – casarse – hacer)

e.
– ¿_Has terminado_ ya los ejercicios de español?
– No, ni me hables. Todavía ni los _ha empezado_. Es que anoche _salí_ a bailar con Sandra y _me he acostado_ esta mañana. ¡Y ahora estoy muy cansado! (acostarse – terminar – salir – empezar)

3.3. Aplica

Escribe sobre algunas actividades tuyas relacionadas con los momentos y los temas propuestos.

El verano pasado/tus vacaciones

_____

Este fin de semana/actividades de tiempo libre

_____

Ayer por la tarde/tu trabajo o tus estudios

_____

Hoy por la mañana/actividades de tu rutina

_____

Todavía no/algún sueño no realizado aún

_____

23

EL OBJETO DIRECTO Y LOS PRONOMBRES OBJETO DIRECTO

1. En contexto

① PERROS PARA ADOPTAR

Encontré 5 perros pequeños con menos de 2 meses; los encontré tirados en la calle, son muy lindos y cariñosos. Los agarré para poder ubicarlos y no dejarlos abandonados. Estoy un poco desesperada ya que vuelvo a mi pueblo en unos días y no tengo dónde dejarlos. Si saben de alguien, por favor, no duden en avisarme.

②

Excelente cámara fotográfica. La vendo porque me han regalado otra mejor.

③

¿Cuándo te enteraste de que los Reyes Magos no existían?

Mariana Arias: Lo descubrí una noche de Reyes. La puerta de mi habitación estaba entornada, mis papás y mis abuelos creían que me había dormido. Pero abrí los ojos y los vi cambiando el agua y el pasto que yo había preparado para los camellos. Y todo quedó aún más claro cuando los vi poniendo los regalos en los zapatos.

④ ¿Dónde conocieron a sus amigos?

Puenteya: Mira, yo amigas de verdad tengo muy pocas, me alcanza una mano para contarlas. Las conocí en la escuela primaria.

⑤

Roberto:
Te ha llamado Silvana. Te volverá a llamar más tarde porque quiere verte. Mamá.

Todas las palabras marcadas son pronombres. Indica, en cada caso, a qué se refieren.

Texto 1	*Los* encontré tirados en la calle. *Los* agarré para poder ubicarlos y no dejar*los* abandonados. No tengo dónde dejar*los*.	
Texto 2	*La* vendo porque me han regalado otra mejor.	
Texto 3	*Lo* descubrí una noche de Reyes. *Los* vi cambiando el agua y el pasto. *Los* vi poniendo los regalos en los zapatos.	
Texto 4	Me alcanza una mano para contar*las*, y *las* conocí en la escuela primaria.	
Texto 5	*Te* ha llamado Silvana. Volverá a llamar*te*. Quiere ver*te*.	

Las palabras subrayadas en los textos anteriores son pronombres de objeto directo y pueden referirse a personas (texto 5: *Te ha llamado Silvana. Te volverá a llamar. Quiere verte*; texto 4: *Me alcanza una mano para contarlas, y las conocí en la escuela primaria*; texto 3: *Los vi cambiando el agua y el pasto... Los vi poniendo los regalos en los zapatos*), a objetos (texto 2: *La vendo porque me han regalado otra mejor*) a animales (texto 1: *Los encontré tirados en la calle. Los agarré para poder ubicarlos antes de dejarlos abandonados... No tengo dónde dejarlos...*) y a una frase (texto 3: *Lo descubrí una noche de Reyes*).

2. Las formas

2.1. El objeto directo

FORMAS	EJEMPLOS
sustantivo	Juan no come **carne**.
artículo posesivo + sustantivo demostrativo otros determinantes (*mucho, poco...*)	Andrés todavía no vio **la película**. Vendí **mi auto** el año pasado. No conozco **esa ciudad**. ¿Dónde queda? Ana no tiene **muchos amigos**.
A + sustantivo referido a persona	Invitó **a todos mis amigos** a la fiesta.
A + pronombres (*mí, ti, él, ella, usted, nosotros/as, vosotros/as, ellos/as, ustedes*)	Carlos me invitó **a mí** a la fiesta y no **a ti**.
Una frase	Carlos reconoció **que estaba equivocado**. Queremos saber **si vas a venir a la reunión**.
Pronombre de objeto directo	– ¿Conoces a mi novia? – No, no **la** conozco. – ¿**Me** llamas mañana? – Bueno, **te** llamo a las diez. ¿Puede ser?

2.2. Los pronombres de objeto directo

	PRONOMBRES DE OBJETO DIRECTO	EJEMPLOS
yo	me	El profesor me felicitó.
tú, vos	te	Andrés te vio en la calle.
él, usted	lo	Tengo un coche nuevo. Lo compré barato.
ella, usted	la	Vi una blusa bonita, pero no la compré.
nosotros, nosotras	nos	Juan nos llamó ayer.
vosotros, vosotras	os	Os invito a cenar. ¿Queréis venir?
ellos, ustedes	los	Tengo parientes en el pueblo y los voy a visitar pronto.
ellas, ustedes	las	A ustedes, ¿no las conozco, verdad?

2.3. Posición de los pronombres de objeto directo

Regla 1: van delante del verbo en cualquier forma, excepto en infinitivo, gerundio o en imperativo afirmativo.

*Ayer **me** <u>llamó</u> mi hermano desde Madrid.*

*Si veo a Daniel, **lo** <u>saludo</u> siempre y vamos a tomar algo.*

Regla 2: van después de verbos en infinitivo, gerundio o en imperativo afirmativo y escritos en una misma palabra.

*¡Qué alegría <u>ver</u>**te** nuevamente por aquí!*

*La blusa es muy bonita. <u>Cómpra</u>**la**.*

*La película parecía aburrida, pero <u>viéndo</u>**la** cambié de opinión.*

MÁS

Cuando hay dos verbos juntos, los pronombres se pueden colocar siguiendo las dos reglas anteriores, o antes del verbo conjugado o después del infinitivo o del gerundio.

– *¿Ya has preparado la comida?*

– *No, **la** <u>voy</u> <u>a</u> <u>preparar</u> ahora./No, <u>voy</u> <u>a</u> <u>preparar</u>**la** ahora.*

> **¡Atención!**
>
> Con los tiempos compuestos la colocación del pronombre sigue la Regla 1.
> *Pedro ha comprado la casa y **la** <u>ha</u> <u>pagado</u> barata.*

Excepto con las siguientes expresiones, en las que los pronombres deben ir detrás del verbo en infinitivo y escritos en una sola palabra:

- *Hay que + verbo: El trabajo hay que terminar**lo** hoy.*
- Con verbos de sentimiento *(sentir, lamentar, alegrar…)* + verbo: *Siento interrumpir**te**.*
- Con verbos de opinión *(creer, opinar…)* + verbo: *Creo saber**lo**.*
- Con verbos pronominales *(ponerse…)* + verbo: *Los ejercicios, ahora me pongo a hacer**los**.*

3. Los usos

3.1. ME, TE, LO/LA, NOS, OS, LOS/LAS

Señalan a las personas que intervienen en una situación de comunicación.

– *Soy Ana, es que no **me** reconoces.*	Me = señala a la persona que habla, Ana.
– *Pues no, no **te** reconozco. ¿Quién eres?*	Te = señala a la persona con quien se habla, Ana.
*¿**Nos** encontramos mañana a las diez?*	Nos = señala a las personas que hablan.
– *Señora Martínez, ¿puede atender**me**?* – *En este momento no puedo, Sr. González.* ***Lo** llamo en diez minutos.*	Me = señala a la persona que habla, el señor González. Lo = señala a la persona con quien se habla, el señor González.

También se refieren a personas, objetos y animales mencionados anteriormente.

*Nos encontramos **<u>a Mario</u>** en la calle y **lo** saludamos con un fuerte abrazo.*

*María tiene **<u>plantas</u>** muy bonitas en su casa. **Las** riega y **las** cuida con cariño.*

3.2. **LO**

Se refiere a una frase mencionada anteriormente.

– *Mañana no hay clases.*
– *Ya lo sabía.*

– *¿Quién dijo que Pedro está enfermo?*
– *Lo dijo Ana.*

> **¡Atención!**
>
> Con los verbos *ser, estar* y *parecer,* el pronombre **LO** se usa para sustituir una característica o propiedad del sujeto previamente mencionada.
>
> – *¿Estás cansado?*
> – *Sí, lo estoy, y mucho.*

3.3. **La preposición *A* con el objeto directo**

LA PREPOSICIÓN *A* CON EL OBJETO DIRECTO	SITUACIÓN	EJEMPLOS
a) se usa siempre	● Cuando el objeto directo se refiere a personas. ● Cuando se refiere a objetos personificados.	*Ayer llamé **a mis amigos** para ir a bailar. Encontré **a Juan** en el parque.* *Unos hombres encontraron **a mi perrita**, que estaba perdida.*
b) se usa opcionalmente	● Cuando el objeto directo no es específico o concreto, sino que nos referimos a un individuo cualquiera de esa clase de personas, no se utiliza. ● Cuando hay ambigüedad en la frase, para dejar claro el objeto directo.	*No vi **a ningún médico** en el hospital. No vi **ningún médico** en el hospital. Busco **secretaria bilingüe** para mi oficina. Busco **a una secretaria bilingüe** que se llama Amparo.* *El gato mordió **al perro**, no el perro **al gato**.*
c) no se usa	● Cuando el objeto directo se refiere a objetos. ● Cuando es el complemento del verbo *tener.*	*El profesor explicó **el tema** con claridad. Ana encontró **la tienda** que buscaba. Tengo **dos hermanos** y **una hermana**.*

3.4. **La duplicación del objeto directo**

Muchas veces, en la misma frase aparecen el pronombre de objeto directo y su correspondiente objeto directo. Esta duplicación es obligatoria cuando el objeto directo está antes del verbo.
A mis padres los veo los fines de semana.
El trabajo debes entregarlo mañana.
Las llaves de casa siempre las dejo sobre la mesa pequeña.

También cuando el objeto directo está construido por la preposición *a* + pronombre.
A ti no quiero verte más./A ella no quiero verla más.

3.5. ***Le*** y ***les*** **como pronombres de objeto directo de persona**

En algunas regiones, es correcto el uso de los pronombres *le* y *les* en lugar de *lo* y *los* para referirse a sustantivos masculinos de persona:
A mis hijos les quiero mucho.
He estado charlando con Pedro. Le vi por la calle y nos sentamos en un café.

4. Ejercicios

4.1. Identifica

Lee los textos y completa el cuadro como en el ejemplo.

a) **Vendo moto en excelente estado**

La vendo porque no la uso. Precio no negociable.

b) **A los integrantes del grupo** *Los auténticos decadentes* los conozco desde 2007. Todos son muy buenos; soy un fan de ellos.

c) **Estimados señores:**

La semana pasada compré una falda a través de su servicio de televentas. Como pasaron cuatro semanas y no la enviaban, los llamé por teléfono varias veces para saber qué había ocurrido, pero nadie me dio una respuesta. ¿Qué debo hacer? ¿A quién debo recurrir?

d) **Cuidar las plantas**

Para limpiarlas, les recomiendo ducharlas. Es importante hacerlo periódicamente para mantenerlas siempre limpias.

e) **¿Cómo reutilizar papeles?**

– Aprovecha las hojas: úsalas del lado no impreso para escribir en él.
– Recicla las revistas. No las tires. Puedes donarlas a una institución.
– Las cartulinas y los cartones: puedes entregarlos en una escuela.

TEXTO	PRONOMBRE Y VERBO	SE REFIEREN A...
A	la vendo, la uso	la moto
B	los conozco, de ellos	los auténticos
C	no la enviaban,	una falda
D	limpiarlas, les, ducharlas	las plantas
E	escuelas, las hres	las revistas

4.2. Practica

1. Relaciona.

a. Apágala si no la usas. 4
b. Lo leo cuando llego a casa, por la noche. 6
c. ¿Las llevas en el bolso? 10
d. Debes ir a cambiarla, te queda pequeña. 7
e. Hace mucho que no los uso. 9
f. No te la pierdas. Es muy buena. 5
g. Debes ordenarlo todos los días. 11
h. Los respondo cuando llego al trabajo. 3
i. Las hice por la tarde. 2
j. ¿Los llamo a comer? 1
k. Lo vi en el parque. 8

1. A los niños
2. Las tareas de la clase de español
3. Los mensajes
4. La computadora
5. La película
6. El periódico
7. La camisa
8. Al novio de mi hermana
9. Los pantalones negros
10. Las llaves de casa
11. El cuarto

2. Transforma las frases, sustituyendo las palabras en negrita por un pronombre de objeto directo.

a. Marcela lleva **a los niños** al colegio. > _Marcela los lleva al colegio._

b. Voy a preparar **la comida**. > *Voy a prepararla* ✓

c. Alicia ha comprado **su apartamento**. > *Alicia lo ha comprado* ✗

d. Sabemos **que tienes razón**. > *lo sabemos* ✓

e. No dejes **los libros** sobre la mesa. > *No los dejes sobre las mesas* ✓

f. Hace dos horas que llamé **a Mariano**. > *hace dos horas que é lo llamé* ✓

g. Reconozco **que me equivoqué**. > *lo reconozo* ✓

h. No sé **dónde están los documentos**. > *No los sé.* ✓

i. Convocaron **a la directora** ayer. > *la convocaron ayer* ✓

j. Pon **las plantas** aquí. > *ponlas ayer.*

3. Continúa las frases como en el ejemplo. Usa los elementos del paréntesis.

a. Compré dos sillas de estilo. (en la sala – puse – y)
  Compré dos sillas de estilo y las puse en la sala.

b. El coche de Leonardo se descompuso. (al mecánico – mañana – va a llevar – por eso)
  por eso, va a llevarlo al mecánico mñana

c. Alberto tiene dificultades con la computadora. (porque – usa – no – frecuentemente)
  porque no la usa frecuenremente.

d. Voy a sacar los dos armarios de la sala. (voy a poner – y – en el escritorio)
  voy a ponerlos en el escritorio

e. El balance todavía no está listo. (está terminando – pero – Alicia)
  pero Alicia lo está terminaondo

f. Joselito rompió el jarrón chino. (a propósito – pero – no – hizo)
  pero no lo hizo a propósito

4. Pon los pronombres de objeto directo cuando sean necesarios.

a. Mariana está perdidamente enamorada de Agustín. *Lo* conoció _____ en la casa de una amiga de la facultad. Estuvieron hablando toda la noche y, cuando _____ llegó el momento de irse, él se *la* ofreció a _____ acompañar*la la* a su casa. No cabe duda de que Agustín _____ es todo un caballero.

b. Estimado cliente: Si en su casa _____ tiene objetos que no usa y _____ están en buen estado, no *los* tire _____, _____ tráiga*los* a nuestra tienda. Nosotros ofrecemos los mejores valores en objetos usados.

c. Llegamos al pequeño poblado un domingo de mañana. _____ buscamos algún hotelito donde descansar y *lo* encontramos en una calle, al lado de la iglesia. Como la puerta estaba abierta, *la* entramos. Había una mujer durmiendo plácidamente en una silla mecedora. *la* _____ despertamos con el ruido de la puerta. Con desgano nos mostró las dos únicas habitaciones que tenía libres. _____Las_____ vimos _____✓_____ y nos quedamos con la más pequeña porque tenía la vista más bonita.

5. **Completa con la preposición _a_ en caso necesario.**

   a. Graciela aplaudió _ø_ el discurso del senador.

   b. A la salida del concierto vimos _____a_____ los hermanos de Beatriz y los saludamos.

   c. Hay que colocar _____✓_____ estos libros en el estante.

   d. Todas las mañanas, saco a pasear _____a_____ mi perro.

   e. El gobierno ayuda _____a_____ los desempleados.

   f. Durante años, Natalia buscó _____a_____ un hombre que había conocido en un viaje a Perú.

   g. Ángel buscó siempre _____a_____ una mujer que lo comprendiera. Nunca la encontró.

   h. Después de varios años, encontraron _____✓_____ los ladrones.

6. **Sustituye las palabras que se repiten por un pronombre de objeto directo.**

   a. Tengo un vestido azul. Casi nunca uso el vestido azul. Normalmente me pongo el vestido azul cuando tengo una fiesta.
   Tengo un vestido azul. Casi nunca lo uso. Normalmente me lo pongo cuando tengo una fiesta.

   b. Si tanto te gusta Ana, llama a Ana por teléfono e invita a Ana a salir.

   c. Pedro dice que está cansado. Dice que está cansado porque no tiene ganas de ir al cine.

   d. He comprado dos sillones usados muy bonitos. He mandado a reparar los dos sillones usados y he puesto los dos sillones usados en la sala. Un amigo ha visto los dos sillones usados y me ha dicho que parecían nuevos.

   e. La mejor forma de lavar las zapatillas de tela blanca es poner las zapatillas de tela blanca en remojo con agua y sal hasta que suelten toda la suciedad. A continuación frotas las zapatillas de tela blanca con un detergente de lavadora y les aplicas pasta de dientes con ayuda de un cepillo.
   Por último, aclara bien las zapatillas de tela blanca con agua fría.

4.3. Aplica

Has heredado estos objetos. Algunos los quieres y otros no. Explica qué vas a hacer con cada uno. Ayúdate con la lista de verbos y expresiones de la caja.

el cuadro – los floreros – la ropa – la mesa – la bicicleta – las botas – la silla – el cuadro – la radio – los juguetes

regalar
poner en la sala
vender en una feria de usados
usar para ir al campo
llevar a reparar
guardar de recuerdo
llevar a una institución
querer para mí

La bicicleta no la quiero. Voy a regalarla./La bicicleta la quiero para mí. La voy a usar para pasear los domingos por el parque.

1. En contexto

1

¡Ya le he comprado el regalo de cumpleaños a mi madre! Es muy difícil hacerle un regalo a ella... Es que es un poco complicada. Lo bueno es que le das el regalo con el tique y ella se encarga de cambiarlo.

2

Gastón - 12/02/00 00:38:15
E-mail: lacasa@ssdnet.com.ar

Comentarios:

Rodrigo, te mando este correo porque estoy buscando información sobre el tango. Si vos conocés alguna página web, te agradecería la información. Un saludo, Gastón.

3

Publicado: 23 de agosto de 2007 / Por Jesús Bella Ceacero | 2 comentarios

WET promete traernos un nuevo videojuego para el próximo año.

4 Chavales, para organizaros un viaje por mi región, necesito que me digáis el número aproximado de personas. Espero vuestra respuesta.

Observa los textos y responde a las preguntas.

Texto 1	a) ¿Quién ha comprado el regalo? yo
	b) ¿Para quién es el regalo? le
	c) ¿A quién se refiere el pronombre **le**?
	d) ¿A qué expresiones presentes en el texto es equivalente **le**?
Texto 2	a) ¿Quién pide información sobre el tango? yo
	b) ¿A quién le pide la información? Rodrigo
	c) ¿A quién se refiere el pronombre **te**?
Texto 3	a) ¿Quién promete la novedad electrónica? wet
	b) ¿Para quién es la novedad? nos
	c) ¿A quién se refiere el pronombre **nos**?
Texto 4	a) ¿Quién(es) quiere(n) viajar? os me
	b) ¿Quién(es) va(n) a organizar el viaje? os
	c) ¿A quién se refiere el pronombre **os**?
	d) ¿A quién se refiere el pronombre **me**?

Las palabras subrayadas en los textos son pronombres de objeto indirecto. Se usan para referirse a las personas, animales o cosas que se benefician o perjudican por la acción del verbo con el que se relacionan.

2. Las formas

2.1. El objeto indirecto

FORMAS	EJEMPLOS
A + sustantivo	*Escribo **a mis padres** esta carta.*
A + artículo + posesivo	*Para el día de la madre ya le compré el regalo **a la mía**.*
A + artículo + numeral	*Esta semana es el cumpleaños de mi hermana y de un amigo. Por suerte, ya compré el regalo **a los dos**.*
A todos/todas	*Esta semana tengo tres cumpleaños. Por suerte, ya les compré el regalo **a todos**.*
A + pronombres (*mí, ti, él, ella, usted, nosotros/as, vosotros/as, ellos/as, ustedes*)	*¿No te ofreció **a ti** un poco de torta? Definitivamente, sus hijos no le obedecen **a usted**.*
Pronombre de complemento indirecto	*Todavía no **les** he dado la merienda a los niños.* *– ¿**Nos** has traído las fotos del viaje?* *– Sí, pero **os** voy a enseñar primero el vídeo.*

2.2. Los pronombres de objeto indirecto

	PRONOMBRES DE OBJETO INDIRECTO	EJEMPLOS
yo	me	*¿**Me** has traído el libro?*
tú, vos	te	*¿Así que no **te** avisaron?*
él, ella, usted	le	***Le** querían decir toda la verdad a Pepa.*
nosotros, nosotras	nos	***Nos** pedía siempre permiso para entrar.*
vosotros, vosotras	os	*¿**Os** habló Pablo sobre el negocio?*
ellos, ellas, ustedes	les	*A ustedes no **les** creo nada.*

2.3. Posición de los pronombres de objeto indirecto

Regla 1: van delante del verbo en cualquier forma, excepto en infinitivo, gerundio o en imperativo afirmativo.

***Le** <u>hablé</u> de mi viaje a México.*

*Mi abuelo siempre **nos** <u>trae</u> unos chocolatines exquisitos.*

*No **les** <u>quiero</u> dar la bienvenida sin que estén todos presentes.*

Regla 2: van después de verbos en infinitivo, gerundio o en imperativo afirmativo y escritos en una misma palabra.

*No quiero <u>dar</u>**les** la bienvenida sin que estén todos presentes.*

*<u>Felicitándo</u>**os** reconocemos todo el esfuerzo que habéis puesto.*

MÁS

Cuando hay dos verbos juntos, los pronombres se pueden colocar siguiendo las dos reglas anteriores, o antes del verbo conjugado o después del infinitivo o del gerundio.

– *Nena, ¿qué quieres de regalo para Navidad?*

– ***Le*** <u>*voy*</u> *a* <u>*pedir*</u> *una casa de muñecas a Papá Noel./* <u>*Voy*</u> *a* <u>*pedir**le***</u> *una casa de muñecas a Papá Noel.*

¡Atención!

Con los tiempos compuestos la colocación del pronombre sigue la Regla 1.
*Es el cumpleaños de Pedro y **le** he regalado un libro.*

Excepto con las siguientes expresiones, en las que los pronombres deben ir detrás del verbo en infinitivo y escritos en una sola palabra:

- *Hay que* + verbo: *Hoy hay que entregar**le** al jefe los documentos.*
- Con verbos de sentimiento *(sentir, lamentar, alegrar…)* + verbo: *Siento decir**te** que estás equivocado.*
- Con verbos de opinión *(creer, opinar…)* + verbo: *Opino decir**le** toda la verdad sobre este asunto.*
- Con verbos pronominales *(ponerse…)* + verbo: *El jefe se puso a dictar**le** una carta a su secretaria. No me arrepiento de dejar**te**.*

2.4. Tipos de verbos en los que aparece

Los pronombres de objeto indirecto pueden aparecer con dos tipos de verbos:

Verbos que van con **OI**, como: *hablar, sonreír, pertenecer, mentir, obedecer*, etc.	Verbos que van con **OD** y **OI**, como: *dar, ofrecer, traer, llevar, pegar, decir*, etc.
Estos libros <u>*pertenecen*</u> *a **Carlos**.* *Estos libros **le*** <u>*pertenecen*</u>.	*Andrés ofreció **ayuda a sus compañeros**.* *Andrés **les** ofreció **ayuda**.*
Carlos <u>*sonrió*</u> *a **las muchachas**.* *Carlos **les*** <u>*sonrió*</u>.	*Juan no dijo **la verdad al juez**.* *Juan no **le** dijo **la verdad**.* *Alberto **me** pidió **dinero** (a mí).*

¡Atención!

El complemento indirecto siempre aparece introducido por la preposición **a**:
*Ana jamás pide dinero **a** <u>su padre</u>.*   – *¿Por qué no prestas más atención **a** <u>tu trabajo</u>?*
*Ana jamás **le** pide dinero.*   – *Siempre **le** presto la atención que merece.*

3. Los usos

3.1. ME, TE, LE (usted), NOS, OS, LES (ustedes)

Señalan a las personas que intervienen en una situación de comunicación.

– ¿*Me* prestas tus apuntes?
– Sí, cómo no. *Te* traigo mañana mis cuadernos.

– ¿*Les* puedo hacer una crítica?
– Sí, claro. *Le* rogamos total sinceridad.

3.2. ME, TE, LE (él, ella), NOS, OS, LES (ellos, ellas)

Se refieren a personas, objetos y animales mencionados anteriormente.

¿Visitaron a tu <u>hermano</u> y no *le* han contado las novedades?
Sin duda, Juan tiene un profundo cariño por <u>su perro</u>. ¡Hasta *le* ha comprado una correa
con detalles en oro!
Si bien <u>las estadísticas</u> son muy importantes en una elección, no hay que dar*les* más importancia
de la que merecen.

3.3. La duplicación del objeto indirecto

Muchas veces, en la misma frase aparecen el pronombre de objeto indirecto y su correspondiente objeto indirecto. Sirve para dar énfasis.

<u>A Carlos</u> no *le* gusta el fútbol.
<u>A nosotros</u> *nos* dio la carta, no a ti.

Esta duplicación de pronombre y objeto es obligatoria cuando el objeto indirecto está antes del verbo.

Solamente <u>a Josefina</u> *le* conté lo que pasó.
Solamente conté a **Josefina** lo que pasó.

También es obligatoria la duplicación cuando el objeto indirecto está construido por preposición
a + pronombre.

¿Por qué *me* sonríe tanto <u>a mí</u>?/¿Por qué sonríe tanto <u>a Elena</u>?
Nos mandó el regalo <u>a nosotros</u>./Mandó el regalo <u>a mis hijas</u>.

4. Ejercicios

4.1. Identifica

1. Lee los textos y rodea los pronombres de objeto indirecto.

Texto 1

Jorge Salinas le propone matrimonio a Elizabeth Álvarez
El actor le entregó el anillo de compromiso a su novia en Nochebuena

Texto 2

Te digo y no me entiendes. Te la repito y no me comprendes. ¿Qué es?
(La letra T)

Texto 3

Google nos manda un mensaje si queremos entrar en una página peligrosa.

Texto 4

¡Hola! ¿Qué postre os trae recuerdos de vuestra niñez?
Os cuento el mío: flan.
Un abrazo.
Haydée

Texto 5

LIBRES DE OBJETOS INÚTILES
¿Sus casas están llenas de objetos que no les sirven?

¡Nosotros los podemos ayudar!
Retiramos SIN COSTO todo tipo de objetos en desuso.
Atendemos en toda la región.
Llámennos al 6645-0887

2. Completa el cuadro con las informaciones de los textos anteriores.

Pronombres de OI y verbos	Los pronombre se refieren a...
le propone	Elizabeth Álvarez

3. Marca si son V (verdaderas) o F (falsas) las afirmaciones:

a. Según el texto 1, es posible afirmar que:

(F) Elizabeth Álvarez no ha aceptado.

(✓) Elizabeth Álvarez recibió un anillo como símbolo de su compromiso.

b. La adivinanza del texto 2 se basa en:

(✗) que el pronombre *te* es igual al nombre de la letra *T*.

(✗) la no comprensión de lo que se dice.

(✓) las frases «te digo» y «te la repito».

c. Según el texto 3:

(✗) El buscador no permite el acceso a páginas peligrosas.

(✓) El buscador alerta cuando intentamos el acceso a una página peligrosa.

d. Según el texto 4:

(✗) Haydée quiere saber qué postre les trae recuerdos a los demás participantes del foro.

(✓) Haydée informa de cuál es el postre que le trae recuerdos a ella.

(✓) Haydée pregunta y responde sobre ella misma.

e. La empresa del anuncio:

(✓) recoge objetos en desuso de la casa de los demás.

(✗) ofrece objetos en desuso y los entrega a domicilio.

(✓) no cobra por sus servicios.

4.2. Practica

1. Relaciona.

a. Por favor, dile que no la quiero ver más.	**1.** a los padres en general
b. Pedro me sonríe siempre a lo lejos. 4	**2.** a Gerardo y a mí
c. Les da miedo si sus hijos están solos. 1	**3.** a mis sobrinas más chicas
d. Les encanta jugar a las muñecas. 3	**4.** a mí
e. Te propongo no discutir más. 6	**5.** a tu prima
f. Os he visto por aquí otras veces. 7	**6.** a ti, con quien tanto peleo
g. Nos han regalado esto por la boda. 2	**7.** a ti y a tu amiga

2. Escribe el pronombre indirecto, según la indicación entre paréntesis.

a. (a los estudiantes) La profesora ____les____ explica la lección con muchos ejemplos prácticos.

b. (a mi amigo) Siempre ____le____ contesto las cartas que manda.

c. (a Noemí y a mí) Germán ____nos____ avisa siempre cuando cambian los horarios de la biblioteca.

d. (a ustedes) Mis amigos _____les_____ hablan en español porque saben que son mexicanas.

e. (a ti y a ella) _____os_____ pido que vengáis a visitarme cuando tengáis tiempo.

f. (a ti) Teresa _____te_____ dice la verdad, no _____te_____ miente.

3. Forma frases con los elementos que te damos.

a. la – Ana – decir – no – quería – verdad – me

Ana no me quería decir la verdad./Ana no quería decirme la verdad.

b. vecinos – novedad – Sofía – a – comunican – le – la – los

_____

c. hay – a – contar – tus – les – que – hermanos – urgentemente – todo

_____

d. siento – Juan – dar – esta – te – noticia – mala

_____

e. está – hijo – me – nueva – pidiendo – mochila – una – mi

_____

f. debes – le – más – sonreír – Juan – a

_____

g. Pedro – reunión – avisó – de – nos – tarde – la

_____

h. les – hemos – sus – hablado – nosotros – siempre – de – antepasados

_____

4. Agrega el pronombre de objeto indirecto adecuado.

a. Mis amigos dicen que soy muy pesimista. (a todos) _Mis amigos les dicen que soy muy pesimista._

b. Rocío va a traer un pastel de fresas. (a ti y a Manuel) Rocío va a traernos

c. Chicos, no mientan. (a su abuela) Chicos, no le mientan

d. Veo que hablas, pero no escucho tu voz. (a mí) Veo que me hablas,

e. Están ofreciendo un viaje. (a los clientes) es les están ofreciendo

f. Ayudar es mi deber como amiga. (a ti) Ayudarte es mi deber

g. Los niños no obedecen nunca. (a Lorenzo y a mí) Los niños no nos obedecen

5. Contesta las preguntas con una oración completa.

a. ¿Qué le apetece a usted: un café o un té? (café)   Me apetece un café.

b. ¿Te gustan las frutas silvestres? (sí)   Sí, me gustan.

c. ¿Qué le pasa a Jorge? ¿Os ha dicho algo? (no, nada)   No, no nos ha dicho nada

d. Pedro, ¿te he respondido con claridad? (sí)   Sí, me ha respondido

e. ¿Nos has mentido todo el tiempo? (no, nunca)   No, os he mentido nunca

4.3. Aplica

1. Lee el siguiente texto y complétalo.

a una persona – te (2) – a alguien – a todo el mundo – a uno de tus amigos – le (3) – a quién

Trucos para ligar

En telecinco.es te damos los mejores consejos para arrasar. El sentido del humor, el romanticismo y la seguridad en uno mismo son algunos de los trucos.

Habla, no te cortes
Conoces _a una persona_ y no sabes cómo iniciar una conversación.

Sentido del humor
¿ _a quién_ no _le_ gusta reír sin parar? La risa es activa, creativa, universal y, ante todo, contagiosa. Eso sí, sin pasarse.

Ligar con la mirada
Da igual si la sala está llena de gente. No hay nada como mirar _a alguien_ fijamente a los ojos.

Romántico
a todo el mundo gusta el romanticismo. Los detalles cuentan y al principio es muy importante no olvidarse de ellos.

Los amigos de tus amigos son mis amigos
Si con todos estos consejos no consigues una buena cita píde _____ ayuda _a uno de tus amigos_. Seguramente uno de ellos _te_ podrá presentar a alguien. Si nadie cumple tus requisitos, busca en Internet. El amor *on-line* está de moda.

Adaptado de http://www.telecinco.es/aida/detail/detail3823.shtml

2. Escribe cuáles son tus estrategias para conquistar a alguien. Pon en práctica el objeto indirecto utilizando verbos como *hablar, sonreír, dar, ofrecer, mentir, llevar, decir, gustar, encantar, presentar...*

1. En contexto

1 El primer bandoneón que tuve me lo regaló mi papá cuando tenía seis años. Lo trajo envuelto en una caja, y yo me alegré, creía que eran los patines que le había pedido tantas veces. Fue una decepción porque, en lugar de los patines, me encontré con un aparato que nunca había visto en mi vida. (ASTOR PIAZZOLLA)

2

—Préstame tu guitarra para tocarla.

Pero el conejo le dijo:

—No te la voy a prestar porque, si te la presto, ya no me la vas a devolver.

A lo que el zorrillo le respondió:

—Te juro que te la devuelvo.

Entonces el conejo le prestó su guitarra, y el zorrillo empezó a tocar. Luego el conejo le dijo:

—Dame mi guitarra porque ya me voy.

El zorrillo le contestó:

—No te la voy a entregar porque tú me la regalaste.

3

Ganó una cirugía estética y se la regaló a su novia
Habían acordado desde antes de la rifa que ella se rellenaría el busto si ganaban.

Un estudiante de periodismo ganó el sorteo para hacerse una cirugía estética en una fiesta que tenía como principal «gancho» ese premio y le regaló a su novia una operación de busto.

4

¡El peor servicio que he recibido en un hotel!
24 de mayo 2009

Cuando llegamos, las habitaciones no estaban listas y nos las entregaron 2 horas más tarde. Solicitar cualquier cosa a la recepción requirió un mínimo de 7 llamadas. Las toallas de las habitaciones no nos las dieron hasta las 10 p.m. Me parece que este hotel necesita más personal.

Lee estos los textos y responde las preguntas.

Texto 1

a) ¿Quién hizo el regalo?

b) ¿A quién le hizo el regalo?

c) ¿Qué le regaló?

d) ¿A quién se refiere el pronombre *lo* en «me lo regaló»?

e) ¿A quién se refiere el pronombre *me*?

Texto 2

a) ¿Qué objeto no se va a prestar?

b) ¿Quién no lo va a prestar?

c) ¿A quién no se lo va a prestar?

d) ¿A quiénes se refieren los pronombres *te* y *me* en «No te la voy a prestar porque, si te la presto, ya no me la vas a devolver»?

e) ¿A quién se refiere el pronombre *la*?

f) ¿Qué se promete devolver en «Te juro que te la devuelvo»?

g) ¿Quién hace la promesa?

h) ¿A quién está dirigida la promesa?

i) ¿A qué se refieren los pronombres *te* y *la*?

j) ¿Quién no va a entregar algo en «No te la voy a entregar porque tú me la regalaste»?

k) ¿Quién hizo supuestamente un regalo?

Texto 3

a) ¿Quién ganó un premio y de qué premio se trata?

b) ¿Quién se benefició con el premio?

Texto 4

a) ¿A qué objetos se refiere el pronombre *las* subrayado en el texto?

b) ¿A quién se refiere el pronombre *nos* subrayado en el texto?

2. Las formas

2.1. El orden de los pronombres

Cuando en la frase se combinan un pronombre objeto directo y otro indirecto, en primer lugar debe colocarse el indirecto y en segundo lugar, el directo.

INDIRECTO		DIRECTO
ME		LO
TE		LA
SE	**+**	LOS
NOS		LAS
OS		
SE		

– López, ¿puede traerme el balance del año pasado?
– Enseguida **se lo** entrego.

– ¿Quién os ha contado que Jorge y Daniela se han separado?
– **Nos lo** ha dicho la hermana de Jorge.

– Carlitos, ¿me alcanzas las pantuflas?
– Claro, abuelo, ya **te las** doy.

2.2. La forma *se*

Debemos usar *se* en lugar de los pronombres *le* o *les* cuando se combinan con las formas *lo, la, los, las*. La forma *se* es invariable, se usa tanto para el singular como para el plural, el masculino o el femenino.

– ¿Les aumentaron el sueldo a los empleados?
– No, no **se** lo aumentaron. (A los empleados de quienes se habla).

– Sra. González, ¿me puede prestar su calculadora?
– Sí, enseguida **se** la presto. (A la persona con quien habla, a la Sra. González, a usted).

2.3. Posición de los pronombres

Regla 1: van delante del verbo en cualquier forma, excepto en infinitivo, gerundio o en imperativo afirmativo.

Lo siento, el proyecto es secreto, así que no **os lo** _puedo_ contar.
En la empresa había un puesto vacante de contador, y mi jefe **se lo** _ofreció_ a su hermano.
¿Carlos te ha vuelto a pedir el coche prestado? No **se lo** _prestes_ porque no conduce muy bien.

Regla 2: van después de verbos en infinitivo, gerundio o en imperativo afirmativo y escritos en una misma palabra.

Este collar es un recuerdo de mi abuela. Para mí será un placer _regalár_**telo**.
Si quieres las recetas, escríbeme un e-mail _pidiéndo_**melas** que en seguida te las mandaré.

MÁS

Cuando hay dos verbos juntos, los pronombres se pueden colocar siguiendo las dos reglas anteriores, o antes del verbo conjugado o después del infinitivo o del gerundio.

*Puedo decír**telo**./**Te lo** puedo decir. He querido dár**selas**./**Se las** he querido dar.*

Excepto con las siguientes expresiones, en las que los pronombres deben ir detrás del verbo en infinitivo y escritos en una sola palabra:

- *Hay que* + verbo: *El trabajo hay que entregár**selo** hoy al profesor.*
- Con verbos de sentimiento *(sentir, lamentar, alegrar…)* + verbo: *Me he retrasado con la respuesta y siento dár**sela** tan tarde.*
- Con verbos de opinión *(creer, opinar…)* + verbo: *Creo habér**telo** dicho ya, pero no lo hagas más.*
- Con verbos pronominales *(ponerse…)* + verbo: *Tengo varios correos de Arturo y ahora mismo me pongo a contestár**selos**.*

2.4. Tipos de verbos que llevan dos pronombres

TIPOS DE VERBOS	EJEMPLOS
Verbos que expresan la idea de transferir algo a alguien: *dar, ofrecer, regalar, prestar,* etc.	*¿Me das la sal?, tómala.*
Verbos de comunicación: *decir, contar, preguntar,* etc.	*Esta historia ya me la has contado muchas veces.*

3. Los usos

En los casos en que se combinan en una frase un pronombre de objeto indirecto y otro de objeto directo, los pronombres sustituyen a personas u objetos ya mencionados o a toda una frase.

3.1. LA DUPLICACIÓN DE *SE* Y EL OBJETO INDIRECTO

Muchas veces, en la misma frase aparecen la forma *se* y su correspondiente objeto indirecto. Sirve para dar énfasis.

– *¿Le diste el libro a Carlos?*
– *No, no **se lo** di **a Carlos**, **se lo** di **a Antonio**.*

El objeto indirecto debe duplicarse con el pronombre *se* si la persona a la que se refiere se menciona por primera vez.

– *¿Dónde está la mesa de madera?*
– ***Se** la di **a Daniela**.*
– *¿Se la vendiste?*
– *No, **se** la regalé.*

4. Ejercicios

4.1. Identifica

Lee los textos y completa los cuadros indicando a quién o qué se refieren los pronombres personales.

a)

Diseñamos, traducimos y producimos todos los folletos de tu empresa. Te los entregamos en formatos PDF o HTML.

| Te los entregamos | *Te:* se refiere a quien está leyendo el texto. |
| | *Los:* se refiere a todos los folletos de tu empresa. |

b)

– ¿Qué cosas pediste prestadas a un amigo y nunca se las devolviste? ¿Por qué?
– Un CD de Joaquín Sabina. Roberto, un amigo, me lo dio hace cuatro años y nunca más se lo devolví, tampoco él me lo pidió, así que no creo que le interese.

Se las devolviste	*Se:* un amigo
	Las: las prestada
Me lo dio/Me lo pidió	*Me:* yo
	Lo: it - la cosa
Se lo devolví	*Se:* to hum/her
	Lo: it

c)

¡Nos han engañado!
Hemos alquilado una casa de verano por Internet. Una vez reservada y pagada la reserva que nos pidieron, se la ofrecieron a otras personas y nos la quitaron a nosotros. No sé si los otros les ofrecerían más dinero o serían familiares o amigos, pero su comportamiento fue lamentable y yo me fiaría muy poco de gente que actúa de esa manera. Pedro y Luisa (Valencia).

Se la ofrecieron	*Se:* nosotros
	la: la cosa
Nos la quitaron	*Nos:*
	La:

d)

Javier Pastore terminará jugando en el Barcelona, porque es amigo de Lionel Messi y así se lo prometió.

| Se lo prometió | *Se:* a messi |
| | *Lo:* termina |

4.2. Practica

1. Transforma las frases, sustituyendo primero el objeto indirecto y luego el objeto directo.

a. Marcela ha dado la dirección *a ti*. _Marcela te ha dado la dirección. Marcela te la ha dado._

b. Ignacio no contó *a mí* que su esposa está embarazada. _Ignacio no me contó que_

c. El profesor de español no entregó las pruebas *ni a José ni a mí*. _El profesor no nos entregó_

d. El jefe dio los días de licencia *a vosotros*. _el jefe os dio los días_

e. He regalado *a Sergio* una bonita edición del *Quijote*. _le he reglado_

f. Ayer devolví *a mis padres* el dinero que me prestaron. _ayer, ces devolví_

g. Han comunicado la noticia *a ti*. _le han comunicado_

h. Han avisado *a Marcelo* que vamos a viajar. _le han avisado_

2. Ordena los elementos y escribe las frases. Luego, identifica a qué se refieren los pronombres de objeto indirecto.

a. te – presto – mañana – los _Te los presto mañana. > A ti._

b. la – su – regalaré – se – para – cumpleaños _Se la regalaré para su com-_

c. decir – no – lo – puedo – todavía – te _No te lo puedo decir_

d. ofreció – aceptamos – lo – lo – pero – nos – no _____

e. el – Santiago – puesto – me – de – casamiento – lo – he – para _____

f. mañana – llevaré – las – la – después – escuela – os _____

g. los – entregando – poco – de – están – a – me _____

h. no – pedir – te – más – lo – quiero _____

3. Completa con los verbos y los pronombres necesarios.

a. – ¡Qué bonitas flores! ¿Son para Alicia?
   – Sí, _voy a dárselas_ por su cumpleaños. (voy a dar)

b. – Lo siento, no _puedo prestarte_ el diccionario. (puedo prestar)
   – No te preocupes, _____ a Martina. (voy a pedir)

c. – ¿Ya te han dicho que Sofía y Leonardo se han separado?
   – Justamente Daniel _ya me está_ en este momento. (está contando)

d. – Profesor, ¿ _puedo entrega_ los ejercicios mañana? (puedo entregar)
   – Claro, no hay problema, _entregamelos_ mañana. (entrega)

e. – ¡Cuántas veces debo repetirte que ordenes tu cuarto!
   – No _____ más. Ya te he entendido. (digas)

f. – Pedrito, ¿ya hiciste tus tareas?
   – Sí, las mías ya las terminé. Ahora_____ a Luis. (estoy haciendo)

4. Responde como en el ejemplo.

a. ¿Me traes un vaso de agua, por favor? _____Ahora mismo te lo llevo._____

b. Llévame estas cartas al correo. _____

c. ¿Puedes lavarme los platos sucios que están en la cocina? _____

d. ¿Le compras estos medicamentos a tu abuelo, por favor? _____

e. Entrégale este dinero a la empleada. _____

f. Sírvele la comida que está en el horno a tu padre. _____

g. Págame estos impuestos en el banco. _____

h. Entrégale estas carpetas a tu tía Clara. _____

5. Sustituye los elementos que se repiten innecesariamente por los pronombres adecuados.

a. Mis padres me regalaron una nueva lavadora. Me regalaron una nueva lavadora para mi cumpleaños.
_Mis padres me regalaron una nueva lavadora. Me la regalaron para mi cumpleaños._____

b. Luis le contó a Sofía que se va a casar. Le contó a Sofía que se va a casar porque pidió a Sofía que fuera la madrina.

_____

c. Seguramente Andrea nos va a regalar su sillón de cuero negro. Nos va a dar su sillón de cuero negro porque va a comprarse uno nuevo.

_____

d. Estoy mandando a Diego varias cajas de chocolates. Estoy enviando a Diego varias cajas de chocolate a través de una amiga que va a comprar las cajas de chocolate en la tienda del aeropuerto.

_____

e. Luis, quiero pedirte tu coche prestado. Déjame el coche hasta mañana. Voy a devolverte el coche por la tarde.
Lamentablemente no puedo prestarte el coche porque di el coche a Luis para que pueda ir a visitar a su madre.

_____

6. Completa con los verbos en la forma adecuada y los pronombres necesarios.

entregar – pedir – robar – regalar – tener – prestar – dejar – dar – pasar – traer – usar – necesitar

a. – ¿Te gusta ese vestido amarillo?
  – Es muy bonito. Me gusta mucho.
  – Pues entonces, ___te lo regalaré___ para tu cumpleaños.

b. – ¿Tienes algo para el dolor de cabeza?

    – Sí, tengo una caja de aspirinas.

    – ¿_____? Yo no he traído nada.

c. – Mira, si quieres usar mi computadora, _____ por la mañana porque por la tarde

    _____ yo.

    – De acuerdo.

d. – He visto un jarrón muy bonito. ¿Qué te parece si _____ a Juliana para su casamiento?

    – Me parece que sus padres ya _____.

e. – Una amiga _____ la receta de las empanadas.

    – ¡No me digas! ¿Quién _____?

    – Clarisa, que viajó hace poco a Argentina.

f. – ¡Qué hermosas esculturas! ¿Quién _____?

    – Son muy valiosas, pero no son un regalo. _____ Julieta por un tiempo porque está de viaje y

    tiene miedo de que _____.

g. – Srta. González, ¿dónde están los informes que _____ a usted hace una semana?

    – Perdone, doctor, _____ sobre mi mesa. Ahora mismo _____.

    – No, no son para mí. _____ al director.

4.3. Aplica

Escribe un texto siguiendo las instrucciones.

Un amigo se ha comprado un apartamento, pero se ha gastado todo el dinero en la compra. Te ha enviado un *e-mail* pidiéndote dinero prestado para poder hacer las reformas. Respóndele, siguiendo las orientaciones que te damos:

– Felicítalo por el logro.

– Expresa tu deseo de conocer su nueva casa.

– Niégale con mucha delicadeza la petición. Dale algunas razones.

– Proponle alguna solución para su problema.

– Despídete.

_____

_____

_____

_____

_____

_____

_____

_____

26

1. En contexto

1

¿Va a viajar a San Martín de los Andes?

Reserve con anticipación su alojamiento en temporada alta (enero/febrero en verano, julio/agosto en invierno).

2

Eco 2000, tu programa de radio para hablar de nuestro planeta.

Por favor, envíennos información acerca de notas o sitios que contengan información actualizada sobre el tema o comuníquense con nosotros. Muchas gracias.

3

Bernarda: Niña, dame un abanico.

Amelia: Tome usted. (Le da un abanico redondo con flores rojas y verdes).

Bernarda: (Arrojando el abanico al suelo) ¿Es este el abanico que se da a una viuda? Dame uno negro y aprende a respetar el luto de tu padre.

FEDERICO GARCÍA LORCA, *LA CASA DE BERNARDA ALBA*, BUENOS AIRES, LOSADA, 1962

4

Instalación de las pilas:

1. Abra la puerta de las pilas de la parte inferior de la cámara.
2. Inserte las pilas como se indica en la parte interior de la puerta.
3. Cierre la puerta de las pilas.

Marca la opción correcta en cada uno de los casos:

Texto 1

La frase «Reserve con anticipación su alojamiento en temporada alta» expresa:

☐ a) una orden. ☐ b) una instrucción.
☐ c) un consejo. ☐ d) una petición, un favor.

Texto 2

Las frases: «Por favor, envíennos información acerca de notas o sitios que contengan información actualizada sobre el tema» y «comuníquense con nosotros» expresan:

☐ a) una orden. ☐ b) una instrucción.
☐ c) un consejo. ☐ d) una petición, un favor.

Texto 3

Las siguientes frases de Bernarda: «Niña, dame un abanico» y «Dame uno negro y aprende a respetar el luto de tu padre» expresan:

☐ a) una orden. ☐ b) una instrucción.
☐ c) un consejo. ☐ d) una petición, un favor.

Texto 4

Las tres frases del texto expresan:

☐ a) una orden. ☐ b) una instrucción.
☐ c) un consejo. ☐ d) una petición, un favor.

Todos los verbos marcados están en imperativo. Esta forma se usa no solo para dar órdenes, sino también para dar consejos, formular peticiones y dar instrucciones.

2. Las formas

2.1. Características generales para toda la conjugación

- En imperativo solo se usan las personas *tú, vos, usted, nosotros, vosotros* y *ustedes.*
- El imperativo afirmativo en las formas *tú* y *vos* se conjuga quitando la –*s* del presente de indicativo. El imperativo de *vos* lleva acento en la última vocal.

Presente de indicativo		Imperativo	
tú	vos	tú	vos
cantas	cantás	canta	cantá
comes	comés	come	comé
vives	vivís	vive	viví

- Para la forma *vosotros*, se cambia la –*r* del infinitivo por –*d*:

Infinitivo	Imperativo (vosotros)
cantar	cantad
comer	comed
vivir	vivid

- Las formas *usted, nosotros* y *ustedes* siguen la misma conjugación que las del presente de subjuntivo (ver capítulo 28).

2.2. Los verbos regulares

	CANTAR	COMER	VIVIR
tú	canta	come	vive
vos	cantá	comé	viví
usted	cante	coma	viva
nosotros, nosotras	cantemos	comamos	vivamos
vosotros, vosotras	cantad	comed	vivid
ellos, ellas, ustedes	canten	coman	vivan

2.3. Los verbos irregulares

a) Verbos que tienen irregularidad propia

	IR	OÍR
tú	ve	oye
vos	ve / andá*	oí
usted	vaya	oiga
nosotros, nosotras	vayamos	oigamos
vosotros, vosotras	id	oíd
ellos, ellas, ustedes	vayan	oigan

Curiosidades de la lengua

*En algunas regiones, para la forma *vos* de los verbos *ir* y *ver*, se usan los verbos *andar* y *mirar*.

	SER	SABER	HACER	DECIR
tú	sé	sabe	haz	di
vos	sé	sabé	hacé	decí
usted	sea	sepa	haga	diga
nosotros, nosotras	seamos	sepamos	hagamos	digamos
vosotros, vosotras	sed	sabed	haced	decid
ellos, ellas, ustedes	sean	sepan	hagan	digan

b) Verbos que en el presente toman -*go*

	PONER	TENER	VENIR	SALIR	CAER	TRAER
tú	pon	ten	ven	sal	cae	trae
vos	poné	tené	vení	salí	caé	traé
usted	ponga	tenga	venga	salga	caiga	traiga
nosotros, nosotras	pongamos	tengamos	vengamos	salgamos	caigamos	traigamos
vosotros, vosotras	poned	tened	venid	salid	caed	traed
ellos, ellas, ustedes	pongan	tengan	vengan	salgan	caigan	traigan

c) Verbos en los que cambian las vocales

E → IE (la vocal *e* cambia por las vocales *ie*)

	PENSAR	ENTENDER	SENTIR
tú	piensa	entiende	siente
vos	pensá	entendé	sentí
usted	piense	entienda	sienta
nosotros, nosotras	pensemos	entendamos	sintamos
vosotros, vosotras	pensad	entended	sentid
ellos, ellas, ustedes	piensen	entiendan	sientan

¡Atención!

Fíjate que los verbos terminados en –*ir*, además, en la forma *nosotros* la -e cambia por -i.

Se forman igual estos verbos y sus derivados:

–*ar*: acertar, alentar, apretar, arrendar, atravesar, calentar, cegar, cerrar, comenzar, concertar, confesar, despertar, desterrar, empezar, encomendar, enmendar, enterrar, fregar, gobernar, manifestar, merendar, negar, pensar, quebrar, recomendar, regar, reventar, segar, sembrar, sentar, temblar, tentar, tropezar, etc.

–*er*: ascender, atender, defender, descender, encender, entender, extender, perder, querer, tender, etc.

–*ir*: advertir, convertir, divertir, herir, hervir, invertir, mentir, preferir, sentir, sugerir, etc.

¡Atención!

Los verbos *pretender* y *depender* se forman como verbos regulares:
–pretende, pretendé, pretenda, pretendamos, pretended, pretendan
–depende, dependé, dependa, dependamos, depended, dependan

O → UE (la vocal *o* cambia por las vocales *ue*)

	VOLAR	VOLVER	DORMIR
tú	vuela	vuelve	duerme
vos	volá	volvé	dormí
usted	vuele	vuelva	duerma
nosotros, nosotras	volemos	volvamos	durmamos
vosotros, vosotras	volad	volved	dormid
ellos, ellas, ustedes	vuelen	vuelvan	duerman

¡Atención!

Fíjate que los verbos terminados en *–ir* (*dormir* y *morir*), además, en la forma *nosotros* la -o cambia por -u.

Se forman igual estos verbos y sus derivados:

– *ar:* acordar, acostar, almorzar, apostar, aprobar, avergonzar, colar, colgar, consolar, contar, costar, encontrar, forzar, mostrar, probar, recordar, renovar, rodar, rogar, soltar, sonar, soñar, tostar, volar, volcar, etc.

– *er:* absolver, cocer, disolver, doler, llover, moler, morder, mover, oler, poder, resolver, soler, torcer, volver, etc.

– *ir:* dormir y morir.

U → UE (la vocal *u* cambia por las vocales *ue*)

	JUGAR
tú	juega
vos	jugá
usted	juegue
nosotros, nosotras	juguemos
vosotros, vosotras	jugad
ellos, ellas, ustedes	jueguen

Curiosidades de la lengua

Jugar es el único verbo en que cambia *u* → *ue*.

¡Atención!

Fíjate que las formas que corresponden al **presente de subjuntivo**, también hay un cambio ortográfico, **-g > -gu**. (ver capítulo 28)

E → I (cambio de la vocal *e* por la vocal *i*)

	PEDIR
tú	pide
vos	pedí
usted	pida
nosotros, nosotras	pidamos
vosotros, vosotras	pedid
ellos, ellas, ustedes	pidan

I → IE (cambio de la vocal *i* por las vocales *ie*)

	ADQUIRIR
tú	adquiere
vos	adquirí
usted	adquiera
nosotros, nosotras	adquiramos
vosotros, vosotras	adquirid
ellos, ellas, ustedes	adquieran

Se forma igual el verbo *inquirir*.

Se forman igual estos verbos y sus derivados: competir, concebir, corregir, derretir, elegir, freír, medir, pedir, reír, rendir, reñir, repetir, seguir (tiene también irregularidad ortográfica -g > -gu), servir, sonreír, teñir, vestir, etc.

d) Verbos en que cambian las consonantes

C → ZC (la consonante **c** cambia por **zc** solo en *usted, nosotros* y *ustedes*)

	NACER	AGRADECER	CONOCER	CONDUCIR
tú	nace	agradece	conoce	conduce
vos	nacé	agradecé	conocé	conducí
usted	na**zc**a	agrade**zc**a	cono**zc**a	condu**zc**a
nosotros, nosotras	na**zc**amos	agrade**zc**amos	cono**zc**amos	condu**zc**amos
vosotros, vosotras	naced	agradeced	conoced	conducid
ellos, ellas, ustedes	na**zc**an	agrade**zc**an	cono**zc**an	condu**zc**an

Se forman igual los verbos terminados en *-acer, -ecer, -ocer* y *-ucir:*

– *acer:* compl**acer**, etc.
– *ecer:* abast**ecer**, aborr**ecer**, agrad**ecer**, apar**ecer**, apet**ecer**, car**ecer**, compad**ecer**, conval**ecer**, cr**ecer**, embell**ecer**, establ**ecer**, estrem**ecer**, favor**ecer**, flor**ecer**, fortal**ecer**, mer**ecer**, obed**ecer**, ofr**ecer**, pad**ecer**, par**ecer**, perman**ecer**, perten**ecer**, rejuven**ecer**, etc.
– *ocer:* los derivados del verbo con**ocer**: recon**ocer**, descon**ocer**.
– *ucir:* ded**ucir**, ind**ucir**, introd**ucir**, l**ucir**, prod**ucir**, red**ucir**, etc.

> **¡Atención!**
>
> Los verbos *hacer* y *cocer*, y sus derivados, no tienen esta irregularidad, pero tienen otras: *haz, haga, c**uece**, c**ueza**…*

I → Y (cambia la vocal *i* por la consonante *y* en los verbos terminados en *–uir*).

	HUIR	CONSTRUIR
tú	hu**y**e	constru**y**e
vos	hui	construí
usted	hu**y**a	constru**y**a
nosotros, nosotras	hu**y**amos	constru**y**amos
vosotros, vosotras	huid	construid
ellos, ellas, ustedes	hu**y**an	constru**y**an

Se forman igual los verbos: concl**uir**, excl**uir**, incl**uir**, constit**uir**, sustit**uir**, destr**uir**, dismin**uir**, int**uir**, atrib**uir**, contrib**uir**, distrib**uir**.

2.4. Verbos en los que cambia la ortografía

–GER/–GIR → –JA (solo en *usted, nosotros* y *ustedes*)

	COGER	EXIGIR
tú	coge	exige
vos	cogé	exigí
usted	co**j**a	exi**j**a
nosotros, nosotras	co**j**amos	exi**j**amos
vosotros, vosotras	coged	exigid
ellos, ellas, ustedes	co**j**an	exi**j**an

Se forman igual los verbos: prote**ger**, fin**gir**, sur**gir**, ru**gir**.

–GU → –GA (solo en *usted, nosotros* y *ustedes*)

	SEGUIR
tú	si**gu**e
vos	seguí
usted	si**g**a
nosotros, nosotras	si**g**amos
vosotros, vosotras	seguid
ellos, ellas, ustedes	si**g**an

Se forman igual los derivados del verbo *seguir*: perse**gu**ir, conse**gu**ir, prose**gu**ir.

> **¡Atención!**
>
> Observa que también es un verbo que cambia **e** por **i**.

–CAR → –QUE (solo en *usted, nosotros* y *ustedes*)

	SACAR
tú	saca
vos	sacá
usted	sa**que**
nosotros, nosotras	sa**que**mos
vosotros, vosotras	sacad
ellos, ellas, ustedes	sa**que**n

Se forman igual todos los verbos terminados en
–car: acer**c**ar, arran**c**ar, ata**c**ar, colo**c**ar, convo**c**ar,
criti**c**ar, cho**c**ar, edu**c**ar, expli**c**ar, fabri**c**ar,
identifi**c**ar, indi**c**ar, mar**c**ar, notifi**c**ar, provo**c**ar,
publi**c**ar, sa**c**ar, se**c**ar, signifi**c**ar, to**c**ar, etc.

–GAR → –GUE (solo en *usted, nosotros* y *ustedes*)

	LLEGAR
tú	llega
vos	llegá
usted	lle**gu**e
nosotros, nosotras	lle**gu**emos
vosotros, vosotras	llegad
ellos, ellas, ustedes	lle**gu**en

Se forman igual todos los verbos terminados en
–gar: apa**g**ar, casti**g**ar, conju**g**ar, entre**g**ar,
interro**g**ar, ju**g**ar, lle**g**ar, obli**g**ar, pa**g**ar, etc.

–ZAR → –CE (solo en *usted, nosotros* y *ustedes*)

	AVANZAR
tú	avanza
vos	avanzá
usted	avan**c**e
nosotros, nosotras	avan**c**emos
vosotros, vosotras	avanzad
ellos, ellas, ustedes	avan**c**en

Se forman igual todos los verbos terminados en
–zar: adelga**z**ar, alcan**z**ar, anali**z**ar, avan**z**ar, comen**z**ar,
empe**z**ar, organi**z**ar, reali**z**ar, utili**z**ar, etc.

> **¡Atención!**
>
> Los verbos *comenzar* y *empezar* tienen
> cambio de vocales **e** por **ie**.

2.5. Los pronombres con el imperativo afirmativo

a) Posición de los pronombres
Los pronombres objeto siempre van detrás del verbo
y unidos a él.

- ¿Dónde ponemos la ropa?
- Guardad**la** en el armario.

- Présta**me** tu cámara de fotos, por favor.
- Claro, tóma**la**.

- Sr. Gutiérrez, ¿para cuándo necesita los documentos?
- Tráiga**melos** mañana sin falta.

> **¡Atención!**
>
> Observa que en muchos casos esto exige
> escribir el acento (ver apéndice 2).

b) Cambios en las formas por los pronombres
El imperativo de *nosotros* pierde la –s final del verbo
al juntarse con los pronombres –*nos* y –*se*.

Levantém**onos** más temprano mañana.
Vayám**onos** ya mismo de aquí.

El imperativo de *vosotros* pierde la –d final del verbo
al juntarse con el pronombre –*os*.
Ocup**aos** ahora mismo de las tareas.
Lav**aos** las manos antes de comer.

> **¡Atención!**
>
> El verbo *irse* no pierde
> la –*d* final.
> *Idos ahora mismo de aquí.*

3. Los usos

SE UTILIZA EL IMPERATIVO PARA…	EJEMPLOS
a) dar instrucciones.	*Sigue recto por esta calle y, en la segunda esquina, **dobla** a la derecha.* *Bata los huevos, **agregue** el agua y **mezcle** bien.*
b) dar consejos y recomendaciones.	*A la noche, puede refrescar un poco. Mejor **llévate** un abrigo.* *Si estás agobiado, **respira** profundamente y **relájate**.*
c) pedir objetos, favores, etc.	*Por favor, Daniel, **alcánzame** los libros que están sobre la mesa.* *Niños, si vais a la calle, **pasad** por la panadería y **traedme** tres panes.*
d) responder a una petición.	*– ¿Me prestas tu bolígrafo?* *– **Tómalo**.* *– Doctor, ¿está ocupado en este momento?* *– No, **pase**, **pase**.*
e) dar órdenes.	*Inés, **comuníqueme** con el director financiero.* ***Callaos**, que no me dejáis escuchar al orador.*
f) llamar la atención del interlocutor, especialmente con los verbos *oír, escuchar, mirar*.	***Oye**, Carlos, ¿a qué hora empieza el concierto?* ***Escuchen**, ¿qué les parece si vamos a cenar fuera?*

MÁS

1. En las órdenes y pedidos se usa el imperativo si existe una relación de confianza o familiaridad entre los hablantes o si el hablante está en una posición jerárquica más alta que el oyente.

   (La madre a su hijo): *Carlos, **ponte** el pijama, **lávate** los dientes y a dormir.*

   (Carlos a una amiga): ***Préstame** tu coche, Andrea, que el mío está en el taller.*

2. Se usa el presente de indicativo para dar una orden si esta se transmite como un hecho que debe cumplirse inmediatamente y sin lugar a discusión. (ver capítulo 9)

   *Ahora **vas** y le **pides** perdón a tu hermano.*

   *Ya mismo te **ponés** a estudiar.*

3. Se usa el futuro simple para dar órdenes categóricas que deben ser cumplidas siempre. (ver capítulo 34)

   *No **robarás**.* (general)

4. Ejercicios

4.1. Identifica

Lee los siguientes textos e indica si las frases son V (verdaderas) o F (falsas).

a)

b) Para los sedentarios

- Siéntese en una silla y estire los brazos hacia delante.
- Muévalos hacia la izquierda y regrese a la posición inicial.
- Póngase de pie y doble su cuerpo por la cintura hasta tocar los dedos de los pies.
- Siéntese nuevamente y repita, esta vez moviendo sus brazos hacia la derecha.

c) Solos y solas. Encontrá tu pareja

¿Estás solo? ¿Estás sola? Vení, encontrá a tu pareja y conocé al amor de tu vida.

Inscribite para nuestros encuentros mensuales a través de nuestro sitio de Internet.

Texto a	(F) El texto promueve el consumo de agua de cualquier tipo.
	( ) El texto es una publicidad de una determinada marca de agua.
	( ) Los verbos «desconfíe», «pida» y «exija» están conjugados en *usted*.
	( ) Los verbos «desconfíe», «pida» y «exija» están conjugados en *tú*.
Texto b	( ) En el texto se da una serie de instrucciones.
	( ) En el texto se da una serie de órdenes.
	( ) Los verbos «doble» y «repita» están conjugados en *tú*.
	( ) Los verbos «doble» y «repita» están conjugados en *usted*.
Texto c	( ) El objetivo del texto es promover el encuentro entre personas solas.
	( ) El texto es una publicidad de una agencia que organiza casamientos.
	( ) Los verbos «vení», «encontrá», «conocé» e «inscribite» están conjugados en *tú*.
	( ) Los verbos «vení», «encontrá», «conocé» e «inscribite» están conjugados en *vos*.

4.2. Practica

1. Completa el cuadro con los imperativos afirmativos.

	tú	vos	usted	nosotros/as	vosotros/as	ustedes
cocinar	cocina	cociná	cocine	cocinemos	cocinad	cocinen
aprender	aprende	aprendé	aprenda	aprendamos	aprended	aprendan
abrir	abre	abrí	abra	abramos	abrid	abran
hacer	haz	hacé	haga	hagamos	haced	hagan
venir	ven	vení	venga	vengamos	venid	vengan
decir	di	decí	diga	digamos	decid	digan
poner	pon	poné	ponga	pongamos	poned	pongan
ir	ve	ve	vaya	vayamos	id	vayan

2. Marca la forma adecuada del imperativo.

a. Pedrito, <u>lávate</u>/lávese las manos.

b. Niños, empiezan/<u>empiecen</u> a ordenar el cuarto.

c. José, <u>andá</u>/andad a comprar el pan.

d. Sr. González, pasa/<u>pase</u> mañana por mi oficina.

e. Roberto, <u>salga</u>/sal ahora mismo o de lo contrario llegarás tarde.

f. Señores, para mañana hacen/<u>hagan</u> todas las tareas del cuaderno de ejercicios.

g. Marianito, <u>quédate</u>/quédese quieto de una vez.

3. Transforma las frases como en el ejemplo.

a. Recoger la ropa (tú) > _____Recógela._____

b. Hacer todas las tareas (tú) > Hazlas

c. Apretar los dientes (usted) > apretélor

d. Encontrar el libro (vos) > encontralo

e. Pedir un descuento (nosotros) > pidámoslo

f. Producir la mercadería (vosotros) > producidla

g. Construir el edificio (ustedes) > constrúyanlo

4. Responde las preguntas como en el ejemplo.

a. Pedro, ¿te traigo <u>el periódico</u>? > _____Sí, tráemelo._____

b. Chicos, ¿os preparo <u>algunos bocadillos</u>? > sí, ~~te~~ prepáraslos

c. ¿Me puedo llevar <u>esta camisa</u>? > llévatelo

d. ¿Te mando <u>las fotos</u> por e-mail? > mándamelas

e. ¿Te pongo <u>la ropa</u> en el armario? > _____

f. ¿Le pido <u>el dinero a José</u>? > _____

5. Completa las instrucciones para preparar el mate. Usa los verbos entre paréntesis conjugados en imperativo afirmativo (usted).

Elementos necesarios: un mate, una bombilla, yerba y agua.

a. Vierta yerba dentro del mate. Agregue una o dos cucharaditas de azúcar, si lo desea. (vertir – agregar).

b. _____ con una mano la boca del mate, _____ y _____ unos instantes. _____ el objeto a su posición normal. (tapar – invertirlo – sacudirlo – volver).

c. _____ el agua a calentar. _____ suavemente sobre la yerba. _____ reposar unos instantes. (poner – vertirla – dejarla).

d. _____ el agua a temperatura constante. _____ no mover la bombilla, pero en caso necesario _____ con el mate sin agua. (mantener – procurar – hacerlo)

6. Transforma las frases como en el ejemplo.

a. Miguel, ¿puedes ordenar tu cuarto? > _____ Miguel, por favor, ordena tu cuarto. _____

b. ¿Podría traerme las fotocopias? _Tráigame_ _____

c. ¿Puedes ponerle más sal a la comida? _ponele_ _____

d. ¿Te molestaría cerrar la ventana? _____

e. ¿Por qué no vienen a cenar a casa esta noche? _____

f. Doctor, ¿puede decirme qué es lo que tengo? _____

g. Dieguito, ¿podrías ser más amable con las visitas? _____

h. Niños, ¿podéis limpiar lo que habéis ensuciado? _____

i. Señor, ¿podría leer este informe y corregirlo después? _____

j. Ana, ¿te importaría bajar el volumen de la música? _____

7. ¿Cómo darán estas órdenes a sus hijos una madre española y una madre argentina? Completa los espacios con los verbos en imperativo afirmativo.

> guardar – lustrarse – limpiarse – apagar – obedecer – ducharse – despertarse – venir – hacer – dejar – ir – ordenar – jugar

Madre española a su hijo Joselito	Madre argentina a su hijo Nahuel
a. _____ tu dormitorio antes de salir.	**a.** _____ tu habitación antes de salir.
b. _____ la luz si no la usas.	**b.** _____ la luz si no la usás.
c. _____ todos los deberes antes de jugar.	**c.** _____ todos los deberes antes de jugar.
d. A la pelota, _____ en el jardín.	**d.** A la pelota, _____ en el jardín.
e. _____ bien los zapatos.	**e.** _____ bien los zapatos.
f. _____ los juguetes en la caja.	**f.** _____ los juguetes en la caja.
g. _____ ahora mismo a comer.	**g.** _____ ahora mismo a comer.
h. _____ que ya es hora de ir al colegio.	**h.** _____ que ya es hora de ir al colegio.
i. _____ rápido. No gastes mucha agua.	**i.** _____ rápido. No gastés mucha agua.
j. _____ de ver la televisión y _____ a estudiar.	**j.** _____ de ver la televisión y _____ a estudiar.

4.3. Aplica

Escribe un decálogo de consejos y recomendaciones para uno de estos temas.

– Evitar el estrés
– Llevar una vida saludable
– Cuidar el medio ambiente

_____
_____
_____
_____
_____
_____

1. En contexto

1 **RESPETE LA FAUNA SILVESTRE**

No alimente a los animales, ya que les provoca cambios en su dieta natural. Proteja a la fauna silvestre almacenando su alimento y basura de forma segura. No mate a los animales sin permiso autorizado para cazar. El matar animales, como las culebras y las lagartijas, por gusto o por miedo rompe el delicado balance ecológico del lugar.

2

¿Cuáles son los riesgos de las redes sociales en Internet? Miércoles, 25 marzo 2009, 15:06

Hay que tener algunas precauciones. Así como nuestros padres nos decían de niños «no converses con extraños» y «no recibas dulces», debemos comportarnos igual con Internet.

3 *Os pido que, por favor, no fuméis. No lo hagáis por los demás, sino por vosotros mismos.*

4 **ADVERTENCIA** – para reducir el riesgo de incendio, descarga eléctrica o lesión:
- No desenchufe el aparato tirando del cable.
- No manipule el enchufe ni el aparato con las manos mojadas.

5

Ella: Siempre que te llamo no quieres ponerte. ¿Qué te está pasando? Por favor, no cuelgues. Solo quiero hablarte, déjame intentarlo.

Él: No tengo nada que hablar, por favor, no me llames más. Jamás te permitiré que me vuelvas a engañar.
Camela

Observa las siguientes frases en los textos y marca el tipo de información que expresan:

		PROHIBICIÓN	CONSEJO	RUEGO
Texto 1	No alimente a los animales. No mate a los animales.			
Texto 2	No converses con extraños. No recibas dulces.			
Texto 3	Os pido que, por favor, no fuméis. No lo hagáis.			
Texto 4	No desenchufe el aparato tirando del cable.			
	No manipule el enchufe ni el aparato con las manos mojadas.			
Texto 5	Por favor, no cuelgues. Por favor, no me llames más.			

Todos los verbos marcados están en imperativo negativo. Esta forma se usa para expresar, básicamente, una prohibición. Pero también puede expresar un consejo, una advertencia o un ruego.

2. Las formas

2.1. Características generales para toda la conjugación

El imperativo negativo se construye con el adverbio de negación **no** seguido del verbo conjugado en el presente del subjuntivo (ver capítulo 28). Al igual que el imperativo afirmativo (ver capítulo 26), solo se usa en las personas *tú, vos, usted, nosotros, vosotros, ustedes*.

		CANTAR	COMER	VIVIR
tú		cant**es**	com**as**	viv**as**
vos		cant**és**	com**ás**	viv**ás**
usted	NO +	cant**e**	com**a**	viv**a**
nosotros, nosotras		cant**emos**	com**amos**	viv**amos**
vosotros, vosotras		cant**éis**	com**áis**	viv**áis**
ustedes		cant**en**	com**an**	viv**an**

¡Atención!

En el Río de la Plata, área donde predomina el voseo, es frecuente tanto el uso del imperativo con el verbo en voseo: «No volvás tarde», como con el verbo en tuteo: «No vuelvas tarde». El uso de una o de la otra está determinado por el contexto y la intención del hablante. De modo general, la forma de imperativo negativo con acento en la última sílaba es más enfática, por eso es posible que aparezcan combinadas.
*Nene, **no cruces** la calle… nene, esperá… **no crucés**, te digo.*

¡Atención!

El imperativo negativo puede formarse con otras palabras que también expresan negación:
***Ni** aparezcas, **ni** me llames.*
***Nunca** le digan «nunca».*
***No** bebáis exageradamente.*
***Tampoco** comáis demasiado.*
***Jamás** niegues ayuda.*

2.2. Los pronombres con el imperativo negativo

Al contrario que con el imperativo afirmativo, en el imperativo negativo los pronombres van delante del verbo:

Cállate → **No** te calles   Cómanselo → **No** se lo coman
Siéntense → **No** se sienten   Devuélvamela → **No** me la devuelva

3. Los usos

SE UTILIZA EL IMPERATIVO NEGATIVO PARA…	EJEMPLOS
a) expresar una orden negativa o una prohibición.	*No **pise** el césped.* *No **lleven** sus celulares a la escuela.*
b) pedir algo o un favor.	*No **cerréis** la ventana, por favor. Hace mucho calor.*
c) dar un consejo y hacer una recomendación o una advertencia.	*No te **preocupes**. No te **pongas** así, todo va a mejorar.* *No **use** el aparato sin antes haber leído este manual.*

4. Ejercicios

4.1. Identifica

Lee los siguientes textos y realiza las actividades.

a)

TIRE
BASURA
NO PISE EL
CÉSPED

c)

¡¡Adoptadme !!

Pero hacedlo con responsabilidad

No me abandonéis
más tarde,
ni me maltratéis

b)

Por favor, no fumes
en nuestra casa

a. Teniendo en cuenta los textos anteriores, escribe V (verdadero) o F (falso) al lado de las siguientes afirmaciones.

Texto a	( ) El texto es una placa de prohibición.
	( ) El texto alerta que hay un basurero.
	( ) Los verbos de la placa están conjugados en *usted*.
Texto b	( ) El texto expresa un pedido.
	( ) El texto es contra fumar en el hogar.
	( ) El verbo *fumar* está conjugado en *usted*.
Texto c	( ) En el texto se pide que la adopción sea responsable.
	( ) El texto hace la cuenta de que el animal es el que habla.
	( ) En «No me abandonéis» el verbo expresa un ruego dirigido a la 2ª persona del plural *(vosotros)*.

b. Destaca una palabra que expresa negación, diferente de *no*, que haya sido utilizada para formar el imperativo negativo en los textos.

c. Destaca la expresión que, al acompañar las formas del imperativo negativo, la suavizan y le confieren el sentido de pedido/ruego.

4.2. Practica

1. Completa el cuadro con la conjugación del imperativo negativo de los verbos regulares.

	ABANDONAR	BEBER	RESISTIR
tú	no abandones	no bebas	no resistas
vos	no abandonés	no bebás	no resistás
usted	no abandone	no beba	no resista
nosotros, nosotras	no abandonemos	no bebamos	no resistamos
vosotros, vosotras	no abandonéis	no bebáis	no resistáis
ustedes	no abandonen	no beban	no resistan

2. Completa el cuadro con los imperativos negativos irregulares.

	tú	vos	usted	nosotros/as	vosotros/as	ustedes
ir	no vayas	vayás	vaya	vayamos	vayás	vayan
ser	seas	seás	sea	seamos	seáis	sean
cerrar	cierres	cerrés	cierre	cerremos	cerréis	cierren
mentir	mientas	mentás	miente	mentamos	mintáis	mintan
volver	vuelvas	vovás	vuelva	vovamos	volváis	vuelvan
dormir	duermas	duerás	durma	dúramos	duermáh	dueran
jugar	jugues	jugués	jugue	juguemos	juguéis	jugien
corregir	correjas	correjás	cotrija	comjamos		
adquirir						
poner						
hacer						
traer						
agradecer						
construir						
oír						
decir						
exigir						
seguir						
avanzar						

3. Utiliza algunos de los verbos de las actividades 1 y 2 para completar las frases.

a. Por favor, señor Gutiérrez, _____ de nuevo los informes sin haberlos revisado antes.

b. Señores transeúntes: _____ adelante. Zona en obras.

c. Ay, mamá, _____ todo lo que digo. Yo hablo así y punto.

d. Tú y yo le debemos mucho a Gustavo y lo tenemos que reconocer. i _____ ingratos!

e. Niños, _____ palabrotas y _____ jamás a vuestros padres.

f. Presten atención, chicos, _____ sus mascotas, pues son su responsabilidad.

g. Vos ya lo sabés, Eduardo: _____ tarde, sino, no vas a tener permiso para salir la próxima vez.

4. Transforma las frases como en el ejemplo.

a. Cierra la puerta. → _____No la cierres._____.

b. Niños, vean la tele hasta las 10. → no la vean _____.

c. Sra. Martínez, muestre sus documentos. → no los muestre _____.

d. Sara, no leas esa revista. → ~~no las leas~~ léela _____.

e. María y Gabriel, no abráis la ventana. → abrídsla _____.

f. Señores, por favor, no escuchen al empresario. → _____.

g. Ingrid, escucha este consejo con atención. → _____.

h. Laura, préstale el libro a Susana. → _____.

i. Sofía, cómprame el pan. → _____.

j. Gerardo, no nos envíe los archivos por *e-mail*. → _____.

k. Joaquín, llama a los niños para comer. → _____.

l. Santiago, no le pidas el auto a tu papá. → _____.

5. Completa las normas y consejos de respeto por el entorno, con los verbos entre paréntesis conjugados en imperativo afirmativo o en imperativo negativo.

Normas y consejos para conservar los espacios naturales

	Practicar el senderismo es la mejor manera de conocer el parque. Para vuestra seguridad, _____ (seguir) los caminos señalizados e _____ (ir) bien equipados para la marcha previendo la posibilidad de que haga mal tiempo.
	_____ (Tirar) los desperdicios. _____ (Llevarlos) y _____ (depositarlos) en contenedores adecuados. El reciclaje es una buena manera de colaborar en la mejora del medio ambiente.
	_____ (Contaminar) los ríos ni las fuentes echando productos como jabones o detergentes.

	_____ (Ayudar) la observación de la fauna, sin capturar ni molestar a los animales, tanto salvajes como manadas domésticas.
	Algunas plantas y flores son venenosas o están protegidas debido a su rareza. _____ (Admirarlas) sin arrancarlas y _____ (respetar) la totalidad de la vegetación.
	No se permite circular con vehículos motorizados fuera de carreteras y pistas abiertas a la circulación. _____ (Respetar) la señalización y _____ (aparcar) en los sitios habilitados.
	_____ (Cerrar) los cercos y vallas, ya que mantienen el ganado en el lugar adecuado.

i Para cualquier duda o información complementaria _____ (dirigirse) al centro del parque, c/ la vinya, 1 08695 Bagà, tel. 93 824 41 51, pncadimoixero.dmah@gencat.cat.

Adaptado de http://www20.gencat.cat/portal/site/

6. ¿Cómo quedarían las formas del imperativo de la actividad anterior si el texto empezara:

«Practicar el senderismo es la mejor manera de conocer el parque. Para su seguridad,…»?

4.3. Aplica

Elige uno de estos temas y redacta una serie de consejos de lo que se tiene que hacer o no para:

– No consumir lo que no necesitamos (gastar todo el sueldo en el *shopping*, hacer un presupuesto mensual para gastos, estar atento(a) a todas las novedades, etc.).
– No desperdiciar agua (dejar grifos abiertos, lavar las veredas con mangueras, tomar duchas de larga duración, etc.).
– No dañar el medio ambiente (tirar la basura en cualquier lugar, echar desperdicios en los ríos, usar el coche en lugar de transportes colectivos, separar la basura, etc.).

_____
_____
_____
_____
_____

28

EL PRESENTE DE SUBJUNTIVO

1. En contexto

1 **?** Óscar: Tal vez en enero **viaje** a Bahía Inglesa, una de las mejores playas del Caribe. ¿Alguien sabe algo de este lugar?

2 **Los pediatras recomiendan que los niños y adolescentes no usen los videojuegos más de dos horas al día.**

3 *Calle 13* quiere que se **animen** más músicos a viajar a Cuba. La multipremiada banda espera convertirse en un ejemplo para que músicos puertorriqueños contemporáneos **visiten** la isla.

4 **Violencia en el fútbol:** se produjeron irregularidades en el partido ante River
Un fiscal solicita que se **clausure** la Bombonera, la cancha más tradicional de Argentina.

5 **Flores para que le des color a tu jardín**
Ahora que vienen los días lindos, nada mejor que flores coloridas para aprovechar el aire libre. Entrá y sumá tu propuesta.

Marca la opción correcta en cada uno de los casos:

Texto 1	Óscar…
	☐ **a)** está seguro de que va a viajar a Bahía Inglesa.
	☐ **b)** no sabe aún si va a viajar a Bahía Inglesa.

Texto 2	Según los pediatras…
	☐ **a)** los niños y adolescentes no usan videojuegos más de dos horas por día.
	☐ **b)** los niños y adolescentes no deben usar videojuegos más de dos horas por día.

Texto 3	☐ **a)** A Cuba van pocas bandas puertorriqueñas.
	☐ **b)** *Calle 13* no se anima a tocar en Cuba.

Texto 4	De acuerdo con el texto, La Bombonera es una cancha de fútbol que…
	☐ **a)** ya no funciona.
	☐ **b)** puede dejar de funcionar en el futuro.

Texto 5	Las flores…
	☐ **a)** sirven para dar color al jardín.
	☐ **b)** aprovechan el aire libre.

Todos los verbos marcados están en presente de subjuntivo. Este tiempo se usa para expresar, entre otros usos, una probabilidad (texto 1), hacer recomendaciones o dar consejos (texto 2), expresar deseos (texto 3), hacer peticiones (texto 4) o introducir una finalidad (texto 5).

Esta forma verbal expresa acontecimientos referidos al presente o al futuro:
• Acontecimiento presente: *Los pediatras recomiendan que los niños y adolescentes no usen los videojuegos más de dos horas seguidas al día* (texto 2).
• Acontecimiento futuro: *Tal vez en enero viaje a Bahía Inglesa* (texto 1).

2. Las formas

2.1. Los verbos regulares

	CANTAR	COMER	VIVIR
yo	cante	coma	viva
tú	cantes	comas	vivas
vos	cantés	comás	vivás
él, ella, usted	cante	coma	viva
nosotros, nosotras	cantemos	comamos	vivamos
vosotros, vosotras	cantéis	comáis	viváis
ellos, ellas, ustedes	canten	coman	vivan

¡Atención!

En el Río de la Plata, área donde predomina el voseo, es frecuente usar el pronombre *vos* + verbo en voseo:
Quiero que me digás la verdad.
Cenaremos cuando llegués de trabajar.
Pero también es común usar el pronombre *vos* + verbo en la forma *tú*.
Quiero que (vos) me digas la verdad.
Cenaremos cuando (vos) vuelvas de trabajar.

2.2. Los verbos irregulares

a) Verbos que tienen irregularidad propia

	VER	CABER	HABER	SABER	SER	ESTAR	IR
yo	vea	quepa	haya	sepa	sea	esté	vaya
tú	veas	quepas	hayas	sepas	seas	estés	vayas
vos	veás	quepás	hayás	sepás	seás	estés	vayás
él, ella, usted	vea	quepa	haya*	sepa	sea	esté	vaya
nosotros, nosotras	veamos	quepamos	hayamos	sepamos	seamos	estemos	vayamos
vosotros, vosotras	veáis	quepáis	hayáis	sepáis	seáis	estéis	vayáis
ellos, ellas, ustedes	vean	quepan	hayan	sepan	sean	estén	vayan

* El verbo *haber* solo se utiliza como auxiliar en su forma conjugada y como verbo en su forma impersonal.

b) Verbos en los que cambian las vocales

E → IE/I (la vocal **e** cambia por las vocales *ie* y por *i*)

	PENSAR	ENTENDER	SENTIR
yo	piense	entienda	sienta
tú	pienses	entiendas	sientas
vos	pensés	entendás	sintás
él, ella, usted	piense	entienda	sienta
nosotros, nosotras	pensemos	entendamos	sintamos
vosotros, vosotras	penséis	entendáis	sintáis
ellos, ellas, ustedes	piensen	entiendan	sientan

¡Atención!

Los verbos en *–ir* cambian **e** por **i** en las personas *vos, nosotros* y *vosotros*.

Se forman igual estos verbos y sus derivados:

–ar: acertar, alentar, apretar, arrendar, atravesar, calentar, cegar, cerrar, comenzar, concertar, confesar, despertar, desterrar, empezar, encomendar, enmendar, enterrar, fregar, gobernar, manifestar, merendar, negar, pensar, quebrar, recomendar, regar, reventar, segar, sembrar, sentar, temblar, tentar, tropezar, etc.

–er: ascender, atender, defender, descender, encender, entender, extender, perder, querer, tender, etc.

–ir: advertir, convertir, divertir, herir, hervir, invertir, mentir, preferir, sentir, sugerir, etc.

> **¡Atención!**
>
> Los verbos *pretender* y *depender* se forman como verbos regulares:
> –pretenda, pretendas, pretendás, pretenda, pretendamos, pretendáis, pretendan
> –dependa, dependas, dependás, dependa, dependamos, dependáis, dependan

O → UE/U (la vocal *o* cambia por las vocales *ue* y por *u*)

	VOLAR	VOLVER	DORMIR
yo	vuele	vuelva	duerma
tú	vueles	vuelvas	duermas
vos	volés	volvás	durmás
él, ella, usted	vuele	vuelva	duerma
nosotros, nosotras	volemos	volvamos	durmamos
vosotros, vosotras	voléis	volváis	durmáis
ellos, ellas, ustedes	vuelen	vuelvan	duerman

> **¡Atención!**
>
> los verbos en *–ir* cambian por **u** en las personas *vos, nosotros* y *vosotros.*

Se forman igual estos verbos y sus derivados:

–ar: acordar, acostar, almorzar, apostar, aprobar, avergonzar, colar, colgar, consolar, contar, costar, encontrar, forzar, mostrar, probar, recordar, renovar, rodar, rogar, soltar, sonar, soñar, tostar, volar, volcar, etc.

–er: absolver, cocer, disolver, doler, llover, moler, morder, mover, oler, poder, resolver, soler, torcer, volver, etc.

–ir: dormir y morir.

> **Curiosidades de la lengua**
>
> *Jugar* es el único verbo en que cambia *u → ue.*

U → UE (la vocal *u* cambia por las vocales *ue*)

	JUGAR
yo	juegue
tú	juegues
vos	jugués
él, ella, usted	juegue
nosotros, nosotras	juguemos
vosotros, vosotras	juguéis
ellos, ellas, ustedes	jueguen

> **¡Atención!**
>
> Tiene también un cambio ortográfico y cambian **g** por **gu** en todas las personas.

E → I (cambio de la vocal **e** por la vocal **i**)

	PEDIR	REÍR
yo	pida	ría
tú	pidas	rías
vos	pidás	rías
él, ella, usted	pida	ría
nosotros, nosotras	pidamos	riamos
vosotros, vosotras	pidáis	riais
ellos, ellas, ustedes	pidan	rían

Se forman igual estos verbos y sus derivados: competir, concebir, corregir, derretir, elegir, freír, medir, pedir, reír, rendir, reñir, repetir, seguir, servir, sonreír, teñir, vestir, etc.

I → IE (cambio de la vocal **i** por las vocales **ie**)

	ADQUIRIR
yo	adquiera
tú	adquieras
vos	adquirás
él, ella, usted	adquiera
nosotros, nosotras	adquiramos
vosotros, vosotras	adquiráis
ellos, ellas, ustedes	adquieran

Se forma igual el verbo *inquirir.*

c) Verbos en que cambian las consonantes

Verbo + –GA

	PONER
yo	ponga
tú	pongas
vos	pongás
él, ella, usted	ponga
nosotros, nosotras	pongamos
vosotros, vosotras	pongáis
ellos, ellas, ustedes	pongan

Se forman igual estos verbos y sus derivados: *valer, tener, salir, venir.*

Verbo + –IG

	CAER	TRAER
yo	caiga	traiga
tú	caigas	traigas
vos	caigás	traigás
él, ella, usted	caiga	traiga
nosotros, nosotras	caigamos	traigamos
vosotros, vosotras	caigáis	traigáis
ellos, ellas, ustedes	caigan	traigan

–C → –G (la consonante **-c** cambia por **-g**)

	HACER
yo	haga
tú	hagas
vos	hagás
él, ella, usted	haga
nosotros, nosotras	hagamos
vosotros, vosotras	hagáis
ellos, ellas, ustedes	hagan

Se forma igual el verbo *satisfacer: satisfaga, satisfagas, satisfagás, satisfaga, satisfagamos, satisfagáis, satisfagan.*

–C → –ZC (la consonante **-c** cambia por **-zc**)

	NACER	AGRADECER
yo	nazca	agradezca
tú	nazcas	agradezcas
vos	nazcás	agradezcás
él, ella, usted	nazca	agradezca
nosotros, nosotras	nazcamos	agradezcamos
vosotros, vosotras	nazcáis	agradezcáis
ellos, ellas, ustedes	nazcan	agradezcan

Se forman igual los verbos terminados en *–acer, –ecer, –ocer* y *–ucir:*

–acer: compl**acer**, etc.

–ecer: abast**ecer**, aborr**ecer**, agrad**ecer**, apar**ecer**, apet**ecer**, car**ecer**, compad**ecer**, conval**ecer**, cr**ecer**, embell**ecer**, establ**ecer**, estrem**ecer**, favor**ecer**, flor**ecer**, fortal**ecer**, mer**ecer**, obed**ecer**, ofr**ecer**, pad**ecer**, par**ecer**, perman**ecer**, perten**ecer**, rejuven**ecer**, etc.

–ocer: los derivados del verbo *conocer:* recon**ocer**, descon**ocer**.

–ucir: cond**ucir**, ded**ucir**, ind**ucir**, introd**ucir**, l**ucir**, prod**ucir**, red**ucir**, etc.

> **¡Atención!**
>
> Los verbos *hacer* y *cocer*, y sus derivados, no tienen esta irregularidad, pero tienen otras: *haga, hagas, cueza, cuezas…*

I → Y (cambia la vocal *i* por la consonante *y* en los verbos terminados en *-uir*).

	HUIR	CONSTRUIR
yo	huya	construya
tú	huyas	construyas
vos	huyás	construyás
él, ella, usted	huya	construya
nosotros, nosotras	huyamos	construyamos
vosotros, vosotras	huyáis	construyáis
ellos, ellas, ustedes	huyan	construyan

Se forman igual los verbos: *concluir, excluir, incluir, constituir, sustituir, destruir, disminuir, intuir, atribuir, contribuir, distribuir.*

d) **Verbos en los que cambian las vocales y las consonantes**

Verbo + –IG

	OÍR
yo	oi**g**a
tú	oi**g**as
vos	oi**g**ás
él, ella, usted	oi**g**a
nosotros, nosotras	oi**g**amos
vosotros, vosotras	oi**g**áis
ellos, ellas, ustedes	oi**g**an

EC → IG (cambia *ec* por *ig*)

	DECIR
yo	di**g**a
tú	di**g**as
vos	di**g**ás
él, ella, usted	di**g**a
nosotros, nosotras	di**g**amos
vosotros, vosotras	di**g**áis
ellos, ellas, ustedes	di**g**an

Se forman igual los verbos derivados de *decir: maldecir, bendecir, predecir, contradecir.*

2.3. Verbos en los que cambia la ortografía

–GER/–GIR → –JA

	COGER	EXIGIR
yo	coja	exija
tú	cojas	exijas
vos	cojás	exijás
él, ella, usted	coja	exija
nosotros, nosotras	cojamos	exijamos
vosotros, vosotras	cojáis	exijáis
ellos, ellas, ustedes	cojan	exijan

Se forman igual los verbos: proteger, fingir, surgir, rugir.

–GU → –GA

	SEGUIR
yo	siga
tú	sigas
vos	sigás
él, ella, usted	siga
nosotros, nosotras	sigamos
vosotros, vosotras	sigáis
ellos, ellas, ustedes	sigan

Se forman igual los derivados del verbo *seguir:* perseguir, conseguir, proseguir.

–CAR → –QUE

	BUSCAR
yo	busque
tú	busques
vos	busqués
él, ella, usted	busque
nosotros, nosotras	busquemos
vosotros, vosotras	busquéis
ellos, ellas, ustedes	busquen

Se forman igual los verbos: atacar y secar

–ZAR → –CE

	AVANZAR
yo	avance
tú	avances
vos	avancés
él, ella, usted	avance
nosotros, nosotras	avancemos
vosotros, vosotras	avancéis
ellos, ellas, ustedes	avancen

Se forman igual todos los verbos terminados en *–zar*, como: adelgazar, alcanzar, analizar, comenzar, empezar, organizar, realizar, utilizar, etc.

3. Los usos

3.1. En oraciones independientes

SE UTILIZA EL SUBJUNTIVO PARA…	EJEMPLOS
a) formular un deseo de realización posible en el presente o en el futuro después de *ojalá, ojalá que* y *que.*	*Ojalá (que) Mario **apruebe** el examen.* *Me voy de vacaciones a la playa. Ojalá (que) **haga** buen tiempo.*
b) hacer conjeturas o expresar una probabilidad, después de *quizá(s), tal vez, probablemente...*	*Está muy nublado. Quizá **llueva**.* *Probablemente no me **alcance** el tiempo para visitar todos los sitios que me interesan.*

3.2. En oraciones subordinadas

SE UTILIZA EL SUBJUNTIVO PARA...	EJEMPLOS
a) dar o transmitir consejos, órdenes o sugerencias después de verbos en presente como *aconsejar, mandar, ordenar,* etc.	*Te aconsejo que **descanses** un rato antes de ponerte a estudiar otra vez.* *Le ordeno que se **calle** y que me **escuche**.*
b) para expresar deseos después de verbos en presente como *querer, desear, preferir,* etc.	*El jefe quiere que su secretaria **aprenda** inglés.* *¿Desean que **sirva** la cena ahora?*
c) para expresar una reacción emocional o un juicio de valor ante un acontecimiento presente o futuro después de verbos y expresiones en presente como *molestar, gustar, encantar, lamentar, ser una lástima, ser una pena que, qué lástima que,* etc., y con expresiones que indican un juicio de valor: *es importante que, es fundamental que, es interesante que.*	*A mi abuela le molesta que le **pregunten** la edad.* *Lamentamos que no **puedan** venir a visitarnos.* *Es una lástima que **pierdas** una oportunidad tan buena como esta.* *Es importante que **lean** el contrato antes de firmarlo.* *Para profundizar en el tema, es interesante que **estudien** los textos indicados.* *A Marcos le gusta que le **regalen** libros.*
d) pedir algo después de verbos en presente como *pedir, suplicar, solicitar,* etc. (ver capítulo 57).	*Sé que estás muy enojado conmigo, pero solo te pido que **me escuches** un minuto.* *El juez solicita que **haya** silencio.*
e) rechazar una idea presente o futura después de verbos de opinión en presente negados como *creer, considerar, opinar,* etc.	*No creo que **pueda** convencerme de su inocencia.* *No me parece que **sea** el momento de hablar de negocios.*
f) introducir un obstáculo que no impide la realización de un acontecimiento futuro cuando se supone conocido por los interlocutores, después de *aunque, a pesar de que,* etc. (ver capítulo 47).	*Aunque Juan **sea** tu hermano, no volveré a prestarle dinero.* *Por mucho que me lo **pida**, no le compro el auto.* *Por más que **insista**, no logrará convencer a nadie.*
g) introducir una causa en presente con las expresiones *por miedo de que, no es que, no es porque... sino porque, de ahí que* (ver capítulo 45).	*No porque **sea** tu superior debes obedecerlo en todo.* *Este documento es confidencial. De ahí que no **pueda** entregárselo.* *No es que **cante** mal, es que le falta emoción.*
h) explicar un objetivo presente o futuro detrás de las expresiones de finalidad (ver capítulo 46).	*Acércate para que **pueda** verte mejor.* *Para que te **alegres**, aquí tienes un regalo.*
i) hablar de personas o cosas de forma inespecífica (ver capítulo 30).	*Busco un piso que **tenga** balcón.* *El gerente quiere una secretaria que **hable** inglés.*
j) describir un tiempo futuro (ver capítulo 53).	*Cuando **sea** mayor, me compraré una casa.*
k) después de *antes de que* y *después de que* (ver capítulo 53).	*Vamos a la playa antes de que **salga** el sol.* *Vuelva después de que **tenga** todos los documentos.*

4. Ejercicios

4.1. Identifica

Lee los textos y clasifica las frases en las que se usa el subjuntivo.

a-
Esta página está diseñada para que tanto programadores aficionados como profesionales promocionen sus programas y habilidades en Internet, resuelvan sus dudas y contacten con otros programadores.

http://www.lawebdelprogramador.com/

b-
Tal vez en la distancia mi nombre pronuncies.
Quizás recuerdes lo bello que fue este amor.
Pero el destino hoy nos golpea y estamos lejos,
pero ojalá que seas feliz.

Adaptación. Cantante: La banda de Carlitos

c-
¿No te molesta que los políticos no cumplan sus promesas?
Únete a mí y a otros miles que exigimos que los políticos cumplan con las promesas que hacen durante las campañas.

d-
Cuando tú me quieras – Javier Solís
Cuando tú me quieras,
cuando te vea sonreír,
vibrarán las campanas
y alegres mariposas
lucirán sus colores en suave vaivén.

Cuando tú me quieras,
cuando me digas que sí,
bajaré las estrellas
para ofrecerte un día
y rendirme a tus pies.

e-
Chatear durante el horario de trabajo no justifica el despido
Ante el caso de una trabajadora despedida por chatear durante el horario de trabajo, los jueces no consideran que esta falta constituya un motivo de despido, y por lo tanto, la empresa deberá restituirle su puesto de trabajo.

a. Clasifica las frases en las que se usa el presente de subjuntivo para...

– expresar una probabilidad o una conjetura	– Tal vez en la distancia mi nombre pronuncies.
– formular un deseo	
– preguntar por una reacción emocional	
– hacer un pedido	
– describir acontecimientos futuros	
– explicar una finalidad u objetivo	
– dar una opinión en forma negativa	

b. Escribe los verbos que están en presente de subjuntivo e indica su infinitivo.

Texto a		promocionar
Texto b		
Texto c		
Texto d		
Texto e		

4.2. Practica

1. Completa la tabla con las formas verbales que faltan.

Verbo	Yo	Tú	Él-ella-usted	Nosotros(as)	Vosotros(as)	Ellos-ellas-ustedes
Recibir	reciba	reciban				
	comprenda	comprendas				
			estudie			
				pretendamos		
					leáis	
						crean

2. Une las frases como en el ejemplo.

a. Ves muchas películas de terror. No es bueno. No es bueno que veas tantas películas de terror.

b. Hay demasiada gente en la fiesta. A Marisa le molesta. A Marisa le molesta que haya

c. Ustedes son arrogantes. No me gusta. no me gusta que sean arrogantes

d. Julia no sabe la dirección de Rodolfo. Es extraño. es extraño que J. no sepa

e. El sofá no cabe en la sala. Es una pena. es una pena que el sofá no quepa

f. No vais a trabajar si tenéis gripe. Es mejor. _____

g. Los chicos están muchas horas frente al televisor. Es malo. _____

h. Le das flores a tu secretaria. A tu esposa le molesta. _____

3. Escribe la forma del presente de indicativo y del presente de subjuntivo de las personas indicadas.

VERBO	PRESENTE DE INDICATIVO	PRESENTE DE SUBJUNTIVO
comenzar	(yo) comienzo	(yo) comience
recomendar	(tú) Recomiendas	(tú)
perder	(ellos) pero pierdan	(ellos)
defender	(usted) defiende	(usted)
preferir	(ella) prefiere	(ella)
sugerir	(yo) siguer	(yo)
encontrar	(tú) encuentras	(tú)

mostrar	(él)	(él)
poder	(yo)	(yo)
resolver	(ustedes)	(ustedes)
dormir	(nosotros)	(nosotros)
repetir	(yo)	(yo)
seguir	(ella)	(ella)

4. Completa los espacios con los verbos de la caja en la forma correcta.

> ser – ir – valer – incluir – agradecer – reconocer – comenzar – disminuir – estar – decir – organizar – ~~hacer~~

a. No creo que el bebé __nazca__ antes de fin de mes.
b. Si quieres crecer, es fundamental que _____ tus errores.
c. Chicos, quiero que le _____ al tío el regalo que les hizo.
d. Me molesta que la gente _____ de mí cosas que no son ciertas.
e. Os pido por favor que me _____ en la lista de invitados.
f. Es necesario que _____ el trabajo para que ellos _____ a trabajar después.
g. El director quiere que los empleados _____ el consumo de papel.
h. Es probable que nosotros _____ en Madrid y que _____ a visitarte.
i. Es imposible que esa casa _____ tanto. No es que _____ fea, pero está lejos.

5. Forma las frases con los elementos que te damos.

a. Lamentar (yo) – no poder venir a mi cumpleaños (tú) _Lamento que no puedas venir a mi cumpleaños._
b. Encantar (Patricia) – ir a su casa (sus amigos) _____
c. Preocupar (María) – no querer trabajar (su hijo) _____
d. No gustar (mi madre) – volver tarde de bailar (nosotros) _____
e. ¿Molestar (tú) – dormir en la sala (nosotros)? _____
f. Ser importante – hacer bien el trabajo (vosotros) _____

6. Di lo contrario, como en el ejemplo.

a. Creo que Alicia está más delgada. → _No creo que Alicia esté más delgada._
b. Me parece que este tema carece de importancia. → _____.
c. Creo que sabes de lo que estamos hablando. → _____.
d. Pienso que es el mejor tenor de la actualidad. → _____.
e. Me parece que Diana hace dieta. → _____.
f. Pienso que vas a quedarte solo toda tu vida. → _____.

7. Completa las frases con un verbo de la caja conjugado en la forma adecuada.

> ~~tener~~ – pedir – estar – llamar – llevar – contar – venir – reconocer – morir – poder – salir – decir – empezar

a. Mi marido prefiere que la casa __tenga__ jardín.

b. Cuando Alfredo _____ a visitarnos, lo llevaremos a conocer Salamanca.

c. Chicos, si vais a ir al cine, es mejor que _____ ya mismo, antes de que _____ a llover. Os aconsejo que _____ paraguas.

d. Soy vegetariano, y aunque me _____ de hambre y aunque los médicos me _____ que no es bueno para la salud, jamás comeré carne roja.

e. Seguramente el teclado dejará de existir cuando las computadoras _____ la voz del usuario.

f. Me fastidia que Felipe me _____ por teléfono a esta hora de la noche para que le _____ lo que hicimos en clase.

g. Caperucita, no tengas miedo y acércate más para que _____ verte mejor.

h. Aunque Sofía nos _____ mil veces perdón, nunca le perdonaremos lo que nos hizo.

i. La clase va a comenzar después de que _____ todos los alumnos en el aula.

4.3. Aplica

¿Qué piensas sobre el matrimonio entre personas del mismo sexo? A continuación tienes una serie de opiniones sobre el tema. Escribe tu punto de vista sobre cada una de ellas con frases que comiencen con una de las expresiones de la caja.

> no es lógico que – es un absurdo que – no es verdad que – me parece normal que – es lamentable que – no creo que – es fundamental que – es fantástico que

a. Las parejas homosexuales no pueden tener los mismos derechos que las parejas heterosexuales.

b. Las sociedades que adoptan como ley el casamiento entre personas del mismo sexo son sociedades más justas e igualitarias.

c. En realidad, pocos homosexuales se casan porque están en contra del matrimonio como institución.

d. Permitir el matrimonio homosexual y la adopción de niños por parte de homosexuales es atentar contra el concepto tradicional de familia.

e. El matrimonio es civil y no un tema religioso. Cada religión evalúa para sí si lo acepta o no.

f. Las parejas del mismo sexo tienen tanto derecho a adoptar niños como las parejas heterosexuales.

g. Todo niño tiene derecho a un padre y una madre para su desarrollo integral como persona.

h. La familia, al igual que cualquier otra institución, es un producto social sujeto a modificaciones, por eso, las normas y leyes se modifican con el objetivo de acompañar los cambios culturales.

USOS DEL SUBJUNTIVO, EL INDICATIVO Y EL INFINITIVO EN EXPRESIONES DE SENTIMIENTO, DESEO, CREENCIA O CONOCIMIENTO

1. En contexto

1

Nati: ¿Cómo hago para que mi gato se deje cortar la uñas?

Jaime: No te aconsejo que se las cortes, pero si lo haces, córtale solamente la punta.

2 Para caminar por la montaña es absolutamente imprescindible llevar un calzado adecuado, preferiblemente botas o zapatillas deportivas en buen estado. También es recomendable usar prendas largas para proteger los brazos y las piernas del sol.

3

 ¡Feliz cumpleaños! Espero que lo celebres con tu gente.

4 Está claro que la crisis afecta al consumo general y, por lo tanto, las empresas deben revisar sus estrategias comerciales.

5 **¿Qué es lo que más te molesta de la gente?**
Me molesta que la gente discrimine a las personas feas, odio que la gente solo valore el aspecto exterior.

Después de las expresiones de opinión, sentimiento o deseos se utilizan verbos en indicativo, en subjuntivo y en infinitivo. De modo general, podemos decir que:

- Las expresiones que afirman un hecho van con el verbo en indicativo: Está claro que la crisis *afecta* al consumo general.
- Las expresiones que indican deseos, expectativas o recomendaciones van en subjuntivo, pues se expresan acontecimientos como una posibilidad que se puede llegar a realizar, pero no tenemos certeza: Espero que lo *celebres* con tu gente. No te aconsejo que le *cortes* las uñas…
- Por otro lado, el subjuntivo se usa también cuando la información es conocida por los interlocutores: Me molesta que la gente *discrimine* a las personas feas (se da por sabido que hay gente que discrimina a las personas feas).
- El infinitivo se usa para dar al enunciado un sentido general: Es absolutamente imprescindible *llevar* un calzado adecuado, esto es, todos deben llevar un calzado adecuado.

Transcribe de los textos anteriores ejemplos que expresen:

a) la constatación de un acontecimiento:	Está claro que la crisis afecta al consumo general.
b) un disgusto:	
c) una recomendación dirigida a una persona determinada:	
d) un deseo:	
e) una recomendación de manera general:	

2. Las formas

EXPRESIONES		USOS	EJEMPLOS
Después de verbos de pensamiento y creencia como *pensar, creer, parecer, considerar.*	+ infinitivo	Cuando los sujetos de las dos oraciones es el mismo.	*Mi jefe considera **saber** más que todos nosotros juntos.* *Creo **saber** la verdad de los hechos.*
	+ que + indicativo	Con el primer verbo en forma afirmativa y para dar una información o introducir una opinión.	*Creo que Roberto **tiene** problemas.* *Me parece que Sofía **está** embarazada.*
	+ que + subjuntivo	Cuando los verbos están negados (no se presenta una información, sino que se pone en duda una opinión, un hecho, etc.).	*No creo que Juan ya **esté** en su casa. El viaje es largo.* *No pienso que **esté** bien lo que has hecho.*
Después de verbos de percepción como *ver, oír, escuchar, notar, sentir.*	+ infinitivo	Cuando el objeto directo realiza la acción del infinitivo. El objeto directo puede ser un pronombre: *me-te-lo-la-nos-os-los-las.*	*Juan no me escuchó **llegar**. (Juan no escuchó/yo había llegado).* *La mujer vio **huir** al ladrón por una ventana. (La mujer vio/el ladrón huía).*
	+ que + indicativo	Con el primer verbo en forma afirmativa y para informar sobre un hecho.	*Los chicos vieron que Matilde **estaba** cansada.* *El público nota que el cantante no **está** en su mejor momento.*
	+ que + subjuntivo	Con el primer verbo en forma negativa y para poner en duda un hecho.	*No vemos que Matilde **esté** tan cansada como dice.* *No he escuchado que la gente se **queje** de los aumentos.*
Después de expresiones de constatación como *ser verdad, obvio, cierto, evidente, seguro, innegable; estar claro.*	+ que + indicativo	Con la expresión en forma afirmativa.	*Era obvio que esta empresa **estaba** en crisis.* *Es evidente que Daniel no **quiere** trabajar más en esa empresa.*
	+ que + subjuntivo	Con la expresión en forma negativa.	*No es verdad que Pedro **esté** cansado.* *No está claro que Ramírez **sea** el culpable.* *No puede ser cierto que ya no **haya** más gasolina en toda la ciudad.*
Después de expresiones que indican posibilidad o que valoran un hecho o una idea como: *ser mejor, importante, necesario, posible, probable, interesante, fundamental,*	+ infinitivo	Cuando se expresa de forma impersonal.	*No es posible **llegar** a tiempo con este tránsito.* *¿Es obligatorio **mandar** el preaviso antes de renunciar?*
	+ que + subjuntivo	Cuando se refiere a alguien en particular.	*Es difícil que **consigas** hablar con el presidente de la firma.* *Es fundamental que **hagamos** una reunión para tomar algunas decisiones.*

indispensable, difícil, etc.			*Es probable que **tengas** que viajar el lunes.*
Después de verbos que expresan: **a)** deseo: *querer, esperar, necesitar, preferir, gustar;*	+ infinitivo	Cuando los dos verbos tienen el mismo sujeto o cuando el infinitivo se refiere al pronombre objeto.	*Esperábamos **encontrar** mucha gente en la playa.* *Prefiero **comer** algo liviano por la noche.* *Mi jefe me pidió **redactar** un informe.*
b) ruego o pedido: *pedir, suplicar, rogar*	+ *que* + subjuntivo	Cuando los dos verbos tienen sujetos diferentes.	*Quiero que **lean** detenidamente las instrucciones.* *Me gustaría que mis hijos **estudien** en el extranjero.* *Te ruego que no me **llames** más.*
Después de verbos y expresiones que indican un sentimiento o reacción como: *gustar, molestar, encantar, preocupar, extrañar, fascinar, alegrar, lamentar, etc.; ser una pena, lástima, horror, alegría; ¡Qué pena, lástima, bien, mal!, etc.*	+ infinitivo	– Cuando los dos verbos tienen el mismo sujeto. – Cuando se habla de manera impersonal.	*Nos gusta mucho **recorrer** lugares naturales en bici.* *Lamento **llegar** tarde a la cita.* *Antes me preocupaba **estar** muy delgado, ahora, no.* *Es una pena no **poder** contar con tu ayuda.* *¡Qué suerte **tener** 20 años!*
	+ *que* + subjuntivo	– Cuando los dos verbos tienen sujetos diferentes. – Cuando se habla de una persona o evento específicos.	*Nos alegra que **tengas** un trabajo mejor.* *Lamento que Pablo **tenga** que mudarse.* *¡Qué lástima que se **cancele** el concierto!* *¡Es de mal gusto que **hagas** esos comentarios sobre ella!*

3. Los usos

EXPRESIONES	SEGUIDAS DE	USOS	EJEMPLOS
– *ser verdad/cierto/ obvio/evidente/ seguro/innegable* – *estar claro*	indicativo	Para presentar una información o un acontecimiento como algo constatado.	*Es obvio que las entradas para el recital **van** a costar mucho.* *Es cierto que la tecnología no lo **resuelve** todo.*
	subjuntivo	Para rechazar una información o hecho constatado.	*No es verdad que **vayan** a aumentar los precios.* *No es cierto que José se **esté** separando.*
ver/oír/sentir/escuchar	+ indicativo o infinitivo	Para expresar una percepción.	*Vemos que los jugadores no **están** en su mejor momento.* *Ana no oyó **sonar** el teléfono.*
	+ subjuntivo	En forma negativa, para rechazar o dudar de una percepción.	*Pues no he oído que nadie se **queje** por el aumento del dólar.*

desear/esperar/querer	+ infinitivo o subjuntivo	Para expresar deseos y expectativas.	*Espero que lo **pases** bien. Ana quiere **renunciar** a su trabajo. Nos gustaría **pasar** unos días en Madrid.*
– *necesitar* – *ser necesario/obligatorio/ preciso/ indispensable*	+ infinitivo o subjuntivo	Para expresar una necesidad u obligación.	*Necesitamos que nos **donen** libros para la biblioteca de la escuela. Para chatear no es preciso que te **registres**. Necesito **ganar** un dinerillo extra. Es necesario **reciclar** y **separar** la basura.*
te, le, os, les pedir/rogar/ordenar/ suplicar/solicitar/exigir	+ subjuntivo	Para influir en el interlocutor y solicitar que haga algo.	*Ana me pide que la **acompañe** a comprar el vestido. Te ruego que **salgas** inmediatamente de mi oficina.*
– *pensar/creer/parecer/ considerar/opinar*	+ indicativo o infinitivo	Para introducir una creencia o una opinión. **¡Más!** Con la construcción *pensar* + infinitivo no se introduce una opinión sino la intención de realizar algo.	*Nos parece que no **debes** viajar este fin de semana. Pienso que **soy** un adicto al trabajo. Me pareció **ver** a José en el bar.*
	+ subjuntivo	Para rechazar una creencia u opinión, o dudar de ella.	*No me parece que este **sea** un buen momento para viajar. Mucha gente no cree que **sea** un buen líder.*
– *(no) es posible/probable/difícil /imposible* – *dudar* – *puede ser*	+ infinitivo o subjuntivo	Para expresar la probabilidad o posibilidad de que ocurra un evento.	*Puede ser que **esté** equivocado una vez más. Si se cuida, es posible **mantener** en buen funcionamiento el motor más tiempo.*
– *me, te, le, nos, os, les gustar/encantar/fastidiar/ molestar/preocupar/alegrar/ extrañar/sorprender* – *no soportar* – *detestar/odiar* – *lamentar/sentir…* – *ser bueno/malo/importante/ maravilloso/fundamental…* – *ser una alegría/suerte/ pena/lástima…* – *¡Qué alegría/suerte/ pena/lástima…!*	+ infinitivo o subjuntivo	Para expresar gusto o disgusto con respecto a un evento. Para valorar un acontecimiento o expresar una reacción emocional ante un evento.	*Les molesta que sus jefes no **valoren** su trabajo. José no soporta que le **lleven** la contraria. Me extraña que Juan no os **llame**. A Marisa le encanta **recibir** flores. Nos fastidia **escuchar** las mismas promesas de siempre de los políticos. Marcelo detesta **conducir** cuando hay mucho tránsito.*

4. Ejercicios

4.1. Identifica

1. Lee los textos y resuelve las actividades.

1 En Ecuador, mucha gente prefiere comprar un carro antes que una casa. ¿Será por presumir...? ¿Qué opinan?

noviembre 6, 2010 a las 7:48 a. m.

Respuesta de **Robbie** No pienso que esa sea la realidad, pues, al menos yo no suelo ver que la gente se quede sin casa por comprar un carro. Es más, hasta he visto que la gente se queda sin auto para poder dar la entrada para un inmueble...

noviembre 6, 2010 a las 12:52 p. m.

Respuesta de **Fernando** En realidad, creo que un inmueble es una prioridad. Me parece que presumir por las calles con un auto de lujo y no tener una casa propia por lo menos con un garaje en donde guardarlo es una estupidez... Pero cada quien hace lo que le dé la gana con su dinero...

2

Errores en la alimentación

No es cierto que los productos integrales adelgacen. Lo que sí hacen es aportar fibra, la cual ayuda a digerir los alimentos.

El agua engorda: Falso. Y es aconsejable beber al menos un litro y medio al día. Tampoco es cierto que el agua mineral sea más saludable que la del grifo.

Las legumbres engordan: Verdadero. Pero es evidente que es más saludable cocinarlas con verduras que con chorizo.

3

Voluntarios Chile

Me gustaría realizar un voluntariado de 3 meses en Chile. Les ruego que me informen sobre los programas que tienen y en qué podría colaborar. Me encanta realizar trabajos voluntarios, por eso espero recibir pronto su respuesta.

Atentamente
Teresa

4

Tarjetas de crédito

#722: Re: Viaje a Italia - Consejos Autor: **Analía**, Publicado: Lun Jul 20, 2009

Mi tarjeta de crédito es con banda, no tiene chip. En mi banco me dijeron que no las hacen con chip. ¿Tendré problemas durante el viaje?

#726: Re: Viaje a Italia - Consejos Autor: **Analía** Publicado: Lun Jul 20, 2009

No creo que haya ningún problema con las tarjetas. Es verdad que todos los bancos las están sustituyendo por las de chip, más seguras. De todas formas me extraña que tu banco no las tenga.

2. Completa las frases teniendo en cuenta los textos.

Texto 1	**a)** Robbie _____ los ecuatorianos prefieran tener un coche antes que una casa. Es más, _____ la gente acepta vivir sin auto para _____. **b)** Fernando _____ tener un inmueble es lo más importante y _____ una estupidez tener coche y no tener una casa con garaje donde guardarlo.
Texto 2	Según el texto, _____ los productos integrales pueden engordar; _____ el agua mineral sea mejor que el agua del grifo. Por otro lado, _____ las legumbres engordan y _____ es cocinarlas con verduras.
Texto 3	A Teresa _____ hacer trabajo voluntario en Chile porque _____ realizar este tipo de actividad. Por eso _____ le informen sobre los programas que hay al respecto y _____ le respondan lo antes posible.
Texto 4	Rubén _____ Analía tenga problemas con su tarjeta. Pero _____ el banco de ella no tenga todavía tarjetas con chip.

3. Relaciona las columnas.

a. Es aconsejable beber al menos un litro y medio al día.

b. Me gustaría realizar un voluntariado en Chile.

c. Creo que un inmueble es una prioridad.

1. Se introduce una creencia u opinión.

d. Es verdad que todos los bancos las están sustituyendo por las de chip.

2. Se expresa una percepción.

e. No es cierto que los productos integrales adelgacen.

3. Se presenta una información como algo constatado.

f. Me encanta realizar trabajos voluntarios.

4. Se rechaza una creencia u opinión.

g. Yo no he visto mucho que la gente se quede sin casa por comprar un carro.

5. Se rechaza una percepción.

6. Se rechaza una información como hecho constatado.

h. De todas formas me extraña que tu banco no las tenga.

7. Se expresa una necesidad u obligación.

i. Espero recibir pronto su respuesta.

8. Se solicita al interlocutor que haga algo.

j. Es evidente que es más saludable cocinarlas con verduras que con chorizo.

9. Se expresa una reacción emocional ante un hecho.

k. No creo que haya ningún problema con las tarjetas.

10 Se expresa un deseo o expectativa.

l. Tampoco es cierto que el agua mineral sea más saludable que la del grifo.

m. He visto que la gente se queda sin auto para poder dar entrada a un inmueble.

4.2. Practica

1. Marca la opción adecuada.

a. Es innegable que el masaje **tiene**/tenga un efecto muy beneficioso sobre la salud. ✓

b. Me parece que Joaquín **viene**/venga a cenar el jueves a casa. ✗ viene

c. Andrea, si vas a salir a caminar, es indispensable que usas/**uses** crema solar. ✓

d. No creo que Ignacio escucha/**escuche** tu mensaje. ✓

e. Es un hecho que mis padres **vienen**/vengan a visitarme en Navidad. ✓

f. Realmente no he oído que Juliana está/**esté** cansada. ✓

g. Tenemos todos la sensación de que Marcela **es**/sea la persona ideal para ese trabajo. ✓

h. No veo que están/**estén** tan ocupados como para no ayudar a Ricardo con sus tareas. ✓

i. Sinceramente hablando, no me parece que te dan/**den** la beca que has solicitado. ✓

j. ¿No te parece increíble que Juan se va/**vaya** a Oriente ahora?

parecer que + I
no parece que + S

2. Transforma las frases en negativas como en el ejemplo.

a. Creo que Pedro tiene problemas. > _____ No creo que Pedro tenga problemas. ✓

b. Me parece que viene mucha gente a la reunión. no me parece que venga ✓

c. Jorge piensa que hay demasiados gastos en la empresa. no piensa que haya ✓

d. Creo que esta casa cuesta mucho dinero. no creo que esté cueste ✓

e. Me parece que Juan conoce bien Madrid. no me parece que conozca ✓

f. La policía cree que los ladrones están en el país. no cree que estén ✓

3. Completa con el verbo en la forma adecuada y con *que* en caso necesario.

a. A Luis le molesta muchísimo _____ ruidos molestos mientras está trabajando. (escuchar/Luis)

b. Me preocupa bastante _____escuchar_____ tarde por la noche. No me gusta _____ hasta tan tarde en la calle. (llegar, estar/tú)

c. Julia, ¿por qué no quieres _____ el sábado? ¿Tienes algún otro compromiso? (salir/nosotros)

d. Los chicos no tienen ganas de salir con esta lluvia. Prefieren _____ en casa viendo una película. (quedarse/los chicos)

e. José, necesito _____ a la farmacia y _____ estos medicamentos para el abuelo. ¿Puedes ir ahora mismo? (ir, comprar/José)

f. Isabel lamenta mucho no _____ en la reunión de mañana, pero tiene un compromiso impostergable. (estar/Isabel)

g. ¿Por qué te molesta tanto que _____ las faldas tan cortas? (usar/yo)

h. A Claudia le molesta _____ a su fiesta. Parece ser que no va a ir mucha gente. (faltar/nosotros)

i. ¿Os gusta _____ en este pueblo? ¿No os parece muy aburrido? (vivir/vosotros)

j. Felipe, espero _____ ese trabajo. (conseguir/Felipe)

4. Escribe los consejos teniendo en cuenta en cada caso las instrucciones que te damos. Usa las expresiones destacadas abajo.

> lo ideal es (que) – es importante (que) – lo mejor es (que) – lo más importante es (que) – es mejor (que) – es fundamental (que)

Consejo: Acabar con la corrupción y mejorar la situación de los más necesitados. **A quién:** a los políticos.	Es necesario que los políticos acaben con la corrupción y mejoren la situación de los más necesitados.
Consejo: Antes de enchufar el secador de pelo, verificar el voltaje de la corriente. **A quién:** para cualquiera, sin especificar.	_____ _____ _____
Consejo: Mantener siempre limpia la computadora y hacer una copia de seguridad regularmente. **A quién:** a un cliente conocido.	_____ _____ _____
Consejo: hacer largas caminatas, descansar y no pensar en el trabajo. **A quién:** a un paciente amigo.	_____ _____ _____
Consejo: dejar reposar la masa durante una hora en un paño húmedo. **A quién:** a cualquier televidente de un programa de cocina.	_____ _____ _____ _____

4.3. Aplica

Lee los siguientes textos y escribe tu opinión sobre ellos. Deberás usar las expresiones destacadas.

a. El uso de las redes sociales virtuales como Facebook o Twiter contribuye a que nos aislemos cada vez más de nuestros vecinos. Ya no sabemos quién vive al lado de casa ni nos interesa conocerlo.

> no creo que – me parece que – es fundamental (que) – me preocupa (que) – es innegable (que)

b. El lenguaje de los adolescentes está cada vez más empobrecido. A los adultos les resulta muy difícil comprender las palabras con las que habla un joven. Por este motivo se crea una barrera entre ellos que deteriora la comunicación.

> no pienso que – opino que – a todos nos molesta – les encanta (que) – quieren (que) – es indispensable – es obvio que

1. En contexto

1

¿Dónde divertirte?

en

REPÚBLICA

¡¡DE ACÁ!!

Ven a este café musical, donde seguro vas a pasar un momento agradable y divertido.

2

«Quien quiera entender cómo funciona el mundo deberá entender el fútbol», dijo Perfumo, el exjugador argentino de fútbol.

3

La policía busca a un joven que salió de su casa el 16 de abril y no ha vuelto a ser visto por parientes ni amigos.

4

¿Alguna vez escuchaste de algún pirata que cumpla años?

Marca la opción correcta:

Texto 1	*Donde* se refiere a	**a)** un café musical. ☑
		b) un momento agradable y divertido. ☐
Texto 2	*Quien* se refiere a	**a)** una persona indeterminada. ☑
		b) algo dicho anteriormente. ☐
Texto 3	La policía	**a)** conoce la identidad del joven desaparecido. ☐
		b) no sabe quién es el joven desaparecido. ☑
Texto 4	El hablante	**a)** sabe que hay piratas que cumplen años. ☐
		b) no cree que haya piratas que cumplan años. ☑

Las palabras subrayadas en los textos son relativos y se utilizan:
- con un antecedente mencionado previamente: *Ven a **este café** musical, **donde** seguro vas a pasar un momento agradable y divertido* (texto 1),
- sin ningún antecedente previo: ***Quien** quiera entender cómo funciona el mundo deberá entender el fútbol* (texto 2).

Pueden ir con indicativo o subjuntivo:
- Van con indicativo si se refieren a entidades determinadas y existentes: *La policía busca a un joven **que** salió de su casa el 16 de abril* (texto 3).
- Van con subjuntivo si se refieren a entidades indeterminadas y cuya existencia es probable: *¿Alguna vez escuchaste de algún pirata **que cumpla** años?* (texto 4).

2. Las formas

2.1. Los relativos

Que Se refiere a personas o cosas, es invariable y siempre va detrás del antecedente.	*El profesor **que** contrataron es alemán.* *Escribió un libro **que** no publicó.* *Busca un trabajo **que** le permita viajar.*
Quien/es Se refiere a personas. Nunca lleva artículo, va al principio de la frase (sin antecedente) o después de preposición.	*Se ofrece recompensa a **quienes** den alguna información sobre el crimen.* ***Quien** quiera salir a tomar un café puede hacerlo en la pausa.*
Donde Indica lugar y es invariable.	*En este restaurante, **donde** preparan los mejores langostinos de la ciudad, conocí a mi socio.* *Siéntate **donde** quieras.*
Como Indica modo y es invariable.	*La forma **como** se trata al cliente es fundamental para vender cualquier producto.* *Javier siempre trató a sus hermanos **como** a extraños.*
Cuanto/a/os/as Se refiere a cantidades no especificadas de algo.	*Recojan **cuanto** papel encuentren tirado por las calles.* *Lleva **cuantas** mantas puedas, porque hace mucho frío.*
Cuando Indica tiempo y es invariable.	*Llegó a la oficina a las 10 de la mañana, **cuando** la reunión ya había terminado.* *Puedes llamarme **cuando** quieras.*
Cuyo/a/os/as Indica propiedad.	*Juan, **cuyos** padres son libaneses, quieren que él estudie árabe. (cuyos padres = los padres de Juan).* *La obra **cuya** introducción acabamos de leer pertenece a un autor del siglo XXI. (cuya introducción = la introducción de la obra)*

¡Más! Es el más frecuente.

¡Más! Se utiliza en registros más formales y puede ser sustituido por **artículo + que**.

2.2. Los relativos con artículo

El/la/los/las que Se refieren a personas y cosas, van al principio de la frase (sin antecedente) o después de preposición.	*Los niños en **los que** se observan problemas de atención deben ser encaminados a una psicopedagoga.* ***Las que** hayan rellenado el formulario pueden pasar a la otra sala.*
Lo que Equivale a «las cosas» o se refiere a una frase anterior. Es invariable.	*Su madre le dio dinero para que comprara **lo que** necesitaba para el viaje. (las cosas que necesitaba)* *No sé cuál es el secreto de Sofía, pero siempre consigue **lo que** quiere. (las cosas que quiere Sofía)*
El/la cual Los/las cuales Se refieren a personas o cosas, van al principio de la frase (sin antecedente) o después de preposición.	*Sergio busca personas con **las cuales** compartir su afición por la ópera.* *El presidente explicó los motivos por **los cuales** dimitía.*
Lo cual Se refiere a una frase anterior y es invariable.	*La situación del país es caótica, **lo cual** demuestra la incapacidad de sus dirigentes.*

¡Más! Puede ser sustituido por **artículo + que** y se usa en registros más formales.

2.3. Los relativos con preposición

Los relativos llevan preposición cuando así lo exige:
- ✓ el verbo de la oración principal: *Llamé al que estaba primero en la lista.* (llamar **a** alguien)
- ✓ el verbo de la oración de relativo: *La familia con la que vivo es muy amable.* (vivir **con** alguien)

  El texto del que te hablé está en Internet. (hablar **de** algo)

Si *que* va antecedido de una preposición, debe llevar artículo:
*La vida de este escritor, **a** la que me referiré más adelante, fue muy austera.*

Sin embargo, con las preposiciones *con* y *en* es posible omitirlo:
*En Córdoba visitamos la casa **en** (la) que había vivido mi padre.*
*Esta era la ropa **con** (la) que se cubrían los indios.*

2.4. Las oraciones relativas

Pueden ser de dos tipos:

Especificativas, aportan una información que identifica al antecedente.	*Los empleados **con quienes** hemos hablado aceptan la propuesta (del conjunto de empleados solo hemos hablado con algunos). Las escuelas públicas cuyas instalaciones estén mal serán clausuradas (de todas las escuelas, solo las que tengan instalaciones malas).*
Explicativas, aportan una información adicional, que no es necesaria para identificar al antecedente.	*Los empleados, **con quienes** hemos hablado, no aceptan la propuesta (hemos hablado con todos los empleados). Las escuelas públicas, cuyas instalaciones están mal, serán reparadas (todas están mal).*

¡Atención!

Van siempre entre comas.

3. Los usos

3.1. La alternancia de indicativo y subjuntivo

Indicativo	Presenta la descripción de la oración de relativo como una afirmación. Se usa para referirse a una entidad específica y existente para el hablante.	*Busco a un hombre **que** lleva un sombrero (un hombre determinado). La sala **donde** están las computadoras tiene buena ventilación (una sala determinada). Los **que** estáis cansados podéis salir.*
Subjuntivo	Presenta la descripción de la oración de relativo como una posibilidad. Se usa para referirse a una entidad indeterminada y cuya existencia el hablante transmite como posible o que no existe.	*Para esta escena preciso un hombre **que** lleve sombrero (cualquier hombre con esas características). La sala **donde** instalen las computadoras deberá tener buena ventilación (cualquier sala). No hay nadie **que** esté cansado.*

3.2. Las funciones

Identificar o introducir información adicional sobre personas o cosas.	(El/la/los/las) que El/la/los/las cuales Quien(es)	*El hombre con **quien** conversa Sergio me resulta familiar.* *El marido de Ana, **que** es arquitecto, nos está ayudando con la reforma del piso.* *Este libro, **que** encontré en una librería de viejo, está agotado desde hace años.* *El vino es una bebida de **la cual** no puedo prescindir.*
Identificar o introducir información adicional sobre un lugar.	Donde En el/la/los/las que En el/la/los/las cuales	*Los abuelos de Inés vivían en un barrio **donde/en el que** no había luz ni agua corriente.* *Graciela siempre viaja a Argentina, **donde** vive toda su familia.* *La cárcel **en la cual** había cumplido la pena se había convertido en una escuela.*
Identificar, delimitar o introducir información adicional sobre un momento en el tiempo.	(En el) que Cuando	*El día **(en el) que** hubo ese apagón general yo estaba en mi departamento.* *El mes **(en el) que** te sobre dinero no llegará nunca.* *Al Sr. Gómez lo entrevistaron el 15 de octubre, **cuando** se realizó la reunión del partido.* *Ese momento, **cuando** todos los actores cantan juntos, nos conmovió.* *Llámame **cuando** tengas tiempo.*
Expresar el modo o manera de hacer algo.	Como	*La forma **como** te dirigiste al camarero fue muy grosera.* *Hazlo **como** quieras.* *Se marchó **como** había venido, sin decir una palabra.*
Expresar una cantidad indeterminada.	Cuanto(a/os/as)	*Lee estos documentos y separa **cuanta** información encuentres sobre el caso López.*
Preguntar y responder por la disponibilidad o existencia de algo o alguien.	(El/la/los/las) que Quien/quienes Donde	*– ¿Conocen a <u>alguien</u> **que** <u>pueda</u> asesorarme sobre el mercado inmobiliario?* *– Sí, tengo un conocido en la facultad **que** <u>trabaja</u> en una inmobiliaria.* *– ¿Tienes <u>algún</u> libro **que** <u>hable</u> de la Guerra de Corea?* *– No, no tengo ninguno **que** <u>hable</u> de ese tema.* *– ¿Conoces <u>algún</u> hotel **donde** <u>podamos</u> pasar la noche?* *– Sí, conozco uno muy bueno **donde** <u>puedes</u> alojarte cómodamente.* *¿Sabes de alguien con **quien** <u>pueda</u> compartir piso?*

¡Atención!

Para referirse a personas de forma genérica se usa **el/la/los/las que** o **quien/quienes** al comienzo de la oración.
Los que no tienen visa no pueden entrar al país.
Quien quiera hablar que levante la mano.

¡Atención!

En la pregunta, el verbo introducido por *que* va en subjuntivo.
Si la respuesta es
✓ **afirmativa**: verbo en indicativo.
Sí, tengo un conocido en la facultad que <u>trabaja</u> en una inmobiliaria.
✓ **negativa**: verbo en subjuntivo.
No, no conocemos a nadie que <u>entienda</u> sobre ese tema.

4. Ejercicios

4.1. Identifica

1. Lee los textos, responde a las preguntas, subraya los relativos e indica el antecedente, si lo tiene.

a-
Rusia pierde tres satélites que iban a completar su sistema alternativo al GPS.

b-
Contadores de agua *inteligentes* que avisan cuando se produce una fuga.

c-
El ayuntamiento entregó 17 000 seguros contra incendios a los contribuyentes que pagan a tiempo, es decir, quienes no registran deudas.

d-
El actor mexicano Humberto Vélez se presentó ayer y respondió con gusto a cuanto pedido de imitación le solicitaron.

e-
Recuerdo la primera vez que vi *El Guernica* de Picasso. Lo que más me llamó la atención fue el modo como estaba pintado el miedo.

f-
Para recuperar *e-mails* desde Outlook, debe localizar la carpeta donde se guardan y pegar allí todos los archivos.

g-
Una empresa lanzará al mercado un nuevo cemento cuya elaboración no emite CO_2.

1. Según el texto a, ¿se han perdido todos los satélites rusos? _a- solo tres._
2. Según el texto b, ¿qué contadores son inteligentes? _de agua inteligentes_
3. Según el texto c, ¿darán un seguro a todos los ciudadanos? _____
4. Según el texto d, ¿el actor solo respondió a las preguntas que quiso? _Si_
5. Según el texto e, ¿qué es lo que más le impresionó? _como estaba pintado el miedo_
6. Según el texto f, ¿dónde hay que poner los archivos? _la carpeta._
7. Según el texto g, ¿son ecológicos todos los cementos? _NO, las unas empresas también._

2. Relaciona los relativos de los textos con sus usos.

Texto a-	que	una cantidad indeterminada
Texto b-	que	información sobre un lugar
Texto c-	quienes	información sobre un momento
Texto d-	cuanto	información sobre personas
Texto e-	como	propiedad
Texto f-	donde	información sobre una cosa
Texto g-	cuya	el modo de hacer algo

4.2. Practica

1. Completa la noticia con las palabras de la caja.

> donde – las que – los que – que – quienes

El golf es un deporte ___que___ últimamente presenta en nuestro país un crecimiento sostenido. Las buenas actuaciones de golfistas argentinos en torneos internacionales de renombre y la aparición de nuevos «campos» _donde_ poder jugar son algunas de las razones por _las que_ hoy en día son muchos (hombres y mujeres) _quienes_ practican este deporte que, según los entendidos, es «adictivo». quienes

Para _los que_ disfrutan del golf, crece en la ciudad una nueva tendencia: la del golf *indoor* (bajo techo): dejar de lado el saco y la corbata unos minutos para jugar un par de hoyos en la propia oficina. Esta modalidad se apoya en herramientas tecnológicas: simuladores del campo de juego y sensores de movimiento _que_ permiten analizar los golpes. El simulador utiliza tres cámaras _que_ generan un cubo virtual _donde_ se recrean los diferentes movimientos de la pelotita para mostrar el resultado en las pantallas.

2. Escribe una sola frase uniendo los dos elementos con un pronombre relativo. Haz los cambios necesarios.

a. Visité un museo. En ese museo hay una famosa obra.

Visité un museo donde hay una famosa obra.

b. Te voy a presentar a un amigo. Este amigo trabaja conmigo.

te voy a presentar a un amigo que trabaja conmigo

c. Allí están Ernesto y Luis. Ernesto y Luis abrieron un restaurante italiano.

allí están E y L los que abrieron

d. Doña Estela tiene un perro chihuahua. Su ladrido es insoportable.

Doña tiene un perro chihuahua que es insoportable.

e. Acabo de instalar un programa. El programa sirve para traducir textos.

de instala un programa que sirve

f. Andrés y Victoria se conocieron en 1997. En 1997 los dos estaban de vacaciones en París.

se conocieron en 1997 cuando –

g. El sospechoso relató una versión. Su veracidad era casi irrefutable.

una versión en la que
cuya

3. Lee las frases e indica si se describe a alguien o algo específico o no.

a. Celia está buscando un técnico que repare celulares. *(No específico)*

b. Tengo unas fotos donde se ve a toda mi familia. ~~no~~ yes

c. Serán las mujeres quienes determinen el lugar de la fiesta. ~~yes~~ no

d. Este sitio de Internet solamente acepta noticias cuyo contenido esté en español. yes no

e. El bar donde nos encontramos es muy conocido. yes

f. Anuncian las nuevas medidas con las que pretenden frenar la inflación. yes

g. Necesito trabajar con quien sepa algo de matemática financiera. no

4. Reescribe las frases reemplazando la parte subrayada por otra forma posible de relativo.

a. Nos reunimos en un bar en el que hacen un café irlandés maravilloso.

   Nos reunimos en un bar en el cual/donde hacen un café irlandés maravilloso.

b. Ana y Silvia son las tías con quienes viajé a Egipto.

   ~~que~~ las que

c. Se rompió el auto con el que teníamos que viajar a la costa.

   el cual

d. La casa en la cual vivió el famoso pintor se convirtió en un museo.

   la que/donde

e. La empresa contrató al doctor Stur, al cual se considera el mejor en su área.

   al que / quien

f. París y Londres: las ciudades hacia donde viajaron las delegaciones de tenis.

   las que

g. En la reunión culparon a Suárez, quien explicó que era todo mentira.

   que / el cual

5. Completa cada espacio con la preposición correcta. Usa las que están en la caja.

> en – para – hasta – sobre – a – sin

a. Dentro del *camping*, hay tres áreas ___en___ las cuales no se puede acampar.

b. Siempre nos encontramos con alguien ___a___ quien le es imposible quedarse quieto.

c. Hice la caminata _hasta_ donde me dieron las fuerzas. Luego paré.

d. Contaminación ambiental: algo ~~en~~ sobre lo cual debemos preocuparnos.

e. Me he encontrado con Azucena, ____a____ quien no veía hacía años.

f. Hoy usamos aparatos ____Sin____ los que, supuestamente, nos resultaría imposible vivir.

6. Completa los espacios con artículo + pronombre relativo. En algunos casos hay varias posibilidades (*que/cual*, por ejemplo).

a. Aquí tienes los elementos con __los__ __que/cuales__ debes hacer el trabajo.

b. ¿Recuerdas el lugar en __el__ __cual__ dejaste las llaves del auto?

c. Son pocos los motivos por __los__ __cuales__ la empresa no lanzaría su principal producto.

d. Mucha gente logra fácilmente todo __lo__ __que__ se propone.

e. ¿Vosotros tenéis el nombre de la persona a __la__ __que__ debéis llamar?

f. Siempre hay un amigo con __el__ __que__ compartimos secretos más íntimos.

g. Esta es una lista con 10 frutas con __las__ __que__ se pueden preparar ricos postres.

h. La lluvia torrencial inundó el campo de juego, por __lo__ __que__ se suspendió el partido.

7. Relaciona las frases uniéndolas con un relativo para completar la noticia.

LAS CICLOPISTAS EN LA CIUDAD DE MÉXICO	
Hace algunos años, el Gobierno del Distrito Federal tomó conciencia de la peligrosa situación de los ciclistas en la ciudad de México y comenzó la construcción de ciclopistas. Esta medida se ve con buenos ojos, porque…	
La bicicleta es un transporte	no produce contaminación.
También, es un excelente medio	tienen que hacer ejercicio físico.
Sin contar que se puede dejar en lugares	los autos no pueden estacionar.
Y algo muy importante: es muy bajo el costo	se mantiene en buen estado de uso.
Como vemos, son varios los motivos	estimulan el uso de la bicicleta.

Adaptado de www.ofertasdf.info/

4.3. Aplica

Escribe sobre tus recuerdos de infancia o juventud. Utiliza los temas que te damos para cada párrafo y no olvides los pronombres relativos.

➢ El barrio, la casa y la familia

➢ La escuela/facultad, los amigos, las actividades

➢ Un acontecimiento importante

31
LAS PREPOSICIONES

1. En contexto

1

El presidente parte de Bogotá hacia Portugal para asistir a la XIX Cumbre Iberoamericana, que inicia hoy sus actividades en la ciudad de Estoril.

2

Tienda de muebles de Tarragona

PAGUE HASTA EN 12 MESES SIN INTERESES

3

La lucha contra el ruido
Ruidos.org: El sitio dedicado a la contaminación acústica

4

Sin pistas sobre el conductor que huyó tras el robo de Simancas

Marca la alternativa correcta de acuerdo con los textos.

Texto 1	El presidente	a) salió de Bogotá en dirección a Portugal. ☐
		b) salió de Portugal en dirección a Bogotá. ☐
	El objetivo del viaje del presidente es	a) conocer Portugal. ☐
		b) participar en una reunión. ☐
Texto 2	En la tienda se puede pagar	a) como mínimo en 12 meses. ☐
		b) como máximo en 12 meses. ☐
Texto 3	*Ruidos.org* es un sitio que	a) combate el ruido. ☐
		b) promueve el ruido. ☐
Texto 4	La Guardia Civil	a) no sabe quién era el conductor. ☐
		b) identificó al conductor. ☐
	El conductor se escapó	a) antes del robo. ☐
		b) después del robo. ☐

Las palabras subrayadas en los textos son unidades invariables que reciben el nombre de **preposiciones**. Su función es la de relacionar elementos de la oración, que pueden ser sustantivos (La lucha **contra** el ruido, texto 3), adjetivos, verbos (parte **para** asistir, texto 1), adverbios, etc.

2. Las formas

Las preposiciones son:

a	ante	bajo	con	contra	de
desde	durante	en	entre	excepto	hacia
hasta	incluso	mediante	para	por	salvo
según	sin	sobre	tras		

2.1. Las contracciones

1. Las preposiciones **a** y **de**, cuando van seguidas del artículo **el**, se contraen y forman una única palabra.

A + el = al	De + el = del
*Ayer fui **al** cine.*	*Salí **del** cine muy tarde.*

2. La preposición **con**, cuando va seguida de los pronombres **mí**, **ti** o **sí**, se contrae y forma una única palabra.

Con + mí = conmigo	*¿Vienes **conmigo** al cine?*
Con + ti = contigo	*Quiero hablar **contigo**.*
Con + sí = consigo	*Conversaba **consigo** mismo mientras se afeitaba.*

Consigo solo se utiliza con valor reflexivo.

3. Los usos

PREPOSICIÓN	SE USA PARA	EJEMPLOS
a → 0	**a)** indicar dirección (con verbos de movimiento como *ir, llegar, salir*, etc.).	*Cuando llegamos **a** la sala de proyección, todas las butacas ya estaban ocupadas. El presidente salió **al** balcón para saludar a la multitud reunida en la plaza.*
	Puede sustituirse por **hacia** y por **para** cuando se expresa la dirección sin importar el destino final.	
	b) referirse a un destino.	*Por favor, ve **a** la panadería y compra pan.*
	Puede sustituirse por **hasta** para insistir en el destino final.	
	c) localizar en el espacio.	*El baño esta **al** fondo del pasillo, **a** la derecha.*
	d) indicar un momento preciso que puede ser la hora o un periodo del día (mañana, tarde, noche).	*La conferencia comienza **a** las 9:00. Mañana **a** la tarde tienes cita con el dentista.*
	Cuando se refiere a una parte del día se utiliza también **por**, principalmente en España.	

e) indicar finalidad (solo con verbos de movimiento). Puede sustituirse por **para**.	*El electricista me prometió que venía hoy a arreglarme la instalación.*
f) hablar del modo físico de hacer algo. Puede sustituirse por **de**, para expresar que el modo de hacer algo es también la causa, y por **en**, para referirse al modo figurado de hacer algo.	*Fíjate qué diferencia hay entre este jersey hecho a mano y aquel otro tejido a máquina.*
g) introducir el precio de algo. En general, para hablar del precio no se utiliza ninguna preposición. Solo se usa **a** cuando el precio es cambiante y **por**, para indicar el precio resultado de una negociación.	*Comenzó la liquidación de invierno y hay abrigos a mitad de precio.* *Llévese estas cerezas, que están a 5 pesos.*
h) indicar la distancia temporal o física entre dos cosas (*a* + número).	*Mi pueblo está a tres kilómetros de aquí.*
i) indicar la velocidad (*a* + número).	*La pista de la izquierda es para los autos que van a 120 km/h.*
j) con infinitivo (ver capítulo 38), expresar una orden.	*¡A comer, que la comida se enfría!* *¡A dormir, que es tarde!*
k) y también con infinitivo (ver capítulo 38), expresar temporalidad, equivale a *cuando*.	*Al levantarse lo primero que hace es tomar un café.* *Al llegar a la oficina advirtió que se había olvidado el móvil en casa.*
l) introducir el objeto indirecto (ver capítulo 24).	*Pídele a Víctor que te preste el coche.* *Le di pintura a la mesa y quedó como nueva.*
m) introducir el objeto directo cuando el OD es una persona (ver capítulo 23).	*¿Habéis visto a Magda por ahí?* *Lo vimos a tu hermano saliendo del cine, pero él no nos vio.*

MÁS

Algunos verbos seguidos de la preposición *a*

➤ acceder a: *El acusado <u>accedió</u> a cooperar con la policía.*
➤ apelar a: *Tuvimos que <u>apelar</u> a la justicia porque no nos pagaron.*
➤ asistir a: *Todos los alumnos <u>asistieron</u> al acto.* (**a** = dirección)
➤ aspirar a: *Eleonora <u>aspira</u> a ser una gran actriz.*

➤comenzar a: *¿A qué hora <u>comenzamos</u> **a** trabajar mañana?*
➤empezar a: *<u>Empezó</u> **a** estudiar danza cuando todavía era una niña.*
➤equivaler a: *Un pedazo de torta de chocolate <u>equivale</u> **a** 500 calorías.*
➤recurrir a: *Muchas modelos <u>recurren</u> **a** la cirugía plástica.*

PREPOSICIÓN	SE USA PARA	EJEMPLOS
ante	indicar que un elemento se sitúa delante de otro física o conceptualmente.	***Ante** los hechos, el director decidió renunciar.* *El delincuente confesó **ante** las cámaras su participación en el asalto.*
bajo	indicar que un elemento está debajo de otro física o conceptualmente.	***Bajo** el régimen militar los periodistas fueron muy censurados.* *A mi gato le encanta dormir **bajo** la frazada.*
con	**a)** indicar compañía, concurrencia o reciprocidad.	*Marcela viajó **con** los niños a la playa.* *Me crucé **con** Ana en la calle.* *Se peleó **con** su marido y está en casa de sus padres.*
	b) expresar el instrumento, medio o modo de realización.	*Corté la carne **con** un cuchillo bien afilado.* *Este autor escribe **con** mucho humor.*
	c) hablar de contenidos e ingredientes. También se usa **de** para insistir en el contenido.	*Improvisé una torta **con** los pocos ingredientes que tenía en casa.* *Ha llegado una caja **con** libros . ¿Dónde la pongo?*
	d) introducir una característica. También se usa **de** para insistir en la descripción.	*Fernanda se compró un abrigo precioso **con** botones dorados.* *En la sala hay un balcón **con** vistas al mar.*
	e) hablar del trato entre personas.	*El director es muy amable **con** todos.* *Pedro es muy indulgente **con** su hijo mayor.*
	f) con infinitivo (ver cap. 38), expresar una concesión.	***Con** gritar no me convencerás de que tienes razón.* ***Con** hacerte la loca no ganas nada.*
	g) con lo + adjetivo/sustantivo y con + el artículo + sustantivo (ver cap. 45) presentar enfáticamente una causa.	***Con** lo diligente que es el abogado, el pleito se solucionará rápidamente.* ***Con** la capacidad que tiene, debe llegar lejos en poco tiempo.*

MÁS

Algunos verbos seguidos de la preposición *con*

➤coincidir con: *La fecha de la boda <u>coincidía</u> **con** la de su cumpleaños.*
➤contar con: *La ciudad <u>cuenta</u> **con** más de cien escuelas.*
➤contrastar con: *La belleza del lugar <u>contrasta</u> **con** la pobreza de sus habitantes.*

➢romper con: *Mariana <u>rompió</u> **con** Carlos después de años de noviazgo.*

➢simpatizar con: *Los que no <u>simpatizaban</u> **con** el nuevo gobierno dejaron el país.*

➢soñar con: *Anoche <u>soñé</u> **con** un antiguo novio.*

PREPOSICIÓN	SE USA PARA	EJEMPLOS
contra ➡ O ⬅	indicar resistencia u oposición.	*Un chofer imprudente chocó **contra** el muro.* *Su comportamiento va **contra** todo lo que le enseñaron sus padres.*
de ●➡	**a)** referirse al punto de origen en el espacio (con verbos de movimiento).	*Cuando vuelva **de** la oficina, te cuento lo que ocurrió.*
	b) hablar de la procedencia, del origen o de la nacionalidad (con el verbo *ser*).	*- ¿De dónde sois?* *- Él es **de** Madrid y yo, **de** Barcelona.*
	c) suele combinarse con **a** para indicar el punto de origen y el punto final de un evento en el tiempo o en el espacio.	*Fuimos **de** Frankfurt **a** Barcelona en autobús.* *Los bancos funcionan **de** 9:00 **a** 14:00.*
	d) introducir la materia, esencia o característica de algo o alguien.	*Este anillo es **de** oro.* *Preparas unas milanesas **de** pollo deliciosas.* *Se compraron un piso **de** medio millón de euros.*
	e) indicar posesión.	*La casa **de** Helena no tiene piscina.* *Lava los pantalones **de** Roberto.*
	f) referirse al autor de una obra (literaria, artística, etc.).	*Han robado un cuadro **de** Picasso.* *La última película **de** Almodóvar ha sido un éxito.*
	g) hablar del contenido de algo. También se usa **con** para insistir en el continente.	*¿Me pasas la jarra **de** agua, por favor?* *Esa caja **de** libros hay que llevarla a la biblioteca.*
	h) especificar el tipo de uso que se hace de algo.	*Ya casi nadie usa máquina **de** escribir.* *Necesito un jabón **de** tocador antialérgico.*
	i) explicar el modo en que se realiza una acción. Puede sustituirse por **a** para expresar la manera física de hacer algo, y por **en** para referirse al modo figurado de hacer algo.	*Detuvo al ladrón **de** un puñetazo.* *Los niños temblaban **de** frío, pero no querían salir de la piscina.*
	j) con infinitivo (ver capítulo 38), expresar una condición.	***De** haber sabido que era tu cumpleaños te preparaba una cena especial.*

Curiosidades de la lengua

Para especificar el momento del día en que hay luz se usa **de día** y para referirse a los momentos en que no la hay se dice **de noche**.
*Duerme **de día** porque trabaja **de noche**.*
*Salió de la fiesta cuando ya era **de día**.*

MÁS

Algunos verbos seguidos de la preposición *de*

➤abusar de: *Preferimos quedarnos en un hotel y no <u>abusar</u> **de** vuestra hospitalidad.*

➤acordarse de: *Pepa está triste porque nadie <u>se acordó</u> **de** su cumpleaños.*

➤carecer de: *<u>Carece</u> **de** la experiencia necesaria para el puesto.*

➤constar de: *La obra <u>consta</u> **de** diez fascículos y un CD-ROM.*

➤depender de: *Marcela ya cumplió 25 años y todavía <u>depende de</u> sus padres.*

➤desconfiar de: *El presidente <u>desconfiaba</u> **de** su nuevo grupo de asesores.*

➤disfrutar de: *Se conocieron mientras <u>disfrutaban</u> **de** un crucero por el Caribe.*

➤hablar de: *Jorge me ha <u>hablado</u> mucho **de** ti.*

➤provenir de: *Esta alfombra <u>proviene</u> **de** Turquía.*

PREPOSICIÓN	SE USA PARA	EJEMPLOS
desde	**a)** señalar un punto de origen en el espacio.	*Joaquín vino **desde** su casa caminando y tardó más de una hora en llegar.*
	b) señalar un punto de origen en el tiempo.	*La fábrica de coñac de la familia funciona **desde** 1980.*
	c) indicar el punto de origen y el punto final de un evento en el tiempo o en el espacio.	***Desde** mi casa hasta la oficina no hay ningún semáforo.* *Ayer trabajamos **desde** las 8 hasta las 10 de la noche y no terminamos el proyecto.*
durante	expresar duración.	*Estuvo bien **durante** todo el embarazo.* ***Durante** su estancia en China tuvo la oportunidad de recorrer casi todo el país.*
en	**a)** indicar movimiento hacia el interior de un espacio.	*Juana entró **en** la habitación sin hacer ruido.*
	b) localizar en el espacio.	*Los documentos están **en** el cajón.*
	c) especificar un medio de transporte.	*Es mejor ir **en** metro.* *Los niños van al colegio **en** bicicleta.*
	d) situar en el tiempo (meses, estaciones del año, etc.).	*En Argentina las clases terminan **en** diciembre.* *Queremos viajar a Europa **en** invierno.*

MÁS

Algunos verbos seguidos de la preposición *en*

➤ confiar en: *No se puede <u>confiar</u> **en** alguien que miente constantemente.*

➤ creer en: *Ya no es un niño, pero aún <u>cree</u> **en** los Reyes Magos.*

➤ consistir en: *La moda <u>consiste</u> **en** mezclar lo nuevo con lo viejo.*

➤ residir en: *Tres millones de peruanos <u>residen</u> **en** el extranjero.*

➤ pensar en: *Desde que conocí a esa chica no he dejado de <u>pensar</u> **en** ella.*

PREPOSICIÓN	SE USA PARA	EJEMPLOS
excepto	indicar un elemento que se excluye.	Nado todos los días, **excepto** los domingos. Aprobó todas las asignaturas, **excepto** Matemáticas.
entre	referirse a la posición de algo o alguien dentro de límites espaciales o temporales.	*La reunión acaba **entre** la una y las dos.* *Pon el sofá **entre** los dos silloncitos.*
hacia	**a)** indicar la dirección de un movimiento o acción sin importar el destino final. Puede sustituirse por **para**.	*Un centenar de icebergs avanzan **hacia** la costa de Nueva Zelanda.* *Rusia da un paso más **hacia** la abolición de la pena de muerte.*
	b) hablar de un momento aproximado.	*Los primeros autos comenzaron a circular **hacia** 1900.*
	c) introducir al destinatario de un sentimiento o actitud. Puede sustituirse con **por**.	*Su expresión no disimulaba la antipatía que sentía **hacia** ese hombre.*
hasta	**a)** indicar el punto final de destino. Puede sustituirse por **a**.	*Para llegar a mi casa, tómate cualquier ómnibus que vaya **hasta** Plaza Once.*
	b) indicar un punto final en el tiempo.	*Los supermercados están abiertos **hasta** las 22:00.* *No hablo contigo **hasta** que me pidas perdón.*
	c) incluir personas o cosas.	*La música era tan contagiante que **hasta** los más tímidos se pusieron a cantar.*
incluso	introducir un elemento que, por algún motivo, podría estar excluido.	*A su fiesta de bodas fueron todos los amigos, **incluso** un exnovio que no había sido invitado.*
mediante	expresar el modo o medio de conseguir algo. (Se utiliza en lenguaje formal).	*Se autorizará el ingreso al aula **mediante** la presentación de un documento de identidad.*
para	**a)** indicar la dirección o el destino. Puede sustituirse por **hacia**.	*Voy **para** el centro. ¿No quieres acompañarme?* *Dicen que si corres **para** atrás gastas más calorías.*

	b) hablar del plazo final para que ocurra algo.	*La construcción del metro deberá concluirse **para** finales de noviembre.*
	c) expresar finalidad.	*Me compré un vestido **para** la fiesta.* *__Para__ hacerte famosa no basta con ser bonita.*
	d) indicar el destinatario (*para* + pronombre personal).	*Preparé este pastel especialmente **para** ti.* *Trajeron este paquete **para** Ricardo.*
	a) indicar lugar.	*Caminaron **por** el parque.* *Sigan **por** esta avenida hasta la calle Mayor.*
	b) hablar de una fecha o localización aproximada.	*El tango se hizo popular allá **por** 1900.* *La tienda de Clara queda **por** el centro.*
	c) indicar un momento del día (mañana, tarde, noche).	*Mañana **por** la mañana tenéis cita con el dentista.*
	Se usa también **a**, principalmente en América.	
	d) hablar del precio.	*Remataron un dibujo de Dalí **por** US 20 000.*
	En general, para indicar el precio no se utiliza preposición. Se utiliza **por** para indicar el resultado de una negociación. También se puede utilizar **a** cuando es un precio cambiante.	
	e) expresar una causa.	*No salía de su casa **por** miedo a enfermar.* *Esto te pasa **por** no hacerme caso.*
por	f) indicar el objeto o destinatario de un sentimiento o actitud.	*Laura sentía mucho cariño **por** él.*
—o→	g) expresar una finalidad.	*Gómez siempre luchó **por** la libertad de expresión.* *Jorge aceptó el cargo de gerencia **por** el dinero.*
	En general, para indicar la finalidad, se utiliza **para**. Solo se utiliza **por** para expresar el motivo.	
	h) introducir al agente de la voz pasiva.	*El incendio fue controlado **por** los bomberos.* *Este informe fue escrito **por** mí.*
salvo	excluir un elemento.	*Toda mi familia, **salvo** yo, vive en Buenos Aires.* *El médico le dijo que podía comer de todo, **salvo** chocolate.*
según	indicar conformidad.	*Compré un libro que enseña a alimentarnos **según** nuestra edad.* *__Según__ el médico, la enfermedad no es grave.*
sin	señalar la ausencia de algo o alguien.	*No es sano pasar muchas horas **sin** comer.* *__Sin__ entusiasmo nunca llegarás a ser un buen profesional.*

sobre	a) indicar posición superior (ver capítulo 8).	*No dejes la toalla mojada **sobre** la cama.* *El documento está **sobre** mi escritorio.*
	b) introducir el tema o argumento.	*El jefe acaba de convocarnos a una reunión para hablar **sobre** las metas para 2011.*
	c) indicar una hora aproximada.	*Mañana podemos desayunar **sobre** las 9:00.*
tras	a) indicar posterioridad en el tiempo.	***Tras** un mal año, la industria creció un 31%.* *La prueba del delito se descubrió **tras** una exhaustiva investigación.*
	b) indicar ubicación posterior en el espacio con relación a otra persona o cosa. (ver capítulo 8).	*Corrió **tras** el ladrón, pero no pudo alcanzarlo.*

3.1. Combinación de preposiciones

PREPOSICIONES COMBINADAS	USO/SIGNIFICADO	EJEMPLOS
hasta en hasta para hasta con hasta por	La preposición *hasta* da idea de intensidad y de énfasis a la segunda preposición.	*A este actor lo conocen **hasta en** la China.* *Carlos es tan vago que pide ayuda **hasta para** ir al baño.* ***Hasta con** cárcel serán sancionados quienes provoquen incendios forestales.* *En algunos países se pagan impuestos **hasta por** respirar. (= muchísimos impuestos).*
para con	Indica al beneficiario de determinada acción.	*Es un deber **para con** los invitados hacer que se sientan como en su casa.*
a por	Con verbos de movimiento, indica la finalidad u objetivo de la acción. Esta combinación es de uso poco frecuente en América.	*Alejandro, ve al supermercado **a por** un poco de verduras y frutas.* *Voy **a por** mi abrigo y ya salimos.*
de a	Seguido de un *número*, indica la cantidad de componentes de un grupo.	*Siéntense **de a** tres para corregir la tarea.* *Las mujeres van siempre **de a** dos al baño.*
	Seguido de *pie*, indica que no tiene otro medio de locomoción.	*Si estás **de a** pie, puedo acercarte en mi coche.*
	Seguido de *rato* es equivalente a *de vez en cuando*.	*En general mi jefe es muy tranquilo, pero **de a** ratos pierde la paciencia.*
	Seguido de *poco* equivale a *lentamente*. Esta combinación no se usa en España.	*Para evitar que se formen grumos, eche la harina **de a** poco.*

4. Ejercicios

4.1. Identifica

Lee los textos y realiza las actividades.

1-
Una mujer pide el divorcio porque su marido no se baña <u>desde</u> la boda.

2-
Telepizza: 3 individuales a 5 euros.

3-
Lo reconocieron por tener un brazo más corto que el otro. La Cámara del Crimen confirmó el procesamiento contra el acusado que fue reconocido por testigos.

4-
Lanzados tres nuevos tripulantes hacia la Estación Espacial Internacional. Está previsto que la nave llegue a la Estación este jueves.

5-
Madrid. Todo funcionó, excepto los buses.

6-
Arce, el primer teléfono móvil de madera.

a. Indica si las afirmaciones son verdaderas (V) o falsas (F).

Texto 1   El marido no se bañó el día de la boda. (F)

Texto 2   Cada *pizza* cuesta 5 euros. ( )

Texto 3   La persona que tiene un brazo más corto es un testigo. ( )

Texto 4   Los tres tripulantes salieron desde la Estación. ( )

Texto 5   Madrid estuvo sin autobuses. ( )

Texto 6   Arce es el primer teléfono celular fabricado con madera. ( )

b. Subraya las preposiciones que hay en las noticias y clasifícalas en el cuadro.

Preposición que...	
apunta la dirección de un movimiento o acción sin importar el destino final.	
localiza en el espacio.	
introduce al agente de la voz pasiva.	
indica un punto de origen en el tiempo.	desde
introduce el precio de algo.	
señala la ausencia de algo o alguien.	
introduce la materia de algo.	
se refiere a un destino.	
manifiesta una causa.	
señala un elemento que se excluye.	
indica resistencia u oposición.	

4.2. Practica

1. Marca la opción correcta.

a. Según/Sobre los hijos de Juana, ella no quiere hablar según/**sobre** sus problemas de salud con nadie.

b. Cuando la tormenta abandone la isla, se dirigirá **hacia**/para/por el continente, y se desplazará sobre/para/**por** varias ciudades costeras.

c. Acaban de traer el paquete con/en/**de** folletos y está entre/en/**sobre** tu mesa.

d. Antonio y yo nos encontramos ayer para/**a**/por la mañana y luego nos fuimos para/a/**por** su oficina a cerrar el contrato.

e. Stella Maris jamás ocultó su amor hasta/**por**/hacia Rubén: hacia/hasta/**incluso** lo declaraba abiertamente.

f. Menos mal que no llovió ni una vez **durante**/en/por las vacaciones. Es más, nos quedábamos en la playa hacia/**hasta** que se hacía la noche.

2. Completa los espacios con *de* o *a* + artículo determinado.

a. Los hijos ____de la____ vecina de enfrente nunca salen a jugar _____ calle.

b. Nos encontramos con Carmen cuando salíamos _____ cine.

c. Por favor, coloque la mesa _____ izquierda del sofá.

d. La casa de Julián queda _____ lado de una peluquería.

e. Belén quedó en pasar a buscarnos _____ 9:00.

f. Mariano fue _____ casa _____ padres de su novia.

g. Mi tío nunca habla _____ personas que conoció en Italia.

h. Pedro quiere hacer una fiesta e invitar _____ amigos _____ colegio.

3. Completa teniendo en cuenta los elementos que aparecen entre paréntesis.

a. Al final de cuentas, los chicos salieron de vacaciones (con/yo) _conmigo._

b. En el futuro, el mundo no será el mismo (sin/nosotros) _____, los humanos.

c. Será necesario enfrentar la situación (sin/tú) _____.

d. Alicia dice que se siente un poco decepcionada (con/ella) _____ misma.

e. Mascotas: cómo convivir (con/ellas) _____.

f. Este año será la primera Navidad que pasaremos (con/tú) _____.

g. ¡Es increíble! Hace ya 8 años que trabajamos (con/él) _____.

h. Empiecen la reunión (sin/yo) _____. Me voy a retrasar un poco.

4. Completa el espacio con el verbo correcto.

a. El presidente informó que no podrá __asistir__ a la inauguración. (asistir/estar)

b. Por más que lo intento no logro _____ de aquel dato. (acordarse/pensar)

c. Es difícil poder _____ en todo lo que se promete en las campañas. (justificar/creer)

d. Los anuncios _____ de dos partes: texto e imágenes. (tener/constar)

e. No cuesta nada _____ con un mundo un poco más justo. (desear/soñar)

f. Aunque no me guste, debo _____ de lo que me dicen. (acatar/desconfiar)

g. Si quieres ser un buen atleta, tienes que _____ a practicar ya. (empezar/intentar)

5. Reescribe cada uno de los titulares usando la preposición más adecuada de la caja.

con – para – desde – por – durante – hacia

a. Pasaje de bus costará 100 pesos más a partir de enero.

b. Bono podría visitar Malawi junto a Madonna.

c. ¿Cuántos libros leéis como media a lo largo de un año?

d. Huracán Earl rumbo a las Antillas Holandesas.

e. WWF propone potenciar la rehabilitación de viviendas con el objetivo de ahorrar energía).

f. Kings Of Leon suspenden un concierto debido a un ataque masivo de palomas.

4.3. Aplica

1. Completa el texto sobre el recorrido que unos turistas hacen por Barcelona usando el contenido de la caja. Ayúdate observando el plano.

a la izquierda – por las Ramblas – a pie – hasta la catedral de Barcelona – por el carrer de la Palla – a la derecha – de Plaza Catalunya

Ruta por Barcelona: Las Ramblas y el Barrio Gótico (1)

La visita la realizamos _____. Salimos _____ y caminamos _____. Encontramos, _____, el Palacio de la Virreina, el Mercado de San José y un poco más abajo el Gran Teatro del Liceo. Entre el Mercado y el Liceo, _____, por el carrer de la Boquería llegamos al Barrio Gótico y a la Plaza del Pi. Caminando _____ llegamos _____.

2. Observa el mapa y describe el camino que siguen otros turistas (en naranja). Puedes utilizar el texto del ejercicio anterior como modelo.

Ruta por Barcelona: Las Ramblas y el Barrio Gótico (2)
La visita.....

32

LAS LOCUCIONES PREPOSICIONALES

1. En contexto

1 **El número de divorcios a petición de la mujer se disparó en Marruecos en los últimos tres años.**

2 Si vende menos que la competencia, puede estar solamente satisfaciendo necesidades en lugar de crear deseos. Lo principal, en un mercado tan competitivo, es crear el deseo de un producto.

3 *«Ya es hora de que se dejen de privilegiar los beneficios económicos de la industria química a costa de la contaminación de nuestro medio ambiente»*, ha declarado Sara del Río, responsable de la campaña de tóxicos de Greenpeace.

4 **Crecen las ofertas de empleo pese a la crisis nacional.**

Marca en cada caso la opción correcta.

a) El texto 1 quiere decir que:
- ❏ aumentó el número de mujeres que pide el divorcio en Marruecos.
- ❏ aumentó el número de mujeres a las que les piden el divorcio en Marruecos.

b) En el texto 2, la expresión «en lugar de» puede ser sustituida con un sentido equivalente por:
- ❏ en vez de.
- ❏ donde.

c) La expresión subrayada en el texto 3 se podría reemplazar por la expresión de significado equivalente:
- ❏ a causa de.
- ❏ en perjuicio de.

d) El texto 4 quiere decir que:
- ❏ si bien hay crisis, las ofertas de empleo están creciendo.
- ❏ las ofertas de empleo crecen como consecuencia de la crisis.
- ❏ hay crisis, pero las ofertas de empleo crecen.

En las expresiones subrayadas en los textos, se combinan preposiciones con otras palabras como sustantivos (*en lugar de, a petición de, a costa de*) o verbos (*pese a*). A estas expresiones se las denomina **locuciones preposicionales**.

2. Las formas

Las **locuciones preposicionales** son expresiones constituidas por varias palabras y que tienen como característica que son formas fijas e invariables. Dado que es un grupo muy numeroso de expresiones, indicamos aquí algunas de las más usuales.

ESTRUCTURA DE LA LOCUCIÓN	EXPRESIONES
a) Sustantivo + preposición	cara a – frente a – gracias a – merced a – respecto de – rumbo a – camino de – lejos de...
b) Preposición + sustantivo + preposición	a costa de – a fuerza de – con referencia a – de acuerdo con/a – en lugar de – por culpa de – por parte de – bajo pretexto de – a base de – a cambio de – a cargo de – a causa de – a consecuencia de – a costa de – a diferencia de – a espaldas de – a excepción de – a falta de – a favor de – a fin de que – a gusto de – a juicio de – a manos de – a pesar de – a través de – con motivo de – con referencia a – con relación a – con respecto a – con vista a – de boca de – de parte de – en compañía de – en contacto con – en defensa de – en dirección a – a favor de – en frente de – en lugar de – en medio de – en sustitución de – por culpa de – por orden de...
c) Preposición + artículo + sustantivo + preposición	al cabo de – a la par de – con el propósito de – al lado de – al punto de – de la mano de – con el fin de...
d) Adjetivo/participio + preposición	conforme a – debido a – junto a – referente a – relacionado con...
e) Preposición + pronombre *lo* + adjetivo u oración + preposición	a lo ancho de – a lo largo de – en lo alto de – en lo que se refiere a – en lo referente a – por lo que respecta a...
f) Adverbio + preposición	fuera de – lejos de – cerca de...
g) Preposición + adverbio + preposición	a más de – en cuanto a – por encima de...
h) (Preposición) + verbo + preposición	a juzgar por – a partir de – a pesar de – pese a...
i) *Como* + sustantivo + preposición	como consecuencia de – como resultado de...

3. Los usos

USO	LOCUCIONES	EJEMPLOS
Expresan lugar (ver capítulo 8).	al lado de – fuera de – cerca de – lejos de – en lo alto de – a lo ancho de – a lo largo de – frente a – por encima de – en frente de – en medio de – junto a – por encima de – a través de	*El petróleo se ha disparado **por encima de** los 80 € el barril.* *__A lo largo de__ la avenida están las principales atracciones turísticas.*
Expresan dirección.	rumbo a – en dirección a	*El avión partió a las ocho, **rumbo** a Europa.*

Expresan acción conjunta.	junto a – a la par de – en compañía de – en contacto con	*Estudiantes universitarios marchan* **a la par de** *los médicos para pedir mayor presupuesto.*
Expresan tiempo.	a partir de – al cabo de – a punto de – después de – antes de	*Pedro enfermó, pero volvió a trabajar* **al cabo de** *diez días (= después de).* **A partir del** *próximo mes no se aceptarán pagos con tarjeta.* *Carlos está* **a punto de** *renunciar a su trabajo (= casi por).*
Expresan causa (ver capítulo 45).	por culpa de – gracias a – merced a – a fuerza de – a costa de – debido a – con motivo de – por culpa de – a falta de – a causa de	**Gracias a** *la operación recuperé el noventa por ciento de la visión.* **Por culpa de** *la operación, Pedro perdió la visión.* *Se graduó* **a costa de** *muchos sacrificios.* *La institución se mantiene* **merced a** *la ayuda de sus benefactores (= gracias a).*
Expresan finalidad (ver capítulo 46).	con el propósito de – con el fin de – con vista a – a fin de	*Se busca guitarrista* **con el fin de** *crear una banda de rock.* *Este sitio fue creado* **con el propósito de** *difundir la música del país.*
Expresan consecuencia (ver capítulo 48).	como consecuencia de – como resultado de – a consecuencia de	*Cuatro heridos* **como consecuencia de** *un choque entre dos automóviles.* *El éxito surgió* **como resultado de** *una intensa investigación.*
Expresan el modo como se realiza una acción.	a manera de – de la mano de – a espaldas de – a gusto de	*Quiero contarles,* **a manera de** *confesión, mis comienzos en el cine.* *Esta fue una reforma elaborada* **a espaldas del** *pueblo (= en ausencia, sin que se entere el pueblo).* *Este es un dominio de Internet creado* **a gusto de** *los usuarios.*
Expresan concesión: un obstáculo no impide que se cumpla determinado acontecimiento (ver capítulo 47).	a pesar de – pese a	*Mariana se casó* **pese a** *la oposición de sus padres.* *Fueron a la playa* **a pesar del** *mal tiempo.*
Para presentar un determinado tema o referirse a él.	en relación con – con relación a – con respecto a – con referencia a – en lo que se refiere a – en lo referente a – por lo que respecta a – en cuanto a – referente a	**En cuanto al** *consumo, se nota un considerable aumento (= en lo que se refiere a).* *Se ha realizado una encuesta* **referente a** *los bienes de consumo.* **En relación con/Con relación a** *la ropa, pedimos elegancia.* **Por lo que respecta a** *tus comentarios, la mayoría piensa que son acertados.*

¡Más!

La expresión **de acuerdo con** también puede usarse para expresar acuerdo o desacuerdo con algo o alguien:
Estoy **de acuerdo con** *este proyecto.*
No estoy **de acuerdo con** *José en sus ideas.*

Para hacer referencia a la fuente de una información.	de acuerdo con/a– conforme con/a	*De acuerdo con el último informe, ha disminuido la tasa de analfabetismo.* *Conforme con lo divulgado por la prensa, el ministro ha renunciado.*
Para expresar la procedencia o el origen.	por parte de – de parte de	*La policía investiga casos de corrupción por parte de algunas empresas.*
Para expresar la sustitución de una información por otra.	en lugar de – en sustitución de	*Me parece que, en lugar de trabajar, deberías continuar estudiando.*
Para justificarse mediante una causa aparente.	bajo pretexto de	*Dos jóvenes fueron encarcelados bajo pretexto de haber robado (= el motivo pudo haber sido otro).*
Para expresar la idea de cantidad.	a más de	*A más de diez años de la Ley del Consumidor, cada vez hay más delitos.*
Para introducir la interpretación de algo.	a juzgar por – a juicio de	*A juzgar por la foto, Carlos parece diez años menos de los que tiene.* *A juzgar por los resultados obtenidos, el proyecto fue todo un éxito.*

MÁS

Las locuciones preposicionales y las preposiciones

Algunas de las locuciones pueden sustituirse, con un significado equivalente, por una preposición simple.

PREPOSICIÓN	LOCUCIÓN	EJEMPLOS
En	en lo alto de, a lo largo de, en medio de	*A lo largo de/En esta avenida están las principales tiendas.*
Hacia	rumbo a, en dirección a	*Íbamos rumbo a/hacia la escuela cuando nos encontramos a José.*
Tras	al cabo de, como consecuencia de	*Me fui al cabo de/tras diez minutos de espera.* *Este informe surgió como consecuencia de/tras una larga investigación.*
Por	por culpa de, gracias a, a fuerza de, a costa de, debido a, bajo pretexto de, a juzgar por	*A juzgar por/Por tu cara, no pareces nada feliz.* *Pudimos juntar el dinero gracias a/por su ayuda.*
Para	con el fin de, con el propósito de	*Organizamos el recital con el fin de/para ayudar a las víctimas del terremoto.*
Según	de acuerdo con/a, conforme con/a	*De acuerdo con/Según el informe la empresa no ha crecido.*
Sobre	en relación con, con respecto a, en cuanto a, en lo que se refiere a	*No podemos decir nada en cuanto a/sobre la identidad del asaltante.*

4. Ejercicios

4.1. Identifica

Nico Pareja, rumbo a Rusia
El futbolista está a punto de fichar por un equipo ruso.

Próximo disco de Alejandro Sanz en compañía de Shakira.

3

Difunden el avistamiento de un OVNI por parte de la policía en la ciudad de Mercedes

4

Un año de buena cosecha en cuanto a calidad

5

Crean un plástico biodegradable a partir de la piel del tomate

Investigadores del Instituto de Ciencias Materiales de Sevilla y de la Universidad de Málaga han creado un plástico biodegradable procedente de la piel de tomate con aplicaciones en el campo de la alimentación y salud.

6

Un equipo encuentra restos de un dinosaurio, que ha recibido el nombre científico de *Turiasaurus riodevensis*. A juzgar por su tamaño, los investigadores calculan que el *Turiasaurus* debía pesar entre 40 y 48 toneladas.

1. Indica el número de la noticia al que corresponde cada afirmación.

a. Se comenta el lanzamiento del trabajo de un famoso músico. (2)
b. Se describen los restos hallados de un animal prehistórico. ( )
c. Se describen las buenas características de algunas frutas y verduras de este año. ( )
d. Se cuenta que se ha visto una supuesta nave desconocida. ( )
e. Se habla del país de destino de un futbolista. ( )
f. Se comenta el invento de un producto. ( )

2. Marca y clasifica las locuciones de los textos.

USO	LOCUCIÓN PREPOSICIONAL
Manifiesta idea de acción conjunta	en compañía de
Introduce la interpretación de algo	
Se refiere a un determinado tema	
Expresa idea de tiempo	
Indica procedencia	
Indica idea de dirección a un lugar	

4.2. Practica

1. Completa con las locuciones.

a. Arnaldo anda coqueteando _a_ espaldas _de_ su novia.

b. Alberto se quedará solo _____ culpa _____ su prepotencia.

c. Todos trabajamos ____ ____ par _____ mi padre en el taller.

d. Ya se hizo el depósito referente _____ los honorarios.

e. Te escribí una carta _____ __ propósito ____ mejorar nuestra relación.

f. El petróleo derramado por el barco ya se veía ____ ____ largo ____ toda la costa.

g. La confirmación de la renuncia salió _____ boca _____ su secretaria.

h. Mucha gente se muestra _____ favor _____ modificar algunas leyes.

2. Pon en orden las frases.

a. al – Vieron – a – una – conocida – escritor – modelo – junto.
    Vieron al escritor junto a una conocida modelo.

b. montañas – en – Los – las – cóndores – nidos – lo – hacen – alto – sus – de.
    _____

c. Óscar – Dieron – premio – a – resultado – un – de – trabajo – su – como.
    _____

d. pretexto – el – de – Aumentan – de – la – gasolina – combustible – bajo – escasez – de – precio.
    _____

e. cambio – fuerte – está – en – verano – relacionado – El – con – calor – el – climático.
    _____

f. partir – vuelos – número – de – de – El – agosto – aumentará – a.
    _____

g. con – energía – el – horario – el – de – Adelantan – ahorrar – fin.
    _____

h. Elvira – fuera – su – acostumbró – porque – se – a – vivir – regresó – de – ciudad – no.
    _____

3. Relaciona las locuciones que tienen la misma estructura.

a. merced a	**1.** a lo ancho de
b. a la par de	**2.** a más de
c. a pesar de	**3.** a partir de
d. como consecuencia de	**4.** camino de
e. conforme a	**5.** como resultado de
f. de boca de	**6.** con el fin de
g. en lo referente a	**7.** con referencia a
h. por encima de	**8.** debido a

4. Completa las frases utilizando las locuciones de la caja.

> conforme a – a pesar de – con el fin de – por encima de – a más de – como resultado de

a. La empresa dio vacaciones colectivas ___con el fin de___ reducir costes.

b. _____ las advertencias, nadie se retiró del recinto.

c. En algunas fábricas, se trabaja _____ lo estipulado.

d. _____ las normas de seguridad, hay que usar casco en esta obra.

e. El jugador obtuvo la titularidad _____ su esfuerzo en las prácticas.

f. La nueva moto de competición corre _____ 400 Km/h.

5. Subraya la opción correcta.

a. El cohete lanzado aún viaja **rumbo a**/cerca de la Luna.

b. Regresaron de la expedición **en compañía de**/al cabo de varias semanas.

c. Tuve que cancelar el viaje **por culpa de**/a pesar de una enfermedad.

d. Era tan transparente que no hacía nada **a espaldas de**/junto a sus compañeros.

e. Bajaron los impuestos **a la par de**/con el propósito de aumentar el consumo.

4.3. Aplica

Continúa el texto sobre «El ruido en las ciudades» expresando causa, consecuencia y finalidad. Utiliza los pares de frases de la caja uniéndolos con locuciones preposicionales.

> El mayor porcentaje de ruido - Motores de autos, camiones y motos.
> Revisar los escapes de los vehículos - Disminuir los niveles de contaminación sonora.
> La gente tiene mucho estrés - Contacto directo con altos niveles de decibeles.

El ruido en las ciudades

El ruido es considerado un serio problema de contaminación en las grandes ciudades.
Un estudio reciente reveló que _____
Para las personas este problema también es serio. El mismo estudio da cuenta de que

_____

Sin embargo, una de las medidas que se puede tomar es bastante simple: _____

_____.

La salud es una cuestión de todos.

LAS FORMAS NEUTRAS

1. En contexto

1 ➤ **Lo** bueno de viajar en pareja es que podemos prevenir muchas de las dificultades.

2

¿Qué es **aquello** que reluce
por los altos corredores?

Federico García Lorca (*Muerte de amor*)

3

Pregunta:
Contra el amor no
existen barreras.
¿Es **eso** verdad?

4 *Si **esto** no es amor, entonces*
¿qué le digo a mi corazón,
que por primera vez se equivocó?
*Tú dime si **esto** no es amor...*

(*Si esto no es amor*, 1991, éxito
del grupo puertorriqueño H2O)

5

La UNESCO advierte de que desaparecen muchas lenguas y con ello la herencia cultural de muchos pueblos.

Las palabras marcadas en los textos anteriores son formas neutras. Teniendo en cuenta los diferentes usos de las formas neutras en contexto, marca la respuesta correcta:

1. *lo bueno* (texto 1) se refiere…
  a) a un objeto. ☐
  b) a un concepto general. ☐

2. aquello y **esto** (textos 2 y 4) se refieren…
  a) a algo que no sabemos o queremos nombrar. ☐
  b) a algo dicho anteriormente. ☐

3. eso (texto 3) está retomando…
  a) la frase: «contra el amor no existen barreras». ☐
  b) algo que no podemos nombrar. ☐

4. ello (texto 5) está retomando…
  a) algo que no podemos nombrar. ☐
  b) la idea anterior: «desaparecen muchas lenguas». ☐

2. Las formas

Las formas neutras son invariables, o sea, no expresan género ni número. Nunca acompañan a un sustantivo y no se usan para referirse a una persona.

FORMAS	EJEMPLOS
El artículo neutro *lo*	*Lo* exuberante *no me agrada mucho (= todas las cosas que sean exuberantes/la idea de exuberancia).* *Lo* de mañana *será un gran evento (todas las cosas que estén relacionadas con lo que pasará mañana).*
Los demostrativos *esto – eso – aquello*	*¿Qué es* **esto**? *(No se sabe lo que es/se desconoce su nombre/no se quiere o puede mencionar).* *¿Por qué usas* **eso** *que te queda tan mal? (No sé sabe qué es/se desconoce su nombre/no se lo quiere o puede mencionar).* **Aquello** *que afirman en el periódico no sé si es verdad (no se quiere repetir la información).*
El pronombre personal *ello*	*Las instrucciones están aquí, así que me voy a poner a trabajar en* **ello** *(No se quiere repetir «en las instrucciones que están aquí»).*

3. Los usos

3.1. *Lo*

La principal función de **lo** es sustantivar palabras y expresiones, para formar conceptos generales.
La comida es muy buena, **lo malo** *es tener que esperar tanto por una mesa.*
Lo peor *del viaje fue que perdí el pasaporte.*

OTROS USOS	FORMAS	EJEMPLOS
1. En el registro coloquial, para hacer referencia a un lugar específico.	**lo de** + nombre de persona	*Mañana voy a* **lo de** Martina *(= a casa/al negocio de Martina).*
2. Para retomar una frase o idea.	**lo cual** **lo que**	*Llovió intensamente en toda la región, por* **lo cual** *declararon el estado de alerta.* **Lo que** *me dice María siempre es que vea el lado bueno de las cosas.*
3. Para referirse a algo que no se nombra, pero que está sobreentendido.	**lo que**	*Devuélveme* **lo que** *te di ayer.* **Lo que** *pasó entre Carlos y Marcela es inexplicable.*
4. Para referirse a un modo o al estilo de alguien.	**a lo** + adjetivo/nombre propio	*Se viste* **a lo** Jacqueline Kennedy *(= a su estilo, como ella lo haría).* *Comimos* **a lo** argentino*: mucha carne a la parrilla y unas empanadas.*

Expresiones hechas con el artículo neutro **lo**:

Lo de siempre → fórmula que expresa frecuencia, repetición.
Pasa **lo de siempre**: a la hora de pagar, todos desaparecen.
Lo de menos → fórmula que expresa poca importancia.
No te preocupes. Es **lo de menos** que te hayas olvidado de traerme el libro.
A **lo** grande → fórmula que expresa de modo ostentoso, grandioso.
Desde que le tocó la lotería, vive **a lo grande**.
Dar **lo** mismo → fórmula que expresa que no cambia nada, que da igual.
Da lo mismo ser un ingeniero o un peluquero, si no se es un buen profesional.

3.2. Esto, eso, aquello y ello

La principal función de los demostrativos neutros es referirse a algo que no se quiere o no se puede mencionar o repetir.

FORMAS NEUTRAS	USOS	EJEMPLOS
esto – eso – aquello	Para referirse a algo que no queremos o no podemos nombrar.	– ¿Qué es **esto**? – No te pongas nerviosa, mamá, ya te ordeno todo. – ¿Por qué te pones **eso** en la cabeza? – Te podrá parecer ridículo, pero me protege de los rayos solares. – ¿Qué es **aquello** que se ve a lo lejos? – No tengo ni idea.
Esto/eso/aquello de + infinitivo/sustantivo/**que** + verbo	Para retomar un asunto o idea mencionada anteriormente.	**¡Esto de** trabajar tanto no me está gustando nada! **Eso de** la crisis me aburre. **Aquello de que** te vas a trabajar al extranjero me preocupa.
esto – eso – aquello – ello	Para referirse a un asunto o idea mencionado antes sin explicarlo.	– Mañana empiezo a ir al gimnasio. – ¡**Eso** me parece muy bien! No te he llamado porque estoy estudiando para la prueba de física y **ello** me tiene muy ocupado.

Algunas expresiones con los demostrativos neutros:

Esto es → fórmula para introducir una información más sobre lo que se acaba de decir.
Recién llego el domingo. **Esto es**: no me esperen para la fiesta del sábado.
Eso es → fórmula que expresa acuerdo, confirmación.
– ¿Qué te parece? Fíjate y dime si lo hice bien.
– ¡**Eso es**! Lo has conseguido.
A **eso** de → fórmula para decir una hora aproximada.
Salgo de trabajar **a eso** de las 6 de la tarde.
En **esto** → fórmula para introducir un nuevo evento mientras se está desarrollando otro.
Nos pusimos a ver la televisión cuando empezaba la transmisión del partido. En esto nos cayeron visitas y nos quedamos sin ver los goles.
¿Y **eso**? → fórmula que expresa sorpresa.
– Sofía y yo rompimos ayer definitivamente.
– ¿Y eso?
– Ya no daba para más. La relación se desgastó mucho…

4. Ejercicios

4.1. Identifica

Lee los textos e identifica las afirmaciones correctas.

a)

La cuarta película de Almodóvar pone en evidencia las dificultades de un ama de casa

b)

Lo primero que entra por la vista es la belleza de una persona, pero eso no es lo más importante. Sin embargo, hay mucha gente que es muy superficial y que debido a eso dejan a sus parejas.

c)

Se propone un plan para ahorrar agua y hay amplio margen para ello, ya que España es uno de los países que más desperdicia sus recursos hídricos.

Texto a	Texto b	Texto c
(X) El título de la película expresa la tristeza de una mujer frente a su vida.	( ) La excesiva preocupación por la apariencia destruye relaciones.	( ) La posibilidad del plan es muy alta.
( ) La mujer no se queja de su vida, sino que la exalta.	( ) Aunque la gente superficial no esté de acuerdo, la belleza es fundamental.	( ) La posibilidad del plan es muy baja.

4.2. Practica

1. Marca la opción adecuada.

a. El/Lo reglamento es arbitrario. – El/Lo arbitrario del reglamento nos molesta a todos.

b. Esto/Este camino no tiene salida. – Esto/Este de haber elegido venir por aquí ha sido un error.

c. Ese/Eso precio por un traje es un robo. – No pago todo ese/eso por un traje.

d. Nadie sabe quién es **aquel/aquello** muchacho. – Nadie sabe qué es **aquel/aquello** que se ve a lo lejos.

e. Sofía ama tanto a Federico que haría cualquier cosa por **él/ello**. – Sofía se propuso salvar su matrimonio y para **él/ello** estaba dispuesta a hacer cualquier cosa.

2. Forma frases como en el ejemplo.

a. infantil en Juana – infantilidad de Juana – me irrita.
Lo infantil en Juana me irrita. > La infantilidad de Juana me irrita.

b. frustración – frustrante – ha sido no haber podido estar presente.
_____

c. emocionante de un campeonato – emoción de un campeonato – está en la rivalidad.
_____

d. dulzura de una persona – dulce en una persona – me seduce.
_____

e. inteligente – inteligencia – está de moda.
_____

f. suciedad de los muebles – sucio en los muebles – refleja el descuido de los moradores.
_____

g. limpio en esta casa – limpieza de esta casa – es mérito de Gretel.
_____

h. sencillo – sencillez – resplandece en cualquier situación.
_____

i. honradez de Horacio – honrado en Horacio – se nota en sus actos.
_____

3. Completa con *lo* o con *ello* según convenga.

a. Sofía sigue con ___lo___ de irse a estudiar al exterior. Sin embargo, a sus padres no les convence mucho la idea, y por _____ están un poco tensos.

b. _____ bueno de venir a comer a este restaurante es que el postre es gratis.

c. _____ de ayer, sin duda, fue inolvidable para todos.

d. Mañana rindo una asignatura difícil, por _____ no voy a ir a la fiesta de Araceli.

e. Es increíble _____ que sabe Enrique sobre ópera.

f. La reunión fue de _____ más productiva para todos. _____ se verá reflejado en los próximos proyectos.

g. Cuando éramos chicos, _____ de pelearnos era una rutina diaria. Ahora, somos muy amigos.

h. Emilio no era médico. _____ suyo era la alquimia.

i. Hoy comemos todos en _____ de la abuela.

4. Completa los espacios en blanco con las expresiones de la caja.

lo de siempre – esto es – lo de menos – a lo grande – ¿y eso? – da lo mismo – a eso de – en esto

a. – Buenas tardes, señor Fernández. ¿Qué desea hoy?
– Buenas tardes, don Fermín. ¡Tráigame lo de siempre!

b. – Silvia, es _____ que no hayas aprobado este examen, puesto que habrá otro dentro de un mes.

– ¡Cálmate y a prepararse mejor!

c. – ¿Y cómo te fue con Rocío?

– Regular, empecé a declararme, pero _____ llegó Miguel y me interrumpió.

d. – ¿A qué hora empieza la clase de rumba?

– Creo que _____ de las cinco.

e. – ¡Qué coche, Agustín! Felicitaciones. ¡Tú sí que vives _____!

– ¿Quieres dar una vuelta?

f. – ¿Qué te gustaría ver?

– A mí me _____, me gustan tanto las comedias como las películas de acción.

g. – Adiós y buena suerte. Ha sido un gusto trabajar contigo.

– ¿_____?

– Me han despedido, Jorge.

h. – Tenéis que terminar las tareas, bañaros, cenar, cepillaros los dientes y estar en la cama a las 22:00 en punto. _____: tenéis una hora y media para acostaros.

4.3. Aplica

Forma diálogos o textos en los que puedas insertar las siguientes frases:

«para ello tendremos que esforzarnos» – «lo barato sale siempre caro»

«en lo de Manuela a la 1:00 en punto» – «eso me tiene preocupado»

«aquello de irte al extranjero» – «¿qué es esto?»

_____

_____

_____

_____

_____

_____

_____

_____

_____

_____

EL FUTURO SIMPLE

1. En contexto

① **Ibrahimovic le dirá *sí* al Barça**

Zlatan Ibrahimovic, el futbolista del Inter de Milán, ha asegurado que si la oferta se concreta, a él le resultará una propuesta muy interesante.

②

«No me haréis fotos a la salida», anunció Cayetano

Cayetano Rivera, el joven torero, saldrá mañana de la clínica sevillana Sagrado Corazón donde ha permanecido ingresado cinco días.

③

«Tendremos menos ciclones tropicales en Cuba durante esta temporada», afirma un experto

④

¿Estará enferma mi tortuga? ¿Cómo saberlo?
por Miri_Guzmán

Hay una pregunta que se repite continuamente en los foros dedicados a las tortugas y es: *¿Estará enferma mi tortuga? ¿Cómo saberlo?* En estas líneas trataré de ayudar un poco a reconocer una tortuga enferma (de forma simple).

¿En qué texto se utiliza el futuro (palabra subrayada) para…

	dar un pronóstico sobre el tiempo?
	expresar duda, una hipótesis o una probabilidad?
	dar una orden?
	hablar de un acontecimiento futuro que se considera muy probable?

Todos los verbos marcados están en futuro simple. Este tiempo se usa para expresar acontecimientos futuros o hipótesis.

2. Las formas

2.1. Los verbos regulares

	CANTAR	COMER	VIVIR
yo	cantar**é**	comer**é**	vivir**é**
tú, vos	cantar**ás**	comer**ás**	vivir**ás**
él, ella, usted	cantar**á**	comer**á**	vivir**á**
nosotros, nosotras	cantar**emos**	comer**emos**	vivir**emos**
vosotros, vosotras	cantar**éis**	comer**éis**	vivir**éis**
ellos, ellas, ustedes	cantar**án**	comer**án**	vivir**án**

> **¡Atención!**
>
> Tienen la misma irregularidad en condicional simple (ver capítulo 35).

2.2. Los verbos irregulares

a) Verbos que pierden la vocal *e* de la terminación

	CABER	HABER	PODER	QUERER	SABER
yo	ca**bré**	ha**bré**	po**dré**	que**rré**	sa**bré**
tú, vos	ca**brás**	ha**brás**	po**drás**	que**rrás**	sa**brás**
él, ella, usted	ca**brá**	ha**brá**	po**drá**	que**rrá**	sa**brá**
nosotros, nosotras	ca**bremos**	ha**bremos**	po**dremos**	que**rremos**	sa**bremos**
vosotros, vosotras	ca**bréis**	ha**bréis**	po**dréis**	que**rréis**	sa**bréis**
ellos, ellas, ustedes	ca**brán**	ha**brán**	po**drán**	que**rrán**	sa**brán**

b) Verbos que cambian la vocal por *d*

	PONER	SALIR	TENER	VALER	VENIR
yo	pon**dré**	sal**dré**	ten**dré**	val**dré**	ven**dré**
tú, vos	pon**drás**	sal**drás**	ten**drás**	val**drás**	ven**drás**
él, ella, usted	pon**drá**	sal**drá**	ten**drá**	val**drá**	ven**drá**
nosotros, nosotras	pon**dremos**	sal**dremos**	ten**dremos**	val**dremos**	ven**dremos**
vosotros, vosotras	pon**dréis**	sal**dréis**	ten**dréis**	val**dréis**	ven**dréis**
ellos, ellas, ustedes	pon**drán**	sal**drán**	ten**drán**	val**drán**	ven**drán**

Se forman igual los derivados de estos verbos:

poner → *componer, disponer, imponer, proponer, suponer*
salir → *sobresalir*
tener → *contener, detener, entretener, mantener, obtener, retener, sostener*
venir → *convenir, devenir, intervenir, prevenir, provenir*

c) Verbos que pierden *ce* o *ci*

	HACER	DECIR
yo	haré	diré
tú, vos	harás	dirás
él, ella, usted	hará	dirá
nosotros, nosotras	haremos	diremos
vosotros, vosotras	haréis	diréis
ellos, ellas, ustedes	harán	dirán

¡Atención!

Además de esta irregularidad, el verbo *decir* cambia la **e** por **i**.

Se forman igual los derivados de estos verbos:

decir → *desdecir*
hacer → *rehacer, deshacer, satisfacer*

¡Atención!

Bendecir, maldecir y *predecir* son regulares: *bendeciré, bendecirás…, maldeciré, maldecirás…, prediciré, predecirás…*

3. Los usos

SE UTILIZA EL FUTURO SIMPLE PARA…	EJEMPLOS
a) expresar acontecimientos futuros. Normalmente se usa para expresar algo hipotético o probable en el futuro, pero no seguro.	**Pasaremos** la primavera en París. Ya hemos hecho las reservas. Aquí **construirán** la sede de la nueva universidad. Quédese tranquila, señora, su pedido **llegará** el miércoles. Si seguimos contaminando el medio ambiente, en unos años no **habrá** agua para tomar.
b) hablar sobre el pronóstico meteorológico.	Mañana la temperatura no **bajará** de los 30 ºC. Esta noche **habrá** heladas en todo el sur del país.
c) expresar probabilidad, conjetura.	Sofía está mareada y con náuseas, ¿**estará** embarazada? El hijo mayor de tío Toto **tendrá** ahora unos 50 años. Mi pueblo **quedará** a unos 100 km de aquí, no más que eso.
d) dar órdenes (ver capítulo 26).	Durante mis clases no **atenderán** llamadas de celular. Tu padre y yo no estamos dispuestos a mantenerte. Así que de ahora en adelante **estudiarás** y **trabajarás**. No **matarás**.

e) expresar extrañeza o reprobación.	*Niños, ya les he dicho que ordenen el dormitorio. ¿**Será** posible que no obedezcan? Mira si **será** irresponsable Víctor que dejó a los niños solos en casa y salió con los amigos.*
f) poner una objeción o rechazo. **¡Atención!** En este caso, le sigue una información introducida por un conector adversativo como *pero* o *sin embargo*.	*Juan **estudiará** mucho, pero siempre le va mal en los exámenes.* ***Tendrá** mucho dinero; sin embargo, vive como un miserable.*
g) dar una idea imprecisa, no concreta ni definida. Va siempre con el adverbio *ya*.	*Bueno, adiós. Ya te **llamaré** un día de estos y quedamos.* *No se me ocurre una solución, ya **veremos** qué hacemos.*

MÁS

OTRAS EXPRESIONES PARA HABLAR DE EVENTOS FUTUROS	EJEMPLOS
– Para expresar la intención de hacer algo en el futuro: **ir a** + infinitivo y **pensar** + infinitivo.	*Mañana **voy a retirar** el auto que me compré.* *El año que viene Roberta **piensa tomarse** un año sabático para terminar de escribir la novela.*
– Para expresar la voluntad de hacer algo en el futuro: **querer** + infinitivo.	*Miguel **quiere estudiar** Medicina y ser cirujano como su padre.*

CONTRASTE DE TIEMPOS	
El presente para expresar eventos futuros	**El futuro**
El hablante presenta la información como algo efectivo. *Mañana nos **vamos** de excursión, ¿vienes con nosotros?*	El hablante presenta la información como una posibilidad o conjetura. *Si hace bueno, **iremos** de excursión.* *¿Te llamo si vamos?*
Imperativo	**El futuro para dar órdenes**
Se usa cuando los hablantes tienen una relación de confianza o cuando el hablante ocupa una posición jerárquica más alta que el oyente. ***Ponte** el pijama, **lávate** los dientes y a dormir.* *Rosa, **llame** al Dr. Estévez y **cancele** la cita.*	Se usa para dar órdenes categóricas que deben ser cumplidas. *No **robarás**.* *De aquí en adelante **harás** lo que yo diga.*

4. Ejercicios

4.1. Identifica

1. Lee los textos y marca los verbos en futuro.

1

Al menos 400 parejas indígenas se casarán en Bolivia ante la deidad Pachamama

2

HABRÁ VIENTOS DE HASTA 60 KM/H

Un frente frío entrará hoy a la Península de Yucatán con vientos de alrededor de 60 km por hora y un importante descenso de las temperaturas.

3

En este foro, los que participamos por lo menos una vez por semana seremos unos 150, o sea, no todos.

5

Si él quiere volver a embarcarse con su pierna de palo […] que vaya en buena hora, y Dios quiera que no vuelva a aparecer por aquí…, pero tú no irás, Alonso, porque estás enfermo.
Trafalgar, de Benito Pérez Galdós

4

La ropa blanca será muy linda, pero es odiosa de lavar, ¿verdad? Además, la ropa blanca suele ponerse enseguida amarillenta. Te contamos qué tienes que hacer para mantenerla siempre blanca.

2. Transcribe las oraciones en las que el futuro simple se usa para...

a. hablar sobre el pronóstico meteorológico.

habrá vientos

b. poner una objeción.

pondrá

c. dar una orden.

dará

d. expresar un acontecimiento futuro.

expresará

e. expresar probabilidad o conjetura.

4.2. Practica

1. Conjuga los verbos del cuadro.

	DAR	TENDER	PEDIR
yo	daré	tenderé	
tú, vos	darás	tendrás	
él, ella, usted	dará		
nosotros, nosotras	daremos		
vosotros, vosotras	daréis		
ellos, ellas, ustedes	darán		

2. Completa la tabla con las formas verbales que faltan.

VERBO	yo	tú	él, ella, usted	nosotros/as	vosotros/as	ellos/as, ustedes
Haber		habrás				
			cabría			
						tendrán
					saldréis	
				pondremos		
	podré					

3. Completa con los verbos en futuro simple.

a. Dicen que este verano ___será___ (ser) el más caluroso del siglo.

b. Unos pantalones en esa tienda costarán (costar) unos 500 euros.

c. ¿Os quedaréis (quedar) en Santiago mucho tiempo?

d. La sinfónica de Medellín tocás (interpretar) obras de músicos contemporáneos.

e. Ramón y yo nos casaremos (casarse) en julio.

f. A fin de año iré (ir/yo) a Perú para pasar las fiestas con mi familia.

4. Completa los espacios con uno de los verbos de la caja conjugado en futuro simple.

salir – decir – tener – obtener – ~~caber~~ – componer

a. ¿___Cabremos___ todos en un solo taxi? Mejor pedimos dos autos.

b. Mi secretaria _____ de vacaciones la semana que viene y no encuentro una sustituta.

c. Hoy trabajo hasta más tarde y no _____ tiempo de pasar por el supermercado.

d. Los interesados _____ más informaciones visitando nuestro sitio web.

e. ¿Para vuestro nuevo álbum _____ temas románticos o roqueros?

f. No les _____ nada a tus padres si me prometes no volver a hacerlo.

5. Completa los espacios en blanco con un verbo de la caja conjugado en futuro simple, presente o pretérito perfecto simple (indefinido).

conducir – dar – ~~presentar~~ – estrenar – permitir – tener – ser

Ayer, la escudería Ferrari __presentó__ el nuevo monoplaza que _____ esta temporada Fernando Alonso y Felipe Massa en el Mundial de Fórmula 1.

Hoy por la tarde, si las condiciones meteorológicas lo _____, el monoplaza _____ sus primeras vueltas en público en el circuito de Fiorano.

Los primeros entrenamientos oficiales del coche _____ lugar los días 1, 2 y 3 de febrero. Felipe Massa _____ el primero en realizar los ensayos y Alonso _____ al volante del Ferrari el día 2.

4.3. Aplica

1. Lee el texto y responde las preguntas.

En Pekín se ha presentado hoy el nuevo medio de transporte con el que se espera solucionar los descomunales atascos que afligen a la ciudad. El próximo año, la capital asiática comenzará a ver estos extraños vagones. El vehículo es una mezcla de autobús y tranvía elevado que dejará libres los carriles por donde circulan los coches. De esta forma se ampliará la capacidad de cada calle y avenida. Además aumentará la cantidad de usuarios del transporte público por su mayor tamaño y sobre todo velocidad, ya que no tendrá que parar si encuentra un atasco, animando aun a más gente a usarlo. Y por último, como el vehículo será movido a electricidad, disminuirá la contaminación del aire, algo muy necesario en una ciudad en la que hay días que no se puede pisar la calle sin mascarilla.

Adaptado de http://www.proyectosinergias.com/2010/09/este-es-el-futuro-de-los-medios-de.html

a. ¿Cómo será el nuevo medio de transporte?

b. ¿Qué beneficios traerá su uso?

2. Presenta uno de los siguientes productos. Utiliza el texto anterior como modelo.

	Descripción	Beneficios
	Lavadora sin detergente Usa vapor de agua en vez de agua	Menos contaminación ambiental Consume 35% menos de agua Consume 21% menos de energía
	Chaqueta inteligente Aspecto deportivo Sensores que regulan temperatura	Calienta automáticamente cuando hace frío Ilumina por la noche Registra el ritmo cardíaco

1. En contexto

1

Unos investigadores diseñan una torre de energía que <u>tendría</u> poder para abastecer 15 planetas.

2 Si estás pensando en pintar tu casa, yo que tú consultaría este catálogo.
Es de bastante buen gusto y tiene unos colores preciosos.

3

Houdini inició su carrera en 1882 como trapecista, pero luego se haría famoso por sus espectáculos de magia y escapismo.

4 Ahora me **tomaría** una tarrina de helado de chocolate. Pero estoy seguro de que en mi casa no queda nada.

Marca la opción correcta en cada uno de los casos:

Texto 1	❏ **a)** Es seguro que la torre de energía tiene el poder de abastecer 15 planetas.
	❏ **b)** Es posible que la torre de energía tenga el poder de abastecer 15 planetas.
Texto 2	Quien escribe… ❏ **a)** va a consultar el catálogo.
	❏ **b)** le aconseja al lector consultar el catálogo.
Texto 3	Houdini… ❏ **a)** fue un trapecista y un mago famoso.
	❏ **b)** primero fue trapecista y después, un mago famoso.
Texto 4	Quien escribe… ❏ **a)** desea tomarse un helado de chocolate.
	❏ **b)** está a punto de tomarse un helado de chocolate.

Todos los verbos marcados están en condicional simple. Este tiempo se usa para indicar que no se está seguro de la veracidad de lo que se informa: *Unos investigadores diseñan una torre… que tendría poder para abastecer 15 planetas* (texto 1); para dar consejos: *… yo que tú consultaría este catálogo* (texto 2); para hablar de acontecimientos futuros con relación a un acontecimiento pasado: *Houdini inició su carrera en 1882…, pero luego se haría famoso por sus espectáculos de magia y escapismo* (texto 3); para expresar deseos: *Ahora me tomaría una tarrina de helado de chocolate* (texto 4).

2. Las formas

2.1. Los verbos regulares

	CANTAR	COMER	VIVIR
yo	cantaría	comería	viviría
tú, vos	cantarías	comerías	vivirías
él, ella, usted	cantaría	comería	viviría
nosotros, nosotras	cantaríamos	comeríamos	viviríamos
vosotros, vosotras	cantaríais	comeríais	viviríais
ellos, ellas, ustedes	cantarían	comerían	vivirían

2.2. Los verbos irregulares

> **¡Atención!**
>
> Tienen la misma irregularidad en futuro simple (ver capítulo 33).

a) Verbos que pierden la vocal *e* de la terminación

	CABER	HABER	PODER	QUERER	SABER
yo	cabría	habría	podría	querría	sabría
tú, vos	cabrías	habrías	podrías	querrías	sabrías
él, ella, usted	cabría	habría	podría	querría	sabría
nosotros, nosotras	cabríamos	habríamos	podríamos	querríamos	sabríamos
vosotros, vosotras	cabríais	habríais	podríais	querríais	sabríais
ellos, ellas, ustedes	cabrían	habrían	podrían	querrían	sabrían

b) Verbos que cambian la vocal por *d*

	PONER	SALIR	TENER	VALER	VENIR
yo	pondría	saldría	tendría	valdría	vendría
tú, vos	pondrías	saldrías	tendrías	valdrías	vendrías
él, ella, usted	pondría	saldría	tendría	valdría	vendría
nosotros, nosotras	pondríamos	saldríamos	tendríamos	valdríamos	vendríamos
vosotros, vosotras	pondríais	saldríais	tendríais	valdríais	vendríais
ellos, ellas, ustedes	pondrían	saldrían	tendrían	valdrían	vendrían

Se forman igual los derivados de estos verbos:

poner → *componer, disponer, imponer, proponer, suponer*
salir → *sobresalir*
tener → *contener, detener, entretener, mantener, obtener, retener, sostener*
venir → *convenir, devenir, intervenir, prevenir, provenir*

c) Verbos que pierden *ce* o *ci*

	HACER	DECIR
yo	haría	diría
tú, vos	harías	dirías
él, ella, usted	haría	diría
nosotros, nosotras	haríamos	diríamos
vosotros, vosotras	haríais	diríais
ellos, ellas, ustedes	harían	dirían

¡Atención!

Además de esta irregularidad, el verbo *decir* cambia la **e** por **i**.

3. Los usos

SE UTILIZA EL CONDICIONAL SIMPLE PARA...	EJEMPLOS
a) pedir cosas de forma cortés.	*¿Me **traerías** un vaso de agua, por favor?*
b) mostrar modestia.	*Yo **diría** que esto no se hace así.*
c) hacer sugerencias y dar consejos.	*¿No te sientes bien? Yo que tú **iría** al médico.*
d) expresar deseos imposibles o de difícil realización.	*Me **dormiría** una siesta, pero tengo que estudiar.* *Me **encantaría** ir al cine con ustedes.*
e) hacer conjeturas en relación a un evento pasado.	*Yo **tendría** 10 años cuando nos mudamos.*
f) transmitir una información de cuya veracidad no se tiene certeza.	*Según dicen, su estado de salud **sería** grave.*
g) hablar de acontecimientos futuros que se consideran posibles, pero improbables.	*Si tuviera mucho dinero, **dejaría** de trabajar.*
h) hablar del futuro con relación a un evento pasado.	*Marisa confirmó que **vendría** a visitarnos con su marido.* *Una vidente le dijo que **se casaría** a los 20 y así sucedió.*

MÁS

CONTRASTE DE TIEMPOS	
Ir (en imperfecto) *a* + infinitivo	El condicional
El hablante presenta la información como los planes o proyectos que tenía alguien. *Marisa confirmó que **iba a venir** a visitarnos con su marido.*	El hablante presenta la información como una posibilidad o conjetura que había. *Marisa suponía que **llegarían** a las seis.*
El pretérito imperfecto de indicativo	El condicional
El hablante presenta la información como una certeza, un hecho. *Me acuerdo que yo **tenía** quince años cuando mis padres cambiaron de pueblo.*	El hablante presenta la información como una posibilidad, como una idea aproximada. *Yo calculo que **tendría** unos quince años cuando cambiamos de pueblo.*

4. Ejercicios

4.1. Identifica

Lee los textos e indica si son verdaderas (V) o falsas (F) las frases.

1

La línea G se empezaría a hacer en 2011

El Gobierno porteño confirmó ayer que a principios del año que viene podría comenzar a desarrollarse la nueva línea G de subtes, que uniría Retiro con Caballito, y cuyo proyecto estaría financiado por una empresa china.

2

Agosto 14, 2010 11:17 a.m.

por **Paco**: Si tenéis la intención de ir en tren a Zarautz, tendríais que bajar en el apeadero de San Pelayo. Luego, desde ahí deberíais ir andando hasta Asti.

3

A los diez años, el futbolista camerunés Samuel Eto o ingresó en la escuela de fútbol Brasseries, dirigida por Joseph Siewe, que se convertiría en su mejor instructor y consejero. Brasseries consiguió que Samuel entrara en un equipo profesional a los doce años.

4 Tendría unos 16 años cuando me topé en un estante de libros con *El hombre que calculaba.* No bien comencé a ojearlo me hechizó. (HÉCTOR A. GARCÍA)

Salones de belleza serían promotore de una buena alimentación

5 NUEVA YORK (Reuters Health)

Una conversación sobre la importancia de comer frutas y verduras durante un corte de cabello o una tintura estimularía a los clientes a comer mejor y a eliminar los kilos de más.

Un estudio reciente realiza Nueva York ha revelado q peluquerías serían el lugar para divulgar ese tipo de mación que ayudaría a re el problema de la obesida

Texto 1	El periódico afirma que en el 2011 el gobierno comenzará a construir la línea G del metro.	V
	Según el periódico, es probable que una empresa china financie el nuevo metro.	☐
Texto 2	Para llegar en tren a Zarautz hay que bajarse en San Pelayo y luego caminar hasta Asti.	☐
	Paco no sabe si es posible bajarse del tren en San Pelayo.	☐
Texto 3	Joseph Siewe fue el mejor entrenador del futbolista camerunés.	☐
	El jugador tuvo otros entrenadores mejores que Siewe.	☐
Texto 4	Héctor no recuerda exactamente qué edad tenía cuando leyó *El hombre que calculaba.*	☐
	A Héctor le encantó ese libro.	☐
Texto 5	Los peluqueros suelen dar consejos sobre buena alimentación mientras le cortan o le tiñen el pelo a sus clientes.	☐
	Las peluquerías pueden ayudar a mejorar los hábitos alimenticios de sus clientes, pero aún no lo hacen.	☐

4.2. Practica

1. Completa el cuadro con las formas del condicional simple e indica si son:
   - regulares (R)
   - irregulares que pierden la vocal *e* de la terminación del infinitivo (I1)
   - irregulares que cambian la vocal por *d* (I2)

VERBO	yo	tú	él, ella, usted	nosotros/as	vosotros/as	ellos/as, ustedes
Caber ( )	cabría					
Saber ( )						
Tener ( )						
Querer ( )						
Poner ( )						
Poder ( )						
Contribuir ( )						

2. Completa los espacios con el verbo en condicional simple.

a. Sofía, ¿me _acompañarías_ (acompañar) a la casa de Maitena? Es que ya es tarde y no quiero ir sola.

b. ¿_____ (Poder/usted) mostrarme el anillo con la piedra roja?

c. Con gusto me _____ (tomar) un café contigo, pero me esperan en casa.

d. Nosotros no _____ (saber/nosotros) qué hacer ante una situación de violencia.

e. El profesor nos dijo que no nos _____ (imponer) temas, que los asuntos los _____
(elegir) entre todos.

f. Sonia pagó 2000 euros por una alfombra que no _____ (valer) más que 500.

g. De ser más sensata, no _____ (salir) con ese tipo de gente.

h. Yo, en tu lugar, no me _____ (poner) un vestido tan corto para ir a trabajar.

i. _____ (Ser) las 3 de la mañana cuando sonó el teléfono.

j. La secretaría nos informó de que el director_____ (viajar) a México en unos días.

3. Responde las preguntas con una conjetura. Utiliza la información entre paréntesis.

a. ¿Cuántas personas había en la fiesta? _____ Habría doscientas personas _____ (200 personas)

b. ¿Qué hora era cuando saliste de la oficina? _____ (19:00)

c. ¿Qué edad tenía Ruth cuando se casó? _____ (19 años)

d. ¿Cuánto medía la alfombra que vimos en la tienda. _____ (2 m x 1,5 m)

e. ¿Quién era la chica que estaba con Javier en la fiesta? _____ (la novia)

f. El coche del tío Paco era inmenso. ¿Cuántas personas cabían? _____(10)

4. Relaciona.

1. Hablar de acontecimientos futuros que se consideran improbables.
2. Pedir cosas de forma cortés.
3. Expresar deseos imposibles o de difícil realización.
4. Transmitir una información insegura.
5. Hacer conjeturas en relación con un evento pasado.
6. Hablar del futuro con relación a un evento pasado.
7. Hacer sugerencias y dar consejos.

a. ☐ Iríamos con ustedes a cenar, pero no podemos.
b. ☐ Mis primos vivían en una casa muy pequeña que no tendría más de 50 metros cuadrados.
c. ☐ ¿Podrías recoger hoy tú a los niños en el colegio?
d. ☐ Pareces cansada y estás muy delgada. Yo que tú, me alimentaría mejor.
e. ☐ Dicen que el gobierno estaría dispuesto a reducir los impuestos.
f. ☐ Si invirtierais más en publicidad, aumentarían las ventas.
g. ☐ En 1780 el pintor se mudó a París donde se consagraría como uno de los artistas más importantes de su tiempo.

4.3. Aplica

1. Lee la letra de la canción y responde.

¿Qué expresa el condicional en el texto? _____

Yo que tú (Sergio Dalma)

Yo que tú, no la perdería,

yo que tú, la llamaría ya,

yo que tú, me lo pensaría,

yo que tú, ojalá.

Es tu amor y tu amor solo pasa una vez

y después se te casa,

es tu amor, yo lo he visto en tus ojos,

tómalo que si no se te escapa.

Yo que tú, la perseguiría hasta donde sea,

yo que tú, me la llevaría, como el mar,

como la marea.

Yo que tú, no lo pensaría,

ella es tu mujer total,

luego no me digas que se fue

y te sientes mal.

2. Utiliza la canción como modelo y elabora consejos para las siguientes situaciones:

Situación 1: una madre a su hijo adolescente al que le va mal en el colegio.

Situación 2: un médico a un paciente muy excedido de peso.

Situación 3: un entrenador a un jugador sin disciplina deportiva.

36

EL GERUNDIO

1. En contexto

1

■ Motociclismo/GP

ANDREA DOVIZIOSO (HONDA):
«*Vamos a competir habiendo aprendido mucho de la primera prueba*».

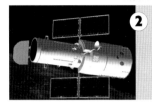

2 EL TELESCOPIO ESPACIAL HUBBLE FOTOGRAFIÓ UN PEQUEÑO OBJETO ORBITANDO CERCA DE UNA ESTRELLA DE TIPO SOLAR

3

Johnny Depp
se casa en abril

Lo vieron comprando un anillo

Los rumores esta vez surgieron porque vieron a Johnny comprando un anillo de compromiso en California.

4

?

¿Qué beneficios obtengo contratando este programa?
Si lo contratas, recibirás apoyo técnico gratis.

---

a. Marca la alternativa correcta.

Texto 1   a) Dovizioso aprendió mucho antes.
              b) Dovizioso aprendió mucho en ese momento.

Texto 2   a) Se descubrió un pequeño objeto que gira alrededor de una estrella.
              b) El telescopio gira alrededor de una estrella.

b. Completa con información de los textos 3 y 4.

Dicen que Johnny Depp se va a casar, porque _____

Puedo recibir apoyo técnico _____

Todas las palabras subrayadas en los textos son verbos en gerundio, que es una forma verbal invariable.

2. Las formas

El gerundio, como el infinitivo, puede tener dos formas.

	SE FORMA CON...	EXPRESA...	EJEMPLOS
Gerundio simple	las terminaciones -**ando** (verbos terminados en -**ar**) y -**iendo** (verbos terminados en -**er** y en -**ir**) cant**ando**/aprend**iendo**/viv**iendo**	una acción durativa, anterior o simultánea a otra	*Siempre corro* **escuchando** *música.* **Aprendiendo** *Matemáticas se te abrirán muchas puertas.*
Gerundio compuesto	el gerundio de **haber** + participio: *habiendo estado/aprendido*	una acción durativa, terminada en el pasado	*Vamos a Japón* **habiendo aprendido** *mucho de la primera prueba en Qatar.*

2.1. Los verbos irregulares

LOS VERBOS	IRREGULARIDAD	VERBOS CON LA MISMA IRREGULARIDAD
terminados en -*ir* que en presente cambian *e* por *ie* y *e* por *i*.	Cambia *e* por *i*. pedir → pidiendo	advertir, competir, concebir, conseguir, consentir, corregir, convertir, decir, derretir, despedir, digerir, divertir, elegir, freír, herir, hervir, invertir, impedir, medir, mentir, pedir, preferir, reír, rendir, reñir, repetir, seguir, sentir, servir, sonreír, sugerir, teñir, transferir, vestir, etc.
dormir, morir y poder.	Cambian *o* por *u*. dormir → durmiendo	
cuya raíz termina en vocal.	caer → cayendo creer → creyendo excluir → excluyendo	atribuir, concluir, construir, contribuir, destruir, disminuir, distribuir, excluir, incluir, influir, intuir, leer, restituir, sustituir, traer, etc.
ir.	ir → yendo	

2.2. El gerundio y los pronombres complemento

Cuando el gerundio está acompañado por un pronombre de objeto directo u objeto indirecto, el pronombre va detrás y unido al verbo.

Quedándote *en casa nunca conocerás al hombre de tus sueños.*
El texto es difícil, pero **leyéndolo** *con atención podrás entenderlo.*

> **¡Atención!**
>
> El gerundio se escribe con acento cuando está acompañado de uno o más pronombres.

3. Los usos

3.1. El gerundio como adverbio

Indica una acción que tiene duración en el tiempo.
Siempre corro **escuchando** *música.*
Aprendiendo **Matemáticas** *se te abrirán muchas puertas.*
No entiendo cómo, **habiendo sido** *tan rico, acabó en la pobreza.*

VALORES

a) Explica cómo se realiza una acción.	*Estamos seguros de que **estudiando** un poco aprobarás el examen. (¿Cómo aprobarás? → estudiando).*
b) Sitúa en el tiempo: 　1. Indica que la acción ocurre al mismo tiempo que otra. 　2. Indica que una acción ocurre antes que otra.	*Juan estaba tan cansado que se durmió **estudiando** (se durmió mientras estudiaba).* *Pedro siempre estudia **escuchando** música (estudia y escucha al mismo tiempo).* *Resolvieron el problema **contratando** a dos empleados nuevos (primero se contrata, después se resuelve el problema).* *Nos conocimos **actuando** en una pieza de teatro. (nos conocimos cuando actuábamos…).*
c) Introduce una condición (la condición es la manera en que se realiza la acción).	***Viajando** <u>en</u> <u>avión</u> no apreciarán el paisaje (si viajan en avión, no apreciarán el paisaje).* ***Luchando** <u>mucho</u> conseguirán lo que se proponen (si luchan, conseguirán lo que se proponen).*
d) Explica el propósito de una acción.	*Me escribió una carta **contándome** que había conseguido trabajo (escribió para contarme que…).*
e) Introduce una causa.	***Considerando** que los resultados de la encuesta son poco claros, sugiero hacer otra (como los resultados son poco claros…).* ***Habiendo terminado** el trabajo, se marcharon (como habían terminado…).*
f) Expresa oposición.	***Sabiendo** que me sentía mal, mi jefe me pidió trabajar hasta más tarde (aunque mi jefe sabía que no me sentía bien, me pidió trabajar más).*

¡Atención!

El gerundio **no** se utiliza para indicar que una acción ocurre después que otra.
Es incorrecto: *El batallón luchó heroicamente **perdiendo** muchos soldados.*

3.2. El gerundio como adjetivo

El gerundio funciona como adjetivo con verbos de percepción como *ver, oír, mirar, notar, recordar, encontrar,* etc.
<u>Vio</u> al ladrón **huyendo** por la ventana.
<u>Fotografió</u> unas mujeres **bailando**.

3.3. El gerundio en grupos verbales

El gerundio puede combinarse con otros verbos para formar perífrasis (ver capítulo 37).
*¿Qué estás **haciendo** ahora?*
*Andan **buscando** a Juan, pero nadie sabe dónde está.*

4. Ejercicios

4.1. Identifica

Lee los textos y realiza las actividades propuestas.

1 Detenido por conducir habiendo perdido la totalidad de los puntos

PRODUCTOS COSMÉTICOS

2 Comprando <u>dos</u> o más productos de cualquier línea obtendrás **10%** de descuento

3  Alfiler de Gancho — Estudio de Moda

Cuevas y Coloma son amigas desde hace años, se conocieron trabajando en la misma empresa y hace un año decidieron probar a hacer sus propios diseños.

5 64 años creyendo en el país y construyendo medios argentinos

Clarin.com

4

Agricultura y Arte:
Crear turismo rural divirtiéndose
En Japón algunos agricultores combinan sus labores agrícolas con actividades lúdicas creando así bellas imágenes en el seno de sus campos de arroz.

6 **Escuela Secundaria Estatal**
No. 3012 de Ciudad Juárez, Chihuahua

Considerando que las Matemáticas son el temor de los alumnos, es importante que los profesores usen herramientas que las hagan más interesantes.
El uso de calculadoras en combinación con el Navegador TI han logrado despertar en los alumnos el interés, que los acerca al conocimiento.

7 **19 de mayo de 2010**
Fernando de Cordoba Jorge Serrano, uno de nuestros lectores más activos, nos escribe contándonos las dificultades que tiene para conseguir los cupones mensuales de su abono transporte de familia numerosa.

a. Marca la(s) alternativa(s) correcta(s).

Texto 1	El conductor perdió los puntos: **a.** cuando lo detuvieron. **b.** antes de que lo detuvieran. [X] **c.** después de que lo detuvieron.
Texto 2	Si compras dos productos: **a.** no puedes participar de la oferta. **b.** puedes participar de la oferta. ✓
Texto 3	La secuencia de eventos narrada es: **a.** Cuevas y Coloma se conocieron trabajando en una empresa/se hicieron ✓ amigas/montaron su propio estudio de diseño. **b.** Cuevas y Coloma se conocieron antes de trabajar en la misma empresa/se hicieron amigas/montaron su propio estudio de diseño.
Texto 4	Los japoneses: **a.** crean turismo rural mientras se divierten. ✓ **b.** crean imágenes para divertir a los turistas.
Texto 5	Según el texto, el *Clarín*: **a.** es un periódico argentino. ✓ **b.** siempre ayudó a construir nuevos medios de comunicación dentro y fuera del país. **c.** se fue adecuando a los cambios de los últimos años.
Texto 6	Quien escribe la nota: **a.** afirma que, como la asignatura Matemáticas atemoriza a los alumnos, hay que utilizar ✓ recursos amenos. **b.** defiende el uso de calculadoras y del Navegador TI.
Texto 7	José Serrano escribe: **a.** para contar que tiene problemas para obtener los cupones mensuales de su abono ✓ de transporte de familia numerosa. **b.** para saber cómo obtener un abono de transporte de familia numerosa.

b. Marca los gerundios de los textos, indica cuáles son regulares y cuáles irregulares y clasifica
   los ejemplos en este cuadro.

Indica que una acción ocurre antes que otra.	Detenido por conducir habiendo perdido la totalidad de los puntos.
Introduce una condición.	
Explica cómo se realiza una acción.	
Introduce una causa.	
Indica que una acción ocurre al mismo tiempo que otra.	
Indica una acción que tiene duración en el tiempo.	
Explica el propósito de una acción.	

4.2. Practica

1. Utiliza el gerundio de los verbos entre paréntesis para completar las oraciones.

a. _Advirtiendo_ que lo seguían, el muchacho empezó a correr. (advertir)

b. Se quedó dormido. _viendo_ la tele. (ver)

c. Me sorprende que este periódico tan malo se siga _leyendo_ tanto. (leer)

d. Vi a Silvia _distribuyendo_ propaganda de un partido político. (distribuir)

e. No entiendo por qué todos se están _yendo_ si el concierto todavía no terminó. (ir)

f. Martín se quemó la mano _friendo_ salmón. (freír)

g. _Creyendo_ que no lo oía nadie, se puso a cantar alto. (creer)

h. El abogado nos explicó que _transfiriendo_ la propiedad pagaremos menos impuestos. (transferir)

2. Completa los espacios en blanco relacionando un elemento de cada columna.
   No olvides los acentos.

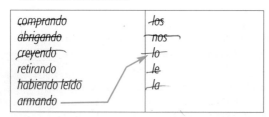

~~comprando~~	~~los~~
~~abrigando~~	~~nos~~
~~creyendo~~	~~lo~~
retirando	~~le~~
~~habiendo leído~~	~~la~~
armando	

a. _Armándolo_ sin prisa, este rompecabezas te llevará unos 2 meses.

b. Aquí tienen los textos para la semana que viene. Tienen que venir a clase _habiéndolos leído_.

c. _Comprándole_ todo lo que te pide, no lograrás que tu hijo se porte mejor.

d. _Abrigándonos_ bien no sentiremos tanto frío.

e. La mujer estaba parada al borde de la ruta. _Creyéndola_ en apuros, Roberto detuvo el coche.

f. Los dulces engordan y, _retirándolos_ de nuestra dieta, podremos perder peso más rápido.

3. Subraya la alternativa correcta.

a. Creciendo/**Habiendo crecido** entre los indios, no hablaba español.

b. El profesor criticó duramente el texto de Laura y ella salió **llorando**/habiendo llorado del aula.

c. Mi marido siempre se duerme **leyendo**/habiendo leído y con los anteojos puestos.

d. Teniendo/**Habiendo tenido** un cólico renal la semana pasada no me parece prudente que te vayas a la playa.

e. ¿Puedo cambiar de carrera haciendo/**habiendo hecho** la matrícula?

f. Llegamos **diciendo**/habiendo dicho que nos quedaríamos solo unos minutos y acabamos quedándonos hasta la madrugada.

4. Elige la alternativa correcta para rellenar los espacios en blanco.

a. Cuando se quedaron huérfanos vivieron primero con unos tíos _____.

      1. estudiando luego en un colegio interno. ☐

      2. y luego estudiaron en un colegio interno. ☑

b. Julián y Marta se casaron en la catedral _____.

      1. y al día siguiente viajaron a París de luna de miel. ☑

      2. viajando al día siguiente a París de luna de miel. ☐

c. La niña contó _____.

      1. llorando que estaba perdida. ☑

      2. y lloró que estaba perdida. ☐

5. Reescribe las oraciones usando el gerundio en vez de las expresiones subrayadas.

a. <u>Si vais</u> en tren a la ciudad, llegaréis más rápido que en coche.

      Yendo en tren a la ciudad, llegaréis más rápido que en coche.

b. Las lavanderas cantaban <u>mientras lavaban</u> la ropa en el río.

      lavando

c. Mi jefe es insoportable, todo lo pide <u>a gritos.</u>

      gritando

d. Roberto se presentó a la entrevista <u>aunque sabía</u> que no iban a contratarlo.

      sabiendo

e. <u>Mientras ordenaba</u> su escritorio, Luis se dio cuenta de que le faltaba su mejor lapicera.

      ordenando

f. <u>Si paga</u> en efectivo, le damos un descuento del 10%.

      pagando

4.3. Aplica

Estás organizando tu álbum de fotos. Identifica a las personas y explica qué están haciendo, como en el ejemplo.

Mi primo Sergio manejando su auto nuevo.

37
LAS PERÍFRASIS DE GERUNDIO

1. En contexto

1

El grupo de jubilados que está recorriendo **el Camino de Santiago** realizó la semana pasada los 122 kilómetros que unen Viana y Burgos.

2

Edificio histórico en ruinas

● Dos familias que viven en él deben abandonar sus casas antes de mañana. Los vecinos llevan meses reclamando una solución.

3

La escritora mexicana **Ángeles Mastretta** señaló en Lima que las mujeres siguen luchando contra el machismo en cualquier parte del mundo.

4 Me llamo Yaco y soy de las islas Canarias. Hace unos meses conocí a una muchacha argentina, de Mendoza exactamente, y hemos ido avanzando en nuestra amistad poco a poco.

5 *Desde hace más de tres décadas los científicos vienen avisando sobre los problemas ecológicos.*

Responde las preguntas con la información de los textos anteriores.

Texto 1	¿Qué está haciendo el grupo de jubilados?
Texto 2	¿Por qué las familias deben abandonar sus casas?
	¿Cuánto hace que reclaman?
Texto 3	Según Mastretta, ¿acabó la lucha de las mujeres contra el machismo?
Texto 4	Según Yaco, ¿en qué situación está su relación con la chica argentina?
Texto 5	¿Cuánto hace que están alertando sobre este problema?

Los verbos subrayados en los textos son expresiones constituidas por un **verbo conjugado** *(está, llevan, siguen, hemos ido, vienen)* y el **gerundio** del verbo que da el significado al grupo verbal *(recorriendo, reclamando, luchando, avanzando, avisando).* Como el verbo principal es un gerundio, reciben el nombre de **perífrasis verbales de gerundio** y, como sucede con las de infinitivo y participio (ver capítulos 39 y 40), constituyen una unidad de sentido.

2. Las formas

2.1. Tipos de perífrasis

INTRODUCIDA POR...	EJEMPLOS
Estar	*Daniel **estuvo** dos horas **hablando** por teléfono.* *Mis hijos **están haciendo** las tareas.* *A esta hora, Ricardo **estará llegando** a Buenos Aires.*
Andar	*En las vacaciones **anduvimos recorriendo** el norte argentino.* *Hola, Marcelo, ¿qué **andás haciendo** por aquí?*
Llevar + cantidad de tiempo	***Llevo** dos horas **esperándote**. ¿Dónde te metiste?* *Los médicos **llevaban** tres años estudiando su caso.*
Seguir/Continuar	*La última vez que vi a Juliana, me dijo que **seguía saliendo** con Teo.* *¿**Seguís viendo** la tele? Si es muy tarde. A la cama.*
Ir	*Andrés **fue durmiendo** durante todo el viaje.* *El abogado **ha ido juntando** las pruebas para defender a su cliente.*
Venir	***Vienen anunciando** que habrá un aumento de sueldo para todos los empleados.* ***Habéis venido trabajando** muy duro estos meses. Os merecéis unas vacaciones.*

2.2. Las perífrasis y la posición de los pronombres

ANTES	DESPUÉS
– ¿Y las entradas del concierto? *– **Te las** estoy llevando en este momento.*	*– ¿Y las entradas del concierto?* *– Estoy llevándo**telas** en este momento.*
*¿Has visto a Ricardo? **Lo** ando buscando para hablar con él.*	*¿Has visto a Ricardo? Ando buscándo**lo** para hablar con él.*
*¿Está lista la carne? **La** llevas cocinando más de una hora.*	*¿Está lista la carne? Llevas cocinándo**la** más de una horas.*
*La mujer **nos** siguió llamando durante dos días seguidos.*	*La mujer siguió llamándo**nos** durante dos días seguidos.*
*Carlos no comprendía la situación. **Se la** fui explicando pausadamente.*	*Carlos no comprendía la situación. Fui explicándo**sela** pausadamente.*
*Esa situación **te la** vengo comentando hace mucho tiempo.*	*Esa situación vengo comentándo**tela** hace mucho tiempo.*

3. Los usos

Las perífrasis de gerundio se usan para expresar acontecimientos durativos en el presente, en el pasado y en el futuro. Expresan las acciones en su desarrollo.

PERÍFRASIS	USOS	EJEMPLOS
estar + gerundio	**a)** Para expresar una acción en desarrollo. Se utiliza en presente para hablar de una acción que se lleva a cabo en el momento en que	*Mi hermana **está trabajando** en una empresa multinacional.* *En la clase de Literatura **estamos leyendo** una novela de Pérez Galdós.*

No es frecuente usar esta perífrasis con los verbos *saber* y *tener*.
Extraño: ~~Estoy sabiendo que a José lo despidieron.~~
Mejor: *Sé que a José lo despidieron.*
Extraño: ~~Estoy teniendo dificultades con este trabajo.~~
Mejor: *Tengo dificultades con este trabajo.*

se habla. Frecuentemente se usa en lugar del presente de indicativo.
b) Se utiliza en pretérito perfecto simple o en el compuesto para expresar un acontecimiento que se ha desarrollado durante un tiempo, pero ya ha concluido.
c) Se utiliza en pretérito imperfecto para expresar un acontecimiento pasado en desarrollo, interrumpido por otro acontecimiento pasado repentino.
d) Se utiliza en futuro para expresar un acontecimiento como una conjetura.

Estuve tres años *viviendo* en Guadalajara.
Pedro *ha estado hablando* por teléfono toda la tarde.

Los periodistas *estaban entrevistando* al abogado cuando llegó el acusado.
Nora *estaba vistiéndose* para salir cuando la llamó Aldo por teléfono.
– ¿Sabes algo de Joaquín?
– *Estará descansando* en su casa.
– ¿Qué le pasa a Daniel, ya son las doce y todavía está en la cama?
– *Habrá estado trabajando* hasta muy tarde.

Andar + gerundio	Expresa un acontecimiento persistente y reiterado. En muchas ocasiones presenta una connotación negativa. Puede estar en presente, pasado o futuro.	¿Me puedes explicar por qué *andas saliendo* con esos chicos? Ya sabes que no me gustan nada. Jorge *anduvo recorriendo* todo el barrio hasta que encontró eso que buscaba. Últimamente, mi jefe *ha andado diciendo* algunas tonterías de su secretaria.
Ir + gerundio	Expresa un acontecimiento que se desarrolla de manera progresiva, poco a poco. Puede usarse en presente, pasado y futuro.	Tú *vas preparando* la comida, mientras yo voy a comprar un poco de pan. Cada vez que Carlos habla lo *voy conociendo* un poco más. Poco a poco *fuimos terminando* la reforma de la casa. Lentamente, los invitados *hemos ido abandonando*. En este archivo *iremos poniendo* los documentos del curso.
Venir + gerundio	Expresa un acontecimiento progresivo que empieza en el pasado y dura hasta el momento en que se encuentra el hablante. Tiene sentido de costumbre, de hábito. Suele estar acompañada de expresiones temporales como *desde*, *desde hace* + cantidad de tiempo, *últimamente*, *durante* + cantidad de tiempo, etc. Se usa principalmente en presente de indicativo y en pasado (pretérito perfecto compuesto y pretérito imperfecto).	Hace dos años que la entrada al cine *viene costando* lo mismo. Tengo un dolor en la espalda que *viene molestándome* hace tres días. Últimamente, Carlos *ha venido comportándose* de una manera extraña. Muchos economistas *ya venían advirtiendo* sobre la actual crisis financiera.
Llevar + gerundio	Expresa la cantidad de tiempo que dura una actividad. Siempre está acompañada de una expresión que indica plazo de tiempo: *un año, dos meses, tres semanas, algunas horas,* etc. Se usa en presente y en pretérito imperfecto de indicativo.	*Llevo* tres años *estudiando* Derecho. ¡Ignacio, *llevas* dos *horas bañándote*! ¡Quieres apurarte, por favor! Roberto y Ángela *llevaban conviviendo* dos años antes de casarse.
Seguir/Continuar + gerundio	Expresan la continuidad de una acción. Se usan en presente, pasado y futuro. Equivalen a *todavía*.	Son las diez de la noche y José *sigue trabajando*. Andrés no *siguió estudiando* francés porque no tenía tiempo. He *seguido manteniendo* contacto con Graciela desde entonces. *Seguiremos luchando* hasta que se acaben las desigualdades.

En futuro, puede expresar también conjetura.
– ¿Dónde está Andrea?
– Supongo que *andará limpiando* los cuartos.

4. Ejercicios

4.1. Identifica

1. Lee los textos y marca las frases que se corresponden con ellos.

1

Se están construyendo 18 escuelas nuevas en la provincia

En Entre Ríos se están construyendo 18 escuelas nuevas. Se están invirtiendo 27 millones de pesos en establecimientos educativos. También se están levantando nuevos edificios en los departamentos de Federación, Colón y Gualeguaychú.

2 ¡ALERTA! Un virus sobre gripe H1N1 anda recorriendo Internet

Piratas informáticos han aprovechado el interés mundial por la gripe H1N1 para crear un virus informático.

3

Pasito a pasito (Gilda)

Como la arena al mar yo te voy siguiendo,
pasito a pasito, pasito a pasito.
Y de esa manera te voy conociendo,
pasito a pasito, pasito a pasito.
Son muchas las mentiras que fui descubriendo,
pasito a pasito, pasito a pasito.
Y el amor de a poco se me va muriendo,
pasito a pasito, pasito a pasito.

4

Javi Martínez, muy contento por jugar en la Selección nacional ya que es algo que lleva esperando toda la vida.

5 Qué hacer ante la picadura de un alacrán

Desde hace tres meses vengo padeciendo la aparición de alacranes en mi casa y la municipalidad no toma medidas. ¿Que tengo que hacer?

Texto 1	( ) Las 18 escuelas ya están construidas.
	(X) Las 18 escuelas están en fase de construcción.
	( ) Se invertirán 27 millones de pesos.
	( ) En este momento se invierten 27 millones de pesos.
Texto 2	( ) Se logró exterminar un virus informático.
	(x) El virus informático continúa en Internet.
Texto 3	( ) Poco a poco fue conociendo la verdadera identidad de su amor.
	( ) Paulatinamente descubrió que su amor le miente.
	( ) Repentinamente descubrió que su amor le miente.

Texto 4	( ) Javi Martínez hace mucho que quiere jugar en la Selección. ( ) El jugador aún no se siente listo para jugar en la Selección.
Texto 5	( ) Hace tiempo que aparecen alacranes en su casa. ( ) Es reciente la aparición de alacranes en su casa.

2. Marca en los textos las construcciones de verbo + gerundio y clasifícalas en el cuadro.

Se expresa un acontecimiento que se desarrolla poco a poco, de manera progresiva.	
Se expresa un acontecimiento que empieza en el pasado y dura hasta el presente.	
Se expresa la cantidad de tiempo que dura una actividad.	
Se expresa una acción en desarrollo.	Se están construyendo
Se expresa un acontecimiento persistente y reiterado. Tiene connotación negativa.	

4.2. Practica

1. **Completa con *estar* en el tiempo más adecuado + gerundio. Usa los verbos de la caja.**

> ir – servir – salir – ~~ver~~ – escribir – decir – ~~leer~~ – comer – hacer

a. Ana y Jorge ___están viendo___ una película de suspense.

b. Yo _estaba loyendo_ una novela policíaca cuando mi novia me pidió ayuda en la cocina.

c. Mi hermana y yo le _____ la carta a los Reyes Magos.

d. Ignacio, ¿por qué últimamente _____ tan tarde del trabajo?

e. Como yo _____ dieta, por la noche _____ ensaladas.

f. Matías _____ al gimnasio tres veces por semana.

g. El camarero _____ la comida y, de repente, derramó salsa en la ropa del cliente.

h. No sé qué le pasa a Pedro que últimamente _____ que no quiere estudiar más.

2. **Completa las frases con *ir* o *venir* + gerundio en el tiempo más adecuado.**

a. Durante el concierto todos los integrantes del coro __fueron subiendo__ al escenario. (subir)

b. De un tiempo a esta parte _viene_ la subida de los precios. (criticarse)

c. Por favor, poco a poco _la presentado_ todos. (presentar)

d. Angélica _fue_ paulatinamente la idea de ingresar en un convento. (abandonar)

e. En los viajes, _fui conocido_ las diferentes costumbres de cada país. (conocer)

f. Se separaron porque desde hace un tiempo _____ por cualquier pavada. (discutir)

g. Paulatinamente _____ a hablar en español. (aprender)

3. Utiliza una perífrasis verbal de gerundio sin cambiar el sentido de las frases.

a. **Estudio** español *hace tres años*. ___Llevo tres años estudiando español.___

b. **Últimamente**, Andrea *lee* bastantes novelas de amor. *anda leyendo*

c. Mi hermana y yo **todavía** *vivimos* en casa de mis padres. *llevamos viviendo*

d. **Poco a poco**, mi abuela *compró* toda la colección de discos. *fue comprado*

e. **En este momento**, la policía *llega* al lugar del asalto. *está llegando*

f. **Desde hace** un tiempo, el valor de los apartamentos *sube*. _____

g. Ayer *pensé* durante **toda la tarde** en nuestra última conversación. _____

h. **Paulatinamente**, *descubrirás* lo que realmente te gusta hacer. _____

4. Completa con las perífrasis indicadas en los paréntesis y los pronombres necesarios.

a. – ¿Sabes algo de Romina?
   – No, y justamente hace una semana que yo ___la ando buscando___ (andar/buscar).

b. – Carlitos, ¿y los deberes de la escuela?
   – Ya me falta poco. Casi _____ (estar/terminar).

c. – ¿Por qué no me cuentas lo que pasó entre Alfredo y Mirian?
   – Mira, poco a poco yo _____ (ir/contar).

d. – Carlos, ¿qué esperas para devolverme el diccionario que te presté hace una semana?
   – Justamente en este preciso momento _____ (estar/llevar) a tu casa.

e. – Pedro, acabo de ver a la novia de Mariano abrazada con otro chico.
   – ¿Cuánto hace que _____ (venir/decir) a Mariano y él no me quiere escuchar?

f. – ¿Y el resto de las fotos? Quiero verlas...
   – Mira, ahora no puedo, tengo prisa, _____ (seguir/mostrar) después.

5. Ordena los elementos y forma la frase con el verbo conjugado en los tiempos pedidos.

a. llevar – leer – Carlos – libro – dos – su – horas

Presente de indicativo	Carlos lleva dos horas leyendo su libro.
Pretérito imperfecto de indicativo	

b. hijo – andar – escuchar – conversaciones – nuestras – tu – todas

Presente de indicativo	
Pretérito perfecto simple (indefinido)	

c. taxi – estar – aguardar – los – aeropuerto – invitados – a – el – en – un

Pretérito imperfecto de indicativo	
Presente de indicativo	
Futuro simple	

d. ir – ponerse – cielo – vez – cada – más – nublado – el

Pretérito perfecto simple (indefinido)	
Presente de indicativo	
Futuro simple	

e. años – venir – trabajar – nosotros – ese – en – desde – varios – hace – proyecto

Pretérito perfecto compuesto de indicativo	
Presente de indicativo	

4.3. Aplica

Eres quien produce los titulares para un periódico virtual. Lee las noticias y redacta los titulares usando las perífrasis de gerundio que has estudiado.

Se lo tenía muy bien guardado la pareja compuesta por Rosalía Bermúdez y Ricardo Rigal. Según chismes cibernéticos, el galán número 1 de nuestra televisión confesó que quiere ser el hombre de la vida de Ro-	salía, incluso agregó que han salido juntos varias veces y que la ha invitado a cenar. Todo va de maravilla entre ellos a pesar de que llevan poco tiempo juntos.
La búsqueda de Liliana Pérez García continúa, pero aún no se tienen datos sobre su paradero. Ayer se conocieron las imágenes de un vídeo donde se la ve	a la joven antes de desaparecer. La policía aún no tiene sospechosos; sin embargo, la familia apunta a su pareja.
Según las autoridades sudafricanas, hace cuatro años que un hombre, cuya identidad se ha querido preservar, está muerto. Este error burocrático le ha causado numerosos problemas, ya que debido a su situación	le es imposible obtener un pasaporte, registrar su coche o incluso cambiar el estado civil de su esposa que aparece como viuda. Hasta el momento, el hombre ha intentado vanamente demostrar que está vivo.
La II Feria del Libro está en sus últimos días. La misma se viene realizando en el predio ferial de la capital y han participado varios *stands* de editoriales y librerías	locales; además ha contado con la presencia de destacados escritores del ámbito nacional e internacional que han firmado autógrafos de sus libros.
Frente a algunas denuncias de fraude, las autoridades competentes investigan las presuntas irregularidades que se presentaron en la jornada electoral del mes de marzo	y determinarán quiénes han sido los responsables de este escándalo. «Hubo serias fallas en el contaje de votos y entonces lo queremos investigar», afirmó un alto funcionario.

1. En contexto

1

Chiste corto: Los estudios económicos normalmente sirven para darse cuenta que el mejor momento para haber hecho algo fue el año pasado.

2

Requisitos para el candidato a presidente:
Ser boliviano, hablar al menos dos idiomas oficiales del país, tener 30 años y haber residido en el país los últimos cinco años.

3

¡Niños, a dormir!

5

LA CASONA

El buen comer es tradición en este restaurante

4

3er CAMPEONATO SALTEÑO JUJEÑO

17 y 18 de mayo en Rosario de Lerma, Salta

A animarse, muchachos. Los esperamos.

Todas las palabras subrayadas en los textos son verbos en infinitivo, que es una forma verbal invariable. El infinitivo es el nombre del verbo, por ese motivo puede funcionar como sustantivo, como en el caso del texto 5: *«el buen comer»*. Como verbo, el infinitivo puede expresar una acción no terminada y relacionada con el presente o terminada y relacionada con el pasado. Por otro lado, con el infinitivo también podemos expresar una orden, instrucción o exhortación.

Teniendo en cuenta lo que expresan los infinitivos, completa el cuadro con ejemplos extraídos de los textos de arriba.

ACCIÓN NO TERMINADA PRESENTE	ACCIÓN TERMINADA PASADO	ORDEN, INSTRUCCIÓN O EXHORTACIÓN
darse cuenta (texto 1)		

2. Las formas

El infinitivo, como el gerundio, puede tener dos formas.

	SE FORMA CON...	EXPRESA...	EJEMPLOS
Infinitivo simple	las terminaciones -ar/-er/-ir: *estar/comer/vivir*	un acontecimiento o estado relacionado con el presente.	*Estar en buenas condiciones físicas.*
Infinitivo compuesto	*haber* + participio: *haber estado/haber comido/haber vivido*	una acción o estado terminado y relacionado con el pasado.	*Haber cumplido los 65 años.*

2.1. El infinitivo y los pronombres complemento

Cuando el infinitivo está acompañado por un pronombre de objeto directo u objeto indirecto, el pronombre va detrás y unido al verbo.

¿<u>Comprarte</u> yo aquel vestido? ¡Ni en sueños, es carísimo!
Cómo preparar las espinacas: <u>lavarlas</u> muy bien y separar las hojas de los tallos.

2.2. El infinitivo como sustantivo

Cuando el infinitivo funciona como sustantivo admite artículos, posesivos, demostrativos, adjetivos y demás complementos que pueden acompañar a cualquier sustantivo.

*<u>El</u> buen **comer** es tradición en este restaurante.*
*Reconocían a Sofía por <u>su</u> **caminar** <u>sugestivo</u>.*
*Nos encanta <u>ese</u> **cantar** <u>tuyo</u> <u>improvisado</u>.*

Curiosidades de la lengua

Algunos infinitivos usados frecuentemente como sustantivos presentan variación de número:

el saber/los saberes   el andar/los andares
el placer/los placeres   el deber/los deberes
el cantar/los cantares   el amanecer/los amaneceres
el poder/los poderes   el quehacer/los quehaceres
el ser/los seres

3. Los usos

SE USA PARA...	EJEMPLOS
a) expresar acontecimientos no terminados y relacionados con el presente.	*¡**Estar** aquí es un placer!* *No es fácil **ingresar** en esta universidad.*
b) expresar acontecimientos terminados y relacionados con el pasado.	*¡**Haber estado** allí el año pasado fue un placer!* *Carlos está orgulloso por **haber conseguido** ese triunfo.*
c) con la preposición *a*, dar una orden o instrucción.	*A estudiar, que la época de exámenes está llegando.*
d) con la preposición *por*, expresar causa.	*Le han cortado el teléfono **por no haber pagado** la cuenta.* ***Por salir** todas las noches, no estudia suficiente.*
e) con *al*, expresar tiempo y equivale a *cuando*.	*Al levantarse, tómese un vaso de agua.* *Al salir de su casa, compruebe haber cerrado la puerta.*
f) con la preposición *de*, expresar una condición poco probable o imposible en el futuro con el infinitivo simple, e imposible en el pasado con el infinitivo compuesto.	*De tener tiempo, iría al cine el fin de semana.* *–No puedo ir a verte. **De estar** en la ciudad, lo haría.* *–No fui a verte. **De haber estado** en la ciudad, lo habría hecho.*

g) con las expresiones *sin, con solo* o *solo con*, expresar una condición mínima habitual o en el futuro con el infinitivo simple, y en el pasado con el infinitivo compuesto.

Sin estudiar, no vas a pasar los exámenes.
Con solo verlo una vez, no puedes estar enamorada.
Solo con saber su nombre, no podemos pensar mal de él.
Con solo haberlo visto una vez, no puedes decir que estás enamorada.
Solo con haber sabido su nombre, no podíamos pensar mal de él.

¡Atención!

Las expresiones **a no ser por** y **a juzgar por** también expresan condición, pero van con sustantivos (ver capítulo 56).
***A no ser por** el trabajo, estaría con ustedes festejando.*

h) con la preposición *por*, expresar que una tarea está pendiente.	*Aún no se pueden ir, pues hay muchos documentos **por archivar** en la oficina.*
i) con la expresión *a medio*, expresar que una acción está por la mitad o inacabada.	*Todavía no terminé el informe, lo tengo **a medio hacer**.*
j) con la preposición *con*, expresar que una acción o un dato no es suficiente para conseguir algo.	***Con tener** inteligencia, basta.* *Con llorar, no conseguirás que te perdone.*
k) con la preposición *para*, expresar finalidad (ver capítulo 46).	*¡Ha hecho de todo **para no verte**!* ***Para salirse** con la suya, ha hecho las mil y una.*
l) con la expresión *antes de*, expresar que una acción es anterior a otra.	***Antes de volver** a casa, pasa por el mercado.*
m) con las expresiones *después de* y *tras*, expresar que una acción viene a continuación de otra.	***Después de volver** a casa, pasa por el mercado.*
n) con la expresión *de tanto*, expresar una acción como consecuencia de la repetición o insistencia de otra.	***De tanto estudiar**, ganó la oposición.*

3.1. El infinitivo en grupos verbales

El infinitivo puede combinarse con otros verbos para formar perífrasis (ver capítulo 39).

- *Deber/Poder/Querer* + infinitivo:
  ***Debemos estudiar** más.*
  *¿**Has podido responder** esta pregunta?*
  *¿**Queréis ir** al cine esta noche?*
- *Acabar de* + infinitivo:
  *Mis tíos **acaban de llegar**.*
- *Ir a* + infinitivo:
  *¿No **van a probar** la torta?*
- *Tener que* + infinitivo:
  ***Tengo que esmerarme** más en los estudios.*

Curiosidades de la lengua

El infinitivo aparece en expresiones fijas de la lengua:
- *En un abrir y cerrar de ojos* = en un momento, rápidamente.
- *Según mi entender/A mi modo de ver* = en mi opinión
- *Un suponer* = por ejemplo.
- *A decir de…/En el parecer de…* = según…
- *El ir y venir de…* = el continuo movimiento de…
- *Con el correr/pasar de los días/meses/años* = el paso del tiempo.

4. Ejercicios

4.1. Identifica

Lee los textos, localiza los infinitivos y marca las frases verdaderas.

La ensalada de aguacate se puede preparar de muchas formas. Solo es importante echarle el jugo de limón después de haberlo pelado y cortado para asegurase que no se ponga negro.

b

Las escaleras se suben de frente, pues hacia atrás o de costado resultan particularmente incómodas. La actitud natural consiste en mantenerse de pie, los brazos colgando sin esfuerzo, la cabeza erguida aunque no tanto que los ojos dejen de ver los peldaños inmediatamente superiores al que se pisa, y respirando lenta y regularmente. Para subir una escalera se comienza por levantar esa parte del cuerpo situada a la derecha abajo, envuelta casi siempre en cuero o gamuza, y que salvo excepciones cabe exactamente en el escalón. Puesta en el primer peldaño dicha parte, que para abreviar llamaremos *pie*, se recoge la parte equivalente de la izquierda (también llamada *pie*, pero que no ha de confundirse con el pie antes citado), y llevándola a la altura del pie, se le hace seguir hasta colocarla en el segundo peldaño, con lo cual en este descansará el pie, y en el primero descansará el pie. (Los primeros peldaños son siempre los más difíciles, hasta adquirir la coordinación necesaria. La coincidencia de nombre entre el pie y el pie hace difícil la explicación. Cuídese especialmente de no levantar al mismo tiempo el pie y el pie).

Llegando en esta forma al segundo peldaño, basta repetir alternadamente los movimientos hasta encontrarse con el final de la escalera.

Instrucciones para subir una escalera, de Julio Cortázar

c   Soy esclava de tu querer,
solo te pido las cadenas romper
para poder sentir, oh oh oh
mi corazón latir, uoh uoh.
Espíritu libre, **Ednita Nazario**

Texto a	sobre «se puede preparar»: ( ) sería posible colocar el pronombre *se* antes del infinitivo. ( ) sería posible colocar el pronombre *se* después del infinitivo.
	sobre el fragmento «Solo es importante echarle el jugo de limón después de haberlo pelado y cortado para asegurase que no se ponga negro»: ( ) en primer lugar se rocía el aguacate y, en segundo, se corta la fruta. ( ) el pronombre *lo* se refiere a *aguacate.* ( ) sería posible colocar el pronombre *lo* antes del infinitivo.
Texto b	sobre «ha de confundirse», «consiste en mantenerse», «hasta colocarla» y «hasta encontrarse»: ( ) sería posible cambiar de lugar los pronombres *se* y *la* en todos los casos. ( ) sería posible cambiar de lugar el pronombre *se* solamente en «ha de confundirse»: *se ha de confundir.* ( ) el pronombre *la* se refiere a «esa parte del cuerpo… envuelta casi siempre en cuero o gamuza», o sea, el pie.
Texto c	sobre el fragmento «solo te pido las cadenas <u>romper</u> para <u>poder</u> <u>sentir</u> mi corazón latir»: ( ) los verbos subrayados tienen el mismo sujeto = yo. ( ) el sujeto del *latir* es: *mi corazón.*

4.2. Practica

1. Marca la opción correcta.

a. Por ser/**haber sido** demasiado sincero, Juan le cae mal a todo el mundo.

b. El año pasado estuve en la casa de mis padres. Pero de saber/**haber sabido** que no volvería a visitarlos, me habría quedado más tiempo con ellos.

c. Es muy importante **lavarse**/haberse lavado las manos con regularidad.

d. De pagar/**haber pagado** sus cuentas a tiempo no estaría pagando tantos intereses.

e. Sin trabajar/**haber trabajado** duro no conseguirás el ascenso que tanto quieres.

f. Por no estudiar/**haber estudiado** lo suficiente, las notas de Pedro fueron terribles este bimestre.

g. Juanito, por **salir**/haber salido a jugar con sus amigos, almorzó con prisa.

h. Al **entrar**/haber entrado al edificio, identifíquese.

2. Completa los espacios en blanco con las expresiones de la caja.

> con el pasar de los años – en un abrir y cerrar de ojos – según mi entender – un suponer – a decir de – el ir y venir de

a. Es impresionante la diligencia del nuevo pasante. ¡ _En un abrir y cerrar de ojos_ hace todo lo que le pedimos y correctamente!

b. *Amaru,* del escritor peruano Edgardo Rivera Martínez, es un texto que, _a decir de_ Antonio Cornejo Polar, tiene mucho de poema, pero que también puede ser leído como cuento.

c. ¿Sabes? La ciudad a veces me abruma, pero me fascina _el ir y venir de_ constante de su cotidiano.

d. – ¿A ti te parece que esto es una silla o un sillón?
– Bueno, _según mi entender_ es un sillón, porque tiene apoyo para los brazos.

e. – Hola, Juan, qué gusto encontrarte aquí después de años sin vernos.
– Pues sí. Pero déjame decirte que _con el pasar de los años_ te has puesto más guapa.

f. Me parece que le gustas a Juan tanto cuanto él te gusta a ti. Pero ojo que es solo _un suponer_, así que no te entusiasmes demasiado. Espera que él mismo te lo haga saber.

4.3. Aplica

Lee las propuestas y escribe los textos.

a. Quieres formar parte de un *blog* de recetas y para ello debes colaborar con una receta fácil tuya. Redáctala teniendo en cuenta que debes:
  – presentar los ingredientes primero y después presentar el procedimiento;
  – incluir formas de infinitivo para la descripción de los procedimientos.

b. Como han ocurrido algunos accidentes con el ascensor de tu edificio, decides escribir unas breves instrucciones de uso para pegar al lado de la puerta del aparato. Redáctalas teniendo en cuenta que debes:
  – utilizar el tratamiento formal (usted);
  – presentar una breve justificación para tal texto;
  – incluir formas de infinitivo en las instrucciones.

39

LAS PERÍFRASIS DE INFINITIVO

1. En contexto

1 ▶ **LAS PIZZAS HAY QUE LLEVARLAS HORIZONTALMENTE**
No es muy inteligente llevar una pizza con mucho queso derretido debajo del brazo. No son libros.

2
Acabamos de enterarnos que en Chile hubo un terremoto la pasada madrugada. Los mantendremos informados.

3

Einstein de niño tenía problemas para leer. Su profesor de griego llegó a decirle que nunca llegaría a nada.

4 Pirata informático alcanzó a robar a través de Internet 428000 dólares

5 *Javier Bardem comenzó a actuar cuando era muy pequeño:* El Pícaro *fue su primer largometraje.*

Marca en qué texto…

✓ se da un consejo.

✓ se informa que un acontecimiento ha sido realizado con éxito.

✓ el autor considera que un hecho es sorprendente o inesperado.

✓ se menciona el comienzo de una acción.

✓ se menciona un hecho ocurrido hace poco tiempo atrás.

Los verbos subrayados en los textos son expresiones constituidas por un **verbo conjugado** (*hay*, *acabamos*, *llegó*, *alcanzó*, *comenzó*) y el **infinitivo** del verbo que da el significado al grupo verbal (*llevar*, *enterar*, *decir*, *robar* y *actuar*). Como el verbo principal es un infinitivo, reciben el nombre de **perífrasis verbales de infinitivo** y, como sucede con las de gerundio y participio (ver capítulos 37 y 40), constituyen una unidad de sentido.

2. Las formas

2.1. Las perífrasis y la posición de los pronombres

Los pronombres pueden colocarse antes del verbo conjugado o después del infinitivo y unidos a él.

ANTES	DESPUÉS
– ¿Has visto a Juana recientemente? – No, **la dejé de ver** cuando se casó.	– ¿Has visto a Juana recientemente? – No, **dejé de ver<u>la</u>** cuando se casó.
A Sebastián **le acabaré por comprar** lo mismo de siempre: una corbata.	A Sebastián **acabaré por compra<u>rle</u>** lo mismo de siempre: una corbata.
– ¿Con qué frecuencia alimentas a tus perros? – **<u>Los</u> suelo alimentar** dos veces al día. – ¿Ya le has dado el dinero a Carmen? – No, **<u>se lo</u> voy a dar** ahora mismo.	– ¿Con qué frecuencia alimentas a tus perros? – **Suelo alimentar<u>los</u>** dos veces al día. – ¿Ya le has dado el dinero a Carmen? – No, **voy a dár<u>selo</u>** ahora mismo.

Pero cuando el verbo auxiliar está en **imperativo**, el pronombre se coloca después y unido a él.
*Dejen de conversar y **pónga<u>nse</u> a trabajar** ahora mismo.*

3. Los usos

3.1. Las perífrasis de infinitivo para expresar obligación

PERÍFRASIS	USOS	EJEMPLOS
haber que + infinitivo	Expresa obligación de forma impersonal. Se utiliza en cualquier tiempo verbal, siempre en la forma impersonal (3ª persona singular).	*Hay que lavarse las manos antes de comer.* *Los del 5.° piso pusieron la música tan alta que hubo que llamar a la policía.*
tener que + infinitivo	Expresa obligación de forma personal. Se utiliza en cualquier tiempo verbal.	*Tenemos que ordenar la casa antes de que lleguen mis padres.* *Los alumnos tuvieron que hacer un examen oral.*
deber + infinitivo	Expresa una obligación subjetiva, motivada por la situación personal o como consejo.	*Como tú tienes problemas, debes hacer más ejercicios.* *Yo creo que no deberías comer tanto, te vas a poner enfermo.*

3.2. Las perífrasis de infinitivo para expresar capacidad, permiso o posibilidad

PERÍFRASIS	USOS	EJEMPLOS
poder + infinitivo	Para pedir permiso o un favor. El verbo auxiliar va en presente o en condicional. En este último caso la petición es más cortés.	*¿Puedo entrar?* *¿Puedes ir al supermercado cuando salgas de la oficina?* *¿Podrías alcanzarme las gafas que están sobre la mesa?*
	Para expresar una capacidad o una posibilidad. En este caso, se utiliza en cualquier tiempo verbal.	*Marcela, puedes quedarte en mi casa.* *Como su familia tenía dinero, Roberto pudo estudiar en los mejores colegios de la ciudad.*

3.3. Las perífrasis de infinitivo para expresar el comienzo de una acción

PERÍFRASIS	USOS	EJEMPLOS
Echar(se) a + infinitivo	Indica el comienzo de un movimiento o de una reacción emocional. Se usa con los verbos *andar, caminar, correr, volar, llorar, reír*. Es más frecuente en presente o en pretérito simple.	*Rosario se asustó con el ruido y **echó a correr**.* *¿Qué le pasa a ese niño que por cualquier cosa **se echa a llorar**?*
Ponerse a + infinitivo	Indica el inicio de una acción voluntaria y repentina. Es más frecuente en presente o en pretérito simple.	*Martín **se puso a estudiar** de verdad al final del año.* *Como **se puso a llover**, nos quedamos en casa.* *Si **nos ponemos a trabajar** ahora mismo, terminaremos el texto a tiempo.*
Romper a + infinitivo	Indica el inicio de una acción inesperada y repentina. Se usa con los verbos *llorar, reír, cantar, chillar, gritar, llover*. Es más frecuente en presente o en pretérito simple.	*Cuando vio que todo estaba perdido, **rompió a llorar**.* *Cuando Ana aceptó casarse con él, Adalberto **rompió a cantar** en medio de la calle.*

3.4. Las perífrasis de infinitivo para expresar el fin de una acción

PERÍFRASIS	USOS	EJEMPLOS
Acabar de + infinitivo	Indica que una acción se ha realizado unos instantes antes. Es más frecuente en presente o en imperfecto, también en pretérito simple.	*Simón **acaba de avisar** que llegará tarde a la reunión.* *La mujer no escuchó lo que le **acababa de decir** y corrió detrás de la niña.* *Cuando entramos en el cine, la película **acababa de empezar**.*
Dejar de + infinitivo	Señala una acción interrumpida. Se utiliza en cualquier tiempo verbal. Con el verbo auxiliar en imperativo negativo se utiliza para dar consejos o hacer sugerencias.	*Como su primera novela fue un fracaso, **dejó de escribir**.* *Te prometo que **dejaré de fumar**.* *Si vas a Barcelona, **no dejes de visitar** el museo Picasso.* *Si quieres ser alguien en la vida, **no dejes de estudiar** nunca.*
Llegar a + infinitivo	Indica el fin de un proceso que es resultado de acontecimientos anteriores. Se utiliza en cualquier tiempo verbal. También puede usarse para expresar sorpresa o asombro ante un acontecimiento que se considera exagerado.	*Estela hizo una carrera brillante y **llegó a ganar** premios importantes.* *Se dice que el agua **llegará a tener** más valor que el petróleo.* *¡**Llegaba a trabajar** 15 horas diarias!*
Terminar por + infinitivo	Es equiparable a *finalmente*. Suele utilizarse solo en futuro o en pretérito simple.	*Para que no se fuera a otra empresa **terminaron por subirle** el sueldo.*

Acabar por	Indica el final de un proceso realizado con esfuerzo o repetidamente. Suele utilizarse solo en futuro o en pretérito simple.	Con esos argumentos **acabarás por convencer** a los clientes de que nuestro producto es el mejor.
Alcanzar a + infinitivo	Indica un logro o una consecución.	Desde aquí no **alcanzo a ver** a tu hermano. ¿Lo ves tú? Antes de que la arrestaran, **alcanzó a decirle** a su compañero dónde había escondido el dinero. Nos han impuesto metas muy altas, pero **alcanzaremos a cumplirlas**.
Venir a + infinitivo	Expresa algo de forma aproximada. Equivale a *más o menos*.	Un piso en España **viene a costar** unos 200 000 €. La lectura activa **viene a ser** una forma de lectura crítica.

3.5. Las perífrasis de infinitivo para expresar intención

PERÍFRASIS	USOS	EJEMPLOS
Estar por + infinitivo	Expresa la intención de hacer algo de inmediato. Es más frecuente en presente o en imperfecto, también en pretérito simple.	**Estoy por comprarme** un coche, pero no sé si nuevo o usado. **Estábamos por salir** cuando sonó el teléfono.
Ir a + infinitivo	Expresa la intención de hacer algo en el futuro. En ese caso se utiliza en presente. Expresa la intención pasada de hacer algo que no se ha podido realizar. En este caso se utiliza en imperfecto de indicativo.	Con la herencia de mi tía **voy a comprarme** un departamento. Este grupo **va a lanzar** un nuevo disco. **Íbamos a viajar** a Europa en invierno, pero no teníamos dinero. Juan **iba a casarse** en noviembre, pero, como lo echaron de la fábrica, ahora no sabe qué hacer.

3.6. Las perífrasis de infinitivo para expresar repetición

PERÍFRASIS	USOS	EJEMPLOS
Soler + infinitivo	Para hablar de costumbres y de actividades que son o eran habituales. Se utiliza en presente o en imperfecto de indicativo.	Sus padres **solían viajar** todos los años a Europa, pero ahora ya casi no salen. No **suelo prestarle** ropa a nadie, pero como tú eres muy cuidadosa voy a hacer una excepción.
Volver a + infinitivo	Indica que una acción se repite. Se utiliza en cualquier tiempo verbal.	Han interrogado varias veces al sospechoso y siempre **vuelve a decir** lo mismo. Rodrigo nació rico, lo perdió todo apostando y **volvió a enriquecer** cuando encontraron petróleo en su hacienda.

4. Ejercicios

4.1. Identifica

1. Lee los textos y marca las opciones correctas.

① RE: Estudios de Protocolo y Ceremonial
Estimada Aitanna:
Muchas gracias por tu información -¿puedo tutearte?- ¿Podrías informarme si existe alguna forma de cursar dichos estudios en la modalidad «a distancia»?
Un afectuoso saludo,
Víctor F.

②
Algunas cosas que no debes hacer en Internet si estás demasiado cansado.
– Responder cualquier cosa del trabajo.
– Cambiar tu contraseña.
– Usar tu tarjeta de crédito.

③ Tomás Boy: «Un equipo que juega bien termina por ganar».

④ Sacerdote se echó a volar con globos... y sigue perdido
BRASILIA.- Desaparece un religioso que quería sobrevolar el territorio brasileño impulsado por globos de fiesta.

⑤ Los sorprenden cuando estaban por salir de vacaciones y les desvalijan la casa

Texto 1	**a.** Víctor quiere estudiar Protocolo y Ceremonial sin salir de su casa.	☐
	b. Víctor y Aitanna son amigos.	☐
	c. Víctor le pide permiso a Aitanna para tratarla de *tú*.	☐
	d. Víctor le pide un favor a Aitanna.	☐
Texto 2	**a.** Da consejos.	☐
	b. Trata al lector de *tú*.	☐
Texto 3	**a.** Si un equipo juega bien, gana.	☐
	b. Como jugó bien, ganó.	☐
Texto 4	**a.** Un sacerdote levanta el vuelo con ayuda de globos.	☐
	b. Está desaparecido.	☐
	c. No pudo levantar el vuelo.	☐
Texto 5	**a.** La familia estaba de vacaciones.	☐
	b. La familia iba a salir de vacaciones.	☐

2. Subraya las perífrasis de infinitivo y clasifícalas en este cuadro.

Se expresa una obligación	Algunas cosas que no debes hacer en Internet.
Se pide permiso	
Se solicita un favor	
Se indica el comienzo de una acción	
Se indica el fin de una acción	
Se expresa una intención	

4.2. Practica

1. Forma perífrasis. Luego utilízalas para completar las oraciones.

volvió	de	cumplir
tuve	a	aceptar
acabábamos	por	vivir
hay	que	tener
estamos		casarse
llegaron		subir
acabé		comprar
debe		cerrar

a. Vivíamos en el piso 23 y _acabábamos de subir_ por el ascensor cuando se cortó la luz.

b. Roberto y Laura fueron novios y _____ algunos meses juntos.

c. Martín se divorció en el 2005 y _____ dos años después.

d. ¿Te conté que _____ un auto nuevo?

e. Ya son las seis y _____ . ¿Por qué no vuelve mañana?

f. Fabio se puso tan pesado que yo _____ el dinero que me ofrecía.

g. No esto seguro, pero la abuela _____ más de noventa años.

h. _____ cuidado cuando se contrata a un desconocido para trabajar en casa.

2. Completa con las perífrasis de infinitivo conjugadas en presente, pretérito simple, pretérito imperfecto o futuro.

a. Sr. Sandoval, su estado físico requiere cuidados. Usted _debe reducir_ la ingestión de alimentos y _tiene que_ _comenzar_ un programa de ejercicios inmediatamente. (deber – reducir/tener – comenzar)

b. Ayer estuve trabajando en el proyecto todo el día, pero no lo _____. (poder – terminar)

c. Cuando llegamos al parque, el perro se _____ y de repente lo perdimos de vista. (echar – correr)

d. Jorge, no bien desayuna, se encierra en su despacho y se _____. (poner – escribir).

e. Si continúa la onda de violencia en la ciudad nosotros _____ todo e irnos. (acabar – vender)

f. Eran las 3 de la mañana y los chicos no habían vuelto a casa. Yo _____ a la policía cuando los oí llegar. (estar – llamar)

g. Martina se _____ muy nerviosa cuando tenía que hablar en público, pero ahora ya se acostumbró. (soler – poner)

3. Ordena las palabras y forma oraciones.

a. que – solía – en – Ricardo – me – inglés – pedir – cantara.
   Ricardo solía pedirme/me solía pedir que cantara en inglés.

b. siempre – perdonar – Marcia – Aldo – con – termina – discute – lo – pero – por.
   _____

c. dejó – divorcio – visitar – del – nos – de – Rómulo – después.
   _____

d. pero – mejorar – lo – es – texto – tienes – bueno – el – que.
   _____

e. salir – que – me – arreglar – para – tengo.
   _____

4. Sustituye las expresiones subrayadas por una perífrasis de infinitivo.

a. Es obligatorio dejar este cuarto cerrado con llave.
   _____

b. Te aconsejo prestar más atención a lo que te digo.
   _____

c. En verano a menudo iba con mis primos a pescar.
   _____

d. Mi padre trabajó en la compañía hasta 1990.
   _____

e. Mabel es muy inestable emocionalmente y llora por cualquier cosa.
   _____

f. El director entró hace un momento a una reunión.
   _____

4.3. Aplica

Compara los tres momentos de la vida de esta persona.

Antes	Ahora	Planes futuros
no hacer deportes	jugar al tenis	hacer musculación
comer mucho	hacer dieta	no engordar
fumar	no fumar	no fumar
estudiar Física	estudiar Derecho	hacer pasantía
trabajar	no trabajar	trabajar
querer un coche	no tener coche, caminar	comprar coche

40

LAS PERÍFRASIS DE PARTICIPIO

1 9 de marzo de 2006, 09:35

 luis

Re: El momento del vals de las quinceañeras

Realmente me extraña que en España no tengan ni noticias de esta arraigada tradición, ya que, al menos yo siempre doy por supuesto que todas las tradiciones nos vienen de la *madre patria*.

2 *Un hombre se quedó atascado en la chimenea de una casa a la que pretendía entrar cuando escapaba de policías que lo perseguían por un barrio de Buenos Aires, informaron fuentes policiales.*

3 Lucía tiene 28 años y Pablo, 32. Llevan dos años casados. Pablo está satisfecho con la vida que lleva, pero Lucía se siente mal, y no sabe cómo decirle que le gustaría cambiar. Teme que él no la comprenda.

4 **ACERTIJO**

Se me cayó un libro del que ya llevaba leídas casi 500 páginas perdiendo el punto de lectura. Lo único que recuerdo es que la suma de los números de las páginas leídas es igual a la suma de los números de las que me quedan por leer. ¿En qué página estoy? Solución: Se debe continuar en la página 493 de 696.

5 Invitamos a todos a ver las fotos que tenemos publicadas y a conocer algunos de los lugares que estamos visitando durante nuestra estancia en Europa.

Marca las afirmaciones correctas teniendo en cuenta los textos anteriores.

Texto 1	❑ Quien escribe está y siempre estuvo convencido de que todas las tradiciones venían de la *madre patria*. ❑ Quien escribe antes no creía, pero ahora sí cree que todas las tradiciones vienen de la *madre patria*. ❑ Quien escribe no está seguro de que todas las tradiciones vengan de la *madre patria*.	Texto 3	❑ Lucía y Pablo hace dos años que están casados, pero no están a gusto ninguno de los dos. ❑ Lucía y Pablo se casaron hace un par de años, pero para ella no está todo bien. ❑ Lucía y Pablo contrajeron matrimonio hace pocos años y están muy bien.
Texto 2	❑ El asaltante intentó huir por la chimenea. ❑ El asaltante pudo escaparse por la chimenea. ❑ El asaltante no pudo pasar por la chimenea.	Texto 4	❑ La persona no empezó a leer el libro. ❑ La persona leyó el libro entero. ❑ La persona leyó una parte del libro.
		Texto 5	❑ Las fotos no se han publicado aún. ❑ Ya se han publicado fotos. ❑ Las fotos se publicarán pronto.

Los verbos subrayados en los textos son expresiones constituidas por un **verbo conjugado** (*doy, se quedó, llevan, está, llevaba, tenemos*) y el **participio** del verbo que da el significado al grupo verbal (*supuesto, atascado, casados, satisfecho, leídas, publicadas*). Como el verbo principal es un participio, reciben el nombre de **perífrasis verbales de participio** y, como sucede con las de infinitivo y gerundio (ver capítulos 37 y 39), constituyen una unidad de sentido.

2. Las formas

2.1. Las perífrasis y la posición de los pronombres

– Antes del verbo conjugado en cualquier tiempo y modo (menos en imperativo afirmativo).
*No te lo **hemos dado por solucionado**, pero es como si lo estuviera.*
– Después del verbo conjugado en imperativo afirmativo.
*¡Da**lo** por hecho!*

3. Los usos

Las perífrasis de participio se usan para expresar acontecimientos realizados que, por lo general, son resultados o efectos de acontecimientos anteriores.

PERÍFRASIS	USOS	EJEMPLOS
andar + participio	Expresa que una actividad o un estado es duradero.	***Andaban** tan **ocupados** que ni los invité a la fiesta.*
dar por + participio	Expresa una acción que se considera terminada, aunque no sea así totalmente.	*Se armó tal caos que **dieron por finalizada** la reunión.* *Hemos **dado por resuelta** la discusión con los vecinos.*
dejar + participio	Expresa una situación como resultado de una acción anterior.	*He **dejado escrito** mi testamento.*
estar + participio	Expresa un estado como resultado de algo anterior.	*Tanto Hugo como yo **estamos decididos** a ir. No aceptamos la propuesta porque no **estábamos convencidos**. Mi parte del trabajo **estará terminada** mañana a primera hora.*
llevar + cantidad + participio	Se expresa la cantidad de tiempo o el número de unidades en relación con la acción del participio.	*Hasta ayer, el juez **llevaba** <u>tres</u> informes **hechos**.*
llevar + cantidad de tiempo + participio		*¡Mis papás **llevan casados** <u>diez años</u>!*
ir + cantidad + participio		*Desde 1998 **llevamos recorridos** <u>9 países</u> latinoamericanos.*
quedar + participio	Remarca que un acontecimiento está completamente terminado.	*Ayer **quedaron firmados** los acuerdos entre las dos grandes empresas.*
quedar(se) + participio (ver capítulo 50)	Expresa un estado o actitud que es el resultado de un hecho anterior.	***Nos quedamos asustados** con los comentarios sobre asaltos en la región. Amanda estaba tan cansada que **se quedó dormida** en el autobús.*
seguir/continuar + participio	Expresan la continuidad de un estado.	***Seguiré preocupada** hasta que me llame por teléfono diciéndome que está bien. ¿**Continúas atareado** en el trabajo?*
tener + participio	Expresa que una acción ha sido completamente realizada y terminada.	*¿Cuántos capítulos **tienes escritos** de tu último libro?*

4. Ejercicios

4.1. Identifica

1. Lee los textos, marca si las frases son verdaderas (V) o falsas (F) y subraya las perífrasis de participio.

a

Los chicos son cada vez más sedentarios

Un grupo de científicos estudia los hábitos de los adolescentes. Hasta el momento, los especialistas llevan estudiados unos 135 chicos, pero la idea es llegar a unos 2500 durante el año.

c

Mientras andamos
ocupados
en el mañana,
se nos va
el momento presente.
(…)

María Isabel Guerra García

b

Sábado, 11 de septiembre de 2010

> *El águila culebrera (Circaetus gallicus) mide hasta 180 cm de ala a ala. Está distribuida por casi toda la península ibérica.*

celebes2 dijo...

> *¡¡¡Qué mirada tienen estos bichos!!!*
> 12 de septiembre de 2010 11:50

salvaguirado dijo...

> *Javi, me gusta porque se ve esa mirada tan especial que tienen estas aves. Ya tengo preparada para publicar una foto de un búho. Un abrazo.*
> 14 de septiembre de 2010 19:59

Javi dijo...

> *Bueno, veo, por los mensajes que me habéis dejado escritos, que los ojos del águila han llamado la atención. Salva: ¡Venga ese búho en tu próxima entrada! ¡Hasta pronto!*
> 14 de septiembre de 2010 22:19

Texto a	Todavía no se ha empezado el estudio.	☐
	El objetivo es medir la actividad física de 2500 chicos.	☐
	Ya se ha estudiado a 135 chicos.	☐
Texto b	No se encuentra mucho el águila culebrera en España.	☐
	Salva va a sacarle una foto a un búho.	☐
	Celebes 2 y Salvaguirado han comentado la mirada del búho.	☐
	Javi no ha leído los comentarios que han dejado Celebes 2 y Salvaguirado.	☐
Texto c	Según los versos de la poeta:	☐
	No se piensa en el futuro.	☐
	El presente pasa desapercibido porque se piensa solo en el futuro.	☐
	La preocupación recae apenas en el momento presente.	☐

2. Extrae la perífrasis de participio de los textos y las palabras con las que se relaciona cada uno de los participios.

Palabras con las que se relacionan los participios	Perífrasis de participio
1. unos 135 <u>chicos</u>	llevan estudiados
2.	
3.	
4.	
5.	

4.2. Practica

1. Completa las frases con perífrasis de participio, utilizando los verbos indicados en presente, futuro imperfecto o pretérito indefinido de indicativo.

a. Durante el juicio, las palabras del Sr. Fernández __quedaron contradichas__ con la declaración de la policía. (quedar + contradecir)

b. Todavía no ha pasado medio año y los alumnos ya _____ 5 novelas. (llevar + leer)

c. Juana _____ con la situación económica de sus familiares y con razón: dos de sus tíos se han quedado sin trabajo. (seguir + preocupar)

d. Os aseguro que para la próxima reunión _____ el informe. (estar + terminar)

e. En el congreso del año pasado _____ la fecha del próximo. (quedar + acordar)

f. A día de hoy, la editorial ya _____ 5 000 ejemplares del libro. (llevar + imprimir)

g. Sofía le pregunta a Francisco llorando: «¿_____ nuestra relación después de 5 años juntos?». (dar por + terminar)

h. Después de haber hablado francamente con Osvaldo, Cecilia _____ el malentendido entre los dos. (dar por + resolver)

i. Hasta el día de hoy 7 títulos _____ a los jóvenes. (ir + conquistar)

j. En la próxima asamblea _____ lo que se decida por votación. (quedar + acordar)

k. El congreso _____ 150 participantes hasta la fecha. (llevar + inscribir)

l. ¡Martín y Carmen _____ medio siglo! (llevar + casar)

m. La gran equivocación de Rosa fue que _____ que Horacio terminaría el trabajo. (dar por + hacer)

n. Después de varias votaciones, podemos anunciar que ya _____ el nuevo director. (estar + elegir)

ñ. John es norteamericano, pero _____ quince años en Colombia. (llevar + vivir)

o. Prométeme, Jaime, que cuando tu padre y yo volvamos del cine, _____ toda la lección. (tener + estudiar)

p. La opinión pública _____. (estar + dividir)

q. El mes pasado, mis padres _____ con los preparativos de la boda de mi hermana y, por eso, hice lo que quería. (andar + atarear)

2. **Forma frases con los elementos que te damos. Haz las adaptaciones necesarias en los participios, según convenga.**

a. competidores – preparado – un – en – podio – los – están – conseguir – el – para

    _____Los competidores están preparados para conseguir un lugar en el podio._____

b. a – mes – todas – programa – terminado – fin – las – mes – grabaciones – del – estarán – de

    _____

c. trabajo – anda – su – en – Ana – con – preocupado – el – situación

    _____

d. vendido – de – para – recital – van – el – 1500 – más – entradas

    _____

e. de – resuelto – la – robos – este – policía – mi – lleva – todos – ciudad – los – año

    _____

f. 40 – de – los – visitado – hasta – médicos – de – hogares – llevarán – familia – fin – mes

    _____

g. publicado – su – el – un – de – joven – autoría – escritor – libro – tiene

    _____

h. boletín – los – de – se – del – las – padres – altas – Rodolfo – quedaron – vieron – satisfecho – cuando – notas

    _____

i. ella – le – a – que – con – Rafael – hablar – deja – necesito – dicho – Manuela

    _____

j. ¿el – lo – por – da – problema? – solucionado

    _____

3. **Todo parece salirle mal a Roberta en la oficina. Lee las situaciones y escribe lo que ella dice en cada caso usando las perífrasis de participio.**

Situación	Roberta dice…
Tenía que terminar un informe importante, pero se le ha vencido el plazo.	¡No tengo terminado el informe!
La impresora se ha estropeado y aún no la han reparado.	
Últimamente su jefe tiene cara de mucha preocupación.	
Se han contratado nuevos empleados que, aparentemente, no trabajan bien, pues les falta preparación.	
El sector de ventas ha informado un número muy bajo para lo que va del corriente mes: 200 productos.	
El mayor cliente ha cancelado el contrato de exclusividad con la empresa.	
Se despierta y se da cuenta de que todavía ni siquiera ha ido a trabajar…	

4.3. Aplica

1. Relaciona los elementos de las columnas y forma frases con los verbos conjugados en el pretérito simple.

estar (el museo)	recorridos	para visitación
tener (yo)	finalizado	otros viajes
llevar (yo)	clausurado	2 km a pie
dar por (yo)	visitados	el paseo
tener (yo)	pensados	diez ciudades españolas
tener (yo)	pagadas	las cuotas del primer viaje

_____

_____

_____

_____

_____

2. Con la ayuda de las frases anteriores, escribe un pequeño diario de viaje sobre algún lugar que hayas visitado. ¡No te olvides de utilizar las perífrasis de participio!

De paseo por… _____

_____

_____

_____

_____

EL PRETÉRITO PLUSCUAMPERFECTO DE INDICATIVO

41

1. En contexto

1

Grave accidente en barrio residencial

Débora Arditi, vecina del lugar donde ocurrió la tragedia, contó que ya había presentado una queja.

2

Después de recibir un premio de manos de los reyes de España, **Cecilia Roth** dijo:

«Jamás **había soñado** con algo así. Fue una ceremonia muy emocionante».

3

¿Qué debo pensar?
Ya habíamos terminado la relación y, a los pocos días, mi novio me llama para decirme que no puede vivir sin mí.
Canelita

Marca la opción correcta en cada uno de los casos:

Texto 1	☐ a) Primero ocurrió la tragedia, después Débora Arditi presentó la queja.
	☐ b) Primero Débora Arditi presentó la queja, después ocurrió la tragedia.

Texto 2	☐ a) Cecilia Roth nunca ha soñado con ganar un premio.
	☐ b) Cecilia Roth nunca imaginó que algún día podía ganar esa medalla.

Texto 3	☐ a) El novio de Canelita la llamó para terminar la relación.
	☐ b) Después de terminar la relación, Canelita recibió una llamada de su novio.

Todos los verbos marcados están en pretérito pluscuamperfecto de indicativo.
Este tiempo se usa para expresar acontecimientos pasados que ocurrieron antes que otro evento también pasado.

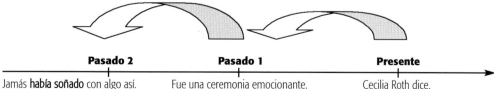

Pasado 2	Pasado 1	Presente
Jamás **había soñado** con algo así.	Fue una ceremonia emocionante.	Cecilia Roth dice.

2. Las formas

Este tiempo verbal se construye con el verbo *haber* en pretérito imperfecto del indicativo, seguido del participio (ver capítulo 20) del verbo.

	HABER	Participio
yo	había	
tú, vos	habías	
él, ella, usted	había	cantado
nosotros, nosotras	habíamos	comido
vosotros, vosotras	habíais	vivido
ellos, ellas, ustedes	habían	

3. Los usos

SE UTILIZA EL PLUSCUAMPERFECTO PARA...	EJEMPLOS
a) expresar acontecimientos pasados anteriores a otra información pasada.	*Habíamos quedado en encontrarnos para estudiar, pero no ha llegado nadie.* *La reunión estaba por terminar y aún no habían decidido las nuevas metas.*
b) presentar un acontecimiento pasado anterior a una información anterior implícita.	*Nunca te había visto tan nerviosa. (se presupone que la persona acabó de ver a su interlocutora ponerse muy nerviosa por primera vez)* *¿Habían oído hablar del nuevo fenómeno musical? (se presupone que recientemente han oído algo sobre el tema)*
c) indicar una idea o un pensamiento pasado interrumpido.	*Había pensado ir al cine (pero al final no fui).*
d) narrar lo que se dijo sobre el pasado en el estilo indirecto (ver capítulo 57).	*Me encontré con Juana en el 2005 y me contó que se había casado en el 2000.* *El acusado dijo que el día del crimen había ido a visitar a su madre al campo.*

4. Ejercicios

4.1. Identifica

Lee los textos y
realiza las actividades.

1

El Sol como nunca antes lo habías visto

Puedes ver el Sol como nunca antes lo habías visto gracias a una nueva sonda espacial.

2

Personajes repetidos en la iglesia de San Juan de Ziriano
Como muchos de vosotros ya habíais deducido en las respuestas que nos habéis enviado para el concurso, la imagen muestra a los cuatro padres de la iglesia latina.

Necesito ayuda con el diseño del jardín

3

Tenemos un jardín nuevo y habíamos pensado hacer una zona de terraza, pero dicen que no es conveniente. ¿Qué opináis?

4

Aparecieron los adolescentes que se habían escapado

La madre confirmó que la policía había encontrado a los adolescentes, que estaban refugiados en un *camping* de Pinamar. Desde ayer la búsqueda se había focalizado en esa ciudad balnearia.

a. Traslada al cuadro los verbos conjugados en pretérito pluscuamperfecto.

yo	
tú, vos	habías visto
él, ella, usted	
nosotros, nosotras	
vosotros, vosotras	
ellos, ellas, ustedes	

b. Extrae de los textos ejemplos que ilustren el uso del pretérito pluscuamperfecto para...

– expresar acontecimientos pasados anteriores a otra información pasada.

– presentar un acontecimiento pasado anterior a una información anterior implícita.

– indicar una idea o un pensamiento pasado interrumpido.

– narrar lo que se dijo sobre el pasado en el estilo indirecto.

4.2. Practica

1. Subraya los verbos y marca con (1) los que expresan una acción pasada y con (2) los que indican una acción anterior a la acción pasada.

a. Cuando <u>llegamos</u> al aeropuerto, el avión <u>había despegado</u>.
        (1)   (2)

b. Tu prima me contó que la habían despedido por llegar tarde.

c. Como había aprendido español en México, pude traducir el texto rápidamente.

d. Juan se había puesto su mejor traje aquella mañana porque iba a una entrevista importante.

e. Habíais quedado en ayudarme y al final tuve que hacerlo todo sola.

2. Completa las oraciones con el verbo conjugado en pretérito pluscuamperfecto.

a. Josefa __había empezado__ (empezar) a trabajar muy joven y, cuando conoció a Ricardo, pensó que iba a tener una vida más cómoda.

b. Mi marido y yo _____ (decidir) viajar a Europa pero, como mis suegros cumplían las bodas de oro, nos quedamos para ayudarlos a organizar la fiesta.

c. No entiendo. Tú me dijiste que _____ (nacer) en Argentina, pero en los documentos dice que eres francesa. ¿Puedes explicármelo?

d. La carta que me mostraron llevaba mi firma, pero yo no la _____ (escribir).

e. ¿Vosotros _____ (ver) alguna vez un perro tan grande como este?

3. Completa con los verbos en el tiempo adecuado.

a. Sofía __había aprendido__ alemán con su abuela, pero no lo __hablaba__ con nadie. (aprender/hablar)

b. Tú ya _____ otros novios cuando _____ a Roberto, ¿no? (tener/conocer)

c. Víctor y Mario _____ amigos en la infancia, pero _____ de verse durante varios años. (ser/dejar)

d. Si mal no recuerdo, cuando _____ vuestro primer hijo, aun no _____ la facultad. (nacer/terminar).

e. Ese día Mariela no _____ a trabajar porque _____ con mucho dolor de cabeza. (ir/despertarse)

4. Completa el texto con los verbos de la caja conjugados en el tiempo adecuado.

llegar – vivir – decidir – ser (2) – publicar – leer – oír – hacer – escribir – tener (3)

Asombro por Juan Rulfo*, Gabriel García Márquez

El descubrimiento de Juan Rulfo -como el de Franz Kafka- será sin duda un capítulo esencial de mis memorias.

Yo _____ a México el 2 de julio de 1961, y no solo no _____ los libros de Juan Rulfo, sino que ni

siquiera _____ hablar de él. _____ con mi mujer en un apartamento sin ascensor de la calle

Renán, en la colonia Anzures. _____ un colchón doble en el suelo del dormitorio grande, una cuna en

el otro cuarto y una mesa de comer y escribir en el salón, con dos sillas únicas que servían para todo.

Yo _____ 32 años, _____ en Colombia una carrera periodística efímera; acababa de pasar

tres años muy útiles y duros en París y ocho meses en Nueva York, y quería hacer guiones de cine en México. El

mundo de los escritores mexicanos de aquella época _____ similar al de Colombia y me encontraba

muy bien entre ellos. Seis años antes _____ mi primera novela, *La hojarasca*, y _____ tres libros

inéditos: *El coronel no tiene quien le escriba*, *La mala hora* y la colección de cuentos de *Los funerales de la

mamá grande*. De modo que _____ yo un escritor con cinco libros clandestinos, pero mi

problema no era ese, pues ni entonces ni nunca _____ para ser famoso, sino para que mis amigos me

quisieran más y eso creía haberlo conseguido.

* Adaptado del texto leído por Gabriel García Márquez el jueves 18 de septiembre de 2003, fecha

en que se cumplió el cincuentenario de la primera edición de *El Llano en llamas*.

4.3. Aplica

Escribe un breve relato sobre cómo fue tu primera salida seria con un chico o una chica.
Tu relato deberá incluir:

a. el modo como combinaron la cita;

b. el lugar donde quedaron en encontrarse;

c. tus preparativos para el encuentro;

d. tus sentimientos antes del encuentro;

e. el encuentro en sí.

42

1. En contexto

1  Cuando el lector tenga este número de la revista en sus manos, se habrán cumplido, casi exactamente, ocho años desde la entrada en vigor de la Ley de Prevención de Riesgos Laborales.

Revista Seguridad y Salud en el Trabajo, nº 28, 2003

2

Serie Casi Ángeles:

¿Qué habrá hecho Lleca? ¿Otra vez persiguiendo a Martina? ¿O habrá descubierto algo que Nacho no sabe?

3 *Se calcula que al final de septiembre habrá llovido un poco más de lo normal.*

4 *Sin maquillaje... ¿sigue siendo una diosa?*
Admirada y deseada por millones, se paseó a cara lavada por la calle. ¿La habrán reconocido?

5 **¿Y de qué hablamos?** Muchos silencios en familia nacen del «no sé qué decir». Empiece contando una aventura en su trabajo. Mañana será su pareja quien habrá descubierto algo interesante en el trabajo o en las tareas domésticas, o que habrá escuchado un programa interesante en la radio.

Marca la opción correcta en cada uno de los casos:

Texto 1	El próximo número de la revista llegará a los lectores…
	☐ **a)** antes de que se cumplan los 8 años de la Ley de Prevención de Riesgos Laborales.
	☐ **b)** después de que se cumplan los 8 años de la Ley de Prevención de Riesgos Laborales.
Texto 2	Las preguntas del adelanto tienen el objetivo de que los lectores…
	☐ **a)** conjeturen sobre los hechos del capítulo.
	☐ **b)** den sugestiones sobre cómo será el capítulo.
Texto 3	Se registrará un total de lluvia por encima de la media…
	☐ **a)** cuando empiece el mes de septiembre.
	☐ **b)** cuando termine el mes de septiembre.

Texto 4	El misterio del que se habla está centrado en si la persona famosa…
	☐ **a)** fue reconocida sin maquillaje.
	☐ **b)** en el futuro será reconocida sin maquillaje.
Texto 5	La pareja será quien tenga que decir…
	☐ **a)** antes de haber descubierto o escuchado algo.
	☐ **b)** después de haber descubierto o escuchado algo.

Todos los verbos marcados están en futuro compuesto. Este tiempo se usa para expresar, básicamente, un acontecimiento futuro anterior a otro hecho también futuro.

Cuando terminemos de recorrer el sendero, ya se habrá hecho de noche.

se hará de noche	terminaremos
Presente	**Futuro**

También se utiliza para expresar una hipótesis de lo que ha ocurrido.

2. Las formas

Este tiempo se forma con el verbo *haber* en futuro simple, seguido del participio
(ver capítulo 20) del verbo.

	HABER	Participio
yo	habré	
tú, vos	habrás	
él, ella, usted	habrá	cantado
nosotros, nosotras	habremos	comido
vosotros, vosotras	habréis	vivido
ellos, ellas, ustedes	habrán	

habr + ____ + pap

3. Los usos

SE UTILIZA EL FUTURO COMPUESTO PARA...	EJEMPLOS
a) expresar una acción futura, anterior a otra acción futura.	*No te preocupes. Cuando vuelvas, todo* **se habrá resuelto**.
	No bien oscurezca, todos se marcharán a sus casas, pues **habrán terminado** *los festejos.*
¡Atención!	
Suele ir acompañado de **ya**, enfatizando que es anterior a otro acontecimiento: *Cuando leas este e-mail, ya te* **habrás enterado** *de todo.*	
b) expresar probabilidad en el pasado.	*Ana no llegó todavía. ¿No* **se habrá perdido**?
	¡Qué raro que el negocio de Pepa está cerrado!
¡Atención!	*No* **se habrá puesto** *enferma, ¿no?*
Suele ir acompañado por expresiones como **seguramente, posiblemente**, etc *No sé exactamente qué pasó, pero seguramente no* **habrá sido** *nada muy importante, porque no nos avisaron.*	

MÁS

Es muy común el empleo del futuro compuesto en frases hechas para expresar sorpresa, espanto o alarma:
*¡**Habrase visto** algo semejante!*
*¡**Habrase escuchado** tal disparate!*
*¡Si **habré tenido** paciencia con mi hijo!*

4. Ejercicios

4.1. Identifica

Lee los textos y realiza las actividades.

1

Tras 14 años de convivencia deciden casarse y todavía se preguntan si no se habrán precipitado un poco.

2 **¿Un burro a la cárcel? ¡Habrase visto!**

Las autoridades de una comunidad rural de México detuvieron durante 12 horas a un burro que pateó y mordió a dos personas.

3 **viernes 15 de febrero**

Como seguro habréis oído, tenemos el peor invierno de los últimos 10 años.

4

■ Santiago, 12 de marzo de 2010

Tras el terremoto sufrido en Chile, se están construyendo viviendas de emergencia en las zonas más afectadas. Al final de esta semana se habrán construido las primeras 660 viviendas.

5

Nico dice: Me voy a estudiar a Buenos Aires, a la UBA. ¿Hay alguien de allí?

Palacios dice: Yo ahora no vivo allí, pero iré en verano a pasar las Navidades. Supongo que entonces te habrás ido a casa, ¿no?

6

«En 20 o 30 años habremos conseguido erradicar el cáncer de mama como causa de muerte», afirmó el especialista.

a. Marca la afirmación que se ajusta al texto en cada caso:

Texto 1	El humor de la frase consiste en que: ( ) no se sabe si efectivamente se casaron. ( ) es casi impensable que hayan tenido dudas después de tanto tiempo de vida juntos.
Texto 2	Quien publica la noticia en el foro: ( ) se espanta por el hecho de que un animal haya estado preso. ( ) duda de que a un animal lo hayan llevado preso.
Texto 3	Quien escribe el *blog*: ( ) imagina que sus lectores ya saben qué tiempo hace cuando lean su *post*. ( ) anticipa a sus lectores el pronóstico del tiempo porque no deben saber nada al respecto.
Texto 4	Según la noticia, las primeras 660 viviendas de emergencia estarán en pie: ( ) cuando empiece la semana corriente. ( ) cuando termine la semana corriente.
Texto 5	Según la charla entre Nico y Palacios, podemos afirmar que: ( ) Palacios y Nico se encontrarán en Buenos Aires para las Navidades. ( ) en el verano, Nico no estará en Buenos Aires.
Texto 6	La erradicación del cáncer de mama como causa de muerte: ( ) es segura. ( ) es probable a largo plazo.

b. Relaciona las frases de la izquierda con los usos del futuro compuesto que aparecen a la derecha.

FRASES	USOS
2 No se habrán precipitado un poco.	
¿Un burro a la cárcel? ¡Hábrase visto!	
Como seguro habréis oído, tenemos el peor invierno de los últimos 10 años.	Se expresa:
Al final de esta semana se habrán construido las primeras 660 viviendas.	1. una acción futura, anterior a otra acción futura. 2. probabilidad en el pasado.
Supongo que entonces te habrás ido a casa, ¿no?	3. sorpresa o alarma.
En 20 o 30 años habremos conseguido erradicar el cáncer de mama como causa de muerte.	

4.2. Practica

1. Identifica las formas verbales que corresponden al futuro compuesto.

a. habré tenido – había tenido – he tenido
b. habrán construido – habían construido – han construido
c. habíais oído – habéis oído – habréis oído
d. habrás vuelto – habías vuelto – has vuelto
e. habíamos conseguido – habremos conseguido – hemos conseguido
f. había visto – ha visto – habrá visto

2. Clasifica las formas del futuro compuesto de la actividad anterior en el siguiente cuadro.

	FUTURO COMPUESTO
yo	
tú, vos	
él, ella, usted	
nosotros, nosotras	
vosotros, vosotras	
ellos, ellas, ustedes	

3. Completa con los verbos en futuro compuesto.

a. Cuando te llegue esta carta, me __habré ido__ para siempre de tu vida. (ir - yo)
b. ¿Cómo habrá terminado la reunión de consorcio? ¡Estaba de lo más acalorada! (terminar)
c. No sé si se habrá encontrado pistas de los ladrones del museo. (encontrar)
d. Mañana es tu cumpleaños y habrás _____ un año más de vida llena de felicidad. (completar)
e. Por una cuestión de seguridad, ya se _____ la carretera cuando la tormenta se desate. (cortar)
f. Dicen que, por más que lleguemos a los 100 años, no lo _____ todo. (ver)

g. Cuando llegue la primavera, _habrás vuelto_ . (volver - tú)

h. La semana que viene tendré una reunión con los gerentes. Que se preparen, pues al final del encuentro ya les _habrán dicho_ lo mal que están gestionando mi empresa. (decir)

i. El año pasado le enviamos a Juana un libro por correo. ¿Le _____? (gustar)

j. Las actividades en el campamento comienzan muy temprano, por lo tanto, jóvenes, antes de que amanezca, ivosotros ya _____! (levantarse)

k. ¿Cuánta gente _____ _habido_ en la inauguración de la tienda? (haber)

4. Reescribe estas informaciones de probabilidad en el presente como si fueran probables en el pasado. Haz las adaptaciones necesarias.

a. Mañana hará frío. > _____Ayer habrá hecho frío._____

b. Mi prima está con náuseas y diarrea, ¿tendrá una indigestión estomacal?

_____

c. El hijo mayor de mi tío tendrá ahora unos 50 años.

_____

d. Para llegar al destino tendrás que hacer unos 150 km por esta carretera.

_____

e. La próxima semana la temperatura no bajará de los 30 °C.

_____

f. ¿Comprará Juan el auto que tanto desea?

_____

4.3. Aplica

¿Qué cosas habrás y no habrás hecho cuando llegue el próximo domingo?
Escribe un breve texto sobre el tema.

Cuando llegue el próximo domingo, habré almorzado con mis amigos dos veces…

_____
_____
_____
_____
_____
_____
_____
_____

LOS CONECTORES DE LA COORDINACIÓN

1. En contexto

1

Un robot japonés decora y sirve de perro guardián

2

Cómo usar la solicitud electrónica

- Conteste todas las preguntas en los espacios correspondientes o seleccione su respuesta de la lista.

3

Increíble pero cierto: el burro mexicano, en peligro de extinción

4

La especie humana no es el fin, sino el comienzo de la evolución

Nuestra especie no cambiará en el futuro por una lenta evolución biológica, sino por una nueva, rápida y directa evolución tecnológica.

Adaptado de http:www.tendencias21.net

5 6/7/2009 11:29 h **CAÍDA DE LAS EXPORTACIONES**

El empleo aumentará siete u ocho años después de que se inicie la recuperación económica

Las palabras destacadas en los textos son conectores de coordinación. Estos conectores unen diferentes elementos gramaticales que forman parte de un texto. De los textos anteriores extrae:

● Una palabra que relaciona y suma informaciones:

● Dos palabras que contraponen informaciones:

● Dos palabras que relacionan dos opciones o posibilidades diferentes:

2. Las formas

Son palabras que unen elementos gramaticales: palabras (sustantivos, verbos, adjetivos, adverbios, etc.), grupos de palabras o frases, y establecen entre ellos tres tipos de relación: adición, alternancia u oposición.

TIPO DE RELACIÓN	FORMAS	EJEMPLOS
ADICIÓN (suman dos o más elementos)	y y también tanto… como no solo… sino (que)	*Decore y refaccione su hogar.* *Me gustan los duraznos y las ciruelas.* *Visité el museo y también la catedral de la ciudad.* *Tanto María como José son amigos míos del colegio.* *No solo nos parecieron muy amables, sino muy distinguidos los nuevos dueños de la empresa.*
	no… tampoco no… ni ni… ni	*No vamos en tren, tampoco en avión. ¡En auto!* *No come carne ni toma bebidas alcohólicas.* *Diego es un vago, ni estudia ni trabaja.*
ALTERNANCIA (presentan opciones)	o o bien… o bien	*¿Lloran o se ríen?* *No sé si me compro un auto o una moto.*
OPOSICIÓN (el segundo elemento puede limitar, corregir o negar el primer elemento)	pero mas sino (que)	*Salieron temprano, pero llegarán atrasados.* *El documental no critica sino que ofrece soluciones.* *El comercio justo no es caridad sino justicia.* *Sus ojos no son azules sino grises.*

¡Atención!

Delante de palabras que comienzan con **i-** o **hi-**, el conector **y** se sustituye por **e**:
Daniel organizó una fiesta e invitó a todos sus amigos.

¡Atención!

Delante de palabras que comienzan por **o-** u **ho-**, el conector **o** se sustituye por **u**:
¿Estás diciendo la verdad u ocultas algo?

3. Los usos

CONECTORES DE SUMA		
USOS	FORMAS	EJEMPLOS
Para expresar énfasis. (Efecto producido por la repetición del conector cuando se relacionan más de dos elementos)	y (e)	*Pedro se me acercó y se presentó y me invitó a salir… ¡Todo en cuestión de minutos!*
Para expresar adición de dos informaciones con énfasis.	tanto… como no solo… sino (que) no solamente … sino (que)	*Tanto en el norte como en el sur se come muy bien.* *Rosa y Javier no solo no han roto, sino que pusieron fecha para casarse.* *Las obras de la estación de trenes no solamente siguen sino que están muy adelantadas.*

| Para introducir una frase con énfasis. (En este caso, el conector funciona más como un nexo enfático que introduce lo que se dice) | y | – ¿Así que te vas a mudar aquí cerca?
– Sí, seremos prácticamente vecinos.
– ¿**Y** cuándo efectivamente te mudas?
– Dentro de un mes. |
| En frases hechas, otorgándole énfasis a la negación. | ni | **Ni nada**: ¡No voy, **ni** lo llamo, **ni nada**!
Ni idea: No tengo **ni idea** de cómo se hace eso. |

CONECTORES DE ALTERNANCIA		
USOS	FORMAS	EJEMPLOS
Para expresar exclusión (es una cosa y la otra no).	o (u)	¿Te quedas **o** te vas? ¿Qué te parece? ¿Vamos a pie **o** en bicicleta?
Para expresar que una acción depende de otra anterior.	o (u)	Cállate **o** me voy./**O** te callas **o** me voy. Deja de decir tonterías **o** no hablo más contigo.
Para expresar que la realización de una acción depende de la no realización de otra.	o… o bien o bien… o bien	**O** nos quedamos en casa, **o bien** salimos a comer. **O bien** nos cuentan lo está pasando **o bien** no hacemos caso.

CONECTORES DE OPOSICIÓN		
USOS	FORMAS	EJEMPLOS
Para expresar contraste o énfasis.	pero	Sofía no estudia, **pero** aprueba. Pedro no es atractivo, **pero** es muy inteligente. ¡**Pero** será posible! ¿**Pero** qué buscas? ¿Qué te eche de aquí?
Para expresar oposición como incompatibilidad.	sino (que)	No voy a salir esta noche, **sino que** me voy a quedar estudiando. ¿Así que esta película no te pareció interesante, **sino** aburrida?

3.1. Contraste *pero* y *sino*.

	PERO	SINO (QUE)
FORMAS y USOS	Información afirmativa + *pero* + información diferente de la anterior *Los libros que tengo que leer son muy interesantes, **pero** largos.*	Información negativa + *sino (que)* + información afirmativa de contraste directo con la anterior: la sustituye y la anula. *Julieta no tiene hambre **sino** sueño, por eso llora tanto.* *Gabriela no le pasó sus apuntes a Francisco **sino que** se los copió.*
	Información negativa + *pero* + información que amplía la anterior. *A Juan no le gusta el teatro, **pero** siempre la acompaña a su tía.*	
	Los contrastes no son directos o anulativos.	Los contrastes son directos y anulativos.

4. Ejercicios

4.1. Identifica

Lee los textos y resuelve las tareas.

a)

Un aristócrata histórico inspiró el personaje de Drácula, pero no existen documentos que señalen una conducta vampírica.

b)

Hablar nos hace inteligentes: conversar mejora el funcionamiento del cerebro y la capacidad para resolver problemas.

c)

Todos los movimientos que realizamos con las manos al hablar no son casuales, sino que transmiten al interlocutor datos que pueden complementar la información transmitida oralmente.

Muy Interesante - 02/03/2000

d)

«Innovar no solo significa tener una idea brillante, sino creer firmemente en ella para desterrar los temores y prejuicios de una sociedad ignorante».

Luis Miguel Ariza (escritor, biólogo y divulgador)

Subraya los conectores en los textos y marca las alternativas correctas.

Texto a	¿Hay pruebas de la existencia de un vampiro que haya inspirado al personaje Drácula?: ( ) Sí. (X) No.
Texto b	Conversar: ( ) no solo mejora el funcionamiento del cerebro, sino también la capacidad para resolver problemas. ( ) mejora el funcionamiento del cerebro o la capacidad para resolver problemas.
Texto c	Según el texto, es correcto afirmar que: ( ) el habla y la gesticulación están relacionados. ( ) los gestos pueden ser complementares o casuales.
Texto d	Según el texto, es correcto afirmar: ( ) Para innovar no hay que tener una idea brillante, sino creer firmemente en ella. ( ) Para innovar hay que tener una idea brillante o creer firmemente en ella. ( ) Para innovar hay que tener una idea brillante y creer firmemente en ella.

4.2. Practica

1. Observa las frases y haz las transformaciones necesarias para completar el cuadro:

ADICIÓN AFIRMATIVA	ADICIÓN NEGATIVA
a. A María le gustan las rosas y los claveles.	a. _____ .
b. Trabaja mucho y también estudia mucho.	b. _____ .
c. _____ .	c. Ni Pablo ni Fermín son abogados.
d. _____ .	d. Los niños no cantan ni bailan bien.
e. _____ .	e. Graciela no solo no vino a comer, sino que tampoco llamó.
f. Tanto practicar deportes como beber mucha agua son fundamentales para la salud.	f. _____ .

2. Usa los conectores *no solo... sino (que)* y *sino*, como en el modelo.

Ana es alta y flaca. ⇒ _Ana no solo es alta, sino también flaca._

Ana no es alta. Es baja. ⇒ _Ana no es alta, sino baja._

a. El cambio climático produce sequías y derretimiento de glaciares. _produce no solo sequías sino también derretimiento_

El cambio climático no ayuda al planeta. Produce desastres climáticos. _no ayuda al planeta sino que produce_

b. La autoestima es el resultado de experiencias de la niñez y la adolescencia. _____

La autoestima no es indestructible. Es posible dañarla fácilmente. _no es indestructible que es_

c. Mi perro ladra y muerde. _mi perro no solo ladra sino también muerde_

Mi perro ladra. No muerde. _mi perro ladra sino que muerde._

d. El tabaco es adictivo y puede causar cáncer. _____

El tabaco no es saludable. Es perjudicial para la salud. _no es saludable sino que es per_

3. Completa las frases con los conectores de la caja. Utiliza solamente una vez cada uno.

o – u – e – y – pero – sino

a. En los deportes con riesgos de caídas, como el ciclismo _o_ el motociclismo, se les exige el uso de cascos.

b. Usted puede participar en el congreso a través de una presentación en papel _u_ oral.

c. La pesca comercial _y_ la destrucción de los hábitats están terminando con especies marítimas.

d. El dragón no es un ser mitológico, _sino_ de la realidad del Cretasio, dicen los científicos.

e. Los reportajes destacaron anécdotas _e_ insólitas marcas de las últimas Olimpíadas.

f. En un futuro no muy distante, los aviones de pasajeros serán más grandes, _pero_ menos ruidosos y contaminantes.

4. Completa las frases con los conectores de coordinación *tanto… como, pero, o, sino* **u** *o… o bien,* **según las orientaciones que te damos.**

a. Mire, _ o bien _ me entrega el producto mañana _sino_ tendré que dirigirme al departamento de atención al consumidor. ⇒ la segunda acción depende de la no realización de la primera.

b. Yo no tuve ningún problema: _____me enviaron el producto _____me llamaron para confirmar la entrega. ⇒ se suman dos informaciones con énfasis.

c. El producto no me llegó en buen estado, _____estropeado. ⇒ se oponen dos informaciones, siendo que la segunda información anula la primera.

d. ¿El producto en venta es de primera mano _____ es usado? ⇒ una información excluye la otra.

e. Quise hacer el pago con tarjeta, _____hubo problemas en la transacción. ⇒ las informaciones se contrastan, pero no se anulan.

4.3. Aplica

Lee lo que significa *ser asertivo* **y escribe frases siguiendo la pauta que te damos respondiendo a la pregunta: ¿Es usted asertivo?**

Ser «asertivo» es una de las cualidades más valoradas en el ambiente de trabajo. Tener asertividad significa afirmar la propia personalidad, tener confianza en sí mismo, iniciativa y saber comunicarse con eficiencia.

Una persona asertiva:
1. Se siente libre y segura para expresarse.
2. Se comunica con personas de todos los niveles y en las más diferentes situaciones.
3. Tiene iniciativa y no espera que las cosas le pasen.
4. Actúa de forma equilibrada y respeta a los demás.
5. Sabe aceptar o rechazar a las personas con tacto.
6. Controla sus emociones sin dejar expresar sus sentimientos.

a. Destaca dos informaciones que conforman la cualidad de «asertivo», pero sin énfasis.
Una persona asertiva autoafirma sus derechos personales y respeta los derechos de los demás.

b. Destaca dos informaciones que conforman la cualidad de «asertivo» enfáticamente.

_____

c. Presenta dos informaciones, siendo que una anula la otra, para describir la cualidad de «asertivo».

_____

d. Propón dos características como opcionales para que una persona se relacione socialmente de forma asertiva.

_____

e. Contrasta informaciones que hablen sobre relacionarse socialmente de forma asertiva.

_____

44
EL PRETÉRITO IMPERFECTO DE SUBJUNTIVO

1. En contexto

«Quería que mis niñas me **vieran** correr», afirma **Pedro Martínez de la Rosa**

2 Entrenar sobre anillas, como si **fuésemos** gimnastas, todo un reto al alcance de todos

3 A mi hija le encantaba que **cantáramos** mientras nos bañábamos.

4 **Pavor en Venezuela por la devaluación de la moneda**
 Cientos de venezolanos compraron electrodomésticos por miedo a que **subieran** de precio por la devaluación del bolívar.

5 **GLOBOS VIAJEROS QUE LLEGARON A URUGUAY**
Colocamos mensajes atados a los globos y los soltamos. No creíamos que **llegaran** a un lugar definido, pero al cabo de unas semanas nos enteramos de que un puñado de globos había llegado a una escuela de Canelones, Uruguay.

6 **No sabía que fuera ilegal vender relojes falsos**
Un hombre juzgado ayer por intentar vender 75 relojes falsos y objetos de bisutería aseguró a los agentes que lo detuvieron que no sabía que lo que hacía era ilegal.

Marca en qué texto…

a.	se compara algo de forma hipotética o irreal	2
b.	se expresa un deseo	
c.	se habla de algo que se creía poco probable	
d.	se introduce la causa de un acontecimiento	
e.	se habla de gustos	
f.	se expresa desconocimiento	

Todos los verbos marcados están en pretérito imperfecto de subjuntivo. Este tiempo se usa para expresar acontecimientos pasados, presentes y futuros.

◆ **Acontecimiento pasado:**
A mi hija le encantaba que cantáramos (entonces) mientras nos bañábamos.

◆ **Acontecimiento presente:**
No sabía que (hoy) fuera ilegal vender relojes falsos.

◆ **Acontecimiento futuro:**
Me hacía mucha ilusión que mis niñas me vieran (en la próxima carrera) correr.

2. Las formas

- El imperfecto de subjuntivo tiene dos formas, una terminada en –*ra* y otra en –*se*, y significan lo mismo.
- Se forma quitando –*ron* de la forma *ellos* del pretérito perfecto simple (ver capítulo 17).

INFINITIVO	PRETÉRITO SIMPLE	PRETÉRITO IMPERFECTO SUBJUNTIVO
llevar	llevaron ⇒	llevara – llevase
vender	vendieron ⇒	vendiera – vendiese
vivir	vivieron ⇒	viviera – viviese
hacer	hicieron ⇒	hiciera – hiciese
tener	tuvieron ⇒	tuviera – tuviese
dormir	durmieron ⇒	durmiera – durmiese
mentir	mintieron ⇒	mintiera – mintiese

	CANTAR		COMER		VIVIR	
yo	cantara	cantase	comiera	comiese	viviera	viviese
tú, vos	cantaras	cantases	comieras	comieses	vivieras	vivieses
él, ella, usted	cantara	cantase	comiera	comiese	viviera	viviese
nosotros, nosotras	cantáramos	cantásemos	comiéramos	comiésemos	viviéramos	viviésemos
vosotros, vosotras	cantarais	cantaseis	comierais	comieses	vivierais	vivieseis
ellos, ellas, ustedes	cantaran	cantasen	comieran	comiesen	vivieran	viviesen

3. Los usos

3.1. En oraciones independientes

SE UTILIZA EL IMPERFECTO DE SUBJUNTIVO PARA…	EJEMPLOS
a) formular un deseo de realización poco probable después de *ojalá (que)* o de *¡Quién…!*	*Ojalá **pudiéramos** comprar este piso.* *Ojalá (que) nos **fuera** bien con este negocio.* *¡Quién **tuviera** su suerte!*
b) hacer conjeturas o expresar una probabilidad en el pasado, después de *quizá(s), tal vez, probablemente…*	*No la llamó. Tal vez **estuviera** ocupado.* *Parecían una pareja muy feliz. Quizá **fueran** recién casados.*

3.2. En oraciones subordinadas

SE UTILIZA EL IMPERFECTO DE SUBJUNTIVO PARA…	EJEMPLOS
a) dar o transmitir consejos, órdenes o sugerencias después de verbos en condicional o en pasado como *aconsejar, decretar, consentir, mandar, ordenar*, etc.	*Nos aconsejó que **manejáramos** con cuidado porque la ruta estaba en malas condiciones.* *Le ordenó que **subiera** a su dormitorio a estudiar.*

b) expresar deseos después de verbos en condicional o en pasado como *querer, desear, preferir,* etc.	*Yo querría una casa que **tuviera** un gran jardín. Deseaban que se **casara**.*
c) expresar una reacción emocional o un juicio de valor ante un acontecimiento pasado o futuro después de verbos y expresiones en condicional o en pasado como *gustar, encantar, lamentar, ser una lástima, ser una pena que,* etc., y con expresiones que indican un juicio de valor: *ser importante que, ser fundamental que.*	*A mi hermano menor le molestaba que lo **tratáramos** como a un niño. A mi hija le gustaba que **fuera** con ella a comprar. Lamentaron que **estuviera** en el paro. Fue una lástima que el paseo se **cancelara** por el mal tiempo.*
d) introducir una petición después de verbos en condicional o pasado como *pedir, suplicar, solicitar,* etc. (ver capítulo 57).	*El profesor les pidió que **escribieran** otro texto. Solicitó que **elaboraran** una campaña publicitaria.*
e) rechazar una idea pasada, presente o futura después de verbos de opinión en pasado o en condicional negados como *creer, considerar, opinar,* etc.	*Mirta no creía que **fueran** a despedirla. Los directivos no consideraban que asumir riesgos **pusiera** en peligro a la empresa.*
f) introducir un obstáculo que no impide la realización de un acontecimiento futuro o pasado cuando se habla de acontecimientos hipotéticos o de muy difícil realización, después de *aunque, a pesar de que, aun cuando, por más que, por mucho que* (ver capítulo 47).	*No me subiría a una nave espacial aunque me **pagaran** un millón de euros. Por mucho que **insistiéramos** no quisieron darnos el crédito. Por más que **estudiara** no consiguió aprobar.*
g) introducir una causa en pasado con las expresiones: *por miedo de que, no es que, no es porque… sino porque, de ahí que* (ver capítulo 45).	*Por miedo de que sus padres se **enojaran** no les contó que iba a repetir de año. Era una pieza de mucho valor. De ahí que no **quisiera** mandarla por correo.*
h) explicar un objetivo pasado detrás de las expresiones de finalidad (ver capítulo 46).	*Le compró un piso a su madre para que **viviese** más cómodamente. Me invitó para que **pudiéramos** conversar.*
i) hablar de acontecimientos de realización improbable en el presente o en el futuro en las oraciones condicionales (ver capítulo 56).	*Si **pudiese** estudiar en Europa, me iba. Si tu auto **estuviera** bien, podríamos viajar.*
j) hablar de un acontecimiento irreal en el presente.	*Si **fuese** una celebridad, me tratarían mejor.*
k) comparar un acontecimiento con otro que es hipotético con *como si.*	*Corre como si lo **persiguieran**. Habla como si no **tuviese** dientes.*
l) indicar cortesía o modestia.	*Sr. Suárez, **quisiera** pedirle un favor.*
m) hablar de personas o cosas del pasado o hipotéticas de forma inespecífica (ver capítulo 30).	*Buscaba un piso que **tuviera** balcones a la calle. Buscaba una secretaria que **hablara** cuatro idiomas.*
n) después de *antes de que* y *después de que* para referirse al pasado (ver capítulo 53).	*Nos fuimos antes de que **terminara** la función. Dos días después de que le **otorgaran** la beca, conoció a su actual esposa.*

4. Ejercicios

4.1. Identifica

Lee los textos y resuelve las tareas.

1

Carta abierta de Ricardo Bada a don Paco Amighetti

Usted y yo nos hicimos amigos de una manera para la que no hay palabras. A usted le encantaba que yo llegara a su casa con cualquier pretexto, que recitase poemas de Machado con acento español. Y a mí me volvía loco de contento que me explicara cómo es el arte de la xilografía. Y a mí me encabronaba, y lo decía a gritos, que usted no fuese mundialmente conocido. Usted sonreía viéndome encabronado. Y me pedía que le recitase: «¿Sabe de memoria algo de Miguel Hernández?».

Adaptado de http://www.jornada.unam.mx/2007/06/03/sem-bada.html

2 **Si pudierais elegir... ¿dónde viviríais? (pueblo, ciudad, país...)**
Bueno… si pudiera elegir, viviría en alguna zona con sol y buena temperatura.

3

Cuando formamos la banda, no creíamos que fuéramos a dedicarnos a la música por completo. Comenzamos jugando, pasándolo bien. El resto vino después.

4

A principios del siglo XX, las enfermedades infantiles eran comunes. Los bebés se morían de neumonía. Las escuelas se cerraban debido a un brote de sarampión. No estaba permitido que los niños nadaran por miedo de que contrajeran la polio.

a) Marca con V las oraciones verdaderas y con F las falsas.

Texto 1	A Paco Amighetti:	
	a. lo alegraban las visitas de Bada.	V
	b. lo entristecía no ser mundialmente conocido.	
	c. no le gustaba la poesía de Miguel Hernández.	
Texto 2	Quien escribe el texto:	
	a. vive en un lugar con poco sol y temperaturas no agradables.	
	b. le gustaría mudarse a un lugar donde hiciera sol.	
Texto 3	Los integrantes de la banda:	
	a. siempre pensaron que se dedicarían a la música.	
	b. empezaron a hacer música para divertirse.	
Texto 4	**a.** Antes, si los niños nadaban, podían enfermar.	
	b. Los niños tenían miedo de nadar.	

b) Extrae de los textos oraciones que ilustren el uso del pretérito imperfecto de subjuntivo para:

introducir una causa _____

introducir un pedido _____

expresar un sentimiento _____

hablar de hechos que se consideran improbables en el futuro _____

rechazar una idea pasada _____

4.2. Practica

1. Completa con los verbos en el pretérito imperfecto de subjuntivo.

a. Mis padres querían que _vendiésemos_ (vender - nosotros) el piso y que nos _se mudásemos_ (mudarse – nosotros) a una casa cerca de la de ellos.

b. Carlos nunca pensó que su socio _pudiese_ (poder) engañarlo.

c. Tu marido va a cumplir 40 años y se comporta como si _fuese_ (ser) un adolescente.

d. Ojalá _construyesen_ (construir - ellos) una entrada del metro cerca de mi casa.

e. Para Julio era muy importante que sus hijos _siguiesen_ (seguir) una carrera universitaria.

f. Mi madre quería que yo la _acompañase_ (acompañar) a todos los lados.

g. ¿Eva os pidió que _pasaseis_ (pasar) a buscarla?

h. Por más esfuerzo que _hiciese_ (hacer) no conseguía que su jefe lo _promoviese_ (promover) a encargado.

i. Si _reformases_ (reformar) tu piso antes de venderlo, sacarías mejor precio.

j. Buscábamos un arquitecto que _tuviese_ (tener) experiencia en la construcción de casas inteligentes.

k. Los chicos se apresuraron a ordenar la sala antes de que _llegase_ (llegar) sus padres y _____ (ver) el lío que habían hecho.

2. Elige un elemento de cada columna y forma oraciones como en el modelo.

1. La mujer caminaba	**a.** ser una niña	a) _____
2. El profesor de Física habla	**b.** querer hablarte	b) _____
	c. estar borracha	c) _____
3. Te comportas	**d.** tener una papa en la boca	d) _____
4. Ese hombre te mira		
5. Los niños corrieron	**e.** no conocerme	e) _____
6. Mi exnovio pasó de largo	**f.** temer pasar hambre	f) _____
7. María come	**g.** perseguirlos el demonio.	g) _Los niños corrieron como si los persiguiera el demonio._

3. Completa las oraciones con las frases del recuadro en la forma adecuada.

saber el dialecto local – hacerle la compra – no haber más tiempo para profundizar en el tema – ustedes ir a conseguir el préstamo – ser de seda

a. La abuela me pidió que _le hiciera la compra_

b. Juana quería un vestido de fiesta que_____

c. Nosotros no creíamos que_____

d. El profesor lamentó que_____

e. El arqueólogo buscaba un guía que_____

4. Completa con los verbos en el tiempo adecuado (pretérito perfecto simple, imperfecto de indicativo o pretérito imperfecto de subjuntivo).

taparse – sentirse – hablar – ayudar – decir – decidir – temer – llevar – parecer – querer – pedir – reír – ver – estar – empezar – saber – ser – pensar – responder

La Bestia se _sentía_ feliz de que la Bella no le _____. _____ hacerle un regalo por haberle

devuelto la felicidad. Un día le _____ que _____ los ojos y la _____ a su enorme

biblioteca. La joven no podía creerlo cuando sus ojos _____ tantos libros.

– Son tuyos –le _____ la Bestia, porque _____ cuánto amaba la Bella los libros.

–¡Muchísimas gracias! – _____ la joven sonriendo.

Bella _____ a leerle libros a la Bestia y su amistad se hizo cada vez más profunda. Por fin

_____ organizar una noche especial. La Bestia _____ preocupado. Quería que todo

_____ perfecto, pero _____ que nunca conseguiría estar presentable. Din don y Lumiere lo

_____ a vestirse para asegurarse de que _____ elegante y apuesto.

La Bella y la Bestia

4.3. Aplica

Responde con información personal.

Cuando era niño/joven

Me fastidiaba que _____

Me gustaba que _____

Me enloquecía que _____

Quería que _____

No creía que _____

LAS EXPRESIONES Y LAS ORACIONES DE CAUSA

1. En contexto

Crónicas del Departamento de Museografía:
Feria del Libro, Monterrey, Nuevo León

AMALIA M. MONDRAGÓN RAMÍREZ

Todo empezó la mañana del 2 de octubre del 2000, en que teníamos que estar a las 7:15 en el aeropuerto.

Llegando al mostrador, nos dijeron que el vuelo se había cancelado debido a que el avión tenía fallos mecánicos.

Finalmente llegamos al hotel donde se montaría la exposición «Mosaico de Ciencias», que por suerte estaba cerca del aeropuerto, porque el transporte es excesivamente caro en esa ciudad.

La burocracia nos puso muchos problemas, empezando con que no dejaron entrar al contenedor que traía la exposición, y como no nos habían avisado, perdimos todo un día para descargar. Aprovechamos, entonces, para tratar de conocer la fundidora de Monterrey, lo cual solo pudimos hacer de lejos, pues como llevábamos cámara no podíamos entrar a menos que la dejáramos con un policía que no se veía confiable.

El viernes debido al atraso de otro departamento involucrado en la exposición, terminamos por fin por la noche. Esa misma noche el clima dio un giro de 180 grados. A la mañana siguiente no se apreciaba el cerro de la ciudad, pues el cielo estaba lleno de nubosidades. Nos quedamos un rato en la inauguración de la exposición, que estuvo llena de personalidades.

A la vuelta, y para no variar, el vuelo se retrasó media hora.

Las palabras marcadas en los textos son **conectores causales**. Estos conectores introducen una información (elemento B) que expresa el motivo, la razón o la causa que provoca el evento (elemento A) presente en el texto. Teniendo en cuenta esa relación de sentido y el texto de apertura, completa el cuadro con el evento, efecto de la causa.

EFECTO DE LA CAUSA (elemento A)	LA CAUSA (elemento B)
	debido a que el avión tenía fallos mecánicos
	porque el transporte es excesivamente caro en esa ciudad.
	como no nos avisaron,
	pues como llevábamos cámara
	debido al atraso de otro departamento involucrado en la exposición
	pues el cielo estaba lleno de nubosidades.

Los conectores se pueden combinar, como en el caso de *pues como*, y pueden introducir la causa (elemento B) antes o después de presentarse el efecto de la misma (elemento A).

2. Las formas

FORMA	COMPOSICIÓN	EJEMPLOS
porque a/por causa de que pues que debido a que como dado que ya que puesto que en vista de que gracias a que por culpa de que por aquello de que es que	+ verbo en indicativo	*Sofía no va a la fiesta de Rodrigo **porque** no <u>está</u> en la ciudad.* ***Debido a que** <u>hay</u> lluvias, se inundaron los campos.* ***Como** me <u>quiere</u> mucho, me traerá un regalo, seguro.*
por miedo de que no es que no porque... sino porque	+ verbo en subjuntivo	***Por miedo de que** Fernanda se <u>enojara</u> conmigo, no le conté la verdad.* *No te cuento cómo termina la película, **no porque** no lo <u>sepa</u>, **sino porque** quiero que la veas tú.* *– ¿Vamos a la confitería de la esquina?* *– No, gracias. **No es que** <u>esté</u> <u>haciendo</u> dieta, es que no tengo ganas de ir a ese lugar.*
por al a fuerza de de tanto con motivo de	+ verbo en infinitivo	***Por** <u>haber</u> <u>abusado</u> de su generosidad, hoy Rafael no me dirige la palabra.* ***A fuerza de** <u>estudiar</u> todo el verano, conseguí rendir satisfactoriamente.* *¡**De tanto** <u>exponerte</u> al sol, te han salido manchas en la piel!*
por	+ sustantivo + adjetivo	*Sofía no va a la fiesta de Rodrigo **por** <u>envidiosa</u>.*
debido a a causa de en vista de gracias a por culpa de por miedo a de tanto/a/os/as con + determinante	+ sustantivo	*¡**Debido a** <u>su actitud</u> no le quedan amigos!* *Su empresa aumenta **gracias a** los <u>excelentes resultados</u> de los últimos tres años.*
con lo de tanto/a/os/as de (puro) de (lo)	+ adjetivo + adverbio + sustantivo	***De tantas** <u>dificultades</u>, aprendimos a sobrevivir.* *¡**De puro** <u>sinvergüenza</u> no asumió de culpa!* ***De lo** <u>bien</u> que estaba, le dieron el alta.*

2.1. El gerundio causal

El gerundio también puede introducir una causa (ver capítulo 36) sin la necesidad de conectores:

No **habiendo recibido** la autorización, la empresa ha rechazado la propuesta. = Como no ha recibido la autorización.

Felipe se dedicó a estudiar, **esperando** terminar la carrera en cuatro años. = ... porque esperaba terminar la carrera en cuatro años...

Sofía no aceptó las excusas de Gerardo y, **exigiendo** la verdad, supo que todo estaba terminado. = ... como exigió la verdad...

3. Los usos

El conector causal más universal es *porque* y se puede utilizar en todos los contextos. Además del valor de causa, los conectores causales pueden expresar matices.

USOS	FORMAS	EJEMPLOS
Justificarse (para rechazar una oferta, disculparse, etc.).	es que	– ¿Habéis roto? – Sí, **es que** Rubén no quería comprometerse.
Para expresar una causa conocida.	como ya que porque puesto que	**Como** estaban muy cansados, se marcharon. **Puesto que** está lloviendo copiosamente, ¿por qué no nos quedamos en casa?
Para presentar una causa como condición para que se cumpla un determinado efecto.	pues porque	La fiesta no ha terminado aún, **pues** hay coches estacionados. (= **si hay coches estacionados** es porque la fiesta no terminó) Mi hermana ha vuelto de la escuela, **porque** se escuchó la puerta de su habitación. (= **si se escuchó la puerta de su habitación** es porque...)
Para presentar la causa de un problema.	(lo que pasa) es que	No hemos terminado el informe. **Lo que pasa es que** no hemos tenido tiempo suficiente para hacerlo.
Para presentar la causa como un acontecimiento desfavorable.	por culpa de (que)	**Por culpa de que** Teresa llegó atrasada, nos perdimos la primera ponencia. **Por culpa del** tiempo, no pasamos el fin de semana en la sierra.
Para presentar la causa como un acontecimiento positivo.	gracias a (que)	**Gracias a** tu colaboración, Laura, pudimos terminar el informe a tiempo. **Gracias a que** nos fuimos temprano del casamiento, no vimos la fuerte discusión entre los padres de los novios.

Para presentar una causa como una información conocida.	puesto que ya que en vista de (que) como	No fuimos a visitarlos, **puesto que** no teníamos su dirección. **Ya que** no hay nada para hacer aquí, vayámonos a casa. **En vista de** tu tardanza, fui solo a la exposición. **Como** había muchas opciones, no sabíamos en qué taller inscribirnos.
Para presentar enfáticamente una causa.	con lo + adjetivo/adverbio + que + verbo conjugado con + determinante + sustantivo + que + verbo conjugado de (lo/determinante) + adjetivo/sustantivo + que + verbo conjugado	**Con lo** <u>inteligente</u> <u>que</u> <u>es</u> Francisca, va a sacar una nota excelente en el examen de admisión. (= porque es muy inteligente) **Con** <u>la</u> <u>determinación</u> <u>que</u> <u>tiene</u> Pedro, va a conseguir todo lo que **desea**. (= porque tiene mucha determinación) **De tanto** <u>chocolate</u> <u>que</u> <u>comió</u>, a Josefa le duele la barriga. (= porque comió mucho chocolate)
Presentar una causa como la insistencia o repetición de algo.	a fuerza de/de tanto + infinitivo	**A fuerza de** <u>estudiar</u>, Celia ha sacado los mejores promedios este semestre. (= porque ha estudiado)

MÁS

Para preguntar sobre la causa de un evento, podemos utilizar:

> ¿Cómo es que...?
> ¿Por qué...?

El conector **por qué** es la forma más directa de hacer la pregunta. El conector **cómo es que** denota sorpresa y/o que es imposible creer que haya una causa.

> ¿**Por qué** Gabriela fue al médico?
> ¿**Cómo es que** no le fue bien a Juan en el examen?

¡Atención!

por qué ⇒ introduce la pregunta sobre la causa:
¿*Por qué* no vino Juan a la fiesta?
porque ⇒ introduce la causa: *Porque* estaba enfermo.
porqué ⇒ sustantivo equivalente a *causa, motivo* o *razón*:
El porqué [= la causa; la razón; el motivo]
de Juan no haber venido es que estaba enfermo.

Curiosidades de la lengua

El conector **por si acaso** o **por las dudas** introduce una causa hipotética, muchas veces sobrentendida:
Llevo paraguas por si acaso = «por si llueve»

4. Ejercicios

4.1. Identifica

Lee los textos y resuelve las tareas.

a Emilia Ferreiro *(pedagoga argentina)*:
«No porque las nuevas tecnologías sean extremadamente poderosas todo se reduce a circular sobre ellas».

http://portal.educ.ar/

b

Para el periodista de la revista *The New Yorker*, Malcom Gladwell, el tiempo de vacaciones de verano es demasiado extenso, y ahí es el momento de desfase en el aprendizaje, entre chicos de condición social baja y alta, ya que la estimulación dependerá de su contexto familiar. No será lo mismo pasar unas vacaciones con libros de lectura en casa, películas para ver, lugares para conocer, que sin nada de eso.

http://www.lorenabetta.com.ar/

c

A fuerza de voluntad

Con la reestructuración del Ministerio de Educación, la red más antigua de la Unesco mantiene su presencia en Colombia gracias al esfuerzo independiente de cientos de educadores colombianos, quienes claman por un aval oficial para fomentar los proyectos de la Red PEA (Programa de Escuelas Asociadas).

http://www.escuelapais.org/

d ## La sociedad de la información

Vivimos en una época en que la información aplicada a las esferas de la producción está revolucionando las condiciones de la economía, el comercio, las bases de la política, la comunicación mundial y la forma de vida y de consumo de las personas. Este ciclo ha sido llamado la «edad de la información» debido a que es la información la que ahora rige en la economía de todo el mundo.

Hoy el conocimiento se renueva cada cinco años y en ese lapso se genera más información que en todos los cientos de años previos; esta transformación conduce a que la educación se plantee de manera diferente, puesto que el desarrollo de las nuevas tecnologías ha ampliado las fronteras y transfigurado el proceso de enseñanza-aprendizaje.

http://www.lag.uia.mx

a. Identifica los conectores causales presentes en los textos y transcríbelos en el cuadro según cómo presenten la causa.

CAUSA REAL Y EFECTIVA	CAUSA FAVORABLE	CAUSA NEGADA	CAUSA POR INSISTENCIA
ya que			

b. Marca con V las oraciones verdaderas y con F las falsas.

Texto a	Según la pedagoga argentina: ( ) todo se reduce a circular sobre las nuevas tecnologías. ( ) las nuevas tecnologías no son poderosas.
Texto b	Para el periodista Malcom Gladwell: ( ) lo que provoca el desfasaje en el aprendizaje son las largas vacaciones. ( ) el tipo de estimulación recibida durante las vacaciones es de suma importancia.
Texto c	Según la nota, podemos afirmar que: ( ) la red más antigua de la Unesco es autosuficiente. ( ) los educadores tienen fuerza de voluntad.
Texto d	Según el texto, podemos afirmar que: ( ) ni la información ni las nuevas tecnologías determinan la sociedad actual. ( ) la sociedad debe replantearse la educación a partir de la nueva situación.

4.2. Practica

1. Relaciona causa y efectos.

① Se canceló la sesión.   – Por miedo a recibir un no.

② José llega siempre tarde a todas las citas.   – Porque sale retrasado.

③ No pudimos entrar al piso.   – Con motivo de las bodas de oro de nuestros padres.

④ Llamé a la central de atención al cliente.   – Por falta de público.

⑤ Nunca la invitaste a salir a Noemí.   – Dado que no me llegó la mercadería que compré.

⑥ Los invitamos a un almuerzo familiar.   – Como nos habíamos olvidado la copia de la llave.

2. Relaciona los elementos y forma frases.

Nadie quiere trabajar contigo	por culpa de que	mentirosa.
Pedrito, el jefe le llamó la atención a papá	por miedo de que	tú lo llamaste 5 veces el otro día a la oficina.
Nadie te cree.	en vista de	mal que me sentía.
El dueño de la empresa está muy preocupado	por culpa de	la quieras llamar de nuevo.
Me internaron enseguida	Por	los números del último balance.
Silvia ha cambiado su número de teléfono	con lo	tu autoritarismo.

a._____

b._____

c._____

d._____

e._____

f._____

3. Marca la opción correcta.

a. Sofía no viene a la fiesta, porque su hijo **está/esté** enfermo.

b. Clara, no te pongas así, no es que Jorge no te **quiere/quiera,** es que **anda/ande** muy ocupado y por eso no ha tenido tiempo de llamarte.

c. Es mejor quedarnos en casa, ya que **hace/haga** frío y **llueve/llueva.**

d. Como nos **hemos visto/hayamos visto** todos los días, pienso que le gusto.

e. No porque nos **hemos visto/hayamos visto** todos los días, sino porque me lo **ha dicho/haya dicho,** sé que le gusto.

4. Completa las frases con *por qué, porque* **o** *porqué,* **según corresponda.**

a. ¿ ___Por qué___ no nos llamaste por teléfono?

b. Quiero saber _____ no me contaron la verdad.

c. Nunca supo el _____ de su abandono.

d. No lo llamé _____ no tenía su número de teléfono.

e. Juan y Roberta tienen una relación duradera _____ se respetan mutuamente.

5. Transforma las oraciones causales utilizando los verbos en gerundio.

a. Como no he recibido su invitación, no iré a la fiesta. ___No recibiendo su invitación, no iré a la fiesta.___

b. No volvió tarde, **porque quería agradar a sus padres.** _____

c. Como fue franco, Teresa lo perdonó. _____

d. Se quedó en la puerta **porque esperaba a una amiga.** _____

e. Como no compartió con sus amigos el pastel, se sintió mal. _____

4.3. Aplica

Lee la información y escribe un párrafo explicando el tema.

– El hielo del Ártico se reduce a niveles mínimos.

– Los científicos que estudian el calentamiento global se concentran en el Ártico.

– El Ártico es la región donde se sienten primero los efectos del calentamiento.

– El efecto invernadero hace que la tierra se caliente por los rayos del sol.

– El aumento de gases crea el efecto invernadero.

LAS EXPRESIONES Y LAS ORACIONES DE FINALIDAD

1. En contexto

1

Venancio López: «Hemos venido con el objetivo de ganar el campeonato y vamos por el buen camino»

El seleccionador español de fútbol sala, José Venancio López, afirmó que España acudió al Europeo de Naciones, que se disputa hasta el sábado en Hungría, con el objetivo de ganarlo, y de momento, van por el buen camino.

2

COMANDO BASURA

El proyecto Comando Basura nace con el propósito de frenar la cantidad de residuos generados y como actividad enfocada a fomentar el voluntariado medioambiental. El Comando Basura te invita a participar en las actividades propuestas para cambiar nuestros hábitos.

3

Una conocida actriz contrata una agencia para que le encuentre un novio

Supuestamente habría pagado una suma millonaria mensualmente a una agencia especializada en noviazgos, para ayudarla a encontrar un buen pretendiente.

4 «Es necesario garantizar que las organizaciones de ayuda humanitaria cuenten con acceso libre a este territorio, a fin de que los niños y mujeres reciban la asistencia que necesitan desesperadamente», señaló la directora ejecutiva de UNICEF

5 ### Organiza bien tu viaje

Si quieres viajar de forma independiente y económica, prepara el itinerario considerando los días disponibles y los lugares que quieres visitar. Para preparar cuidadosamente la ruta, necesitas conocer el tiempo mínimo necesario para visitar cada lugar.

Las palabras marcadas en los textos son **expresiones** que se usan para introducir la finalidad, el propósito o la utilidad (elemento B) de un evento (elemento A). Teniendo en cuenta esta relación de sentido y los textos de apertura, completa el cuadro.

	El evento (elemento A)	Finalidad o utilidad (elemento B)
Texto 1	Participar en el campeonato Europeo de Naciones	
Texto 2	Creación del proyecto Comando Basura	
Texto 3	Una actriz contrata agencia	
Texto 4	Garantizar el acceso libre de organizaciones de ayuda humanitaria	
Texto 5	Conocer el tiempo mínimo necesario para visitar cada lugar	

La finalidad se suele enunciar después del evento principal:
Hemos venido [a participar del campeonato Europeo de Naciones] con el objetivo de ganar el campeonato.

Sin embargo, cuando se desea enfatizar la finalidad, esta se coloca en primer lugar:
Para preparar cuidadosamente la ruta, necesitas conocer el tiempo mínimo necesario para visitar cada lugar…

2. Las formas

Para (que) es la expresión de uso más frecuente.

EXPRESIONES QUE INTRODUCEN UN PROPÓSITO O UNA UTILIDAD	+ verbo en infinitivo El sujeto de la oración principal coincide con el de la construcción final.	+ verbo en subjuntivo El sujeto de la oración principal es diferente del sujeto de la construcción final.
para (que)	*Compré (yo) estos libros **para** leerlos (yo).*	*Compré (yo) estos libros **para que** los leas (tú).*
a (que) con verbos de movimiento como *subir, bajar, venir,* etc.	*Jorge bajó **a** abrir (él) la puerta.*	*¿Vienes (tú) **a que** te corte (yo) el pelo?*
con el objeto/el objetivo/el propósito/la finalidad/el fin/la idea de (que) con vistas a (que)	***Con la finalidad de** generar empleo, la municipalidad será beneficiada con 430 millones de pesos.*	*Organizan intercambios de estudiantes **con el objeto de que** realicen estudios de licenciatura.*

3. Los usos

USOS	FORMAS	EJEMPLOS
Se usan tanto en el registro oral como escrito y en situaciones formales o informales.	Para (que) A (que)	*Deberán trabajar mucho **para** alcanzar las metas propuestas.* *Estaba triste y vino **a que** la consoláramos.*
Introducen la finalidad o el propósito de un acontecimiento, preferentemente en el registro escrito o en situaciones orales más formales.	A fin de (que) Con el objeto de (que) Con el objetivo de (que) Con el propósito de (que) Con la finalidad de (que) Con el fin de (que) Con la idea de (que) Con vistas a (que)	*Abrí la escuela **con la idea de que** los adultos tuvieran un sitio donde formarse en cualquier campo.* *Presentaremos las acciones realizadas por nuestra organización **a fin de** promover una cultura de paz.*
Se usa para hablar de la utilidad o función de cosas o personas, con verbos como *servir, usar, utilizar*, etc.	Para (que)	*En la oficina la impresora se usa **para** copiar documentos.* *Esta piscina es **para que** los niños aprendan a nadar.*

4. Ejercicios

4.1. Identifica

Lee los textos y marca con V las oraciones verdaderas y con F las falsas. Luego, subraya las expresiones finales de los textos.

1. La Fundación Comcast otorgó un subsidio de $18,000 con el fin de apoyar el programa ¡Inspira! para jóvenes de la Asociación Latinoamericana.	**3.** El zumo de chufa u horchata, como es más conocido, es un alimento nutritivo, muy fácil de preparar, sabroso y sobre todo beneficioso para nuestro organismo. Se ha ido poniendo de moda en los últimos años y es excelente tomarlo bien frío en el verano para refrescar.
2. Supersticiones y tradiciones de Año Nuevo La celebración del Año Nuevo es una festividad muy antigua y universal llena de deseos y buenas intenciones para que haya amor, salud, prosperidad, éxito y dinero.	**4. Representantes de 190 países se reunieron con vistas a proteger las especies del planeta.**
	5. La Municipalidad de Luque construye un empedrado con la idea de que sea la base para la futura vía rápida entre esta ciudad y Cordillera.

Texto 1	La Fundación Comcast: **a.** retiró su apoyo a la Asociación Latinoamérica. ☐ **b.** dio dinero a un programa para jóvenes. ☐
Texto 2	Según el texto en: **a.** algunos pueblos conmemoran el Año Nuevo. ☐ **b.** durante el Año Nuevo se hacen pedidos de prosperidad, amor y salud. ☐
Texto 3	La horchata: **a.** es una bebida saludable. ☐ **b.** da trabajo de preparar. ☐ **c.** es bueno tomarla los días de mucho calor. ☐
Texto 4	De acuerdo con el texto: **a.** el objetivo de la reunión es proteger especies en extinción. ☐
Texto 5	El gobierno de la ciudad de Luque está construyendo: **a.** una autopista. ☐ **b.** un camino que en el futuro se transformará en autopista. ☐

4.2. Practica

1. Relaciona.

a. Vinimos hasta aquí

b. Ana llamó a Luis

c. Me tomé un año sabático

d. El presidente viajó al país vecino

e. Los técnicos cambiaron
las antenas de lugar

f. Te daré un remedio

1. para poder terminar mi carrera.

2. con vistas a mejorar las relaciones diplomáticas.

3. con el propósito de que él le explique qué pasó
en su ausencia.

4. para que puedas dormir mejor.

5. a decirte que precisamos una ayuda tuya.

6. con el objeto de mejorar la recepción de imagen.

2. Utiliza las expresiones de la caja para completar las oraciones.

con vistas a – con el fin de – con la idea de que – con el objeto de – para que

a. Escondieron los regalos __para que__ su hijo no los viera.

b. A mis padres les dejamos el cuarto más grande _____ estén más a gusto.

c. Redujeron los espacios disponibles _____ evitar tumultos.

d. Nos presentamos en el despacho del jefe _____ solicitarle un aumento.

e. El zoológico estará cerrado _____ mejorar las condiciones de seguridad.

3. Indica los sujetos de cada frase.

a. Te llamé para que me perdones. _Llamar: Yo/Perdonar: Tú_____

b. El alcalde redactó una nueva ley con el fin de que la gente no fume en lugares públicos. _____

c. Necesitamos tener paciencia para no tomar medidas precipitadas. _____

d. Nuncia contrató un custodio con el fin de que vigilara su casa durante su ausencia. _____

e. Tenéis que visitarme para que os presente a mi marido. _____

f. Señor Álvarez, los representantes del sindicato han venido a que usted les comentara cómo está
la negociación. _____

4. Completa con *para* o *para que*.

a. Viajaré al interior del país _____para_____ encontrarme con un viejo amigo.

b. Publicaron la guía de viajes _para que_ los turistas tengan más información.

c. Te presté el abrigo _para que_ lo usaras.

d. Lo citaron a declarar _para que_ explicara dónde había estado el último sábado.

e. El prestigioso médico se presentó _para_ enseñar el uso de los nuevos equipos.

5. Completa las oraciones con los verbos de la caja en infinitivo o en subjuntivo.

traer – estar – enseñar – disfrutar – comprar – cortar

a. Contratamos un especialista para que nos _____enseñe_____ a administrar mejor nuestro tiempo.

b. El mes que viene viajaremos a Turquía con el propósito de _____ alfombras para nuestra nueva casa.

c. Soy del supermercado Buen Precio. Vengo a _____ la compra.

d. Vengo a que le _____ el pelo a mi perro.

e. El club inaugura una nueva piscina con el objetivo de que sus socios la _____ con sus amigos y familiares.

f. Evacuan un balneario a fin de que los lugareños _____ preparados ante la eventualidad de un maremoto.

6. Indica en qué frases se manifiesta una finalidad.

a. Luchemos por que los profesores puedan mantener un sueldo digno. (X)

b. Estaba preocupada porque ya era tarde y estaba sola. ( )

c. Ando haciendo de todo por que mis amigos se reconcilien. ( )

d. Avisaron a los pasajeros que tuvieran paciencia porque había atrasos en los vuelos. ( )

e. Mis vecinos viajaron a Egipto porque querían conocer las pirámides. ( )

f. Se ha organizado una manifestación por que baje el precio de las medicinas. ( )

7. Escribe oraciones finales teniendo en cuenta la información entre paréntesis.

a. Voy a viajar a Madrid. (yo, visitar a mi familia) _Voy a viajar a Madrid para visitar a mi familia._

b. Tenemos que ser cautelosos. (Juan, no descubrir el secreto) _____

c. Preciso el informe hoy mismo. (el director, firmarlo) _____

d. Debes contarle la verdad a José. (José, tomar una decisión) _____

e. Roberto quiere hablar con su jefe. (Roberto, pedir un aumento a su jefe) _____

f. Iré esta tarde al banco. (gerente, explicarme qué ocurrió con el cheque) _____

g. El Gobierno ha transferido el feriado para el próximo lunes. (gente, tener un día más de descanso) _____

_____

h. Los compañeros de Esteban y Ana van a armar una fiesta. (los dos, conocerse) _____

i. Estamos organizando una fiesta. (nosotros, celebrar los 15 años de nuestra hija mayor) _____

_____

4.3. Aplica

Completa el texto dando tus propios consejos.

Los 10 consejos para proteger el medio ambiente

Todos podemos aportar nuestro granito de arena para proteger el planeta. Pensar en verde no es tan difícil como parece. A continuación, te ofrecemos la manera de reverdecer tu rutina diaria.

1) Utiliza una máquina de afeitar eléctrica o manual con cuchillas de repuesto en lugar de las desechables **para reducir la basura**.

2) Cuando salgas de casa, apaga todas las luces y aparatos eléctricos. El ahorro de energía es vital **para disfrutar de este recurso en el futuro**.

3) Para ir al trabajo, es fundamental evitar la prisa **con el fin de que reduzcas tu huella de carbono**.

4) Es ideal que uses la bicicleta, _____.

5) Es preciso que todos ahorremos agua _____.

6) Debemos usar menos el auto _____.

7) Usa los dos lados de una hoja de papel _____.

8) Separa la basura _____.

9) Al cocinar, es mejor utilizar recipientes no muy grandes _____.

10) Usa tu propia bolsa al hacer las compras _____.

¡Es mejor para ti y el medio ambiente!

LAS EXPRESIONES Y LAS ORACIONES CONCESIVAS

1. En contexto

1

Yo solo quiero hacerte saber,
amiga, estés donde estés,
que si te falta el aliento yo te lo daré,
y si te sientes sola háblame,
que te estaré escuchando aunque
no te pueda ver...

ÁLEX UBAGO

2

La mayor pandemia de la actualidad: la obesidad

Por más que hagamos ejercicio,
la única manera de bajar de peso
es cambiando nuestros hábitos
de alimentación.

3

Nuevamente basurales a orillas del Río Grande

Desaprensivos habitantes
de la ciudad arrojan
residuos, algunos peligrosos,
a la vera del Río Grande,
a pesar de contar con el servicio
de recolección domiciliaria.

4

MODA

Entrevista a Min Agostini

— ¿Cuándo y cómo te decidiste a diseñar ropa?
— Me di cuenta de que, *aun trabajando*
para uno de los estudios de
arquitectura que siempre admiré,
diseñar ropa era lo que mas me atraía.

Elige el enunciado que mejor traduce el significado de los textos.

Texto 1
a) ☐ Podré verte, pero no podré escucharte.
b) ☐ No podré verte, pero podré escucharte.

Texto 2
a) ☐ No es únicamente con ejercicio como llegaremos a adelgazar.
b) ☐ No llegaremos a adelgazar porque no hacemos ejercicios.

Texto 3
a) ☐ En la ciudad hay un servicio de recolección de basura, pero los habitantes prefieren arrojarla a la orilla del río.
b) ☐ Si los habitantes arrojan la basura a la orilla del río es porque en la ciudad no hay un servicio de recolección.

Texto 4
a) ☐ Si trabajaba en un estudio de arquitectura que le gustaba, podía empezar a diseñar ropa, que también la atraía.
b) ☐ Trabajaba en un estudio de arquitectura que le gustaba; sin embargo, prefería diseñar ropa.

Las frases marcadas en los textos son **oraciones concesivas**. En las oraciones concesivas se plantea un contraste entre dos elementos: un elemento A (la oración concesiva) que expresa un posible obstáculo o motivo para que se cumpla lo expresado en el elemento B, pero que, sin embargo, no impide su cumplimiento.

Elemento A Posible obstáculo, razón o motivo	Elemento B Se cumple
No podré verte.	Podré escucharte.
Podemos hacer ejercicios (supuestamente vamos a adelgazar)	No adelgazaremos.
Los habitantes cuentan con un servicio de recolección a domicilio (supuestamente deberían arrojar la basura en los basureros).	Desaprensivos habitantes de la ciudad arrojan residuos, algunos peligrosos, a la vera del Río Grande.
Trabajaba en el estudio de arquitectura que más admiraba (supuestamente debería continuar trabajando allí).	Diseñar ropa era lo que más le atraía.

2. Las formas

2.1. Oraciones concesivas con el verbo en indicativo o subjuntivo

EXPRESIÓN CONCESIVA	INDICATIVO	SUBJUNTIVO
aunque a pesar de que aun cuando por más que por mucho que	Para referirse a acontecimientos verificados y conocidos, pero desconocidos para el interlocutor. Para el interlocutor es una información nueva. ***Aunque*** <u>tiene</u> *dos trabajos, nunca le alcanza el dinero.* *No consigo los resultados que espero,* ***a pesar de que*** *me* <u>esfuerzo</u> *mucho.* ***Por mucho que*** <u>leo</u> *e* <u>investigo</u>*, no conseguiré resolver el problema.*	a) Para referirse a acontecimientos hipotéticos, no verificados ni conocidos. *Nunca le alcanzará el dinero,* ***aunque*** <u>tenga</u> *dos trabajos.* ***A pesar de que*** *me* <u>esfuerce</u> *mucho, no conseguiré los resultados que espero.* ***Por mucho que*** <u>lea</u> *e* <u>investigue</u>*, no conseguiré resolver el problema.* b) Para referirse a acontecimientos conocidos también por el interlocutor, por lo tanto, son acontecimientos con poco valor informativo. *– ¡Es tu hermano! ¿Cómo no vas a perdonarlo?* *– Mira,* ***a pesar de que*** <u>sea</u> *mi hermano, no puede tratarme como lo hizo.* *– Marcela no debería ir a trabajar después de haber estado enferma una semana.* *–* ***Por más*** *enferma* ***que*** <u>esté</u>*, no puede seguir faltando al trabajo.*

2.2. Oraciones concesivas con el verbo siempre en subjuntivo

Con las expresiones concesivas *por muy* + adjetivo/adverbio y *por mucho(a/os/as)* + sustantivo se usa siempre el subjuntivo, ya sea para expresar un hecho hipotético o un hecho conocido por todos:

Por muchos invitados *que* <u>vengan</u>*, no conseguiremos llenar el salón.*

Si no estudias, no vas a pasar de año, ***por muy inteligente*** *que* <u>seas</u>*.*

Por muy lejos *que* <u>viva</u> *Roberto, esa no es excusa para llegar siempre tarde.*

2.3. Oraciones concesivas con el verbo siempre en indicativo

Con las expresiones *y eso que, con lo* + adjetivo/adverbio + *que, con la de* + sustantivo plural o con sentido plural + *que* se usa siempre el indicativo porque se expresan hechos verificados.

Pedro nunca tiene tiempo para nada, **y eso que** *trabaja solamente cuatro horas por día.*

Con lo cara que *es la ropa en esta tienda, la gente hace cola para comprar aquí.*

Con lo cerca que *vives del trabajo, no hay un día en que no llegues tarde.*

*Dicen que ha sobrado mucha comida. ¡***Con la de invitados que** *han venido!*

Con la de gente que *trabaja en el departamento, los proyectos nunca salen en día.*

2.4. **Oraciones concesivas con el verbo en infinitivo o con un sustantivo**

Con la expresión *a pesar de* se puede usar:

a) el infinitivo: si las oraciones tienen el mismo sujeto.

A pesar de *vivir muy lejos, Juan jamás llega tarde.*

Pedro siempre se pierde cuando viene a casa, **a pesar de** *conocer el camino de memoria.*

b) un sustantivo

Antonio fue a trabajar **a pesar de** *la fiebre que tenía.*

A pesar del *aumento de los productos de belleza, la gente no ha dejado de comprarlos.*

2.5. **Oraciones concesivas con el verbo en gerundio**

Con las expresiones *aun* o *incluso* se usa el verbo en gerundio. El sujeto de las oraciones es el mismo.

Aun *ganando mucho dinero, Marcela no consigue ahorrar.*

Votamos a favor de la reforma, **incluso** *estando en contra de algunos artículos.*

MÁS

Para hablar de acontecimientos hipotéticos y no verificados, podemos usar el **presente** o el **pretérito imperfecto de subjuntivo**. Si consideramos **posible** la realización del acontecimiento, se usa el presente de subjuntivo. De lo contrario, si consideramos **improbable** su realización, se usa el pretérito imperfecto de subjuntivo.

Aunque *me ofrezcan un puesto mejor remunerado, no quiero dejar mi trabajo de corrector.* (posible realización)

Aunque *me ofrecieran un puesto mejor remunerado, no quiero dejar mi trabajo de corrector.* (improbable realización)

3. Los usos

EXPRESIÓN	SIGNIFICADO Y USO	EJEMPLOS
aunque	Es la expresión más general.	**Aunque** *para hoy se anuncia mal tiempo, la ciudad ofrece muchas posibilidades de diversión.*

Aun cuando	Se usa en registros más formales.	*Aun cuando no hemos alcanzado totalmente nuestros objetivos, hemos hecho todo lo posible para lograrlo.* *Sergio no volverá más, aun cuando se lo pidas de rodillas.*
A pesar de que	Se usa más frecuentemente con el verbo en indicativo y para referirse a acontecimientos verificados o conocidos por el hablante.	*A pesar de que salí temprano de casa, llegué tarde a causa del tránsito pesado.* *A pesar de que no lo has visto nunca, ya verás como Jorge te va a caer simpático.*
Por más que Por muy Por mucho (a/os/as) que Con lo… que…	Indican la intensidad del posible impedimento u obstáculo.	*Por muy fuerte que sea la tormenta, al final siempre sale el sol.* *Por mucho que os empeñéis, no vais a conseguir ganar el campeonato.*
Y eso que	Se destaca algo que ya se ha manifestado anteriormente.	*A mí la película me pareció muy aburrida, y eso que me la recomendaron varias personas.* *– El guiso está delicioso.* *– Y eso que no te gustaban las lentejas.*

MÁS

Hay una serie de expresiones casi fijas que se usan con valor concesivo.

– Digas lo que digas (digan lo que digan – diga lo que diga)

Digas lo que digas, el novio de Clara me pareció simpatiquísimo. (= Aunque digas lo contrario)

– Pase lo que pase

Pase lo que pase, voy a decirle a Alfredo toda la verdad. (= Aunque pase algo malo)

– Cueste lo que cueste

Cueste lo que cueste, me construiré una casa. (= Aunque me cueste mucho)

4. Ejercicios

4.1. Identifica

Lee los textos y realiza las actividades.

1. Aunque el número de mujeres que trabajan actualmente es mucho más grande que el de hace treinta años, el número de hombres que participan en las tareas del hogar no ha cambiado mucho.

2. Por más que tu hijo llore y te implore con énfasis que desea ir a comer unas hamburguesas o unas *pizzas*, no cedas. Más tarde te lo agradecerá.

3. Aunque sean mis padres, no tienen derecho a oponerse a que siga la carrera que a mí me gusta.

4. En la playa de los Roques (Venezuela) la arena, de origen coralino, es muy blanca y tiene la particularidad de no calentarse, por muy intenso que esté el sol.

5. **Medidas verdes en la oficina**
Aun cuando no puedas apagar todas las luces de tu oficina, busca los aparatos que se pueden desconectar, apagar, o usar en forma ahorrativa.

6. **Engañado**
Hace un mes entré a trabajar en una empresa de seguros y el que me contrató me dijo que aunque no hiciera ninguna venta durante el mes y aunque me fuera mal, mi sueldo de base lo iba tener igual. Resulta que pasó el tiempo, dejé los pies en la calle trabajando y no me pagó ni un peso, no me hizo contrato ni nada.

a. Indica si las siguientes afirmaciones sobre los textos anteriores son V (verdaderas) o F (falsas).

Texto 1	El número de hombres que se ocupan de las tareas domésticas aumentó porque también aumentó el número de mujeres que trabajan.	F
Texto 2	Si tu hijo te pide que le compres una hamburguesa, no lo hagas.	
Texto 3	Quien escribe no está de acuerdo en que sus padres se opongan a que estudie lo que le gusta.	
Texto 4	En playa de los Roques, no importa la intensidad del sol, la arena siempre está caliente.	
Texto 5	Si no puedes apagar todas las luces de la oficina, por lo menos apaga algunos aparatos.	
Texto 6	El empleador le dijo al empleado que si no vendía no iban a pagarle.	

b. Lee estas frases extraídas de los textos e identifica con una X si la parte subrayada expresa un hecho verificado, un hecho no verificado o un hecho poco informativo.

	hecho verificado	hecho no verificado	hecho irrelevante
1. Aunque el número de mujeres que trabajan actualmente es <u>mucho más grande que el de hace treinta años</u>, el número de hombres que participan en las tareas del hogar no ha cambiado mucho.	X		
2. <u>Por más que tu hijo llore y te implore con énfasis que desea ir a comer unas hamburguesas o unas *pizzas*</u>, no cedas.			✓
3. <u>Aunque sean mis padres</u>, no tienen derecho a oponerse a que siga la carrera que a mí me gusta.			
4. La arena, de origen coralino es muy blanca y tiene la particularidad de no calentarse, <u>por muy intenso que esté el sol</u>.			
5. <u>Aun cuando no puedas apagar todas las luces de tu oficina</u>, busca los aparatos que se pueden desconectar, apagar, o usar en forma ahorrativa.			
6. <u>Aunque no hiciera ninguna venta durante el mes y aunque me fuera mal</u>, mi sueldo de base lo iba tener igual.			

4.2. Practica

1. Relaciona y forma frases concesivas. Usa los siguientes conectores: *por más que – aunque – a pesar de que*.

a. Alejandra carecía de antecedentes
b. no logro adelgazar
c. no estábamos vestidos adecuadamente
d. está lloviendo a cántaros
e. mi equipo jugó mucho mejor
f. Andrea se casó con Damián
g. Ricardo no aceptó el trabajo
h. me caí de una pared muy alta
i. contamos con el dinero necesario
j. le avisaron varias veces que sería despedido

1. nos dejaron entrar en la fiesta.
2. no vamos a viajar a Asia.
3. perdió el partido tres a cero.
4. le ofrecieron excelentes condiciones laborales.
5. le dieron el cargo de directora de la escuela.
6. no me lastimé nada.
7. fueron a la playa.
8. faltó toda la semana al trabajo.
9. hace dos meses que estoy haciendo dieta.
10. sus padres se oponían.

a. Aunque Alejandra carecía de antecedentes, le dieron el cargo de directora de la escuela.
b. _____
c. _____
d. _____
e. _____
f. _____

g. _____

h. _____

i. _____

j. _____

2. **Completa las oraciones con los siguientes conectores:** *por más… que, por mucho… que (2), por muy… que (3), a pesar de (que) (2), y eso que, aun.*

a. ___Por muy___ importante ____que____ sea la amabilidad, con ella no se puede reemplazar o corregir una actitud grosera y maleducada.

b. Si dos hámsters en la misma jaula se pelean, se les debe separar, pues la agresividad irá en aumento y no mejorará _____ tiempo _____ estén juntos.

c. _____ los médicos me decían que me tenía que operar, yo nunca les hice caso y no me operé, y fíjense lo bien que estoy.

d. ¡Qué alegría me dio mi equipo el día de mi cumpleaños! ¡Ganaron! _____ jugaron con un jugador menos porque a Pérez lo expulsaron al comienzo del primer tiempo.

e. Antes, _____ dinero _____ tuviera, jamás me alcanzaba para nada. Ahora, con la nueva política económica, todo es diferente.

f. _____ entender perfectamente el español, el arquitecto prefirió responder las preguntas en italiano, pues se sentía más cómodo.

g. Si vas a invitar a una chica a comer a un restaurante, haz las reservas, _____ creas que no vas a necesitar hacerlo.

h. El principal candidato de la oposición reveló ayer a los medios que volvería a presentarse las elecciones, _____ sabiendo que perdería otra vez.

i. Matías hacía todos los trabajos que le asignaban, _____ difíciles _____ fueran.

3. **Completa las frases con el verbo entre paréntesis en las formas adecuadas.**

a. Rafa Nadal, aunque __perdiera__ este partido, continuaría primero en el *ranking*. (perder)

b. Yo no sé qué pasa conmigo. Por más que me _____ la semana entera a dieta, no consigo adelgazar ni doscientos gramos. (pasar)

c. Por mucho que los políticos _____ que la crisis va a acabar, esto no va a pasar. Aún continuará la inflación. (decir)

d. Sinceramente, no creo en las relaciones a larga distancia. Fíjate que muchas parejas, aun _____ muy cerca una de la otra, son infieles. (vivir)

e. Un ciclista ganó la medalla de oro a pesar de no _____ preparada. La ciclista dijo en una entrevista que no estaba preparada para competir en los Juegos Centroamericanos y que, aunque _____ el oro en persecución en grupo, solamente tuvo dos semanas de entrenamiento. (estar – ganar)

f. En esa época yo estaba muy delgada y, por más que _____, no conseguía subir de peso. (comer)

g. A los adolescentes les gusta más el *mouse* que el control remoto, aun cuando no _____ de conexión en su casa. (disponer)

h. Jamás compraría ese coche aunque me lo _____ a un superprecio. Por más que me lo _____ no lo aceptaría. (dar – regalar)

i. En el trabajo, por más que _____ una muy buena formación profesional y un currículum envidiable, no reconocen mi valía. (tener)

j. A pesar de que a los diecinueve años _____ de mi país y me _____ a vivir a Madrid, pude mantenerme sola y nunca tuve que pedirle favores a nadie –comentó la joven cantante cubana. (salir – venir)

k. Jorge, aunque _____ entrar en esa discoteca, no te dejarán pasar. Es una discoteca para mayores de dieciocho años y, por más que _____ con un adulto, el encargado de la entrada te impedirá el ingreso. (querer – ir)

l. Hay personas enfermas de gripe que van a trabajar aun _____ mal y esto no es bueno, pues propagan la enfermedad entre sus compañeros. (sentirse)

4. Construye frases concesivas a partir de las siguientes situaciones. Usa *por mucho que, por muy… que, por mucho… que, por muchos… que, por mucha… que, por muchas… que*.

a. Nora probablemente lee libros sobre éxito profesional./Nunca lo conseguirá.

Por muchos libros que Nora lea sobre éxito profesional, nunca lo conseguirá.

b. Julia es educada./A veces responde de forma grosera.

_____

c. Mis amigas probablemente harán muchas dietas./No consiguen bajar de peso.

_____

d. Discutiré mucho con mi jefe./Él siempre llevará la razón.

_____

e. Probablemente se practican varios deportes profesionalmente./El fútbol es el que más apasiona.

_____

f. Probablemente tendremos bastante suerte el domingo./Será difícil ganarle al equipo contrario.

_____

g. Hará mucho calor./Siempre uso una chaqueta en la moto.

_____

h. Probablemente, Bernardo era hábil./Jamás podría realizar solo ese trabajo.

_____

5. Lee la situación y escribe la frase usando el conector entre paréntesis.

a. Un hombre con mucho dinero no está dispuesto a comprarse un apartamento de lujo.
tener mucho dinero/no comprarse este apartamento de lujo. (aunque)

Aunque tengo mucho dinero, no me compraré este apartamento.

b. Un hombre que cuenta con la posibilidad de ganar mucho dinero en la lotería no está dispuesto a comprarse un apartamento de lujo.
ganar una fortuna en la lotería/no comprarse este apartamento de lujo. (por más que)

Por más que gane una fortuna en la lotería, no me compraré este apartamento de lujo.

c. Una señora hace muchos esfuerzos para que su jardín esté siempre floreciente, pero es en vano.
esforzarse y cuidar las plantas/no conseguir que mi jardín esté bonito. (aunque)

_____

d. Una señora hará todos los esfuerzos en el futuro para que su jardín esté siempre floreciente, pero será en vano.
hacer todo lo posible/nunca tener mis plantas bonitas. (por más que)

_____

e. Un joven trabaja muchas horas por día, pero no puede juntar el dinero necesario para casarse.
trabajar mucho/no poder ahorrar lo suficiente para casarme. (por mucho que)

_____

f. Un joven piensa trabajar muchas horas, pero no cree que pueda juntar el dinero suficiente para casarse.
esforzarse y trabajar/no poder casarme a fin de año. (por mucho que)

_____

g. Una joven se pasa horas estudiando, pero no puede resolver los problemas de Matemáticas.
estudiar durante muchas horas al día/no conseguir realizar los problemas de Matemáticas. (a pesar de que)

_____

h. Una joven estudiará muchas horas, pero no podrá _____
resolver los problemas de Matemáticas. _____
estudiar durante muchas horas al día/no
conseguir realizar los problemas de Matemáticas.
(aunque)

4.3. Aplica

Lee el siguiente texto y completa los espacios de manera que quede formado un texto coherente.

Hablarle al bebé, aunque _____

Se suele creer que, como el bebé todavía no ha aprendido a hablar, no tiene sentido que nosotros le hablemos.
Total, no entiende lo que le decimos. Sin embargo, esto no es así. Desde que nacen, e incluso desde el vientre
materno, lo oyen todo, y por más que _____,
hablarle al bebé beneficia su propia adquisición del habla, del razonamiento y, por ende, su desarrollo.
La interacción entre los padres y el bebé es fundamental. Debemos hablarle al bebé como si nos entendiera,
haciéndole partícipe de todo lo que sucede alrededor.
Pero ¿cómo debemos hablarle? Podemos hacerlo de la misma forma que nos dirigimos a un adulto, utilizando las
mismas palabras, aunque _____, pues a ellos les gusta que se
les hable así.
Sea como sea, podemos aprovechar un montón de situaciones cotidianas para conversar con nuestro bebé.
Por ejemplo, a la hora del baño, que es además un momento especial para interactuar y disfrutar con el bebé,
podemos ir explicándole qué prendas le quitamos para desvestirlo, luego podemos preguntarle si le gusta el agua,
contarle qué parte del cuerpo le enjabonamos. A la hora de comer, le podemos contar los ingredientes del puré,
qué comida vendrá luego y podemos leerle cuentos…
Como estos, hay miles de ejemplos para compartir conversaciones con el bebé, bueno, conversaciones unilaterales,
ya que nosotros le hablamos al bebé y, aun cuando _____, sí lo hará a través de sus
expresiones, sonrisas y miradas.
Lo importante es hablarle con naturalidad, en un tono sosegado, de la misma forma que le hablamos a un amigo o
a otro miembro de la familia.
El bebé disfrutará de todas las conversaciones, aunque todavía _____. Al hablarle
estaremos contribuyendo a desarrollar su lenguaje, pero también a brindarle atención y cariño.

Texto adaptado de http://www.bebesymas.com/desarrollo/

LAS EXPRESIONES Y LAS ORACIONES DE CONSECUENCIA

1. En contexto

(1) Reiteramos nuestra firme defensa por el medio ambiente, de manera que no vamos a tolerar ningún daño sobre nuestro entorno.

(2)

Virgo

Alguien que te agrada mucho traerá consigo cariño y buenas intenciones, **así que** no debes ser desconfiado con esa persona.

(3) Se gasta mucha energía en calentar el agua de la lavadora y del lavavajillas. Por eso, utilice programas cortos o lave en frío.

(4) La nevada fue tan copiosa que obligó a cortar rutas y ocasionó accidentes. Hizo tanto frío que en la capital la sensación térmica llegó a los 16 grados bajo cero.

(5)  Los campamentos organizados por el colegio son de carácter educativo. Por lo tanto, los alumnos deben respetar las pautas sugeridas por los profesores que los acompañan.

Las palabras marcadas en los textos son **conectores consecutivos**. Estos conectores introducen un efecto o consecuencia (elemento B) que se deriva de algo que se acaba de mencionar, la causa (elemento A). Teniendo en cuenta esta relación de causa-consecuencia y los textos de apertura, completa el cuadro.

Elemento A Causa	Elemento B Efecto o consecuencia
Reiteramos nuestra firme defensa por el medio ambiente.	
Alguien que te agrada mucho traerá consigo cariño y buenas intenciones...	
Se gasta mucha energía en calentar el agua de la lavadora y del lavavajillas.	
La nevada fue tan copiosa...	
Hizo tanto frío...	
Los campamentos organizados por el colegio son de carácter educativo.	

2. Las formas

FORMA	EJEMPLOS
de manera/modo/forma/suerte que así (es) que luego conque por lo tanto/consiguiente en consecuencia así (pues) pues entonces de (este/ese) modo de (esta/esa) forma/manera/suerte	*Pienso, **luego** existo.* *El pronóstico anuncia lluvia, **conque** llévate el paraguas cuando salgas.* *Amanda sigue enferma, **por lo tanto** no irá a la excursión de mañana.* *Gabriela te ha pedido un tiempo para pensar, **entonces** no la llames ni la busques.*
tan + adjetivo/adverbio + que lo + adjetivo + que de + adjetivo + que tan + adjetivo + como para lo suficiente/demasiado/bastante + adjetivo + como para	*Habla **tan** <u>bien</u> **que** no se le nota que es inglés.* *Rubén es **tan** <u>alto</u> **que** no pasa por la puerta.* *¡**Lo** <u>alto</u> **que** es Rubén **que** no pasa por la puerta!* *Cómo estaría **de** <u>dormida</u> Sofía **que** salió a la calle con un zapato de cada color.* *La película me gustó, pero no es **tan** <u>buena</u> **como para** ganar un Óscar/**como para** que le dieran un Óscar.*
tanto/a/os/as + sustantivo + que tal/es + sustantivo + que cada + sustantivo singular + que de una + sustantivo femenino singular + que una de + sustantivo plural + que un(a)/s… que cada… que	*Tiene **tantos** <u>animales</u> en su casa **que** le es imposible limpiarla.* ***Tal** <u>lío</u> hay en la oficina **que** nada funciona.* *Lucas inventa **cada** <u>historia</u> **que** después nadie le cree nada.* *Es **de una** <u>delicadeza</u> **que** nunca sube la voz en una discusión.*
verbo + tanto que así + verbo + que verbo + de (tal) manera/forma/modo/suerte que verbo + tanto como para ¡qué/quién(es)/cuánto(a)/s/dónde/cómo/cuándo + verbo en futuro o condicional + que…!	*Federica <u>come</u> **tanto que** no puede adelgazar.* ***Así** <u>se vestía</u> de mal **que** su marido no salía con ella.* *Juan <u>fumaba</u> **de tal manera que** no permanecía ni cinco minutos sin un cigarrillo en la boca.* *La tienda no <u>vendió</u> **tanto como para** festejarlo.* *¡**Qué** le <u>habrán dicho</u> a José de mí, **que** no me saluda más!* *¡**Dónde** <u>dejarían</u> la agenda, **que** no la pueden encontrar!* *¡**Cuánto** <u>costará</u> ese vestido, **que** no lo pone!*

3. Los usos

SE USAN PARA…	CONECTORES CONSECUTIVOS	EJEMPLOS
hablar del efecto o la consecuencia de algo que se acaba de mencionar.	**así (es) que** **conque** **luego** **por lo tanto** **por consiguiente** **en consecuencia** **así (pues)** **pues** **entonces**	*La semana que viene no tenemos clase, **así que** podemos irnos a la playa.* *Ya es muy tarde, **conque** vete a dormir.* *La venta ha aumentado, **por lo tanto** seguiremos con la misma estrategia.* *El gerente nunca apoyó el proyecto, **por consiguiente** no creo que vote a favor.*
hablar de una consecuencia intensificando la causa.	**tan… que** **tal/es… que** **cada… que** **de… que** **así… que** **tanto(a)/s… que** **un(a)/s… que** **una de… que** **de un(a)… que**	*La secretaria era **tan** chismosa **que** nadie hablaba delante de ella.* *Era **tal** su nerviosismo **que** no podía estarse quieto un minuto.* *Teo cuenta **cada** chiste **que** da vergüenza.* *Había **tanta** gente **que** no nos dejaron entrar.* *La actriz usaba **una de** maquillaje **que** parecía un payaso.* *El abogado es **de una** soberbia **que** irrita.* *La niña era **de una** dulzura **que** te enternecía.*
expresar una relación de causa y consecuencia enfatizando el modo de realización del evento que configura la causa.	**¡qué/quién(es)/ cuánto(a)/s/dónde/cómo/ cuándo… que…!** **de (tal) manera/forma/modo/ suerte… que de (este/ese) modo de (esta/esa) forma/manera/suerte**	*¡**Cómo** lo maltratarían a este perro **que** anda siempre con la cola entre las patas!* *¡**Dónde** se habrá metido **que** no llega!* *¡**Cuánto** dinero tendrá **que** se ha comprado un piso en el barrio más caro de la ciudad!*
expresar una relación de causa y consecuencia y al mismo tiempo establecer una comparación entre ambas.	**tan(to)… como para** **lo suficiente** **demasiado/bastante… como** **para**	*Su padre no tiene **tanto** dinero **como para** pagarle a su hija un viaje por Europa.* *Esta cantidad de harina es suficiente **como para** hacer 10 tortas.*

4. Ejercicios

4.1. Identifica

Lee los textos y resuelve las tareas.

a ¿Cómo puedo hacer para evitar enojarme y por consiguiente tener migraña?

b

CURSO

«Entiendo, luego vendo: técnicas de venta»

c ## Lamentó que fallaran en la estrategia

Camacho: «Hemos hecho lo suficiente como para meter más goles»

José Antonio Camacho afirmó que su equipo no bajó los brazos pese a la desventaja de 3-1 con la que llegó al descanso y añadió que mereció incluso ganar en Valencia en un partido que acabó con empate a tres y en el que su equipo falló en la estrategia.

http://www.marca.com

d *Revista Ñ: – ¿Por qué nunca se llevó bien con Rozitchner y Jitrik?* Juan José Sebreli: – Jitrik iba por caminos que no me interesaban, como el estructuralismo. Con Rozitchner había puntos en común, como la lectura de Alexandre Kojève, pero era de una soberbia que lo hacía intratable. Era el niño bien que había estudiado en La Sorbona, y lo hacía notar.

http://wwww.clarin.com

e «Velar se debe la vida de tal suerte que viva quede en la muerte»

1. Marca la(s) alternativa(s) correcta(s).

Texto a	Según la pregunta: ( ) el enojo es una consecuencia del fuerte dolor de cabeza. (X) el fuerte dolor de cabeza es consecuencia del enojo. ( ) se quiere evitar, en primer lugar, el enojo. ( ) se quiere evitar, en primer lugar, la migraña.
Texto b	Según el texto publicitario: ( ) la venta es una consecuencia de saber cómo vender. ( ) entender es una consecuencia de vender. ( ) el estudio de las técnicas de venta permiten el éxito como vendedor. ( ) las técnicas de venta son una consecuencia de vender.
Texto c	Según la declaración del técnico del equipo de fútbol, podemos afirmar que: ( ) está desconforme con el rendimiento de su equipo. ( ) destaca el esfuerzo y el desempeño de su equipo. ( ) su equipo no se esforzó tanto como lo tendría que haber hecho. ( ) su equipo se esforzó tanto que hubiera merecido ganar el partido.

Texto d	Según la respuesta del ensayista, podemos afirmar que: ( ) tenía una excelente relación con Rozitchner y Jitrik. ( ) el hecho de haber estudiado en La Sorbona no hacía de Rozitchner un soberbio. ( ) Jitrik y Rozitchner tenían puntos en común. ( ) Rozitchner tenía como mayor defecto su soberbia, la causa de su poco trato con él.
Texto e	Según el lema tradicional, podemos afirmar que: ( ) lo importante es cómo vivimos la vida. ( ) lo importante es cómo morimos. ( ) no morimos nunca. ( ) la muerte no es el fin de la vida.

2. Identifica los conectores consecutivos presentes en los textos y transcríbelos en el cuadro según cómo presenten la consecuencia.

Efecto de algo que se acaba de mencionar	Énfasis en el modo de realización del evento que configura la causa	Relación y comparación entre la causa y la consecuencia
por consiguiente		

4.2. Practica

1. Relaciona las causas y los efectos.

1. Gerardo gasta de tal manera
2. ¡Cuánto le habrán pedido por un vestido
3. La reunión de hoy se ha pasado para mañana
4. Los aeropuertos continuarán cerrados por mal tiempo
5. Así era de maleducado en la mesa
6. No le avisamos con tiempo a Juan de la fiesta

a. que Sofía cambió de idea: usará uno que ya tiene!
b. conque Pedro tendrá que viajar en tren.
c. así que no vino.
d. que nadie se quería sentar a su lado a la hora de la comida.
e. que nunca llega a fin de mes.
f. así pues tengo la mañana libre.

2. Marca la opción correcta.

a. Analía tiene **unas/de unas/unas de** intuiciones que la dejan perturbada.

b. Mi abuelo dice **de una/cada/una de** cosa que es imposible no reírse.

c. Gustavo es **de una/una/cada** dulzura que es imposible decirle que no cuando te pide algo.

d. El árbol de Navidad tenía **cada/de una/una de** adornos que se vino abajo en plena Nochebuena.

e. ¡**Qué/Dónde/Cuánto** les habrá costado el viaje de luna de miel que desde que se casaron no salen ni siquiera a tomar un café a la esquina!

f. ¡**Cuánto/Dónde/Qué** habrán acordado en la reunión de consorcio que la vecina del quinto está tan desconforme!

g. ¡**Dónde/Qué/Cuánto** habré puesto mi monedero, que no lo encuentro por ningún lado!

3. Completa las frases con *tan… que, tanto/a/s… que* o *tanto que*, según corresponda.

a. Carmen es ___tan___ seductora ___que___ ningún hombre se le resiste.

b. Joaquín tiene _tantas_ novias _que_ se le mezclan los nombres.

c. Mis amigos portugueses hablan _tan_ bien el español _que_ pasan por nativos.

d. Mis sobrinos hacen _tanto_ lío cuando vienen a casa _que_ demoro una semana en ordenarlo todo.

e. Mis amigas hablan _tanto_ _que_ se pelean para tomar la palabra.

4. Relaciona y forma frases. Haz los cambios necesarios.

1. Julia es mentirosa
2. Había tumulto
3. Los alumnos no se esforzaron
4. Rosa ha comido mucho
5. Rodolfo tiene una duda
6. Mis padres son severos

a. No se escuchaba lo que se decía.
b. Empacharse.
c. No consigue dormirse.
d. No le cree ni la propia madre.
e. Tenía que salir a escondidas a bailar de joven.
f. Pasar de año.

a) Tal era el tumulto que no se escuchaba lo que se decía.
b) _____
c) _____
d) _____
e) _____
f) _____

4.3. Aplica

1. Lee el texto. A continuación realiza la tarea.

CALENTAMIENTO GLOBAL

Los datos científicos más recientes confirman que el clima de La Tierra está cambiando rápidamente. Las temperaturas mundiales aumentaron aproximadamente 1 grado Fahrenheit en el transcurso del último siglo, y es probable que aumenten aún más rápido en las próximas décadas. ¿Cuál es la causa? Una capa cada vez más gruesa de contaminación por dióxido de carbono y otros gases invernadero, principalmente de las plantas generadoras de energía y los automóviles, que atrapa el calor en la atmósfera.

CAMBIA EL PATRÓN DEL CLIMA	**Consecuencias:** temperaturas más cálidas; sequías y fuegos arrasadores; tormentas más intensas
EFECTOS PARA LA SALUD	**Consecuencias:** olas de calor mortales y la propagación de enfermedades
CALENTAMIENTO DEL AGUA	**Consecuencias:** huracanes más peligrosos y poderosos; deshielo de glaciares; aumento del nivel del mar e inundaciones de regiones costeras
TRASTORNO DEL ECOSISTEMA	**Consecuencias:** cambia el ecosistema y mueren especies por no adaptarse

Datos extraídos de http://www.nrdc.org

2. Transforma la enumeración de las consecuencias en un párrafo.

_____
_____
_____

LAS ORACIONES PASIVAS E IMPERSONALES

1. En contexto

1 **Nuevos linces ibéricos son vistos en el parque de Doñana**
Nuevos ejemplares de la especie en peligro de extinción han sido vistos por los vigilantes del parque nacional.

2 **Necesito vender una joya**
Se trata de una medalla antigua que fue tasada por el Banco de la Nación en US$ 1500.

3 **SE VENDEN CABAÑAS EN COSTA RICA**

4 **Inspeccionan el área donde se levantará la central eólica**

5 **El zapato aspiradora limpia la casa mientras se camina**
Ahora es posible quitar el polvo del suelo mientras caminas, gracias a unos zapatos que poseen un aspirador en la suela.

6 El jefe de Policía dice que se trabaja intensamente en el caso de la joven desaparecida

---

Texto 1
Lee el texto y responde:
¿Dónde y quién ha visto los linces ibéricos?

Texto 2
Marca la alternativa correcta:
a) El Banco de la Nación determinó el valor de la joya. ☐
b) La joya está en el Banco de la Nación. ☐

Texto 3
En el anuncio, la información relevante es:
a) quién vende el producto. ☐
b) el producto que se vende. ☐

Texto 4
Marca la afirmación correcta:
a) En la noticia se informa quién inspeccionó el área. ☐
b) En la noticia no se especifica quién construirá la central eólica. ☐

Texto 5
De acuerdo con el anuncio, marca la opción correcta:
a) Cualquiera puede usar los zapatos que aspiran. ☐
b) Solo personas especializadas pueden usar los zapatos que aspiran. ☐

Texto 6
Marca la opción correcta:
Se sabe/No se sabe quién trabaja intensamente en el caso de la joven desaparecida.

Las estructuras marcadas en los textos son recursos con los que cuenta el hablante para no mencionar o relegar a segundo plano al agente que realiza la acción, cuando lo desconoce, cuando prefiere no mencionarlo o cuando no lo considera relevante. Algunos de estos recursos son: las oraciones pasivas con ser + participio (son vistos por -texto 1-, fue tasada -texto 2), las oraciones pasivas con se (Se venden -texto 3, se levantará -texto 4) y las oraciones impersonales con se (se camina -texto 5- y se trabaja -texto 6).

2. Las formas

2.1. Oraciones pasivas

Sujeto + *ser* (conjugado en cualquier tiempo) + participio + agente	*Fue secuestrado un importante empresario.* *El trabajo será realizado por un equipo de especialistas.* *Es fundamental que la carta sea enviada hoy.*

MÁS

–El participio concuerda en género y en número con el sujeto gramatical.
*Todos los náufragos **fueron rescatados** con vida.*
*El náufrago **fue rescatado** con vida.*

–El agente puede o no expresarse. Cuando está explícito, va introducido por la preposición **por**.
*La información **fue dada** <u>por</u> un empleado que no quiso identificarse.*
*Una reunión extraordinaria **fue convocada** con carácter de urgencia (<u>por</u> el director).*

2.2. Oraciones pasivas con *se*

– *Se* + verbo en 3.ª persona del singular o
del plural + <u>sujeto</u>.
A lo largo de la avenida se construirán <u>varios</u> <u>edificios</u> para oficinas.
<u>Esta</u> <u>casa</u> *se vendió a muy buen precio.*
Para este trabajo es importante que se contrate <u>un</u> <u>empleado</u> <u>más.</u>

– El verbo concuerda con el sujeto de la oración pasiva.
***Estos templos se construyeron** en el siglo XVII.*
***Este templo se construyó** en el siglo XVII.*

> **¡Atención!**
>
> Si el sujeto es de persona, no lleva determinante.
> *Se buscan vendedores con práctica.*
> (Es incorrecto = *Se buscan los vendedores con práctica*)
> *Se contrataron secretarias bilingües.*
> (Es incorrecto = *Se contrataron las secretarias bilingües*)

Nunca se menciona el agente.
***Se redactó** un petitorio exigiendo la interrupción de las obras.* (No se especifica quién redactó el petitorio).

2.3. Oraciones impersonales con *se*

– *Se* + verbo en 3.ª persona del singular (sin sujeto).
***Se aplaudió** durante veinte minutos al famoso tenor.*
*En mi país **se almuerza** normalmente a la una.*
***Se recibió** a los invitados en el salón principal.*

– El verbo de las oraciones impersonales puede llevar un objeto directo de persona introducido por la preposición **a**.

***Se solicita a** los interesados en participar en la subasta que rellenen el formulario adjunto.*

2.4. Formas para generalizar

– Verbo en 3.ª persona del plural.
***Dicen** que este invierno será muy riguroso.* (Es equivalente a *alguien lo dice*)
***Asaltaron** el banco que queda en la esquina de mi casa.* (Es equivalente a *alguien asaltó el banco*)

– *Uno/a.*
*Cuando **uno** tiene buenos amigos, la vida es más divertida.*

– Verbo en 2.ª persona del singular
*Es un libro tan entretenido que no **quieres** que se termine.*

– *La gente* (con el verbo en 3.ª persona del singular).
***La gente** maneja aunque haya bebido y eso es una irresponsabilidad.*

3. Los usos

FORMA	USO	EJEMPLOS
Ser + participio (agente implícito o explícito)	Enfatizar la situación o el evento. El agente puede estar implícito o explícito, pero constituye información menos relevante.	*Las víctimas **fueron llevadas** al hospital Santa Cruz.* *Los proyectos **serán analizados** por una comisión de especialistas.*
Oraciones con *se* y verbos en 3.ª persona del plural Impersonales con *se*	Enfatizar la situación o el evento sin mencionar el responsable. **¡Más!** Las pasivas con *se* son de uso más frecuente que las pasivas con *ser* + participio. Se utilizan tanto en el lenguaje oral como escrito y en todo tipo de contexto.	*Al final del congreso **se sorteará** un viaje.* *En esta escuela no **se admiten** niños perezosos.* ***Se detuvo** a dos hombres armados que intentaban asaltar una tienda.* ***Piden** donantes de sangre para ayudar a las víctimas del terremoto.*
	Expresar cortesía y distanciamiento en textos escritos.	***Véase** el capítulo X para una descripción detallada.* *Como **se ha mencionado** en el apartado anterior, la...*
Un/a	Hablar de hábitos o eventos usuales de forma general.	***Se come** muy bien en este restaurante.* ***Se vive** mejor en las ciudades pequeñas que en las grandes.*
Verbo en 2.ª persona del singular	Referirse a cualquier persona, incluido quien habla.	***Uno** pasa años estudiando y después no consigue trabajo.* ***Una** se esfuerza y nadie se lo reconoce.*
	Referirse a cualquier persona, incluido quien escucha.	***Piensas** que lo has hecho todo mal y entonces viene tu jefe y te felicita.* *La película es tan triste que te la **pasas** llorando del comienzo al fin.*
La gente	Referirse a los demás excluyendo al hablante.	***La gente** no entiende que es necesario preservar el medio ambiente.*

4. Ejercicios

4.1. Identifica

Lee los textos y responde si las afirmaciones son verdaderas (V) o falsas (F). Después, subraya las expresiones pasivas e impersonales.

1. Los candidatos fueron presentados oficialmente en Vilquechico Los once candidatos a alcalde discursaron en la histórica plaza de Armas ante una concurrida audiencia.	5. El Gobierno emite nuevas directrices alimenticias En términos generales, se insiste en la necesidad de consumir menos azúcar, sal y grasas, y tomar más frutas, vegetales y granos enteros.
2. Mujer policía es premiada por enfrentarse sola a delincuentes armados	6. Se cree que en Chiapas hay 60 volcanes perdidos Se presume que en Chiapas existen por lo menos 60 volcanes perdidos entre la vegetación de la región.
3. En 9 meses se vendieron más tractores que en 2009	
4. La tarjeta metropolitana de bus se ha usado ya un millón de veces	

a. En la noticia 1 se afirma que el alcalde presentó a los 11 candidatos. [F]

b. En el texto 2 no se menciona a la persona que entregó el premio a la mujer policía. [ ]

c. En la noticia 3 se informa quién vendió más tractores. [ ]

d. Según el texto 4, las tarjetas de transporte son muy utilizadas. [ ]

e. En la noticia 5 se da a entender que la insistencia parte del Gobierno. [ ]

f. Según el texto 6, no se identifica quién(es) cree(n) o presume(n). [ ]

4.2. Practica

1. Transforma las frases a la voz pasiva.

a. Un club contrató al jugador uruguayo. ___El jugador uruguayo fue contratado por un club.___

b. La compañía de teléfonos aumentará nuevamente las tarifas. _____

c. El periódico local confirma la renuncia del alcalde. _____

d. La policía ha detenido a los sospechosos en el aeropuerto. _____

e. La empresa lanzará el nuevo antivirus en agosto. _____

f. Un conocido actor visita a los niños internados. _____

2. Señala si el agente de cada frase está implícito o explícito.

a. Fueron encontrados en Egipto los restos de otro faraón. Implícito

b. La denuncia ha sido hecha por el propio sospechoso. ex

c. El resultado del examen fue muy cuestionado por varios profesionales. im e x

d. El suministro de agua será interrumpido para hacer reparos en las tuberías. um

e. La nota explicativa fue firmada por los responsables de la institución. ex

3. Completa con *se* y el verbo en la forma adecuada.

a. El año pasado (cumplir) ___se cumplieron___ todas las metas establecidas.

b. Hoy en día (estudiar) __se estudia__ de otra manera.

c. Finalmente (publicar) __se publicó__ esa obra tan esperada.

d. Mañana (inaugurar) __se inaugurará__ la muestra internacional de cine.

e. (Rogar) __se ruega__ no sacar fotos en este recinto.

f. En montañas muy altas (respirar) __se respira__ con gran dificultad.

4. Reescribe las frases usando *se* + verbo conjugado o la 3.ª persona del plural, según corresponda.

a. Anunciaron el nombre del nuevo ministro. > __se anunció el nombre del nuevo ministro.__

b. Se confirma la existencia de agua en Marte. > __Confirman__

c. Para resolver el caso, se trabaja con varias hipótesis. > __trabajan__

d. Buscan intensamente el arma del crimen. > __se busca__

e. Se especula sobre la existencia de ovnis. > __especulan__

f. En la ciudad sueñan con la construcción de la presa. > __se sueña__

5. Completa con *uno* o *la gente*.

a. Lo bueno de Internet es que, cuando __uno__ escribe, alguien lo va a leer. Y, además, __la__ participa de forma activa en la lectura.

b. Con la fotografía en blanco y negro __uno__ puede sorprender con cualquier imagen porque __la__ espera ver imágenes en colores.

c. Conocer a los famosos es difícil, porque _____ intenta preguntarles lo que _____ quiere saber, pero ellos son celosos de su vida privada.

d. Según el humorista argentino Quino, lo difícil de su trabajo es que _____ trabaja solo para darle

a _____, que no conoce, una visión irónica de la realidad.

4.3. Aplica

1. Lee el texto y completa las frases.

> **Se descubre nueva especie de musaraña**
>
> Un misterioso animal con un largo hocico fue grabado en África y se cree que puede tratarse de una nueva especie de las musarañas elefante.
>
> Cámaras distribuidas a lo largo de Kenia capturaron imágenes del esquivo animal. Este ejemplar fue visto por primera vez por un miembro de la Sociedad Zoológica de Londres, quien fue incapaz de identificarlo. Afirman que el sengi, un animal esquivo, solo se encuentra en África y utiliza su largo y flexible hocico para cazar insectos.

Animal descubierto: _____

Forma de descubrimiento: _____

Lugar de descubrimiento: _____

Hipótesis sobre la especie: _____

Quién lo ha visto por primera vez: _____

Comentarios sobre el comportamiento del animal: _____

2. Ahora escribe un texto usando la información que te damos. Usa formas impersonales y pasivas.

Animal descubierto: **Pájaro**

Forma de descubrimiento: **Fotografías en los bosques húmedos**

Lugar de descubrimiento: **Colombia**

Hipótesis sobre la especie: **Paloma cantora**

Quién lo ha visto por primera vez: **Investigador de la Universidad de Bogotá**

Comentarios sobre el comportamiento del animal: **Su canto fuerte y constante. No corre peligro de extinción, pero se encuentra en área completamente desprotegida de árboles.**

_____

_____

_____

_____

1. En contexto

2

En Entrevista: Beto Ortiz

1

El desconocido actor se volvió uno de los más populares actores tras su participación en la película *Evita*.

Beto Ortiz ha logrado lo que siempre quiso: no pasar desapercibido en el Perú.
Miguel Sánchez para Circovip: Tú dices que acá en Perú es fácil hacerse famoso. ¿Cómo te hiciste famoso?
Beto Ortiz: Dándole un beso a Magaly, antes de eso no existía, y escribía igual de bonito.

3
Las historietas editadas entre 1935-1955 se han convertido en objetos de valor para coleccionistas.

4
«Solo si nos hacemos ricos y famosos, grabaremos una trilogía al estilo de la banda *Helloween*», afirma irónicamente el joven cantante Diego Cordón.

6
La peor experiencia de mi vida fue pasar el examen de conducir. Nunca me he puesto tan nervioso como ese día.

5
La selección peruana de fútbol se quedó apenada por la sanción de la comisión mundial de fútbol.

Los verbos marcados en los textos expresan cambio y, de modo general, vienen acompañados de un pronombre (*me, te, se, nos, os, se*) que siempre se refiere al sujeto de la frase. Completa el cuadro con el sujeto que vivencia el cambio y con la palabra o expresión que completa el sentido del verbo de cambio.

	SUJETO QUE VIVENCIA EL CAMBIO	PALABRA/EXPRESIÓN QUE COMPLETA EL SENTIDO DEL VERBO DE CAMBIO
se volvió →		uno de los más populares
te hiciste →	tú = Beto Ortiz	
se han convertido →	historietas	
nos hacemos →	nosotros	
se quedó →		
me he puesto →		nervioso

2. Las formas

	PRONOMBRES +	VERBO DE CAMBIO +	COMPLEMENTO
yo	me	**poner** **quedar**	adjetivo adverbio preposición + sustantivo/ adjetivo
tú, vos	te		
él, ella, usted	se		
nosotros, nosotras	nos	**convertir en/ transformar en**	sustantivo
vosotros, vosotras	os	**volver** **hacer**	adjetivo sustantivo
ellos, ellas, ustedes	se		

Me puse <u>mal</u> cuando me contaron la noticia.
¿**Te pusiste** <u>nerviosa</u> en el examen?
La pared **quedó** <u>peor</u> pintada de verde.
Juan, **te has transformado en** un <u>ejemplo</u> para todos.
Los príncipes **se convirtieron en** <u>sapos.</u>
¡Cómo has crecido! **Te has hecho** <u>mujer.</u>
Los actores de esta película **se hicieron** <u>famosos.</u>

3. Los usos

VERBO DE CAMBIO	USO	EJEMPLOS
Ponerse	Expresa un cambio de estado repentino y momentáneo. Por lo general, se relaciona con aspectos de la salud, del ánimo, de lo físico y del comportamiento.	*Se puso mal después de la discusión.* *Tu hermana se ha puesto colorada por una pavada.* *Los dos nos pusimos enfermos a la vez.* *¡Me puse tan nerviosa que no me pude expresar!*
Quedar(se)	Expresa un cambio de estado como resultado de un hecho anterior. El cambio puede ser duradero o transitorio. Por lo general se relaciona con aspectos físicos, materiales y de ánimo.	*Nos quedamos sordos con la explosión.* *¡La casa quedó impecable!* *No se habrán quedado con hambre, ¿no?* *La señora de la esquina se ha quedado viuda.*
Convertirse en/ Transformarse en	Expresan un cambio involuntario, profundo y/o definitivo.	*La reunión se transformó en una fiesta.* *Se ha convertido en la celebridad del momento.*
Volverse	Expresa un cambio duradero involuntario. Por lo general, se relaciona con aspectos psíquicos.	*¡Gracias, Ariel! Te has vuelto un joven muy generoso.* *Mis compañeros de trabajo se han vuelto más amables últimamente.*

Atención!

Al hablar de objetos se usa el verbo sin pronombre.
La verdad, que el jarrón quedó ridículo en la sala de baño.

> **¡Atención!**
>
> Cuando se combina con un sustantivo, este viene acompañado de un artículo indefinido:
> *Mi hijo **se ha vuelto** <u>un</u> adolescente muy rebelde.*

Hacerse	Expresa un cambio duradero voluntario. Por lo general, se relaciona con el ámbito profesional, ideológico, religioso.	*¿No lo sabías? Francisco **se hizo** budista. Gabriel y Juan **se hicieron** amigos durante el viaje a Barcelona. **Me hice** profesor de esquí de tanto practicar en mis viajes a Chile.*

MÁS

Otras formas de expresar cambio:

a) con perífrasis verbales:

llegar a ser → *Mi nuera **llegó a ser** la gerente de una empresa multinacional.*

venir a ser → *Hace ya algún tiempo, los hornos microondas **han venido a ser** comunes.*

pasar a ser → *La semana pasada Julia **pasó a ser** la directora de eventos.*

Para saber más sobre perífrasis de infinitivo, consultar el capítulo 39.

b) con verbos derivados de sustantivos y adjetivos:

ruborizarse (ponerse colorado) → *Marcela siempre **se ruboriza** con los piropos.*

alegrarse (ponerse contento) → *Me **alegró** mucho saber que en Navidad vienen los chicos.*

enfermarse (ponerse enfermo) → *Pedro **se enfermó** y estuvo una semana en cama.*

enloquecerse (volverse loco) → *Desconecta el teléfono, **me enloquece** cuando toca.*

engordar (ponerse gordo, quedar gordo) → *De tanto comer pan, **engordé** dos kilos.*

enriquecerse (hacerse rico) → *Nuestros vecinos **se enriquecieron** vendiendo comida casera.*

ensuciarse (quedar(se) sucio) → *Los chicos **se ensuciaron** jugando a la pelota.*

Para saber más sobre la formación de verbos, consultar el capítulo 60: Formación de palabras.

4. Ejercicios

4.1. Identifica

Lee los textos e identifica quién(es) o qué pasa de un estado a otro en cada uno de los textos. Luego, indica el verbo y el cambio.

1) «Me quedé sin habla». Sebastian Vettel dijo que se quedó mudo cuando los técnicos de Red Bull le dijeron que era el nuevo campeón mundial de Fórmula 1. http://www.canchallena.com/	4) **Edades del cambio** Una de nuestras primeras crisis surge en la adolescencia, cuando nos transformamos en adultos. Este cambio es brusco, nuestras experiencias aún son pocas y nuestra personalidad no está aún formada.
2) Después de las obras, el bulevar quedó muy bien.	Hacia los 35-40 años puede aparecer una crisis de inseguridad. Nos volvemos vulnerables y sufrimos por alcanzar una identidad. http://www.esmas.com/mujer/saludable/psicologia/675290.html
3) *¿Cuál es la razón por la que te volviste aficionado a tu equipo?* Como este grupo es nuevo, sería conveniente decir cómo lo conocimos y cómo nos volvimos hinchas fanáticos.	5) Hallan un jarrón chino por casualidad y se hacen ricos. La pieza del siglo XVIII fue subastada en Londres por US$66 millones. BBC Mundo.com

Texto 1	Sebastian Vettel (yo)	Me quedé	Sin habla
Texto 2			
Texto 3			
Texto 4			
Texto 5			

4.2. Practica

1. Completa el texto con los elementos del cuadro.

un perdido enamorado – ~~nervioso~~ – fiel – sin respiración – en un ingenuo niño

Cuando mi amigo vio a mi hermana, se puso tan ___nervioso___ que se quedó ___Sin resp.___

El experimentado galán se convirtió _____ delante de Susana.

El empedernido picaflor en un segundo se volvió _____ y se hizo _____ a la que ahora es su mujer...

2. Completa las preguntas con un verbo de cambio del cuadro.

se hizo – ~~quedó~~ – se puso – se convirtió – se volvió – se quedó

a. ¿Cómo _____ quedó _____ la casa después de la restauración?

b. ¿Cómo fue que tu hermano _se convirtió_ (en) un estafador?

c. ¿Por qué el ciudadano _se quedó_ callado ante tanta violencia?

d. ¿Por qué tu novia _se puso_ triste?

e. ¿Cuándo _se hizo_ millonario tu padre?

f. ¿Cuándo _se volvió_ esquizofrénico tu vecino?

3. Marca la opción adecuada.

a. Nunca vi así a Francisco. De la nada se **puso/convirtió en/hizo** nervioso.

b. Cuando Laura me dejó, me **volví/quedé/hice** muy mal. → adjective

c. La hechicera **transformó/quedó/convirtió** a la princesa en estatua de sal.

d. Los sueños se **convierten/transforman/quedan** en realidad.

e. Después de tanto negar la profesión paterna, Pedro se **volvió/hizo/puso** médico igual que su padre.

f. Ana y yo nos **pusimos/volvimos/hicimos** histéricos cuando vimos que no nos creían.

g. Juana se **convirtió/volvió/hizo** loca al saber que le habían terminado la casa.

4. Forma frases con los elementos que te damos, utilizando el verbo de cambio más adecuado.

ANTES	AHORA	
Josefina estaba tranquila.	Josefina está nerviosa.	Josefina se puso nerviosa.
Tito y Marcos eran ateos.	Tito y Marcos son musulmanes.	T y M se hicieron
Teresa era estudiante de Medicina.	Teresa es una pediatra famosa.	Se hacerse
A Juan Carlos no lo conocía nadie.	Juan Carlos es muy famoso.	volverse
Catalina era una joven agradable.	Catalina es una mujer arrogante.	vulto
Griselda era una mentirosa empedernida.	Griselda es una persona de palabra.	volverse

5. Sustituye los verbos de cambio subrayados por otras formas similares. Haz los cambios que necesites para reformular las frases.

a. Gutiérrez se convirtió en el director general de la empresa.

   Gutiérrez pasó a ser el director general de la empresa.

b. Rosalía siempre se pone colorada cuando le hacen alguna pregunta personal.

c. Pedro es tan desastrado para comer que siempre se queda sucio.

d. Los perros se pusieron contentos porque su dueño había llegado.

e. ¡Qué suerte la tuya que no te pusiste gorda después de las vacaciones! Yo siempre vuelvo con unos kilitos de más.

f. Como sois alérgicos, os ponéis enfermos todas las veces que cambia el tiempo.

g. Mis amigos se han vuelto locos: han presentado la renuncia en sus trabajos y han decidido irse a vivir a una playa desierta.

4.3. Aplica

Escribe un decálogo con consejos para la primera cita con alguien basado en tu experiencia. Utiliza las formas de imperativo (afirmativas y negativas) combinadas con verbos de cambio. ¡Ayúdate con las expresiones que te damos en el recuadro!

nervioso – tranquilo – indiferente – el encuentro en un momento inolvidable – en otra persona – callado – atractivo, pero elegante – en la mejor compañía – un fanfarrón – amigo

No te pongas nervioso, trata de mantener la calma y actuar tal y como eres.

51

OTROS USOS DE LOS PRONOMBRES

1. En contexto

1 Ya no sé qué hacer con mi hijo. No *me* come nada, *me* duerme poco y se *me* acuesta muy tarde. Sus notas en la escuela no pueden ser peores. ¿Qué hago?

2
Barcelona'92

Para Víctor, los Juegos Olímpicos de Barcelona de 1992 fueron un acontecimiento inolvidable. *Se* recorrió toda la ciudad para ver las instalaciones y empezó a coleccionar jarras de cristal en aquella época. Desde entonces, *se* ha conseguido 512 jarras de países diferentes.

3
—Doctor, desde que me sacó la muela cada día estoy más tonto.
—Claro, le saqué la muela del juicio.

4 ¿Te sientes agotado?
¿El estrés es severo?
¿*Te* duele todo el cuerpo?
¿*Te* molestan las articulaciones?

Nosotros tenemos la solución.

Masajes terapéuticos y de relajación con profesionales de amplia experiencia.

5
Por fin *se* rompió el jarrón que teníamos en casa. *Se* hizo trizas y nadie sabe cómo ocurrió. La verdad es que era horrible.

6

Totalmente recomendable

El hotel Meliá Costa del Sol es una buena opción.
La limpieza de las habitaciones es escrupulosa, ya que uno de los días *se nos* manchó un poquito la colcha y la cambiaron inmediatamente. →

Lee los textos y responde o marca la opción correcta.

Texto 1	**a)** ¿De qué se queja la persona que escribe el mensaje?
	 b) ¿A quién señalan los pronombres subrayados?
	 c) Los pronombres subrayados se utilizan para:
	  ☐ destacar el interés de quien escribe el texto por los acontecimientos nombrados.
	  ☐ destacar el interés de las madres por los acontecimientos nombrados.

Texto 2	**a)** Además de asistir a la ceremonia de clausura de las Olimpíadas, ¿qué otra cosa hizo Víctor en Barcelona?
	 b) ¿Qué afición tiene desde esta época? ¿Cuál ha sido su logro desde entonces?
	 c) El pronombre subrayado:
	  ☐ intensifica las acciones realizadas por Víctor.
	  ☐ en un caso se refiere a «toda la ciudad» y en el otro a las «512 jarras».

Texto 3	**a)** Según el chiste, ¿por qué la persona a la que le sacaron la muela está cada vez más tonto?
	 b) Los pronombres subrayados se refieren respectivamente:
	  ☐ al paciente.
	  ☐ el primer pronombre se refiere al paciente y el segundo, al médico.

Texto 4	**a)** ¿De qué tipo de texto se trata y a quién está dirigido?
	 b) Los dos pronombres subrayados se refieren:
	  ☐ a los profesionales de amplia experiencia.
	  ☐ a cualquier persona que pueda leer este texto.

Texto 5	En el texto:
	  ☐ se menciona al responsable de la rotura del jarrón.
	  ☐ no se menciona al responsable de la rotura del jarrón.

Texto 6	En la frase *se nos manchó un poquito la colcha* se afirma que:
	  ☐ el hecho ocurrió accidentalmente.
	  ☐ los huéspedes mancharon la colcha a propósito.

Los pronombres marcados en los textos transmiten diferentes significados. Se usan para:

a) Subrayar el interés de la persona que participa en el evento expresado en el enunciado: *No me come nada, me duerme poco y se me acuesta muy tarde* (texto 1). *Se recorrió toda la ciudad... Se ha conseguido 512 jarras* (texto 2).

b) Referirse a un poseedor y a un determinado objeto de su posesión: *Me sacó la muela; le saqué la muela* (texto 3). *¿Te duele todo el cuerpo? ¿Te molestan las articulaciones?* (texto 4).

c) Omitir la persona o causa que provoca un determinado evento: *Se rompió el jarrón... se hizo trizas* (texto 5).

d) Omitir la persona o causa que provoca un determinado evento y señalar a la persona afectada por ese evento: *Se nos manchó un poquito la colcha* (Texto 6).

2. Las formas

2.1. Pronombres de interés

PRONOMBRES	CARACTERÍSTICAS	EJEMPLOS
Principalmente los pronombres **me – te**	El pronombre señala a una persona diferente que el sujeto.	*Pedro, no **me** pongas esa cara de inocente porque sé que has sido tú.* *Si tu hijo nunca **te** llega a la hora que le pides, debes hablar con él.*
me – te – se – nos – os – se	El pronombre reflexivo señala a la misma persona que el sujeto.	***Se** sabía la partitura de memoria.* ***Me** comí toda la ensalada que había.* ***Nos** hicimos un paseo fantástico.*

2.2. Pronombres con valor posesivo

PRONOMBRES	CARACTERÍSTICAS	EJEMPLOS
me – te – le – se – nos – os – les – se	El pronombre se refiere generalmente a una persona (el poseedor) de la cosa poseída. El objeto poseído suele ser una parte del cuerpo o prenda de vestir o algún objeto personal.	*El médico que **me** operó <u>la rodilla</u> es un especialista en ese tipo de cirugías.* *No **te** laves <u>la cabeza</u> con ese champú.* *Antes de salir **se** lustró <u>los zapatos</u>.* *¿No **os** hierve <u>la sangre</u> de ver escenas tan violentas?*

2.3. Pronombre *se* para presentar un acontecimiento como un hecho espontáneo y accidental

PRONOMBRE IMPERSONAL	CARACTERÍSTICAS	EJEMPLOS
se	Con verbos que expresan un cambio físico (*quemarse, mancharse, romperse, caerse*, etc.), en la 3ª persona del singular o del plural, el sujeto del enunciado es el objeto que padece el evento.	***Se** quemó la comida.* *El viento era tan fuerte que **se** cayeron dos cuadros.* ***Se** pincharon las ruedas del auto.* *El espejo **se** partió en pedazos.*

2.4. Pronombres para expresar que se realiza algo de forma involuntaria

PRONOMBRES	CARACTERÍSTICAS	EJEMPLOS
se + me/te/le/nos /os/les	Los pronombres *me, te, le, nos, os, les* señalan a la persona afectada por el evento, pero que no lo provoca o no lo provoca voluntariamente.	***Se me** quemó la comida.* *El viento que entraba por las ventanas era tan fuerte que **se le** cayeron dos cuadros.* *¿**Se te** pincharon las ruedas del auto?* *El espejo **se nos** partió en pedazos.*

3. Los usos

3.1. **Me, te, se, nos, os, se** (con valor de interés)

SE USA PARA...	EJEMPLOS
Indicar un valor afectivo o un interés en el asunto.	*Concéntrate en la tarea y no te **me** distraigas.* (Está hablando con su hijo o con un alumno suyo) *Si José no **te** cumple con los plazos, debes llamarle la atención.* (= si no cumple con los plazos que tiene acordados contigo)
Realzar, enfatizar y llamar la atención sobre un evento.	***Me** leí la novela entera en una noche.* ***Nos** aguantamos todo el discurso del presidente de la empresa sin hacer ningún comentario.*

3.2. **Me, te, le, nos, os, les** (con valor posesivo)

SE USA PARA...	EJEMPLOS
Señalar al poseedor de una parte del cuerpo o de una prenda de vestir o de algún objeto que pertenece al ámbito personal.	***Te** choqué el auto.* (= choqué tu auto) *Jugando, **le** lastimé la mano a Carlos.* (= lastimé su mano)

3.3. **Se** (con valor impersonal) y **se + me, te, le, nos, os, les** (involuntario)

SE USA PARA...	EJEMPLOS
Expresar un evento como un acto involuntario o accidental. Nunca se explicita el agente.	***Se** extraviaron documentos importantes para el juicio.* *El espejo **se** hizo añicos.* ***Se** quemó la carne que puse en el horno.*
Expresar un evento incluyendo a la persona agente sin que esta se presente como responsable.	***Se me** extraviaron documentos importantes.* ***Se te** derramó la leche.* ***Se le** cayó el estuche y **se le** rompieron las gafas.*

¡Atención!

Los verbos que se usan generalmente en los enunciados que expresan involuntariedad tienen, en su gran mayoría, un significado negativo o consecuencias negativas. Por esto no hay un sujeto responsable por los hechos sino que estos se presentan como ocurridos por accidente. Algunos de estos verbos son: *perderse, olvidarse, romperse, deshacerse, caerse, partirse, mancharse, ensuciarse, arrugarse, torcerse, quemarse, consumirse, derramarse, pincharse, averiarse, salirse,* etc.

4. Ejercicios

4.1. Identifica

Lee los siguientes textos y extrae frases con pronombres que respondan a los diferentes sentidos.

a. **Declaraciones de Maradona**

«Todos mis jugadores se matan en cada entrenamiento y se aferran a poder ser titulares, me están rindiendo de una manera increíble en los entrenamientos», dijo Diego Armando Maradona sobre los jugadores de la selección argentina.

b. Te recordamos que los sábados por la mañana te ofrecemos un plan estupendo para toda la familia. Por la mañana, nuestro taller de CREANDO RECICLANDO (12:00–13:30) para niños de 4 a 8 años. Mientras tú te tomas un café y te comes una de nuestras deliciosas magdalenas, o bien te das una vuelta por el barrio, tus niños estarán encantados creando originales objetos a base de elementos reciclados.

Coste: 15 €. Duración: hora y media. Cupo limitado, reserva con antelación.

c. **MI AMIGO EL DOCTOR - TOPO GIGIO**

Cuando me duele la garganta,
ya me ponen otra manta
y me llenan la boca de jarabe.
Si me lastimo la rodilla
por subirme a alguna silla,
rapidito me ponen la pomada.
Si mi apetito no camina,
enseguida vitaminas,
que me dan siempre por toneladas.

d. Varias ciudades sufrieron las consecuencias de un violento temporal que se desató en la noche del martes.

En la ciudad de Crespo, bomberos y personal municipal socorrieron a alrededor de doce familias, para extraer el agua de las viviendas, porque además se rompió y se desbordó el sistema cloacal.

http://intra.ada.gba.gov.ar/intra/infoagua/201001/noticias/316551.html

e. **Se le trabó la chinela en el acelerador y chocó contra un policía**

Una mujer a la que se le enrolló la chinela en el acelerador terminó atropellando a un policía porque no pudo frenar.

f. ¿Se te manchó la ropa con el maquillaje? No te preocupes, aquí te damos algunas técnicas para recuperarlas.

SENTIDO	FRASE
Los pronombres expresan que el acontecimiento se produce accidentalmente, y además se incluye a una persona involucrada en el evento.	Se le trabó la chinela.
Mediante el pronombre se señalan las partes del cuerpo en relación con un poseedor.	

Los pronombres indican que el evento se produjo de manera espontánea y accidental.	
El pronombre indica que, quien habla, se involucra con especial interés en un evento realizado por otros.	
El pronombre se usa para enfatizar y realzar acontecimientos realizados por una misma persona.	

4.2. Practica

1. Completa con las palabras que faltan.

a. Marcela pocas veces ___se___ pinta ___los___ labios. Es muy discreta con el maquillaje.

b. Daniela, no entiendo por qué _____ tiñes _____ pelo de ese color anaranjado. No _____ queda nada bien.

c. A Marcelo no _____ aprobaron _____ proyecto que presentó para reformar la casa.

d. Carlos _____ rompió _____ dos jarrones que mis compañeros _____ regalaron por mi boda.

e. Escuchen mi consejo: si alguien _____ ha robado _____ antena de la televisión por cable, llamen a la empresa y hagan la correspondiente denuncia.

f. El crucero que hicimos fue un desastre. El último día, estábamos en Santo Domingo, _____ perdieron _____ maletas y _____ equipaje de mano. Son muy desorganizados.

g. Mi hijo _____ quemó _____ brazo con aceite caliente. Por suerte encontré un médico estupendo que _____ curó _____ herida con unas pomadas muy buenas.

2. Transforma en enfáticas las siguientes frases.

a. Normalmente leo un libro por semana. > ___Normalmente me leo un libro por semana.___

b. El guiso que comí estaba delicioso. > _____

c. Tomo dos cafés antes de ir a trabajar. > _____

d. Conocemos de memoria el trayecto hasta la casa de mi abuela. > _____

e. Caminaron diez kilómetros para llegar a una gasolinera. > _____

f. ¡Has recorrido toda la ciudad a pie! Es increíble. > _____

g. ¿Habéis comprado todos los CD de Joaquín Sabina? > _____

3. Introduce en las siguientes frases los pronombres *me* o *te* donde corresponda, de modo que expresen valor afectivo o indiquen un interés especial en el evento.

a. No llegues tarde a cenar porque quiero acostarme temprano.
   No me llegues tarde a cenar porque quiero acostarme temprano.

b. Ya te lo he dicho: si tu hijo no quiere estudiar, debes obligarlo.

_____

c. Marcela, no te pongas triste. Así te vas a enfermar.

_____

d. Voy a contratar a un paseador de perros para que lo lleve a Friki a dar unas vueltas.

_____

e. Si ves que el perro no come nada y además está apático, debes llevarlo al veterinario.

_____

f. Mamá, no lo critiques más a mi novio. Es bueno y trabajador, pero no tiene suerte en la vida.

_____

4. Completa el cuadro.

Alguien o algo provoca determinado evento.	Nadie provoca el evento. Se produce espontáneamente.	El evento se produce involuntariamente.
Ensuciaste el pantalón nuevo.	Se ensució el pantalón nuevo.	Se te ensució el pantalón nuevo.
El sol secó la planta.		
		Se le metió un perro en casa.
Rompimos la videofilmadora.		
	La comida se enfrió.	
		Se me derramó la leche.
Los chicos partieron el vidrio en tres pedazos.		
Por desatentos, habéis quemado la comida.		

5. Completa los espacios con los verbos conjugados, teniendo en cuenta que todos son acontecimientos involuntarios.

> caer (2) – estropear – inundar – romper – manchar – secar – escapar – pinchar

a. Ayer, Julián volvía a su casa en coche por la carretera cuando, de repente, _____se le pinchó_____ la rueda del coche.

b. A doña Natalia _____ todas las plantas porque estuvo dos meses afuera y nadie se las fue a regar.

c. Estoy desesperado porque, sin querer, _____ de las manos una valiosa escultura griega y _____. ¡No quiero pensar lo que dirá mi mujer cuando vea los pedazos!

d. Ha habido una fuerte tormenta y a los González _____ la casa.

e. Don Ramón estaba limpiando la jaula de los pájaros y _____ el canario que más cantaba.

f. Antonio deberá cambiar la heladera porque la que tenía _____ y ya no tiene más arreglo.

g. Ana estaba cenando con unos amigos cuando _____ salsa encima del vestido nuevo y _____.

6. ¿Qué le pasa a Jorge cuando ve a Montse? Escribe las frases con los elementos que te damos.

a. Disparar el corazón. > _____ Se le dispara el corazón. _____

b. Aflojar las piernas. > _____

c. Secar la boca. > _____

d. Nublar la vista. > _____

e. Iluminar los ojos. > _____

f. Poner la piel de gallina. > _____

g. Acabar las palabras. > _____

7. Completa los diálogos con las expresiones de la caja y los verbos conjugados en p. perfecto simple.

> ~~caer varias cosas~~ – inflamar el tobillo – perder las llaves del coche – resbalar de la mano –
> cortar el pelo – romper la impresora – hacer trizas – traspapelar entre la maraña de cosas – operar
> la nariz – torcer el tobillo – estirar la piel

a. –¡Qué torpe es Antonio! Siempre _____ se le caen varias cosas _____ de las manos.
–Es verdad. Fíjate que ayer mismo cogió una copa de cristal y _____. Por supuesto
que la copa _____.

b. –Doctor, por favor, ayúdeme. No aguanto más el dolor. _____ después de jugar a
la pelota. ¿Es grave?
–No. Quédese tranquilo que no es nada serio. Simplemente _____ por un mal movimiento.

c. –¿Qué te pasa que tienes esa cara de perros?
–Hoy fue un día fatal. _____ y tuve que ir a la oficina en autobús. En la oficina, justo
hoy _____ y no pude imprimir un informe importante. Y como si eso fuera poco,
no pude encontrar un documento que, seguramente, _____ que hay sobre mi mesa.
–Bueno, cálmate que el día todavía no ha terminado.

d. –¿Viste qué cambiada está Sofía?
–Sí, se hizo varios tratamientos de belleza. _____ bien cortito.
_____ y se la hizo más rectilínea, y también _____
para aparentar menos edad de la que tiene.

4.3. Aplica

Hace un año te mudaste a una casa nueva a estrenar. Sin embargo, has comenzado a tener
una cantidad enorme de problemas. Escríbele un *e-mail* a la compañía de seguros detallando todos
los inconvenientes que has tenido.

Estimados señores:

> **Ayúdate con estos verbos:** llenar – caer – romper – manchar

No hace un año que me mudé a esta casa, supuestamente a estrenar; sin embargo, he comenzado a tener una gran
cantidad de problemas con la construcción. Para empezar, se me ha caído una parte del techo de la sala…

_____

_____

_____

_____

1. En contexto

(1)

La Querendona

¡Por fin una buena parrilla de calidad en Palermo! Excelentes carnes y servicio impecable. Lástima que el postre no haya estado a la altura del resto.

(2)

La Mariscada

Servicio y comida muy malos. Ojalá que haya sido una excepción, porque antes el restaurante era excelente.

(3)

Bella Italia

Es uno de mis restaurantes preferidos. Excelente comida casera y buen servicio. Ahora que es famoso, es extraño que no hayan mejorado la decoración.

(4)

Los Vascos

Es un lugar pequeño y con pocas mesas, pero que tiene su encanto. Me alegra que hayan abierto por fin un buen lugar donde ir a cenar por poco dinero.

Adaptado de http://www.guiaoleo.com.ar

Lee estas frases e indica si son V (verdaderas) o F (falsas) teniendo en cuenta los textos anteriores.

	V	F
1. En el restaurante La Querendona el postre no era de la calidad esperada.	X	
2. En La Mariscada, la baja calidad del servicio no es una excepción.		
3. La decoración del restaurante Bella Italia continúa igual.		
4. Van a abrir un restaurante llamado *Los Vascos*, donde se podrá comer a bajo precio.		

Todos los verbos marcados están en pretérito perfecto de subjuntivo. Este tiempo se usa para expresar deseos en relación al pasado (*Ojalá que haya sido una excepción*), reacciones ante un hecho pasado (*Lástima que el postre no haya estado a la altura del resto* o *Es extraño que no hayan mejorado la decoración*).

2. Las formas

Este tiempo se forma con el verbo *haber* en presente del subjuntivo, seguido del participio (ver capítulo 20) del verbo.

	HABER	Participio
yo	haya	
tú	hayas	
vos	hayás	cantado
él, ella, usted	haya	comido
nosotros, nosotras	hayamos	vivido
vosotros, vosotras	hayáis	
ellos, ellas, ustedes	hayan	

3. Los usos

3.1. En oraciones independientes

SE UTILIZA EL SUBJUNTIVO PARA...	EJEMPLOS
a) formular un deseo de realización posible en el pasado después de *ojalá, ojalá que* y *esperar que*.	*Ojalá que Carlos **haya conseguido** la beca.* *Espero que no **hayan cerrado** ese restaurante.*
b) hacer conjeturas o expresar una probabilidad sobre el pasado, después de *quizá(s), tal vez, probablemente...*	*Ustedes quizá no **hayan pasado** por una experiencia como esta, pero yo sí.* *Es probable que Diana no **haya venido** a clase a causa de la lluvia.*

3.2. En oraciones subordinadas

SE UTILIZA EL SUBJUNTIVO PARA...	EJEMPLOS
a) expresar una reacción emocional o un juicio de valor ante un acontecimiento pasado después de verbos y expresiones como *molestar, gustar, encantar, lamentar, fastidiar, es una lástima, es una pena que, qué lastima que, qué pena que,* etc., y con expresiones que indican un juicio de valor: *es importante que, es fundamental que, es interesante que.*	*¿Por qué te molesta que Felipe **haya salido** con Ana?* *Lamentamos que **hayáis tenido** que vender la casa.* *Me encanta que **hayas decidido** volver a estudiar.* *¡Qué lástima que se **hayan acabado** las entradas!* *Qué raro que los chicos no **hayan ido** a jugar a la pelota.* *Es importante que el tenista **haya conseguido** ese trofeo.*
b) rechazar una idea pasada después de verbos de opinión en presente negados como *creer, considerar, opinar,* etc.	*No pienso que la situación del país **haya empeorado** con este gobierno.* *No creo que **hayamos jugado** mal. Solo no hemos tenido suerte y por eso hemos perdido.*
c) señalar un acontecimiento futuro anterior a otro evento también futuro, después de una expresión temporal (ver capítulo 53).	*Después de que **hayas ordenado** tu cuarto, pon la ropa sucia a lavar.* *Te sentirás mejor cuando te **hayas tomado** las medicinas.*

4. Ejercicios

4.1. Identifica

Lee los textos, subraya los perfectos de subjuntivo y transcribe las frases en el cuadro.

1) Tuve un accidente grave y mi novio me dejó de un día para el otro. Es probable que haya pensado que yo sería una carga, pero me duele que se haya marchado sin decirme nada.	casa. «Es una suerte que hayamos podido salir a tiempo y que nadie haya resultado herido», afirma la propietaria.
2) Hola, ¿cómo estáis? Espero que hayáis pasado una buena Semana Santa. Escribidme cuando podáis.	4) IMPORTANTE Cuando hayas terminado de completar el formulario, simplemente haz clic sobre el ícono y envíalo.
3) Familia pierde su casa Tras un fatal derrumbe, una familia pierde su	5) El director técnico del Valencia no cree que la culpa de la derrota haya sido del equipo.

a. Se formula un deseo:	
b. Se expresa una probabilidad sobre un evento pasado:	
c. Se expresa una reacción emocional:	
d. Se expresa un juicio de valor:	
e. Se niega una opinión:	
f. Se expresa un evento futuro anterior a otro evento futuro también:	

4.2. Practica

1. Transforma las frases como en el ejemplo.

a. Me alegra que José venga a la fiesta. > ___Me alegra que José haya venido a la fiesta.___

b. ¿No te preocupa que tu hijo salga tan tarde? > _____

c. A Jorge le molesta que le pidamos favores. > _____

d. Me da pena que los chicos no puedan viajar. > _____

e. Es una pena que digáis tantas tonterías. > _____

f. Es muy importante que lleguemos a un acuerdo. > _____

g. A mis padres no les molesta que yo me vaya a vivir solo. > _____

h. Me sorprende que tengas tanta suerte. > _____

2. Con los elementos que te damos, forma las frases.

a. Llamarme por teléfono (imperativo) – terminar el informe (tú – cuando)

<u>Cuando hayas terminado el informe, llámame por teléfono.</u>

b. Liberar a los rehenes (futuro simple) – pagar el rescate (ellos – no bien)

_____

c. Prestarte el DVD (presente indicativo) – ver la película (nosotros – después de que)

_____

d. Sentirte mejor (futuro simple) – hacer el tratamiento (Marta – cuando)

_____

e. Escribir el *e-mail* (usted – no bien) – mostrármelo (imperativo)

_____

f. Pagar (usted – una vez que) – enviarle la mercadería (presente indicativo)

_____

3. Rechaza las siguientes opiniones como en el ejemplo.

a. Pedro estuvo enfermo la semana pasada. > <u>No me parece que haya estado enfermo.</u>

b. La policía cree que ha sido un accidente. > _____

c. El empleado ha actuado con malas intenciones. > _____

d. Daniel ha puesto informaciones confidenciales en su *blog*. > _____

e. Este escritor plagió a García Márquez. > _____

f. Entre Sofía y Daniel ha pasado algo porque no se hablan hace un mes. > _____

4.3. Aplica

Observa las expresiones de estas personas. ¿Qué puede haberles ocurrido? Formula por lo menos dos conjeturas para cada imagen. Usa el pretérito perfecto de subjuntivo.

53
LAS EXPRESIONES Y LAS ORACIONES DE TIEMPO

1. En contexto

1 **Tradukka traduce mientras se teclea**
Este programa tiene la peculiaridad de traducir textos a 52 idiomas según se van tecleando.

2 *«En cuanto supe lo que pasaba en Haití, pensé que tenía que ir para allá»*, dijo
Juan José Domínguez, miembro de la organización Bomberos Unidos Sin Fronteras

3 **La policía investiga las causas del accidente aéreo. Entre tanto se está identificando a todas las víctimas.**

4 Los vasos sanguíneos se recuperan una vez que los fumadores dejan de fumar

5 *Estaré en Cali y Madrid antes de que termine febrero*

Marca la opción verdadera.

Texto 1 El programa computacional: traduce al mismo tiempo que uno escribe. ☐ traduce después de que uno escribe. ☐	primero se identifican las víctimas y después se realiza la investigación de las causas del accidente.☐
Texto 2 Juan José Domínguez decidió ir a Haití: antes de saber lo que pasaba en el país. ☐ inmediatamente después de saber lo que pasaba en el país. ☐ unos meses después de saber lo que pasaba en el país. ☐	**Texto 4** Los vasos sanguíneos se recuperan: antes de que los fumadores dejen de fumar. ☐ después de que los fumadores dejan de fumar. ☐
Texto 3 La investigación de las causas del accidente y la identificación de las víctimas se realizan: simultáneamente. ☐	**Texto 5** Quien escribe el texto viajará a Cali y a Madrid: en febrero. ☐ en marzo. ☐

Las palabras marcadas en los textos son expresiones que relacionan dos eventos en el tiempo indicando si estos ocurren…

- simultáneamente (texto 1: *Tradukka traduce mientras se teclea*; texto 3: *Entre tanto se está identificando a las víctimas*).

- uno antes que el otro (texto 5: *Estaré en Cali y Madrid antes de que termine febrero*).
- uno después que el otro (texto 2: *En cuanto supe lo que pasaba en Haití, pensé…*; texto 4: *una vez que los fumadores dejan de fumar*).

2. Las formas

2.1. Oraciones temporales con indicativo o con subjuntivo

Con estas expresiones temporales, se utilizan los tiempos del indicativo cuando se describen momentos de los que se tiene experiencia porque son pasados, habituales o presentes. Se utiliza, en cambio, el subjuntivo cuando se describen momentos de los que no se tiene experiencia, porque son futuros.

Expresión de tiempo	Indicativo Se usa para hablar de eventos presentes o pasados	Subjuntivo Se usa para hablar de eventos futuros
A medida que Apenas Así que Cada vez que Conforme Cuando En cuanto Hasta que Mientras No bien Según Siempre que Todas las veces que Una vez que	*Este bebé solo llora **cuando** <u>tiene</u> hambre.* ***Mientras** se <u>ajustaba</u> la corbata, se preguntaba si no se había vestido con demasiada formalidad para la ocasión.* ***No bien** <u>terminó</u> la cena, se levantó y se fue.*	***Cuando tengas** hambre, abre la heladera y sírvete lo que quieras.* ***Mientras** no te **sientas** bien, no vayas a trabajar.* *Dile que me llame **no bien** <u>haya terminado</u> la reunión.*

> **¡Atención!**
>
> *Una vez* puede también ir seguido de participio.
> ***Una vez** <u>iniciada</u> la prueba, no podrán salir del aula.*

Ojo, cuando se pregunta por un tiempo futuro con *cuándo*, no se utiliza el subjuntivo.

2.2. Oraciones temporales con infinitivo o con subjuntivo

Con estas expresiones, se utiliza el verbo en infinitivo cuando el sujeto de las dos oraciones es el mismo. Cuando el sujeto de las dos oraciones es diferente, se usan con *que* y el verbo en subjuntivo.

Expresión de tiempo	infinitivo Cuando el sujeto es el mismo	Subjuntivo Cuando son dos sujetos distintos
Al Antes de Después de Tras	***Al llegar** a su casa, juega con sus perros.* ***Antes de volver** a su casa, Juana fue al supermercado.* ***Tras enterarse** de que no le aumentarían el sueldo, salió a buscar otro trabajo.*	***Antes de que** su marido vuelva a su casa, Juana irá al supermercado.* ***Después de que** un compañero se enterara de que no le aumentarían el sueldo, Mauricio salió a buscar otro trabajo.*

2.3. Oraciones temporales siempre con indicativo

Se usa siempre el indicativo con las expresiones *desde que, en tanto (que), entre tanto, mientras tanto.*

*Maribel estaba de baja por enfermedad. **Mientras tanto**, yo <u>hacía</u> su trabajo y el mío.*
Desde que <u>volvió</u> *de viaje, Isabel no ha venido a visitarnos.*
*Quédate tú en la fila del cajero. **Entre tanto**, yo <u>voy a</u> hablar con el gerente.*

3. Los usos

La expresión temporal más general es *cuando*.

3.1. Usos de los diferentes tiempos verbales en las oraciones temporales

USO	TIEMPOS	EJEMPLOS
Referirse a hábitos o costumbres presentes.	*Cuando* + presente, presente	***Cuando*** <u>tengo</u> *hambre fuera de hora,* <u>como</u> *una fruta.*
Referirse a hábitos o costumbres pasadas.	*Cuando* + imperfecto, imperfecto	***Cuando*** <u>iba</u> *a visitar a su madre, le* <u>llevaba</u> *bombones.*
Referirse a una situación con respecto a un acontecimiento.	*Cuando* + perfecto simple, imperfecto	***Cuando*** <u>conoció</u> *a su marido, ya* <u>era</u> *una empresaria exitosa.* ***Cuando*** <u>entraron</u> *a la casa, las luces* <u>estaban</u> *encendidas.*
Narrar un acontecimiento y situarlo en una situación temporal.	*Cuando* + imperfecto, perfecto simple	***Cuando*** <u>estaba</u> *en la facultad,* <u>participó</u> *mucho en el movimiento estudiantil.*
Relacionar temporalmente dos acontecimientos.	*Cuando* + perfecto simple, perfecto simple	***Cuando*** <u>llegaron</u>*, nos* <u>saludaron</u> *a todos.*
Referirse a un acontecimiento pasado anterior a otro evento pasado.	*Cuando* + perfecto simple, pluscuamperfecto de indicativo	***Cuando*** *Martín* <u>llegó</u>*, nosotros* <u>habíamos</u> <u>terminado</u> *de cenar.*
Referirse a un evento futuro.	*Cuando* + presente de subjuntivo, futuro	***Cuando*** <u>termine</u>*, te* <u>llamaré</u>*.*
Referirse a un momento futuro anterior a otro también futuro.	*Cuando* + perfecto de subjuntivo, futuro	***Cuando*** <u>hayas</u> <u>terminado</u> *de revisar el texto,* <u>podrás</u> *irte a casa.*

3.2. Usos de las diferentes expresiones temporales

EXPRESIÓN	USOS	EJEMPLOS
Al + infinitivo	Expresa que dos eventos son contemporáneos. Se utiliza en registros cultos.	***Al llegar*** *a la oficina, lo primero que hacía era leer el diario. (Cuando llegaba a la oficina, leía el diario)*

		Al verla con su vestido de noche, se enamoró. (Cuando la vio, se enamoró)
Mientras	Indica que dos eventos se desarrollan simultáneamente en presente, pasado o futuro.	Vayan al supermercado **mientras** yo limpio la casa. Esta idea genial se nos ocurrió **mientras** almorzábamos. **Mientras** no llegue el orador, no podemos dar inicio a la conferencia.

> **¡Atención!**
>
> *Mientras* + subjuntivo puede usarse también para introducir una condición.
> **Mientras** no me los pierdas, puedes usar mis guantes.
> (Ver capítulo 57)

Mientras tanto Entretanto o entre tanto	Relacionan dos eventos simultáneos en el presente o en el pasado.	*Termina de arreglarte sin prisa.* **Mientras tanto**, yo voy a ver el noticiero. *Su marido salía temprano y volvía tarde.* **Entre tanto**, ella se ocupaba de la casa y de los niños.
A medida que Conforme Según	Señalan que dos eventos habituales, pasados o futuros ocurren de forma paralela y progresiva.	**A medida que** llegan los huéspedes, se los conduce a sus habitaciones. *Ordenaba los documentos* **conforme** los entregaban. **Según** envejece, se va poniendo más mañoso.
Apenas Así que En cuanto Nada más que No bien Tan pronto como	Indican que un evento habitual, pasado o futuro es inmediatamente posterior a otro.	**En cuanto** se pone a hacer gimnasia, se le olvidan todos los problemas. **No bien** entraba a su oficina, se ponía a organizar el trabajo del día. **Apenas** le vimos la cara, nos dimos cuenta de que estaba muy nervioso. **Así que** terminen los exámenes, me voy de vacaciones.
Después de Después de que Tras	Presentan un evento presente, habitual, pasado o futuro posterior a otro.	**Después** de tomarse un café, se sintió mucho mejor. **Tras** haber firmado el acuerdo, los presidentes se dieron la mano. **Después de que** tú te vas, los niños se portan mejor. *Los gastos aumentaron* **después de que** nos mudamos a esta casa. **Después de que** termines lo que estás haciendo, quiero hablar contigo.

> **¡Atención!**
>
> – También puede usarse *una vez* + participio
> **Una vez finalizada** la competición, los jugadores volverán a sus países de origen.
> **Una vez preparado** el flan, se coloca en la heladera.
> – *Tras* solo se utiliza con infinitivos.

Una vez que		*Una vez que* se instala la alarma, su propiedad queda totalmente protegida. *Una vez que* te acostumbres, verás que esta ciudad tiene su encanto.
Antes de Antes de que	Presentan un evento presente, habitual, pasado o futuro anterior a otro.	*Antes de* salir, verificaba si había apagado todas las luces. *Antes de que* te vayas, quiero contarte algo importante. Los niños cenan *antes de que* lleguen sus padres. La profesora se enojó y salió del aula *antes de que* tocara el timbre.
De aquí a que Desde que	Indican el comienzo de un evento con respecto a otro.	*Desde que* vive en París, no hemos oído hablar de él. Juan trabaja con nosotros *desde que* se hizo abogado.
Hasta que	Indica el límite final de un evento presente, habitual, pasado o futuro con respecto a otro.	Cuando sus hijos salen por la noche, Sofía no duerme *hasta que* regresan. El bar permanecía abierto *hasta que* se iba el último cliente. Los obreros trabajaron *hasta que* se hizo de noche. No voy a servir el postre *hasta que* terminen la comida que tienen en el plato.
Siempre que Cada vez que Todas las veces que	Indican que dos eventos habituales, pasados o futuros ocurren siempre al mismo tiempo.	*Siempre que* viaja, les compra regalos a todos sus amigos. *Cada vez* que venían mis suegros a cenar, se me quemaba la comida. Consúltame *todas las veces que* tengas dudas.

> **¡Atención!**
>
> **De aquí a que** solo se utiliza para hablar de eventos futuros y, por lo tanto, siempre va con subjuntivo.

4. Ejercicios

4.1. Identifica

Lee los textos e indica la afirmación correcta sobre cada noticia. Luego, marca las expresiones temporales.

1. **Terremoto en Perú** Debido al sismo, las líneas telefónicas se saturan <u>mientras</u> la gente espera noticias de sus familiares y amigos.	4. La NASA inspecciona el Discovery <u>después de que</u> un operario dejara caer por accidente una herramienta metálica durante los trabajos de reparación del transbordador.
2. **Diana Krall envuelve las noches de Madrid con su *jazz* cadencioso** Cantó *The boy of Ipanema*, adaptación femenina de la conocida canción del carioca Antonio Carlos Jobim que el público aplaudió <u>en cuanto</u> reconoció los primeros acordes. *as soon as*	5. Todo lo que debe saber <u>antes de</u> someterse a una cirugía estética en nuestro *blog*.
	6. ONU confirma que 2010 fue el año más caluroso <u>desde que</u> hay registros.
3. Precio de LCD aumenta <u>a medida que</u> se acerca Navidad. *as it approaches*	7. Advierten sobre riesgos de ventas telefónicas. No pague <u>hasta</u> haber averiguado si se trata de una empresa seria.

Texto 1.	Ningún tipo de teléfono funciona en Perú. ( ) Las líneas de teléfono están congestionadas. (X)
Texto 2.	El público aplaudió antes de reconocer la canción. ( ) El público aplaudió después de reconocer la canción. (×)
Texto 3.	Es mejor comprar una televisión de LCD antes de la Navidad. (×) Es mejor comprar una televisión de LCD después de la Navidad. ( )
Texto 4.	La herramienta cayó cuando un operario dejaba su trabajo. ( ) La herramienta cayó mientras un operario trabajaba. (×)
Texto 5.	El *blog* está dirigido a las personas que ya se sometieron a una cirugía estética. ( ) El *blog* está dirigido a quienes van a someterse a una cirugía estética. (×)
Texto 6.	El año 2010 fue el más caluroso del actual siglo. ( ) El año 2010 fue el más caluroso de todos los registrados. (×)
Texto 7.	Se aconseja no hacer compras por teléfono. ( ) Antes de hacer una compra por teléfono, hay que tener información sobre la empresa que vende el producto. (×)

4.2. Practica

1. Señala las frases en que se mencionan eventos futuros.

a. Verónica va a recibir la noticia cuando esté en su casa. ✓

b. Llamo a mis amigos todas las veces que preciso un consejo.

c. Los conferencistas se van a presentar a medida que vayan llegando. ✓

d. El cantante pedía cosas estrafalarias cada vez que hacía un recital.

e. Nunca entro en un despacho hasta que me autorizan.

f. Atiende el teléfono no bien toque. ✓

2. Subraya la opción correcta.

a. Por favor, no te vayas de la oficina **hasta/hasta que** llegue el director.

b. **Antes de/Antes de que** salir de casa me fijo si las ventanas están cerradas.

c. Nos retiramos de la reunión solo **después de/después de que** tener una respuesta convincente.

d. Los niños se van a ir a dormir **después de/después de que** su padre les dé unas golosinas.

e. Me quedaré en la fila del teatro **hasta/hasta que** conseguir la entrada.

f. Tuve que hacer un entrenamiento intensivo **antes de/antes de que** me dieran el puesto.

3. Completa las frases con los verbos de la caja.

había terminado – hayas hecho – se escapaban – ~~miro~~ – se presentaron – volvíamos – tengamos – vio

a. Muchas veces, cuando _____miro_____ vídeos *on-line*, se me traba la computadora.

b. Cuando _____ de México, traíamos libros sobre los aztecas.

c. La alarma empezó a sonar cuando los ladrones _____ del local.

d. Mabel se fue de la fiesta cuando _____ a su exnovio.

e. Cuando los dos hermanos _____ en mi oficina, estaban irreconocibles.

f. Cuando _____ la respuesta, se la daremos.

g. Tendrás que mandarme el comprobante cuando _____ el pago.

h. Me avisaron de la promoción cuando ya _____.

4. Completa con una expresión de tiempo que no sea *cuando*.

a. Ana y Silvio se hicieron muy amigos _desde que_ se vieron por primera vez.

b. No me levantaré de la cama _hasta que_ sean las 10 de la mañana.

c. _siempre que_ puedo, viajo.

d. Los niños podrán pasar unos días con sus abuelos _mientras_ están de vacaciones.

e. Lo reconocerás _en cuanto_ lo veas.

f. Los alumnos pueden retirarse de la sala solamente _después de_ terminar la prueba.

g. Pasaron más de 15 años _antes de que_ pudieran vender el auto.

h. _Tras_ verse, se pusieron a llorar.
   () or después de.

5. Forma frases.

a. La profesora ayer (empezar) la clase (hora: 13:00). Alumno (entrar) al aula (hora: 13:05).

   La profesora ayer empezó la clase antes de que el alumno entrara.

b. Nosotros (conocer) pirámides mayas en 2004. (Estar) en Centroamérica.

   nosotros conocimos pirámides mayas en 2004 cuando estabámos en

c. Mi madre ver la televisión (hora: 9:30). Mi padre preparar la comida (hora: 9:30).

   Mientras mi madre vea la —

d. Marcela (ponerse) a llorar esta noche (hora: 22:31). (Ver) la sorpresa (hora: 22:30).

   Marcela se pondrá —

e. Luis (casarse) (año 2009). (Hacer) un viaje por África (año 2010).

   _____

f. Esta mañana, yo (llegar) a la parada. El ómnibus ya (haber pasado).

   _____

g. Normalmente, (llegar) a casa, (quitar, yo) los zapatos.

   _____

h. Mis abuelos (organizar) una fiesta. Todos los primos (ir).

   _____

4.3. Aplica

1. Completa las afirmaciones sobre la vida de Pablo Picasso usando las expresiones que están en la caja.

> *after*
> *as soon as*
> tras – antes de – cuando – después de – antes de que – en cuanto

Pablo Picasso

1881   Nace en Málaga.

1895   Su familia se traslada a Barcelona.

1898   Realiza su primera exposición individual en Els Quatre Gats.

1900   Primer viaje a París.

1901   Inicia el periodo azul, denominado así por el predominio de los tonos azules y caracterizado por su temática de signo pesimista.

1907   Pinta *Les demoiselles d'Avignon*, de tan revolucionaria concepción que el cuadro es rechazado incluso por pintores y críticos vanguardistas.

1908   Produce sus primeros cuadros cubistas.

1931   Trabaja en sus primeras esculturas.

1937   Pinta el *Guernica*, mural inspirado en el bombardeo de esta ciudad vasca, para cuya realización esbozó más de 60 *croquis* preparatorios.

1944   Se afilia al Partido Comunista Francés.

1946   Comienza una etapa dedicada a la cerámica.

1958   Pinta el mural *La caída de Ícaro* para el edificio de la Unesco, en París.

http://www.biografiasyvidas.com/monografia/picasso/cronologia.htm

–Su familia se traslada a Barcelona _antes de_ Picasso realizara su primera exposición individual.

–El pintor inicia el periodo azul ~~des~~ _tras_ su primer viaje a París.

–Los críticos y pintores vanguardistas rechazan *Les demoiselles d'Avignon* _antes de que_ Picasso lo termina de pintar.

–Trabaja en sus primeras esculturas varios años _antes de_ *(después)* producir sus primeros cuadros cubistas.

–Picasso pinta el famoso cuadro *Guernica* 7 años _antes de_ afiliarse al Partido Comunista Francés.

–_Cuando_ pinta el mural *La caída de Ícaro*, para la Unesco, ya había comenzado una etapa dedicada a la cerámica.

2. Rellena un cuadro con datos sobre tu vida y escribe una pequeña biografía tuya relacionando los eventos.

1. En contexto

1 ¿A qué película le hubieras dado el Óscar a Mejor Película Extranjera?

2

«Es el peor verano que he visto nunca. No hay nadie en la playa», declara con tristeza Pedro Hervas, el dueño de un chiringuito de bebidas en la playa. «Si hubierais venido el año anterior, no os habríais podido acercar por la cantidad de gente que había».

Adaptado de http://www.elmundo.es

3

sábado, 08 de septiembre de 2007

Detalles oficiales de la presentación de Alejandro Sanz en los premios Latino
¿Puede la estrella del pop hacer un regreso?
Si los escépticos lo hubiesen visto durante los ensayos de este viernes, no tendrían ninguna duda.

4

Una de las experiencias más impresionantes en mi vida fue en un viaje de regreso de los Estados Unidos a Perú cuando el avión no pudo salir por la nevada. Hubiera querido filmar o tomar una fotografía, pero en ese momento no tenía una cámara fotográfica.

Marca la opción correcta en cada uno de los casos:

Texto 1	Texto 3
Se trata de una hipótesis sobre:	Los escépticos:
☐ **a)** el presente.	☐ **a)** no vieron los ensayos.
☐ **b)** el pasado.	☐ **b)** vieron los ensayos.
☐ **c)** el futuro.	☐ **c)** verán los ensayos.
Texto 2	**Texto 4**
El verano pasado:	La tempestad de nieve:
☐ **a)** hubo más movimiento en las playas.	☐ **a)** se pudo retratar desde el avión.
☐ **b)** hubo menos movimiento en las playas.	☐ **b)** no se quiso retratar desde el avión.
☐ **c)** hubo el mismo movimiento en las playas.	☐ **c)** no se pudo retratar desde el avión.

Todos los verbos marcados están en pretérito pluscuamperfecto de subjuntivo. Este tiempo se usa para expresar un acontecimiento pasado, hipotético y finalizado, y también la irrealidad, es decir, acontecimientos que no se podrán realizar nunca.

2. Las formas

Este tiempo se forma con el verbo *haber* en imperfecto del subjuntivo, seguido del participio (ver capítulo 20) del verbo.

	HABER			Participio
yo	hubiera	hubiese		
tú, vos	hubieras	hubieses		
él, ella, usted	hubiera	hubiese		cantado
nosotros, nosotras	hubiéramos	hubiésemos		comido
vosotros, vosotras	hubierais	hubieseis		vivido
ellos, ellas, ustedes	hubieran	hubiesen		

(entre las dos columnas: **o** ; antes de Participio: **+**)

3. Los usos

3.1. En oraciones independientes

SE UTILIZA EL PRETÉRITO PLUSCUAMPERFECTO DE SUBJUNTIVO PARA...	EJEMPLOS
a) Formular un deseo que no se realizó nunca y lamentarse por ello.	*Ojalá **hubieras estado** aquí para consolarme. La fiesta estaba muy aburrida. **Hubiera sido** mucho mejor quedarnos en casa viendo una película. Ojalá no te **hubiera conocido** nunca. Ojalá **hubieran venido** a mi casa.*
b) Expresar un acontecimiento hipotético pasado.	*En tu situación, yo no **hubiera fingido** tanto. Tal vez un buen mecánico **hubiera resuelto** el problema de tu coche.*
c) Mostrar sorpresa por acontecimientos impensables en el pasado.	*¿Así que José salía con Carla? ¡Nunca lo **hubiera sospechado**! ¡Quién se **hubiese imaginado** que Julita iba a caer tan bajo!*

3.2. En oraciones subordinadas

SE UTILIZA EL PRETÉRITO PERFECTO DE SUBJUNTIVO PARA…	EJEMPLOS
Expresar una reacción emocional o un juicio de valor ante un acontecimiento pasado después de: a) verbos como *molestaría, gustaría, encantaría, lamentaría, fastidiaría*; b) expresiones como *es/era una lástima, es/era una pena que, qué lástima que, qué pena que,* etc.; c) con expresiones como *era importante que, era fundamental que, era interesante que...*	*Me molestaría mucho saber que Juan no* **hubiera estado** *en la fiesta porque no lo invitaron.* *Los alumnos lamentaron que los profesores no* **hubiesen podido** *entregar todas las notas antes de las vacaciones.* *¡Es una pena que no nos* **hubieran avisado** *con tiempo!* *Era fundamental que los alumnos* **hubiesen recibido** *las notas antes de las vacaciones.*
Rechazar una idea pasada después de verbos de opinión en pasado negados como *creer, considerar, opinar,* etc. **¡Atención!** Solo se usa el subjuntivo cuando la opinión se expresa en primera persona y está negada. *Creía que habías estudiado/No creía que* **hubieras estudiado**.	*No sabía que* **hubieras estudiado** *en una universidad extranjera.* *No creo que mis padres* **hubiesen llegado** *a tiempo, porque había un embotellamiento en la avenida principal.*
Expresar una condición no realizada en el pasado (ver capítulo 56).	*Sin duda, yo hubiera ido si me* **hubieran avisado** *con tiempo.* *Si* **hubiese habido** *función el domingo, habríamos ido todos al circo.* *Si Ana* **hubiera comprado** *los huevos que le pedí, no me habría salido mal la torta.*

4. Ejercicios

4.1. Identifica

Lee los textos y localiza un ejemplo de cada uno.

a. No hay nada más difícil que vivir sin ti
sufriendo en la espera de verte llegar
el frío de mi cuerpo pregunta por ti
y no sé dónde estás.
Si no te hubieras ido, sería tan feliz.

Maná

b. ¿Qué actor hubierais escogido vosotros/as para el personaje de Ulises?

c. «Nunca nos hubiésemos imaginado grabar un disco», dice el más joven de los integrantes del grupo Los Serrano.

d. FÚTBOL
«Ojalá Jarque hubiera tenido esta oportunidad también», dice el recién curado futbolista acordándose de su compañero muerto por la misma enfermedad.

e. Mi mujer sintió que no hubiera llevado mi cámara, porque el que sacó las fotos nos prometió enviarlas y jamás lo hizo.

f. *«No creo que me hubiesen tomado en cuenta, pero estuve a punto de intervenir en el debate»,* dice un ciudadano que asitió al debate parlamentario.

a. un deseo no realizado en el pasado:	
b. un acontecimiento hipotético pasado:	
c. sorpresa por un acontecimiento pasado:	
d. condición no realizada en el pasado:	
e. rechazo de una idea sobre un acontecimiento pasado:	
f. reacción emocional ante un acontecimiento pasado:	

4.2. Practica

1. Completa las frases con los verbos del recuadro conjugados en el pretérito pluscuamperfecto de subjuntivo.

casarse – ~~conocer~~ – ir – imaginarse – recibir – ver – informar – querer – invitar

a. Ojalá nunca lo ___hubiéramos conocido___ Desde que Fernando forma parte del grupo, nos peleamos todos muchísimo.

b. ¡Qué increíble! Quién _____ que Gloria era la millonaria desconocida que hacía las donaciones.

c. Es una pena que no nos _____ que presentarían la obra de teatro en nuestra ciudad.

i _____ a veros!

d. Si Juana _____ a Pedro, yo no habría ido a su fiesta de cumpleaños.

e. No creo que me _____ sin una cita. En esa secretaría son muy burocráticos. Por eso no fui.

f. i _____ ustedes lo lindo que estaba el parque en la primavera!

g. _____ visitar todos los museos de Madrid, pero solo tenía un día. Así que elegí el Reina Sofía.

h. No sabía que Jorge _____ con Angélica. La última vez que supe de ellos habían roto.

2. Forma frases con un elemento de cada columna en pretérito pluscuamperfecto de subjuntivo.

No creo que	las amenazas recibidas	aceptarme como nuera.
No pienso que	tú, Rodolfo,	conseguir resolver el problema solo.
No considero que	el juez	poder durar para siempre.
No me parece que	sus padres	hacerla renunciar a Florencia.
No sabía que	todos nosotros	tener influencias en las decisiones del director.
No creía que	vosotros	aprender tan rápido un idioma tan difícil.

a. No creo que sus padres me hubiesen/hubieran aceptado como nuera.

b. _____

c. _____

d. _____

e. _____

f. _____

3. Transforma las frases usando el pretérito pluscuamperfecto de subjuntivo. Haz las alteraciones que sean necesarias.

El hecho ocurrió	El hecho no ocurrió
a. Me alegra que José haya venido a visitarnos. (José vino a visitarnos)	→ Me hubiera alegrado que José hubiese/hubiera venido a visitarnos.
b. ¿No te preocupa que tu hija haya vuelto tan tarde?	
c. A mis padres les molestó que no los hayamos telefoneado durante el viaje.	
d. Me da pena que Martín y Francisca se hayan separado definitivamente.	
e. A mis hermanos les fastidió que mi abuelo me haya regalado un coche para mi cumpleaños.	
f. Nos gustó mucho a todos que le hayan hecho el homenaje a Leopoldo el mes pasado.	

4. Completa las frases usando el presente, el pretérito perfecto o el pretérito pluscuamperfecto de subjuntivo.

a. Es importante que _____ siempre el mantenimiento de las máquinas periódicamente. (hacerse)

b. Es fundamental que _____ el control de calidad de la mercadería para después autorizar su comercialización. (hacerse)

c. Era interesante que los trabajadores _____ de los problemas económicos de la fábrica antes de que se declarara la bancarrota. (enterarse)

d. Es una pena que no _____ a la reunión, pues ha sido muy productiva. (venir – ustedes)

e. Sería una pena que no _____ de la reunión. Su participación ha sido muy importante. (participar – ustedes)

f. Es muy importante que los socios _____ el acuerdo hasta mañana. (firmar)

g. Era muy importante que todos nosotros _____ el pacto en aquel momento. (firmar)

h. Es muy importante que todos ya _____ ayer el documento. (firmar)

4.3. Aplica

Considera estas imágenes y estos acontecimientos. Exprésate al respecto, manifestando tu opinión, tus emociones y sensaciones y/o conjeturas sobre lo que no ocurrió. Utiliza el pretérito pluscuamperfecto de subjuntivo.

Rigoberta Menchú, activista indígena guatemalteca defensora de los derechos humanos, recibiendo el Premio Nobel de la Paz en 1992.

_____
_____
_____

Bomba atómica lanzada en Hiroshima, 6 de agosto de 1945.

_____
_____
_____

Cristóbal Colón llegó a América el 12 de octubre de 1492.

_____
_____
_____

La aplicación masiva de la electricidad a partir de la segunda mitad del siglo XIX.

_____
_____
_____

55

EL CONDICIONAL COMPUESTO

1. En contexto

1 *Las antiguas instalaciones de la empresa Cruzcampo han resultado afectadas por un incendio declarado en su interior. Aparentemente, el incendio se habría declarado en torno a las 15:52 horas.*

2 Amigo, te echaba de menos. Has estado tanto tiempo ausente que pensé que te habría pasado algo. ¡Qué bueno tenerte de vuelta en el foro!

3

Yo habría querido ser arquitecto o actor de teatro, pero como tan acertadamente dijo John Lennon, la vida es lo que nos ocurre mientras hacemos otros planes.

4 *Llegó el lunes y, cuando pasé frente al estanco, no vi al chico que siempre trabajaba allí. Seguramente ya se habría ido a la escuela. En su lugar estaba el padre.*

5 ¡Hola a todos!
Quiero decirles que me siento afortunada por haber conocido Machu Picchu. Pero me habría gustado conocer también Tenochtitlán, en México.

6 ***Asaltaron una agencia de autos en la avenida Libertador***
Dos sujetos asaltaron anoche una agencia de venta de automóviles, de donde se habrían escapado con una fuerte cantidad de dinero.

Marca la opción correcta en cada uno de los casos:

Texto 1	Según el texto	**a)** el incendio se produjo efectivamente a las 15:52. ☐ **b)** el incendio se produjo probablemente cerca de las 15:52. ☐
Texto 2	Quien escribe el comentario	**a)** pensó que tal vez al amigo le había pasado algo. ☐ **b)** estaba seguro de que al amigo le había pasado algo. ☐
Texto 3	Quien habla en el texto	**a)** es arquitecto. ☐ **b)** no es arquitecto. ☐
Texto 4	Quien hace el comentario	**a)** está seguro de que el chico se ha ido a la escuela. ☐ **b)** no está del todo seguro de que el chico se ha ido a la escuela. ☐
Texto 5	Quien escribe	**a)** no conoce Tenochtitlán. ☐ **b)** ya conoce Tenochtitlán. ☐
Texto 6	Los asaltantes	**a)** probablemente huyeron con mucho dinero. ☐ **b)** huyeron con un automóvil y mucho dinero. ☐

Todos los verbos marcados están en condicional compuesto. Este tiempo se usa para narrar eventos pasados sin afirmar si ocurrieron o no (texto 1: *Aparentemente, el incendio se habría declarado en torno a las 15:52 horas*); expresar deseos no realizados en el pasado (texto 3: *habría querido ser arquitecto*), o también expresar un acontecimiento pasado como posible o probable (texto 2: *pensé que te habría pasado algo*).

2. Las formas

Este tiempo se forma con el verbo *haber* en condicional simple, seguido del participio (ver capítulo 20) del verbo.

	HABER		Participio
yo	habría		
tú, vos	habrías		
él, ella, usted	habría	+	cantado
nosotros, nosotras	habríamos		comido
vosotros, vosotras	habríais		vivido
ellos, ellas, ustedes	habrían		

3. Los usos

SE UTILIZA EL CONDICIONAL COMPUESTO PARA…	EJEMPLOS
a) Expresar un deseo pasado que no se ha realizado.	Me **habría fascinado** estudiar música cuando era pequeña. Nos **habría gustado** contar con vuestra colaboración para este trabajo. Estoy segura de que les **habría encantado** conocer al abuelo Pedro.
b) Hablar de un acontecimiento pasado como una situación hipotética. Se evita afirmar si ocurrió o no. Este uso es muy frecuente en la prensa.	El político y su misteriosa amante se **habrían conocido** durante una fiesta. Se **habría firmado** un acuerdo secreto entre el gobierno y los sindicatos.
c) Presentar como posible o probable un evento pasado.	Te llamé, pero no contestaste el teléfono. Supuse que **habrías ido** a cenar.
d) Indicar que un acontecimiento pasado no se realizó porque dependía de una condición que no se cumplió (ver capítulo 56).	Si hubiera comprado los pasajes hace un mes, los **habría pagado** más baratos. **Habrías visto** una película fantástica si te hubieras quedado en casa.

¡Atención!

En este caso, además del condicional compuesto, se puede usar también el pluscuamperfecto de subjuntivo: Me **hubiera fascinado** estudiar música.

MÁS

CONTRASTE DE TIEMPOS	
El pretérito pluscuamperfecto de indicativo	**El condicional compuesto**
El hablante presenta la información como una certeza, un hecho.	El hablante presenta la información como una posibilidad, como una idea aproximada.
*Cuando vi la cara de Andrés, inmediatamente supe que se **había peleado** con Sofía.*	*Cuando vi la cara de Andrés, inmediatamente supuse que se **habría peleado** con Sofía.*

4. Ejercicios

4.1. Identifica

1. Lee los textos y realiza las actividades.

a. **Estudiantes se enfrentaron a la policía en el Cusco e intentan tomar el aeropuerto de esa ciudad.**

La policía habría detenido a ocho de ellos, según informó el presidente de la Federación Universitaria de Cusco.

b. Los científicos afirman que el descubrimiento de la vacuna fue producto de la casualidad, pero que si no hubieran investigado durante años, jamás habrían llegado a encontrarla.

c. **Isla encantadora, hotel encantador, personal encantador. Un verdadero regalo.**

Reservamos en este hotel maravilloso por tres noches, nos alojamos cinco, pero nos habría encantado quedarnos más tiempo.

d. **«Mi hijo Rubén, de dos años, se marchó el jueves de su escuela.** Me llamaron del centro para decirme que se había salido de la escuela, que lo había recogido una señora en el parque y que había llamado a la Policía Local», cuenta Margarita, la madre del niño. «Cuando vi que me llamaban, pensé que se habría caído o se habría puesto enfermo; pero no podía imaginarme que fuera para algo así. Me explicaron lo que había pasado y me dijeron que lo sentían mucho».

e. **¿Qué libro te hubiera gustado leer en bachillerato?**

A mí me habría gustado leer en bachillerato las comedias de Aristófanes. Todas. Y me habría gustado tener un buen profesor que supiera bastante sobre literatura griega, pero eso ya es pedir demasiado.

Roberto Echeto

f. **El arte de Sergio Vergara Arteaga**

Nada habría pasado si el dueño de la tienda donde llevé a enmarcar mi primer cuadro no se hubiera fascinado con mi trabajo. Me contactó con una galería de arte que me encargó cien cuadros. Al poco tiempo vinieron cien más.

Adaptado: http://sergio-vergara-arteaga.artelista.com/

a) Elige la afirmación que se ajusta al texto.

Texto a	En el texto:
	( ) la policía informa que detuvo a ocho manifestantes.
	(X) el presidente de la Federación informa que posiblemente se detuvieron a ocho manifestantes.
	( ) la policía informa que detuvo probablemente a ocho manifestantes.
Texto b	( ) Los científicos descubrieron una vacuna sin querer.
	( ) De no haber habido investigación, igualmente la habrían descubierto.
Texto c	Quienes escriben el comentario sobre el hotel:
	( ) se lamentan de no haberse quedado más que cinco días.
	( ) están contentos por haberse quedado solamente cinco días.

Texto d	Las autoridades de la escuela le informaron a Margarita:
	( ) que su hijo se había ido solo de la escuela.
	( ) que su hijo se había enfermado.
	( ) que a su hijo lo había encontrado perdido la policía.
Texto e	( ) Durante la secundaria no leyó las comedias de Aristófanes.
	( ) Quiere leer en la escuela las comedias de Aristófanes.
	( ) Tuvo buenos profesores de Literatura Griega en la escuela.
Texto f	El éxito de la obra de Sergio Vergara Arteaga se debe principalmente:
	( ) al dueño de la tienda donde enmarcaba los cuadros.
	( ) a la divulgación que él mismo hizo de su obra.

b) **Relaciona las frases de la izquierda con los usos del condicional compuesto que aparecen a la derecha.**

FRASES	USOS
☑ La policía habría detenido a ocho de ellos. ☐ Si no hubieran investigado durante años, jamás habrían llegado a encontrarla. ☐ Nos alojamos cinco días, pero nos habría encantado quedarnos más tiempo. ☐ Pensé que se habría caído o se habría puesto enfermo. ☐ A mí me habría gustado leer en bachillerato las comedias de Aristófanes. Y me habría gustado tener un buen profesor. ☐ Nada habría pasado si el dueño de la tienda no se hubiera fascinado con mi trabajo.	**1.** Se expresa un deseo pasado no realizado. **2.** Se habla de un acontecimiento pasado como algo hipotético o probable. **3.** Se indica que un acontecimiento pasado no se realizó porque dependía de una condición que no se cumplió.

2. **Identifica las formas verbales que corresponden al condicional compuesto.**

a. habrá detenido – había detenido – <u>habrían detenido</u>

b. hubiera investigado – habría investigado – habéis investigado

c. habríais reservado – hubierais reservado – habíais reservado

d. habrás abierto – habrías abierto – hubierais abierto

e. habríamos encontrado – habremos encontrado – hubimos encontrado

f. había dicho – han dicho – habría dicho

4.2. Practica

1. Completa con los verbos en condicional compuesto.

a. Nos pareció a todos que Pedro _habría resuelto_ sus problemas. (resolver)

b. Tu decisión me dejó más triste de lo que yo _____. (suponer)

c. Pensaba que _____ tu vida con otra mujer. (rehacer – tú)

d. De haber tenido tiempo, le _____ una extensa carta. (escribir – nosotros)

e. Este texto tiene muchos errores. Supuse que ya lo _____. (corregir – vosotros)

f. Se cree que los ladrones se _____ en una casa en el campo. (esconder)

g. La economía española _____ a crecer en el segundo semestre de este año. (volver)

h. Si hubieras podido conocer en persona a Picasso, ¿qué le _____? (decir – tú)

i. Nos _____ muchísimo poder ir a la fiesta de Paco. (gustar)

j. Científicos de la NASA _____ el décimo planeta del Sistema Solar. (descubrir)

k. Todos pensamos que _____ una confusión. (haber)

2. Transforma estos deseos en deseos no cumplidos en el pasado.

a. Pedro quiere estudiar Biología. > _Pedro habría querido estudiar Biología._

b. Nos gustaría hacer un viaje a África. > _____

c. Me encantaría vivir en París. > _____

d. ¿Te gustaría casarte conmigo? > _____

e. Mis hijos preferirían hacer un intercambio en Madrid. > _____

f. No quiero encontrarme con Federico en la fiesta. > _____

g. A Ana le fascinaría ser concertista de piano. > _____

3. Reescribe estas informaciones como si fueran hipotéticas en el pasado.

a. La policía detuvo ayer a los ladrones de la joyería.
  La policía habría detenido ayer a los ladrones de la joyería.

b. Se firmó un acuerdo comercial entre los países de la región.

  _____

c. El autor del crimen es el cuñado de la víctima.

  _____

d. Según algunos testigos, las víctimas discutieron muy fuerte con el atacante.

  _____

e. Varios medios dejaron trascender que el presidente presentó su renuncia el 19 de abril.

  _____

f. Dos días después del crimen, los dos asesinos se entregaron a la policía.

  _____

g. La fuerza opositora triunfó en la votación de la ley en el Senado.

  _____

4. Completa con los verbos en condicional compuesto.

> tener – solicitar – seguir – resolver – pelearse – ~~ir~~ – perder – ser

a. Te llamé todo el día, pero no te encontré. Supuse que _____habrías ido_____ a hacer compras.

b. Como Marcelo llegó con una cara terrible, supusimos que _____ otra vez con Alejandra.

c. Siempre nos pareció que _____ mejor vivir más cerca del centro.

d. Al principio me imaginé que Carlos _____ un permiso especial para faltar dos días seguidos al trabajo. Pero después me enteré de que el jefe lo había autorizado sin más ni más.

e. Sofía y Juan Carlos llegaron más tarde a casa. Supuse que _____ algún inconveniente. Pero no les dije ni les pregunté nada.

f. Lamento haber pasado por alto tu pregunta, pero creí que ya _____ tu problema con la computadora.

g. Cuando llegamos a la cabaña, nos encontramos a los otros excursionistas con cara de preocupación. Pensaron que _____ por otro camino y que nos _____.

5. Completa las siguientes condiciones de realización imposible con las informaciones del paréntesis.

a. De haber sabido que te pondrías tan nervioso… (no contarte nada – nosotros)
   De haber sabido que te pondrías tan nervioso, no te habríamos contado nada.

b. Si no me hubieran dado la beca… (no conocer España)
   _____

c. De haber tenido algún problema… (escribirte un *e-mail* – los chicos)
   _____

d. Si os hubierais despertado más temprano… (ver el amanecer – vosotros)
   _____

e. De no haber habido tanto tráfico… (volver más temprano – nosotros)
   _____

f. Si no me hubieran dado algunas pistas… (no descubrir el misterio – yo)
   _____

g. De haber tenido más cuidado… (no romper el jarrón chino – tú)
   _____

4.3. Aplica

¿Qué cosas de tu pasado habrías cambiado? Escribe un breve texto sobre el tema.

Creo que no me habría casado joven… _____

_____

_____

_____

_____

LAS ORACIONES CONDICIONALES CON *SI*

1. En contexto

①

Ideas para promocionar tu *blog*

<u>Si creas un concurso</u> en el que regales algo, sin duda creará mucha expectación y visitas. Una vez yo opté por vender participaciones en la Lotería de Navidad, que no es un concurso, pero me reportó algunas visitas extras, y habría hecho rico a algunos visitantes de mi *blog* <u>si nos hubiera tocado algo</u>.

Adaptado de http://javierperez.eu

②

Doña Manolita reparte 3 millones de euros del Gordo

Nadie de la administración se ha quedado con ningún décimo: «<u>Si nos hubiera tocado a nosotros</u>, hubiéramos pagado la hipoteca».

Adaptado de http://www.adn.es

③ ➡ ***Si tuvierais dinero, ¿le pagaríais un viaje a un amigo?***

④

<u>Si va a viajar a un lugar tropical</u>, se recomienda que se informe previamente de las vacunas que son necesarias.

⑤

Adivinanza:

Si me nombras, desaparezco. ¿Quién soy?

(El silencio)

Los textos marcados son ejemplos de oraciones condicionales con *si*. Estas oraciones se usan para expresar que un hecho (presente, futuro o pasado) depende de una condición para su realización. Observa con atención los ejemplos y clasifícalos según expresen:

        a) un acontecimiento que no se realizó y que no se podrá realizar;

        b) un acontecimiento que se podría realizar;

        c) un acontecimiento que tiene muchas posibilidades de realización.

2. Las formas

2.1. El conector *si*

El conector *si* es el conector por excelencia de las estructuras condicionales. Sin embargo, no es el único, como veremos en el capítulo 57, y posee algunas restricciones de uso: no se combina con el futuro, ni con el presente de subjuntivo.

Las estructuras condicionales se construyen con la combinación de tiempos verbales, teniendo en cuenta, básicamente, dos nociones:

- el momento en el tiempo al que se refieren (presente, pasado, futuro);
- el tipo de condición que expresan (real, posible, irreal).

2.2. Las oraciones condicionales reales

Las condicionales reales expresan acontecimientos que se consideran de realización probable en el pasado, en el presente y en el futuro. Por eso, los tiempos verbales que se usan son de indicativo.

ESTRUCTURA	EJEMPLOS
Si + presente de indicativo, presente de indicativo.	*Si* su marido <u>sale</u> temprano del trabajo, la <u>pasa</u> a buscar. *Si* <u>hace</u> frío, no me <u>gusta</u> caminar. *Si* por la noche no <u>tengo</u> nada para comer, <u>voy a</u> <u>cenar</u> fuera.
Si + presente de indicativo, presente de indicativo (con valor de futuro)/futuro.	*Si* Carlos <u>llega</u> a tiempo, <u>va/irá</u> a la fiesta. *Si* te <u>sacas</u> un diez en la prueba, te <u>doy/daré</u> el regalo de cumpleaños por adelantado.
Si + presente de indicativo, imperativo.	*Si* no <u>vienen</u>, <u>avísa</u>me por teléfono.
Si + pretérito imperfecto de indicativo, pretérito imperfecto de indicativo.	Para no cansarnos de tanta convivencia, **si** nos <u>encontrábamos</u> durante la semana, no nos <u>veíamos</u> el fin de semana. Nuestra madre nos <u>retaba</u> **si** no <u>hacíamos</u> todas las tareas de la escuela.

2.3. Las oraciones condicionales posibles

Las condicionales posibles expresan acontecimientos que pueden llegar a realizarse en el presente y en el futuro. Sin embargo, su posibilidad de realización es improbable, o sea, no es segura. Por eso los tiempos verbales que se usan son el pretérito imperfecto de subjuntivo y el condicional:

ESTRUCTURA	EJEMPLOS
Si + pretérito imperfecto de subjuntivo, condicional imperfecto.	*Si* <u>tuvieses/ras</u> ganas, <u>terminarías</u> el informe inmediatamente. *Si* me <u>ofrecieran/sen</u> un empleo en el extranjero, lo <u>aceptaría</u>. *Si* te <u>pasara/se</u> algo, yo <u>estaría</u> dispuesta a ayudarte incondicionalmente.

● Un caso especial de oración condicional posible:

En lugar del condicional, podría usarse el pretérito imperfecto del indicativo:

Si <u>tuvieras/ses</u> ganas, <u>terminabas</u> el informe inmediatamente.

En este caso, el empleo del pretérito imperfecto del indicativo puede reflejar un uso más coloquial.

2.4. Las oraciones condicionales irreales

Las condicionales irreales expresan que un acontecimiento no se realiza ni en el presente, ni en el futuro (en condicional simple) ni en el pasado (condicional compuesto o pluscuamperfecto de subjuntivo) porque no se produjo una condición en el pasado. Con ella se especula sobre una realidad imposible de realizarse.

ESTRUCTURA	EJEMPLOS
Si + pretérito imperfecto de subjuntivo, condicional simple.	*Si* yo <u>fuera/se</u> Antonio Banderas, se <u>casaría</u> conmigo. *Si* mis hijos <u>fueran/sen</u> mayores de edad, <u>podrían</u> viajar sin permiso.
Si + pretérito pluscuamperfecto de subjuntivo, condicional compuesto.	*Si* nos <u>hubieras/ses</u> <u>avisado</u> con tiempo, <u>habríamos</u> <u>hecho</u> lo imposible para estar presentes.
Si + pretérito pluscuamperfecto de subjuntivo, pretérito pluscuamperfecto del subjuntivo.	*Si* me <u>hubiera/se</u> <u>acordado</u> antes de su cumpleaños, le <u>hubiera/se</u> <u>comprado</u> un regalo durante el viaje.

MÁS

Suelen aparecer el presente y el pretérito imperfecto de indicativo en oraciones condicionales irreales coloquiales. Tal elección de tiempos de indicativo trae consigo otros valores expresivos:

Si él <u>es</u> Antonio Banderas, yo <u>soy</u> Penélope Cruz. ➤ ironía

3. Los usos

a)	Para expresar un acontecimiento habitual en presente.	*Si Luis llega temprano, se sienta en la primera fila.* *Si salgo temprano del trabajo, paso por la cafetería de la esquina.*
b)	Para expresar un acontecimiento habitual en pasado.	*Si mis amigos venían a jugar a casa, a mis hermanos no les importaba compartir sus juguetes.* *Si llamaba a Gabriel, me contestaba inmediatamente.*
c)	Para expresar un acontecimiento futuro y probable.	*Si no viajo el próximo fin de semana, te aviso.* *Si me lo pides bien, te lo presto ahora mismo.* *Si se quedan un día más, los atletas saldrán de paseo por la zona céntrica y conocerán un poco la ciudad.* *Si la empresa no me paga lo que me debe, iré a los tribunales.*
d)	Para expresar un acontecimiento posible o improbable en el futuro.	*Si Juan me lo pidiera de buena manera, se lo daría.* *Si viniesen a visitarme mis primos de Italia, tendrían que avisarme.* *Si me tocara la lotería, haría un viaje alrededor del mundo.*
e)	Para expresar un acontecimiento imposible.	*Si me lo hubieses contado, no te hubiese creído.* *Si hubiera estado presente en la convención, habría expuesto mi opinión.*
f)	Para expresar un acontecimiento pasado cuyos efectos llegan hasta el presente. Se usa frecuentemente como reproche.	*Si hubieran comprado antes las entradas, no tendrían que esperar tanto en la cola.* *Si me hubiesen avisado con tiempo, estaría con ustedes en este momento.*
g)	Para expresar un acontecimiento contrario a la situación del presente.	*Si fuera el actual presidente, le daría más a los que tienen menos, sin darle muchas vueltas al asunto.*
h)	Para hacer una petición o dar una orden.	*Si vienen a la ciudad tus amigos ecuatorianos, avísale a Marina, que los quiere conocer.* *Si no me acuerdo de llevarte el libro hasta el viernes, mándame un e-mail recordándomelo.* *Por favor, si no me quieres más, sal de mi vida.* *Si no usas más el ordenador, apágalo.*
i)	Para expresar contraste al contraponer dos informaciones.	*Si no llueve, hace mucho calor.* *Si no viene José, no viene Amanda.* *Si no ha venido Federico a la fiesta de cumpleaños de Ana, es que la situación realmente está complicada entre ellos.*

Curiosidades de la lengua

El conector *si* suele introducir frases exclamativas e interrogativas, sin que se presente la estructura condicional completa:

¡Si seré tonto!

Ay, si fuera verdad…

¡Si me lo hubieras dicho antes!

En estos casos, no se trata de construcciones condicionales, sino de frases expresivas, con valor enfático, que pueden expresar: frustración, sorpresa, protesta.

4. Ejercicios

4.1. Identifica

Lee los siguientes textos y marca con una X el tipo de condición que expresan.

1. Si lograra tener un minuto no sabiendo que tú te has marchado, si pudiera mirarte a los ojos tan solo un momento más, diría que te amo.
   (*Si pudiera* – Luis Jara)

2. Si hubiera sabido ayer que un día ibas a llegarme, hubiera ahorrado los pasos que gasté sin rumbo al vagabundear.
   (*Si hubiera sabido ayer* – Joan Sebastian)

3. Si fueras mi enemigo,
   no me harías tanto daño.
   (*Si fueras mi enemigo* – Andrés Cepeda)

4. Si contrataran a alguien más para atender al consumidor, mejorarían el servicio de posventa.

5. El actor Juan Carlos Aduviri acababa de aterrizar en Madrid para acudir el domingo a la gala de los Goya. «Si gano, se lo dedicaré a toda mi gente boliviana. Si me dan el Goya, lo celebraré con todos los inmigrantes que están aquí en España».
   http://www.enlatino.com

6. Estudiar es fácil si sabes cómo hacerlo.

	hecho real	hecho posible	hecho irreal
Texto 1		X	
Texto 2			
Texto 3			
Texto 4			
Texto 5			
Texto 6			

4.2. Practica

1. Relaciona.

a. Si me hubiera tocado el Gordo,
b. Si me escuchas con atención,
c. Si saliera más temprano del trabajo,
d. Si todos pensamos en positivo,
e. Si Juan va a verte,
f. Si llueve,
g. Si gastara más de lo que gano,
h. Si Sofía es una modelo,
i. Si te hubiese conocido antes,
j. Si Pedro consiguiese un empleo,

1. podría pagarse el alquiler.
2. me encontraría contigo para ir al cine.
3. me habría comprado un coche.
4. entenderás lo que te digo.
5. todo se hace más fácil.
6. avísame, así voy a su encuentro.
7. se suspende el evento.
8. no tendría lo poco que tengo.
9. yo soy un galán de novela.
10. no hubiese esperado tanto tiempo para casarme.

2. Completa las frases con los verbos entre paréntesis en las formas adecuadas.

a. Mi hijo mayor es muy independiente. Si no estoy en casa, __se cocina__ y _____ solo. Pero el más chico es todo lo contrario. La semana pasada, por ejemplo, si yo no hubiese vuelto enseguida, _____ hambre, porque ni siquiera es capaz de prepararse la leche. (cocinarse – arreglárselas – pasar)

b. Ramiro nunca se arrepintió de nada y siempre hizo lo que se le antojaba. Sin embargo, cuando piensa en Manuela, siempre repite: «Si no la hubiese traicionado, _____ juntos hasta hoy… si no _____ tan inconsecuente, la habría valorado como se lo merecía…». (estar – ser)

c. Mi lema es: «Si lo _____ de verdad, lo conseguirás». Hasta ahora nunca me ha fallado. (querer)

d. Si Gabriela _____ la soñada vacante en la empresa, se sentiría realizada. Pero, si no la _____, no se va a desanimar. La conozco y sé que es muy persistente. Si no consigue ese puesto ahora, _____ en otra oportunidad. (conseguir – conseguir – ser)

e. Gastón, ¿a quién le piensas vender esa imagen de valiente? Si tú _____ valor, yo _____ un superhéroe. ¡Si tienes miedo hasta de tu propia sombra! (tener – ser)

f. Si _____ la información correcta, habríamos llegado a tiempo. Es una pena que nos hayamos perdido la apertura del encuentro por mala organización. (recibir)

g. «¿Plástica? Si no lo _____, no me creerán», dijo la actriz cuando le preguntaron si se había hecho una plástica. (admitir)

h. No _____ a pasar mis vacaciones a la playa si _____ que llovería todo el tiempo. El próximo año, consultaré el pronóstico del tiempo antes de decidir a dónde ir. (ir – saber)

3. Completa las frases con los elementos de la caja.

> el día no empezar – venir a visitarme – no tomar su café matinal – no ocultar nada –
> hoy ir a la fiesta contigo – olvidarse de mí – venir a mi pueblo – hablarse tanto de turismo espacial
> actualmente – no ir a la fiesta de mi prima – comprar una moto

a. Si el sol no se asoma, _el día no empieza_.

b. Si Juan _____, no se despierta.

c. Si tus amigos me hubiesen invitado, _____.

d. Si mi hermano pudiera, ¡ _____!

e. Si tú y tu familia _____, pasearíamos en bote por el lago.

f. Si fueras mi amigo de verdad, _____.

g. Si conquistaras toda la fama que deseas, ¿ _____?

h. Si el hombre no hubiera pisado la Luna, ¿_____?

i. Si Fabricio _____, no habrías conocido a su actual novia.

j. Si _____, avísame con antelación, así podemos encontrarnos.

4. Lee la situación y escribe una frase condicional.

a. Juan hace siempre lo mismo las mañanas de domingo.

No llueve/salir a correr.

Si no llueve, sale a correr.

b. De niño, Juan solía pasar las vacaciones en el campo.

Ir al campo/andar a caballo.

_____

c. Juan piensa en sus próximas vacaciones.

Hacer buen tiempo/acampar en la montaña.

_____

d. Juan piensa sobre lo que no hizo en su infancia por culpa de no saber nadar.

Saber nadar/jugar en el río con mis primos.

_____

e. Juan piensa en soluciones para problemas urbanos.

Ser el alcalde/prohibir el coche por el centro.

_____

4.3. Aplica

Completa las oraciones con tus opiniones, pensamientos, deseos, expectativas.

Si quieres vivir cien años, _____

Si no hubieras nacido en _____

Si pudieras cambiar de vida, _____

Si pudieras pedir tres deseos, _____

Habrías tenido una vida peor si _____

Continuarás estudiando español si _____

Vas a ir a un país hispano si _____

1. En contexto

1 Según un estudio, la mayoría de los encuestados habría estudiado más de haber tenido más oportunidades.

2 **Un celular que es *walkie talkie***
Con solo apretar un botón será posible comunicarse con una o más personas de un mismo grupo, dentro y fuera del país.

3 Todos los alumnos deberán hacer un examen final a no ser que el profesor proponga otro sistema de evaluación.

4 **Los periodistas podrán entrevistar a funcionarios de las Naciones Unidas a condición de que hayan concertado una cita previamente.**

5 Como sigan publicando noticias imbéciles que a nadie interesan, van a perderme como cliente porque me voy a pasar a otro periódico.

Texto 1 La oración *habría estudiado más de haber tenido más oportunidades* puede ser sustituida sin cambio de sentido por: **a)** si hubiera tenido más oportunidades, habría estudiado más. ☐ **b)** si hubieran estudiado más, habría tenido más oportunidades. ☐ **Texto 2** Para comunicarse con personas de un mismo grupo habrá que apretar: **a)** algunos botones. ☐ **b)** un único botón. ☐ **Texto 3** Todos los alumnos tienen que hacer un examen: **a)** si lo dice el profesor. ☐ **b)** pero hay excepciones. ☐	**Texto 4** Los corresponsales: **a)** pueden entrevistar a los funcionarios en cualquier momento. ☐ **b)** deben concertar previamente una cita para realizar una entrevista. ☐ **Texto 5** La persona que escribe cambiará de periódico: **a)** si el que lee habitualmente sigue publicando noticias tontas. ☐ **b)** si el que lee habitualmente deja de publicar noticias tontas. ☐

Las oraciones condicionales pueden estar introducidas por el conector *si* (ver capítulo 56) o por otras expresiones, como las que aparecen marcadas en los textos. Esas expresiones se usan, entre otras cosas, para:

✱ hablar de hechos de realización imposible (texto 1: *habría estudiado más de haber tenido más oportunidades*).

✱ expresar una condición única y suficiente para que se realice algo (texto 2: *Con solo apretar un botón será posible comunicarse*; texto 4: *a condición de que hayan concertado una cita previamente*).

✱ expresar una condición que podría impedir que se realice un determinado acontecimiento (texto 3: *a no ser que el profesor proponga otro sistema de evaluación*).

✱ introducir una condición como una amenaza o advertencia (texto 5: *Como sigan publicando noticias imbéciles*).

2. Las formas

2.1. Los conectores

CONECTORES CONDICIONALES	VERBOS EN	EJEMPLOS
de	+ infinitivo	*De comprar algo, hubiera comprado el vestido negro.* *De haber sabido que los precios iban a subir tanto, compraba el coche antes.*
a condición de con tal de con en caso de	+ infinitivo (cuando el sujeto de la oración principal coincide con el de la oración condicional)	*Aceptó trabajar hasta más tarde **a condición de** tener un día libre al mes.* *Mabel se mudaría a otra ciudad **con tal de** trabajar en nuestra empresa.* ***Con** pedírselo de buena manera, conseguirás que tus padres te dejen hacer la fiesta en casa.* ***En caso de** estar embarazada, consulte a su médico antes de tomar este medicamento.*
	+ *que* + subjuntivo (cuando el sujeto de la oración principal es diferente al de la oración condicional)	*Voy contigo de compras **a condición de que** me pases a buscar por casa.* *No importa de qué marca sea el coche **con tal de que** funcione.* *No precisamos rellenar los formularios. **Con que** mostremos los documentos, es suficiente.*
a no ser que a menos que salvo que excepto que siempre que como mientras que	+ subjuntivo	*Siempre pasábamos el fin de semana en la quinta **a no ser que** lloviera.* *El plazo de entrega es de 15 días, **a menos que** pague una tarifa especial por urgencia.* *No quiero que me interrumpan, **salvo que** llame el Sr. Juárez.* *Martín dijo que vendría temprano, **excepto que** surgiera algún imprevisto en la oficina.* *Cuenta conmigo **siempre que** me necesites.* ***Como** te vea otra vez usando mi ropa, cierro el armario con llave.* *Tienes permiso para salir de noche **mientras que** nos digas a dónde y con quién vas.*
solo si	indicativo (condicionales reales) subjuntivo (condicionales posibles e irreales) (ver capítulo 56)	*Los empleados reciben bonificaciones **solo si** alcanzan las metas establecidas.* *Los empleados recibirían bonificaciones **solo si** alcanzasen las metas establecidas.*

2.2. Los tiempos verbales cuando los conectores van con subjuntivo

Conector condicional + presente de subjuntivo + presente de indicativo o futuro.	Cuando la condición se considera posible en el presente o en el futuro.	*Te presto el coche, siempre que no <u>bebas</u>.* *Salvo que me <u>llamen</u> de la oficina, voy al cine contigo.* *En caso de que te <u>necesite</u>, te llamaré.*
Conector condicional + imperfecto de subjuntivo + presente de indicativo, futuro o condicional.	Cuando la condición se considera improbable en el presente o en el futuro.	*Te prestaría el coche, siempre que no <u>bebieras</u>.* *Salvo que me <u>llamaran</u> de la oficina, voy al cine contigo.* *En caso de que te <u>necesitara</u>, te llamaría/te llamo.*
Conector condicional + pluscuamperfecto de subjuntivo + condicional simple o compuesto, o imperfecto de subjuntivo.	Cuando la condición se considera improbable o irreal en el pasado.	*Te habría prestado el coche, siempre que no <u>hubieras</u> <u>bebido</u>.* *A mí nadie me convocó a la reunión, salvo que se lo <u>hubieran</u> <u>dicho</u> a mi secretaria y ella no me avisara.* *En caso de que te <u>hubiera</u> <u>necesitado</u>, te habría llamado.*

2.3. Otras construcciones condicionales

✓ Con gerundio: *Por favor, no grites.* **Hablando** *nos entenderíamos mejor.* (Equivale a *Si hablamos/habláramos, nos entenderíamos mejor*) (ver capítulo 36).

✓ En imperativo afirmativo/negativo seguido de la conjunción *y* u *o*: **Trabaja** *con ahínco y llegarás muy lejos en esta compañía.* (Equivale a *Si trabajas con ahínco, llegarás muy lejos en esta empresa*). **Cuéntale** *ahora mismo a tu esposa que te han dado la beca o se lo digo yo.* (Equivale a *Si no le cuentas ahora mismo a tu esposa que te han dado la beca, se lo digo yo*).

✓ Con verbos que introducen una situación hipotética como *suponer, imaginar, poner*, etc., en imperativo + *que* + verbo en indicativo o subjuntivo: **Pon** *que ganas la lotería. Yo te ayudaría a invertir el dinero.* (Equivale a *Si ganas la lotería, yo te ayudaría a invertir el dinero*). **Suponed** *que Juan no se presentara a la boda, ¿qué hubierais hecho?* (Equivale a *Si Juan no se hubiera presentado a la boda, ¿qué hubierais hecho?*).

3. Los usos

USOS	EXPRESIONES	EJEMPLOS
Introduce una condición presente o futura poco probable o imposible.	**de** + infinitivo simple	**De** *matricularme en algún curso, lo haría en el de Diseño (es equivalente a Si me matriculara en algún curso, lo haría en…).*

Introduce una condición no realizada en el pasado y, por lo tanto, imposible.	**de +** infinitivo compuesto	**De** haberlo querido, habría llegado puntualmente a la reunión (es equivalente a Si lo hubiera querido…).
Expresa una condición única y suficiente para que se realice algo.	**con (que)** **a condición de (que)** **con tal de (que)** **siempre que** **siempre y cuando** **solo si** **mientras que**	**Con** solo pagar la primera cuota, puede llevarse este lavavajillas a su casa. **Con que** la dejaran dormir en ese hotel una noche, ya se daba por satisfecha. Sofía aceptó viajar con nosotros **a condición de** pagarse ella todos sus gastos. Podemos contratarte **a condición de que** termines tu posgrado este año. Te presto mi vestido de fiesta **con tal de que** no me lo manches. Podemos ir a un restaurante japonés **siempre que** sea de tu agrado. Te cuento lo que pasó **solo si** me prometes no decírselo a nadie. Te explico cómo se prepara el pastel **mientras que** no se lo digas a nadie.
Expresa una condición única que puede impedir que se realice determinado acontecimiento.	**a no ser que** **a menos que** **salvo que** **excepto que** **salvo si**	La demora de Sofía no se explica, **a no ser que** se haya encontrado algún atasco. Manuel ya debe ser abogado, **a menos que** haya decidido cambiar de carrera. Lo siento, pero no podré cenar con ustedes, **salvo que** lo hagan más tarde. Marcia no hablaba, **excepto que** tuviera algo para decir. No voy con ustedes al cine, **salvo si** cambian de película.
Introduce una condición como una amenaza o advertencia.	imperativo afirmativo/negativo + **y/o** + amenaza/promesa **como +** subjuntivo	Sigue gastando plata de esa forma **y** te cancelo la tarjeta de crédito. Vuelve a la facultad **y** después hablaremos de continuar los estudios en el exterior. **Como** sigas llegando tarde sin avisar, te quedarás sin salir durante un mes.
Presenta una condición que se considera remota.	**en caso de (que)**	**En caso de** tener antecedentes criminales, no se le otorgará permiso de viaje. **En caso de que** los músicos no se presentaran, nos devolverían el dinero de las entradas.
Indica que un evento se considera hipotético o ficticio.	**poner/suponer/imaginar (se)/figurarse en** imperativo **(que)**	**Supón** que nos aprueban el proyecto. En ese caso habrá que contratar más gente, ¿no te parece? **Imagínate** las pruebas corregidas. No habría por qué impedir que se divulgaran los resultados.

4. Ejercicios

4.1. Identifica

1

A Forlán, el futbolista más goleador, le da igual no marcar con tal de que el Atlético gane la Supercopa.

4

La huelga de camioneros ha comenzado a afectar la distribución de combustibles:

«Como sigamos así, en 48 horas no tendremos más gasolina en los surtidores»,

afirmó el dueño de una gasolinera.

2 Honduras:

En una reunión diplomática el expresidente dijo que habrá elecciones el 29 a no ser que invadan el país.

5

Imagínate delante de una estantería en una librería, ¿qué libro elegirías?

Nuestro sitio te ofrece críticas y reseñas que pueden ayudarte a decidir.

3

Gran Bretaña:

Piden un plan en caso de un ataque extraterrestre

1. Indica si las afirmaciones son verdaderas (V) o falsas (F).

a. En la noticia 1 Forlán dice que lo más importante es que su equipo gane aunque él no marque un gol. (V)

b. En el texto 2 se afirma que habrá elecciones en Honduras aun si hay una invasión. ( )

c. En el texto 3 se comenta que Gran Bretaña solicita un plan de defensa por si llegan los extraterrestres a La Tierra. ( )

d. En el texto 4 se informa que las gasolineras seguirán vendiendo combustible a pesar de la huelga. ( )

e. En el anuncio 5 se dice que es necesario imaginarse una librería antes de comprar un libro. ( )

2. Completa el cuadro con oraciones condicionales extraídas de los textos, según corresponda.

Se presenta una condición que se considera remota	
Se indica que un evento se considera hipotético o ficticio	
Se expresa una condición única y suficiente para que se realice algo	Con tal de que el Atlético gane.
Se introduce una condición como una amenaza o advertencia	
Se expresa una condición única que puede impedir que se realice un determinado acontecimiento	

4.2. Practica

1. Señala las frases en que se introduce una condición imposible en el pasado.

a. De salir la transferencia que pedí en el banco, me iría de mi casa. ( )

b. Alberto estaría mucho mejor de no haber dejado sus estudios. (X)

c. Los hubiera ido a buscar a la casa de la tía de habérmelo pedido. ( )

d. De ser verdad el rumor, nos darán aumento el mes que viene. ( )

e. Habrían convocado a nuevas elecciones en el país de haber renunciado el presidente. ( )

2. Completa el cuadro realizando las transformaciones necesarias.

Condición de realización poco probable o imposible en el presente o futuro	Condición de realización imposible en el pasado
De conseguir un crédito, me compraría un departamento mayor.	
	De haber contratado a un buen abogado, te hubieras ahorrado muchos problemas legales.
	De haber ganado nuevamente las elecciones, el presidente habría construido escuelas y hospitales.
De tener dinero, viajaría a Italia	
	De haberse aprobado la nueva ley, los diputados ganarían menos.

3. **Transforma las frases como en el ejemplo. Usa la expresión del paréntesis.**

a. Si no hay un cambio de planes, nos vemos el jueves. (a no ser que)

   Nos vemos el jueves, a no ser que haya un cambio de planes.

b. Si llegas temprano, ya será de mucha utilidad (con que).

   _____

c. Si no se atrasa el vuelo, llegamos a Madrid a las 10:00. (a no ser que)

   _____

d. Si llega usted con cierta antelación, el doctor lo podrá atender. (siempre que)

   _____

e. Si tuviera vacaciones el mes que viene, trabajaría 10 horas por día. (de)

   _____

f. Si tiene alguna duda, llame al 0800 de la empresa. (en caso de)

   _____

g. Me hubiera quedado más tranquila, si me avisaran que llegarían más tarde. (con que)

   _____

4. **Completa con los verbos en la forma adecuada.**

a. Me encontraré contigo esta noche, a no ser que (surgir) ___surja___ algún imprevisto.

b. Te habrías enterado del final de la película siempre y cuando no (dormirse) _____.

c. El acusado del robo no (presentarse) _____, a menos que lo citara el juez.

d. La actividad (hacerse) _____ al aire libre, a menos que siga lloviendo como hasta ahora.

e. El asesor habría dado su parecer en caso de que (presentar) _____ una propuesta.

f. Con tal de que lo dejaran en paz los periodistas, (hacer) _____ cualquier cosa.

5. **Transforma las frases como en el ejemplo.**

a. Vamos a poder comprarnos el auto en un año si ahorramos todos los meses. (Gerundio)

   Vamos a poder comprarnos el auto en un año ahorrando todos los meses.

b. Si te atrasas una vez más, te despido. (Imperativo afirmativo – y)

   _____

c. Si no salimos ahora mismo, vamos a llegar tarde a la reunión. (Imperativo afirmativo – o)

   _____

d. Si dejas ese empleo, podrás arrepentirte amargamente. (Imperativo negativo – o)

   _____

e. Si <u>hacen</u> ejercicio todos los días, perderán algunos kilitos. (Gerundio)

_____

f. Si <u>no</u> te <u>distraes</u>, podrás sacar mejores notas. (Imperativo negado - _y_)

_____

4.3. Aplica

Lee las respuestas que se han dado en 3 foros de Internet. ¿Cuál ha sido la pregunta formulada en cada uno de ellos? ¿Cómo responderías tú esa pregunta?

_____

Foro 1 Pregunta: _____

Eber: Bueno, conocería muchos países; pero también ayudaría a muchos niños. Supongo que cuando uno es famoso se vuelve un poco excéntrico, caprichoso y quiere ser siempre admirado.

Selvita: Pues me daría muchos gustos y trataría de no ser como la mayoría: arrogantes y muy creídos.

Anne: Yo también viajaría. Y de paso, me haría famosa en otros países...

Tú: _____

_____

Foro 2 Pregunta: _____

_JL:_ Yo le hubiera dicho: «Cállate tú».

Luna: Lo miraba y seguía en mi conversación. Además me hubiera dado la risa.

Sol: Yo lo hubiera ignorado por completo.

Tú: _____

_____

Foro 3 Pregunta: _____

Rana: Me muero de miedo.

Dama: Yo empiezo a buscar mis alas, pues seguro que estoy en el cielo.

Diana: No me lo creo y empiezo a buscar otros sobrevivientes.

Tú: _____

_____

EL DISCURSO INDIRECTO

1. En contexto

(1) VIAJE A PERÚ – Primer día

09:30: Andrea y yo nos instalamos en el hostal. Marcelo, nuestro guía, <u>nos ha dicho que pasará en una hora a buscarnos</u> para ir a La Calera, unos baños termales que quedan a tres kilómetros.
10:30: Una hora después, bajamos a la recepción y allí está Marcelo aguardándonos. En ese momento uno de los dos turistas alemanes que viajan con nosotros <u>nos pide que los esperemos</u>, pues su amigo se está bañando. Aprovecho y <u>le pregunto a Marcelo si tenemos que llevar ropa de abrigo</u> y él <u>me dice que llevemos un abrigo liviano</u> porque, al caer la tarde, refresca.
11:00: Salimos rumbo a La Calera…

(2)

¿Qué puedo hacer?
Mi novio <u>me ha dicho que lo agobio mucho y que está harto de mí.</u>
¿Qué hago? Quiero estar con él.

Anabela

(3)

Opine sobre el hotel Babilonia FiveStart
Cuando llegamos al hotel, la sorpresa fue que la recepcionista <u>nos dijo que no había ninguna reserva a nuestro nombre.</u> Gabriela y yo <u>le</u> dijimos que teníamos el papel con el número de la reserva. Entonces se fijó mejor y <u>nos dijo que efectivamente constaba una reserva a nuestro nombre.</u> Pero había un montón de gente que también había hecho una reserva en este hotel y que no les constaba, o sea, muy mala organización.

(4)

lunes 28 de septiembre de 2009
Desde que tengo uso de razón me acuerdo que mi mamá siempre <u>me decía que me abrigara los pies.</u> Léase: «Miguelito, ponte medias, te vas a resfriar». Y yo, para no perder la costumbre, ando descalzo y resfriado, como si nunca me hubieran enseñado a cuidarme.

Observa los fragmentos destacados en los textos y marca según corresponda:

	Momento de emisión de los mensajes reproducidos		Objetivo	
	Presente	Pasado	Transmitir una información	Transmitir un consejo
Texto 1				
Texto 2				
Texto 3				
Texto 4				

El discurso indirecto consiste en transmitir a alguien lo que ha dicho uno mismo u otra persona. Muchas veces, al transmitir un mensaje, es necesario cambiar los pronombres personales, los demostrativos, los adverbios de lugar, los posesivos e incluso los tiempos verbales para acomodarlos a la nueva situación comunicativa.

2. Las formas

2.1. Verbos para introducir el discurso indirecto

1. Para transmitir mensajes se usa el verbo introductor *(decir – comentar – pedir – ordenar – recomendar) + que.*

MENSAJE ORIGINAL (discurso directo)	MENSAJE TRANSMITIDO (discurso indirecto)
«No voy».	Pedro *dice que* no va.
«¿Puedes cerrar la puerta?».	José *me pide que* cierre la puerta.
«Haga ejercicio diariamente».	El médico *me recomienda que* haga ejercicio diariamente.

2. Para transmitir una pregunta:
a) Si la pregunta es abierta, se usa el verbo introductor + **si.**

MENSAJE ORIGINAL (discurso directo)	MENSAJE TRANSMITIDO (discurso indirecto)
«¿Vas a ir al cine?».	Juan *quiere saber si* voy a ir al cine.
«¿Está abierta la farmacia?».	Ana me *pregunta si* la farmacia está abierta.

b) Si la pregunta es cerrada, esto es, si lleva un pronombre interrogativo, se usa el verbo introductor + el interrogativo.

MENSAJE ORIGINAL (discurso directo)	MENSAJE TRANSMITIDO (discurso indirecto)
«¿Cuánto cuesta la camisa?».	El cliente *quiere saber cuánto* cuesta la camisa.
«¿Cuándo nos podemos encontrar?».	Alicia *pregunta cuándo* nos podemos encontrar.

2.2. Cambios en los referentes personales, temporales y locales

Al transmitir un mensaje, a menudo debemos realizar algunos cambios en el discurso original para adaptarlo a la situación nueva. Los cambios en los pronombres personales van a depender de quién o quiénes dicen el mensaje en la situación original y quién o quiénes lo reproducen en el discurso indirecto.

Enunciado original	El enunciado lo reproduce uno de los participantes de la situación	El enunciado lo reproduce alguien que no participa de la situación
a) Habla Inés: José, *yo* no *te* llamé por teléfono. b) Habla José: Inés, *tú* nunca *me* llamas por teléfono.	a) Habla José: Inés dice que *ella* (Inés) no *me* llamó por teléfono. b) Habla Inés: José dice que *yo* nunca *lo* llamo por teléfono.	a) Habla Marcela: Inés dice que *ella* (Inés) no *lo* llamó por teléfono (a José). b) Habla Marcela: José dice que *ella* (Inés) nunca *lo* llama por teléfono.
a) Habla José: Carlos, Inés, *ustedes* no *me* llamaron por teléfono.	a) Habla Inés: José dice que *nosotros* (Carlos y yo) no *lo* llamamos por teléfono.	a) Habla Marcela: José dice que *ellos* (Carlos e Inés) no *lo* llamaron por teléfono.

b) Habla José: Carlos, Inés, *vosotros* no *me* llamasteis por teléfono.	b) Habla Inés: José dice que *nosotros* (Inés y Carlos) no *lo* llamamos por teléfono.	b) Habla Marcela: José dice que *ellos* (Carlos e Inés) no *lo* llamaron por teléfono.
a) Habla José: Carlos, *nosotros* (Inés y yo) *te* llamamos por teléfono.	a) Habla Carlos: José dice que *ellos* (Inés y José) *me* llamaron por teléfono.	a) Habla Marcela: José dice que *ellos* (Inés y José) *lo* llamaron por teléfono (a Carlos).

Así como ocurre con los pronombres personales, los posesivos cambian también en el discurso indirecto, según quién dice el mensaje en la situación original y quién lo transmite.

Enunciado original	El enunciado lo reproduce uno de los participantes de la situación	El enunciado lo reproduce alguien que no participa de la situación
a) Habla José: Inés, ¿has visto *mi* diccionario de español?	a) Habla Inés: José pregunta si he visto *su* diccionario de español.	a) Habla Marcela: José pregunta si Inés ha visto *su* diccionario de español (el diccionario de José).
b) Habla Inés: José, *tu* diccionario está sobre la mesa.	b) Habla José: Inés dice que *mi* diccionario está sobre la mesa.	b) Habla Marcela: Inés dice que *su* diccionario (el diccionario de José) está sobre la mesa.

Los cambios en los demostrativos (ver capítulo 13) y en los adverbios de lugar (ver capítulo 8) dependen de dónde están ubicados en el espacio, quién dice el mensaje original, quién lo escucha y quien lo transmite. Pueden darse dos situaciones:

	Demostrativos	Adverbios de lugar
Situación 1 Quien dice el mensaje original y quien lo reproduce comparten el mismo espacio. **No se producen cambios** ni en los demostrativos ni en los adverbios de lugar.	Carlos: *Esta* camisa me queda muy ancha. Vendedor: ¿Cómo? Marcela: Mi marido dice que *esta* camisa le queda muy ancha. (Carlos, Marcela y el vendedor están delante de la misma camisa).	Guía: *Aquí*, en este lugar, había una iglesia gótica. Carla: ¿Qué ha dicho el guía? Jorge: Ha dicho que *aquí* había una iglesia gótica. (Todos están en el lugar donde se encontraba la iglesia gótica).
Situación 2 Quien dice el mensaje original y quien lo reproduce no comparten el mismo espacio. Están en lugares diferentes. Se producen cambios en los: – Demostrativos este/esta/estos/estas → ese, esa, esos, esas aquel, aquella, aquellos, aquellas – Adverbios de lugar aquí/acá → ahí, allí, allá	Carlos: ¿Cuánto cuesta *esta* camisa? Marcela: Mi marido quiere saber cuánto cuesta *esa* camisa. Vendedor: 20 euros. (El vendedor y Marcela se encuentran en un espacio diferente al de Carlos con la camisa).	Carlos: Estoy seguro de que aquí no vive nadie. Andrea: Carlos dice que *ahí/allí* no vive nadie. (Andrea transmite el mensaje desde otro lugar diferente al que se encuentra Carlos).

¡Atención!

Los verbos *ir, venir, llevar, traer* también cambian si quien emite el mensaje original se encuentra en un lugar diferente de quien lo reproduce.

Carlos: Ana, **tráeme** las pantuflas.
Juan: Ana, dice Carlos que le **lleves** las pantuflas.

Alicia: Si **vienen** a cenar a casa, **traigan** una botella de vino.
Pedro: Alicia dice que, si **vamos** a cenar a su casa, **llevemos** una botella de vino.

Ya los cambios en las expresiones de tiempo ocurren en el discurso indirecto cuando se transmite un mensaje en un momento posterior al del enunciado original.

CAMBIOS EN LAS EXPRESIONES DE TIEMPO

Enunciado original (discurso directo)	Enunciado referido posteriormente al enunciado original (discurso indirecto)
Hoy «*Hoy* no voy a la escuela».	**Ese/Aquel día/Ayer** Dijo que *ese/aquel día/ayer* no iba a la escuela.
Ahora «*Ahora* estoy ocupado».	**En ese/aquel momento** José me dijo que *en ese momento* estaba ocupado.
Este mes/Este año/Esta semana «*Esta semana* salgo de vacaciones».	**Ese mes/Ese año/Esa semana** Laura me explicó que *esa semana* salía de vacaciones.
Ayer/Anoche «*Ayer* me encontré con Jaime».	**El día anterior/Esa noche/La noche anterior** Me comentó que *el día anterior* se había encontrado con Jaime.
Mañana «*Mañana* haré el informe».	**El día siguiente** Me prometió que *al día siguiente* haría el informe.
La semana/El mes/El año que viene «*El año que viene* compraremos un nuevo coche».	**La semana/El mes/año siguiente** Dijo que *el año siguiente* comprarían un nuevo coche.
Todavía/Aún «*Todavía* no he visto en la escuela a los alumnos extranjeros».	**Hasta ese/aquel momento** Dijo que *hasta aquel momento* no había visto en la escuela a los alumnos extranjeros.

¡Atención!

La expresión de tiempo *hace x tiempo* en el discurso referido posteriormente cambia por *hacía x tiempo*.
– Me fui a vivir sola *hace dos años*.
– Dijo que se había ido a vivir sola *hacía dos años*.

2.3. Cambios en los tiempos verbales

Cuando reproducimos un mensaje en el estilo indirecto presente no cambian los verbos, excepto para transmitir una orden o un pedido, que se hace en subjuntivo, independientemente si esta se expresa en el estilo directo con un imperativo, un verbo en presente o una perífrasis de influencia.

CAMBIOS EN LOS TIEMPOS VERBALES EN EL DISCURSO INDIRECTO PRESENTE	
Enunciado original (discurso directo)	Enunciado referido posteriormente al enunciado original (discurso indirecto)
Firma este contrato. Te *sugiero firmar* el contrato *Tienes que firmar* el contrato. ¿Por qué no *firmas* el contrato? *Debes firmar* el contrato.	Dice que *firme* el contrato.

A la hora de transmitir mensajes dichos por otras personas o por uno mismo en el pasado, se emplean los verbos introductores en pretérito perfecto simple (***dijo** que*) o en pretérito imperfecto (***decía** que*):

El empleo del pretérito perfecto simple o del pretérito imperfecto depende de si se transmite:

a) un mensaje que era dicho frecuentemente en el pasado → «Mi mamá me **decía** siempre **que** me abrigara los pies» (verbo introductor en pretérito imperfecto de indicativo);

b) un mensaje que fue dicho en un momento en el pasado → «La recepcionista nos **dijo que** no había ninguna reserva a nuestro nombre» (verbo introductor en pretérito perfecto simple de indicativo).

Me duele la cabeza.

Un día después…

– Sofía me **dijo** ayer **que** le dolía la cabeza.

– Sofía me **decía** siempre **que** le dolía la cabeza.

¡Mañana te devolveré los CD!

– Felipe me **dijo que** hoy me devolvería los CD.

– Felipe siempre me **decía que** al día siguiente me devolvería los CD.

Cuando reproducimos un mensaje en el estilo indirecto pasado, hay que ajustar las formas verbales a la nueva coordenada temporal.

CAMBIOS EN LOS TIEMPOS VERBALES EN EL DISCURSO INDIRECTO PASADO	
Presente de indicativo «Gabriela *está* estudiando náhuatl».	Pretérito imperfecto Dijo que Gabriela *estaba* estudiando náhuatl.
Pretérito perfecto (simple o compuesto) «No *vino* porque no *pudo* faltar a una reunión de trabajo». «Últimamente no *he visto* a Javier».	Pretérito pluscuamperfecto Dijo que no *había venido* porque no *había podido* faltar a una reunión de trabajo. Dijo que últimamente no *había visto* a Javier.

Futuro	Condicional
«*Tendremos* todo el fin de semana para descansar». «A Marcela le *habrá pasado* algo».	Carla me dijo que *tendríamos* todo el fin de semana para descansar. Supuso que a Marcela le *habría pasado* algo.
Presente de subjuntivo, imperativo (afirmativo o negativo) «Me alegra que *estés* aquí». «*Riegue* las plantas tres veces por semana». «*No confíe* en extraños».	**Pretérito imperfecto de subjuntivo** Dijo que se alegraba de que *estuviera* allí. Me recomendó que *regara* las plantas tres veces por semana. Me alertó que no *confiara* en extraños.
Pretérito perfecto de subjuntivo «¡Qué pena que tus padres no *hayan venido*!». «¡Ojalá *haya podido* encontrar el camino de vuelta!».	**Pretérito pluscuamperfecto de subjuntivo** Lamentó que tus padres no *hubieran venido*. Deseó que *hubiera podido* encontrar el camino de vuelta.

¡Atención!

Los demás tiempos no sufren cambios al pasar al discurso referido en pasado.

3. Los usos

Se pueden distinguir varios usos del discurso indirecto teniendo en cuenta el tipo de verbo introductor utilizado.

a) Para transmitir una información dicha por otro(s) o por uno mismo (*decir, comunicar, explicar, mencionar, responder, contestar, informar, agregar, añadir, afirmar*, etc.).	*Aldo **dice** que no volverá a participar en la competencia.* *El testigo **agrega** que no conocía a la víctima.* *El sindicato **comunica** que se ha suspendido el paro de transportes.* ***He afirmado** que la economía va a mejorar.*
b) Para transmitir un mensaje señalando una manera especial de decirlo (*susurrar, murmurar, gritar*, etc.).	*Se **murmura** que va a renunciar el presidente de la empresa.* *El acusado **grita** sin parar que es inocente.*
c) Para transmitir una orden (*ordenar, exigir*, etc.).	*Marcela le **ordena** a su hijo que limpie su habitación.* *El director me **ha exigido** que presente la renuncia.*
d) Para transmitir una petición (*pedir, solicitar*, etc.).	*Te **pido** que ayudes a tu hermana.* *Le **solicito** que me envíe sus datos personales.*

| e) Para transmitir consejos y sugerencias (*sugerir, aconsejar, proponer, advertir, recomendar*, etc.). | Les **sugiero** que no salgan a esta hora. El guía nos **advierte** que nadar en el río es peligroso. |
| f) Para transmitir preguntas (*preguntar, indagar, averiguar, querer saber*, etc.). | Roberto **pregunta** si es posible consultar el diccionario durante la prueba. Alicia **quiere saber** a qué hora es el concierto. |

Transmitir mensajes: del discurso directo al discurso indirecto

Cuando transmitimos un mensaje dicho por nosotros mismos o por otro, en general, no lo hacemos repitiendo palabra por palabra el contenido del mensaje original. Además de seguir las transformaciones comentadas anteriormente, suprimimos o reformulamos una serie de expresiones que son propias de la conversación.

a) Expresiones que se reformulan

Las expresiones del mensaje original	se reformulan en el mensaje transmitido como
Es que (introduce una explicación o causa) «No voy a salir. *Es que* estoy muy ocupado».	**Porque** *Pedro dice que no va a salir porque está muy ocupado.*
Vale/De acuerdo (para aceptar algo) «*De acuerdo*. Vamos al cine más tarde».	**Aceptar/decir que sí/estar de acuerdo** *Dice Marcelo que acepta/está de acuerdo en ir al cine más tarde.*
¡Venga ya!/¡Vamos!/¡Dale! (para insistir) «*¡Dale!* Salgamos a caminar un poco».	**Insistir en** *Pedro insiste en que salgamos a caminar.*

b) Expresiones que se suprimen habitualmente

Las expresiones del mensaje original	se suprimen en el mensaje transmitido
Oye/Oiga (para llamar la atención del interlocutor) «*Oiga*, cierre la puerta al salir».	*El empleado te está pidiendo/pide que cierres la puerta al salir.*
De verdad/En serio (para enfatizar la certeza de algo) «*De verdad*, no puedo salir esta noche».	*Pedro me dice que esta noche no puede salir.*

4. Ejercicios

4.1. Identifica

1. Creador de antivirus dice que las empresas de seguridad pierden el tiempo.

2. Agricultores franceses y españoles han exigido que no se ratifique el acuerdo UE-Marruecos.

3. La Policía solicita que los cibercafés registren sus clientes y ha pedido al Senado que se apruebe una ley al respecto.

4. Confirman que los hispanos viven más años.

5. La gente quiere saber si hay vida en el nuevo planeta.

6. Mirtha Legrand: «Decían que era obsceno almorzar en televisión».
   Almorzando con Mirtha Legrand es el programa de mayor permanencia de la televisión argentina y el único en el mundo donde los entrevistados comen mientras son interrogados.
   http://www.cukmi.com

7. ¿Ustedes qué hacen para combatir quemaduras en la cocina?
   Mi abuela nos decía que nos pusiéramos mostaza, y efectivamente calma muchísimo el dolor.

8. PADRES DESPUÉS DEL CÁNCER. Nos dijeron que nunca podríamos tener hijos y ya vamos por el tercero.

9. Descubre un Velázquez en el desván
   «Me dije que estaba loco por pensar que había hallado un Velázquez».

1. Observa los textos 1 a 5 y clasifica los verbos introductorios.

Para transmitir…	Verbo introductor…
consejos y sugerencias	
una información dicha por otro(s) o por uno mismo	dice
una orden dicha por otro(s) o por uno mismo	
un pedido	
preguntas formuladas por otro(s) o por uno mismo	

2. Transforma los mensajes reproducidos de los textos 6 a 9 en el estilo directo.

DISCURSO DIRECTO	DISCURSO INDIRECTO
Es obsceno almorzar en televisión.	Decían que era obsceno almorzar en televisión.
	Mi abuelita nos decía que nos pusiéramos mostaza.

	Nos dijeron que nunca podríamos tener hijos.
	Me dije que estaba loco por pensar que había hallado un Velázquez.

4.2. Practica

1. Marca la opción correcta.

Secretaria de la concesionaria: Sra. Muñoz, la llamo desde la concesionaria. Cuando quiera, puede pasar por **aquí/allí** y retirar su coche.
Sra. Muñoz: Me informan de la concesionaria que podemos pasar por **allí/aquí** y retirar el coche.

Beatriz: Hola, Silvia. Te llamo desde Barcelona. **Esa/Esta** ciudad es de ensueño. Es la que más me ha gustado hasta ahora.
Silvia: He hablado con Beatriz y me ha dicho que está en Barcelona y que es una ciudad de ensueño. **Esa/Esta** es la ciudad que más le ha gustado hasta ahora.

Marcelo: Querida Gabi, he llegado a Puerto Rico **esta/aquella** mañana y **aquí/ahí** el tiempo está espléndido.
Gabriela: He recibido un *mail* de Marcelo que dice que **esta/aquella** mañana llegó a Puerto Rico y que **aquí/ahí** el tiempo está espléndido.

2. Completa con lo dicho por las personas señaladas. Realiza los cambios necesarios.

a. El profesor le ordena a Julia que vaya a su mesa.
Profesor: «_Ven a mi mesa_____».

b. Laura le cuenta a una amiga que va a cambiar de empleo.
Laura: «_Voy a cambiar de empleo_____».

c. Pedro le dice a su hermano Javier que de ninguna manera le presta su coche.
Pedro: «_ninguna manera te presta su coche_____».

d. Marta le pide a su hijo que le lleve los anteojos a donde ella está.
Marta: «_____».

e. El cliente le explica al pintor que el cuarto donde se encuentran tiene que pintarlo de azul.
Pintor: «_____».

f. El Sr. Uriarte le pide al camarero que le traiga un vaso de agua.
Sr. Uriarte: «_____».

g. Ana le explica a su amiga Dora que no pudo ir más temprano porque tenía que estudiar.
Ana: «_____».

3. Completa el cuadro.

Discurso directo

Luis: *Sonia, cómprame leche en el supermercado, por favor.*

Médico: Hágase unos exámenes.

Martín: Julián, no dejes de ver la película, es excelente.

Mariel: Tu amigo y tú tendrían que conocer el interior del país.

Amigo: Sofía, no viajes para Montevideo en verano.

Padre: Compra los muebles en el centro.

Discurso indirecto

Sonia: Luis me pide que le compre leche en el supermercado.

El paciente: el médico ha

Julián: _____

Tú: _____

Sofía: _____

El hijo: _____

4. Escribe los enunciados de acuerdo con la información que te damos, como en el ejemplo.

Enunciado original	El enunciado lo reproduce uno de los participantes de la situación	El enunciado lo reproduce alguien que no participa de la situación
«Redacta un contrato comercial».	*Me ha pedido que redacte un contrato comercial.*	*Le ha pedido que redacte un contrato comercial.*
«María, tú nunca pasas a visitarme».		
«Tus esculturas son de muy buen gusto».		
	Exige que le aumenten el sueldo.	

5. Completa las frases en discurso indirecto con los elementos del recuadro, según convenga.

> esa noche – aquel día – el día siguiente – en aquel momento – el mes siguiente – el día anterior – hasta ese momento – aquella semana

a. Secretaria: «Las clases en el instituto empiezan esta semana».
  ⇒ La secretaria nos informó que las clases empezaban aquella semana _____.

b. Víctor: «Mañana te llamaré por teléfono».
  ⇒ Víctor le dijo a Julia que la llamaría _____, pero no lo hizo.

c. Pedro: «El mes que viene, Elisa y yo visitaremos las ciudades históricas».

⇒ Pedro nos contó que _____ visitaría las ciudades históricas con Elisa.

d. Héctor: «Ahora no me siento bien, me parece que me bajó la presión».

⇒ Héctor le dijo a su médico que _____ no se sentía bien, que le parecía que le había bajado la presión.

e. Zulma: «Todavía no hemos decidido a dónde irnos de luna de miel».

⇒ Zulma nos comentó que _____ no habían decidido a dónde irse de luna de miel.

f. Omar: «Ayer la vi a Corina en la casa de Valentín».

⇒ Omar me dijo que _____ la había visto a Corina en la casa de Valentín.

g. Carlos: «Hoy entro más tarde a la oficina».

⇒ Carlos comunicó que _____ entraba más tarde a la oficina.

h. Gloria: «Anoche salimos a cenar con José».

⇒ Gloria me contó que _____ habían salido a cenar con José.

6. Marca la opción correcta.

a. Madre: «Hijo, ponte el abrigo porque hace frío».

La madre le aconsejó a su hijo que se **había puesto/pusiera/ponía** un abrigo porque **hacía/hizo/había hecho** frío.

b. Nico: «Juan, no sabes, hace dos meses conocí a una chica fenomenal en la playa. Nos volveremos a ver el próximo fin de semana. ¡Estoy muy ansioso!».

Nico le contó a Juan que hacía dos meses **había conocido/conocía/conociera** a una chica fenomenal en la playa y que **había estado/estaba/estuviera** muy ansioso porque se **habían vuelto/hubieran vuelto/volverían** a ver el fin de semana siguiente.

c. Norma: «A Joaquín le habrá pasado algo, seguro. ¡Nunca se atrasa! ¿Qué hago, Alfonso? ¿Lo llamo por teléfono o espero un poco más?».

Norma pensó que a Joaquín le **pasaba/pasaría/habría pasado** algo porque nunca se atrasaba. Y le preguntó a Alfonso qué **hacía/había hecho/hubiera hecho**, si lo llamaba por teléfono o si esperaba un poco más.

d. «No pisen el césped. No arranquen las flores. No tiren basura».

Los carteles del parque alertaban que no **pisaran/hubieran pisado/pisaron** el césped, que no **arrancaran/hubieran arrancado/arrancaron** las flores, que no **tiraran/hubieran tirado/tiraron** basura, pero nadie los tomaba en serio hasta que empezaron a llegar las multas.

e. Fabián: «Hoy me he levantado más temprano, pero contrariamente al dicho, todo me ha salido mal. No había agua ni luz en casa. Los trenes estaban en huelga y yo había llevado mi coche al taller».

Pobre Fabián, nos contó que ayer **se había/te habías/me había** levantado más temprano, pero que contrariamente al dicho, todo **le había/te había/me había** salido mal. No **había/había habido/habría** agua ni luz en su casa. Los trenes **estaban/habían estado/estarían** en huelga y él **había llevado/yo había llevado/le habían llevado** su coche al taller.

7. Completa el discurso indirecto de las siguientes frases. Haz las adaptaciones necesarias.

a. Pedro, por favor, no dejes tirada la ropa sucia en cualquier lugar. ¡Sé más ordenado!	Mi madre me dijo que no dejara tirada la ropa sucia en cualquier lugar y que fuera más ordenado.
b. Como siempre digo, es mucho más fácil luchar por algo en lo que efectivamente creemos.	
c. Estaba yendo a mi casa, cuando de repente se escuchó un estallido.	
d. Llévate el paraguas por si llueve.	
e. Volvimos del viaje hace dos semanas. La pasamos muy bien. Visitamos todos los lugares posibles y probamos todo tipo de comida.	
f. Saldré de vacaciones en septiembre, por lo tanto envíenme todos los balances hasta agosto.	
g. Hola, me llamo Humberto. Tengo 32 años. Soy abogado y vivo en Caracas. Nunca me he casado, pero tengo 1 hijo. Me gustaría conocer una mujer sencilla y divertida.	

4.3. Aplica

1. Lee el fragmento de esta carta extraída del libro *Boquitas pintadas*, de Manuel Puig, y realiza las actividades que se proponen.

Buenos Aires, 10 de junio de 1947

Querida doña Leonor:

Esta tarde al volver de comprarles unas cosas a los chicos en el centro, me encontré con su carta. Sentí un gran alivio al saber que Juan Carlos se confesó antes de morir y que está sepultado cristianamente. ¿Usted cómo anda? ¿Está un poco más animadita? Yo sigo muy caída.

Me voy a tomar un atrevimiento. Cuando él se fue a Córdoba, la primera vez, me escribió unas cuantas cartas de novio, decía cosas que yo nunca me las olvidé, yo eso no lo debería decir porque soy una mujer casada con dos hijos sanos, dos varones, uno de ocho y otro de seis. Pero cuando me despierto a la noche se me pone siempre que sería un consuelo volver a leer las cartas que me escribió Juan Carlos... [...] Bien, recuerde que mis cartas son las de la cinta celeste, con eso basta para darse cuenta, porque están sin el sobre.

Bueno, señora, deseo que estas líneas la encuentren más repuesta. La abraza y besa,

Nené

Extraído y adaptado de http://solitarioyfinal.blogspot.com/

a. **Responde si las afirmaciones sobre el contenido de la carta son verdaderas (V) o Falsas (F).**

–En la carta se informa de que Juan Carlos está muerto. ( )

–Se da a entender que Juan Carlos y Nené eran novios. ( )

–Nené tiene dos hijos: una niña y un niño. ( )

–Las cartas que Doña Leonor recibe de Nené tienen una cinta celeste y un sobre. ( )

b. Ahora pasa al estilo indirecto el contenido de la carta. Utiliza los verbos introductores que consideres más convenientes.

_____

_____

_____

_____

2. Lee el *e-mail* que Gisela le mandó a Fabiana. Luego completa el *e-mail* que Fabiana le escribió a Olga, contándole las novedades de Gisela.

De: Gisela
Para: Fabi

Asunto: Novedades

Te escribo para contarte que estoy muy contenta: conseguí la vacante en la agencia de publicidad y empiezo dentro de una semana. Así que tengo unos pocos días libres antes de dedicarme exclusivamente al trabajo, por eso quería saber si quieres pasar unos días en la playa conmigo. ¡Podemos invitar a Olga! ¿Qué te parece?
No te hagas rogar y vente conmigo a festejar. Escríbele a Olga a ver qué le parece la idea.
Besos,
Gisela.

De: Fabi
Para: Olga

Asunto: Playa

Hola, Olga, ¿qué tal?
Te escribo para hacerte una invitación: ¿qué te parece ir a pasar unos días a la playa?
Resulta que Gisela me escribió contándome que _____

_____

_____

_____. ¿Qué me dices?

Saludos,
Fabi.

59

LOS MARCADORES DE TEXTO

1. En contexto

1

La natación terapéutica, **desde una perspectiva global**, es entendida como aquellos programas de salud que se dirigen, **por un lado**, a la compensación de las desviaciones de la columna vertebral, **es decir**, escoliosis, heperlordosis e hipercifosis, **y por otro lado**, a la compensación de enfermedades y lesiones que pueden aparecer en la etapa adulta. La natación terapéutica, **por lo tanto**, es un programa que utiliza las actividades acuáticas educativas.

2

Reseña: Salud y deporte
Las causas de las enfermedades que afectan a la mayoría de la población actual se deben, **por una parte**, a los malos hábitos en el trabajo y en la alimentación. **Por otra**, a la ausencia de una actividad física. Este libro muestra qué deporte es adecuado, para quién y de qué forma sería conveniente practicarlo; **también** incluye información para minimizar factores de riesgo, enfermedades o trastornos de salud. **Para finalizar**, el libro alerta sobre los riesgos y peligros de las distintas actividades físicas y de los deportes.

Las palabras destacadas en los textos son marcadores textuales. Los marcadores indican relaciones entre las partes de un texto y ayudan en su interpretación. Teniendo en cuenta los textos anteriores, completa el cuadro:

¿Qué marcador(es) introduce(n)...?	
a) una información nueva adicional	
b) el punto de vista a partir del cual se habla	
c) una consécuencia	
d) una información ya presentada con otras palabras	
e) la parte final del texto	
f) una información de forma paralela con otra con la que se relaciona	por una parte… por otra

2. Las formas

Los marcadores textuales son palabras o grupos de palabras que relacionan partes de un texto (párrafos, grupo de oraciones, etc.) o indican cómo debe ser interpretada una parte del texto.

Teniendo en cuenta en líneas generales el tipo de contribución para la construcción del significado del texto, se pueden clasificar en: modificadores, organizadores y conectores.

CLASIFICACIÓN	FORMAS	EJEMPLOS
MODIFICADORES Indican cómo se debe interpretar el enunciado que modifican, puesto que introducen informaciones o pareceres acerca de su contenido y de la actitud del hablante.	en aquella época en aquel momento en ese entorno sin duda desde luego por supuesto en teoría en cuanto a/ por lo que respecta a/ a propósito de/ por lo que se refiere a/en lo concerniente a mi opinión/este asunto/el tema central de la reunión, etc. desde un punto de vista ético/formal/práctico, etc. según tal y como decía en palabras de también entran en esta clasificación los adverbios en -mente, como, por ejemplo: **increíblemente, realmente, (in)felizmente, desgraciadamente, sinceramente, probablemente, ciertamente, comúnmente, formalmente...**	*En aquel momento* pareía una buena idea salir de vacaciones juntos. Yo, *desde luego*, estoy a favor de campañas en pro del medio ambiente. El tema de la charla es «El estrés *desde un punto de vista* médico». *En lo concerniente a* las grandes sumas de dinero, *en palabras de* la autora, lo más recomendable es no confiar en nadie.
ORGANIZADORES Organizan la estructura del texto, orientando su interpretación como un todo.	✓ De inicio: **para empezar para comenzar primero de todo**	*Para empezar* es importante reflexionar cuál es nuestra contribución personal en pro del medio ambiente.

	✓ De continuidad: **a continuación** **seguidamente** **así pues**	*A **continuación** actuará el nuevo grupo musical.*
	✓ De enumeración: **primero... segundo** **por un lado... por otro** **por una parte... por otra** **en primer término... en último término**	*Por un lado porque lo que hacemos o dejamos de hacer afecta a nuestro entorno.* *Por otro lado porque tenemos que asumir nuestra responsabilidad individualmente.*
	✓ De cambio de tema: **por cierto** **a todo esto** **a propósito de**	*Por cierto, ¿has pensado en comprarte un coche más ecológico?*
	✓ De cierre: **para concluir** **para terminar** **finalmente** **por último** **en conclusión** **en resumen** **en dos palabras**	*Finalmente, les recuerdo el lema del encuentro: «Lo público, lo nuestro y lo de todos».*
CONECTORES Expresan relaciones de significado entre las ideas presentes en el texto.	✓ De contraste: **no obstante** **sin embargo** **por el contrario** **en cambio** **ahora bien** **de todas maneras**	*No se han vendido todas las entradas. **De todas maneras**, el grupo de rock tocará en la capital y promete que será inolvidable.*
	✓ De adición: **además** **incluso** **igualmente, asimismo** **encima** **aparte**	*Dicen que los animales tienen sentimientos y que **incluso** son capaces de enamorarse.*
	✓ De causa-efecto: **por esta razón** **por tanto** **por consiguiente** **así pues** **de ahí que** **por ende**	*La revista semanal madrileña publicó la nómina de las mujeres más deseadas, requeridas y, **por ende**, más inaccesibles de la farándula mundial.*
	✓ De reformulación: **es decir** **o sea** **esto es** **mejor dicho**	*Las mentiras tienen patas cortas, **esto es**, tienen validez a corto plazo.*
	✓ De ejemplificación: **por ejemplo**	*La ansiedad puede engordar más que la comida. **Pongo un caso particular:** como*

pongo por caso en particular como	*lo que comía hace dos años y peso cinco kilos menos porque ya no tengo problemas económicos.*

En las conversaciones, por las características propias de los intercambios de la oralidad, existen marcadores muy frecuentes que pueden:

a) indicar la actitud del hablante respecto a lo que dice: *claro, sin duda, desde luego, vale,* etc.;

b) hacer referencia al interlocutor: *mira, oye, oiga, hombre,* etc.;

c) funcionar como pausas que permiten la construcción y la reformulación de lo que se va a decir/se está diciendo: *bueno, eh, este,* etc.

3. Los usos

3.1. Los modificadores textuales

USOS	FORMAS	EJEMPLOS
Para indicar la actitud del hablante (duda, deseo, probabilidad, certidumbre, etc.) acerca del contenido de lo que manifiesta.	ciertamente increíblemente realmente felizmente sinceramente probablemente sin duda desde luego por supuesto	*Probablemente anoche se vio el partido más espectacular de todos los tiempos en el campeonato sudamericano de tenis de mesa.* *El actual gobernador afirmó: «Me gustaría por supuesto llegar a presidente».*
Para presentar el punto de vista desde el que se plantea lo que se manifiesta.	comúnmente formalmente desde un punto de vista en teoría en general	*Comúnmente, se recomienda cepillarse los dientes y utilizar el hilo dental diariamente para evitar la gingivitis (inflamación de las encías).*
Para introducir el tema global del texto.	el objetivo principal de nos proponemos este texto trata de	*Este texto trata de los primeros habitantes del continente.*
Para iniciar o introducir un tema nuevo.	en cuanto a por lo que respecta a (con) respecto a al respecto de a propósito de por lo que se refiere a en lo tocante a por lo que afecta a en lo concerniente a	*¡Bienvenidos al encuentro regional de colombófilos! Los temas de este encuentro estarán dedicados a los cuidados en la crianza de palomas de carreras. Otro punto es la difusión de la colombofilia en los medios de comunicación social.*

	en lo que concierne a en lo que atañe a otro punto es el siguiente punto trata de	
Para señalar la fuente de un determinado enunciado.	según (tal y) como decía en palabras de	*Tal y como decía René Descartes: «Dudo, luego pienso. Pienso, luego existo».* *Según la Biblia, la creación del universo y del hombre duró 6 días.*
Para introducir una opinión.	a mi/tu/su juicio a mi/tu/su modo de ver a mi/tu/su entender a mi/tu/su parecer en mi/tu/su criterio a juicio de los expertos a juicio de muchos en mi/tu/su opinión	*La última novedad en las librerías es una novela de ficción que, a juicio de muchos, renueva la novela histórica.* *En mi opinión, la gran ciudad y sus prisas nos convierten en unos maleducados.*
Para señalar el marco espacial o temporal en que se sitúa la información que se expresa.	en el norte/sur/este/oeste en las zonas de bosque/floresta/playa en ese entorno en esta/aquella época en este/aquel momento durante la primavera/el invierno/otoño/verano	*En esta época se está desarrollando rápidamente la tecnología. Y en este entorno tenemos que aprender a vivir de la mejor manera.*

3.2. Los organizadores textuales

USOS	FORMAS	EJEMPLOS
Para dar inicio a un texto o a una secuencia informativa.	para empezar para comenzar primero de todo	*Para comenzar quería felicitar a todos los que trabajaron para la realización de este evento.*
Para dar continuidad y progresión a la información del texto.	a continuación seguidamente así pues	*Damos inicio a la mesa de debate con los representantes de las federaciones.* *Seguidamente, le paso la palabra al presidente de la federación local.*
Para introducir reflexiones o contenidos que se desvían en cierta medida del asunto.	por cierto a todo esto a propósito de	*Muchas gracias por la presencia a todos.* *Por cierto, no dejen de pedir la solicitud de inscripción para los talleres de la tarde.*

Para dar fin a un texto o a una secuencia informativa.	**para concluir** **para terminar** **para cerrar** **finalmente** **por último** **en conclusión**	(…) *Finalmente, quería mencionar la participación activa de la federación local, puesto que sin su colaboración este evento no podría ocurrir.*
Para introducir el resumen de un texto o información.	**en resumen** **resumiendo** **recapitulando** **en conjunto** **en suma** **globalmente** **brevemente** **en pocas palabras** **en líneas generales** **sucintamente** **en una palabra** **en fin** **en resumidas cuentas**	(…) *En suma: depende de cada una de nuestras prácticas la construcción de la ética en nuestra profesión.* (…) *En resumidas cuentas, Happy Feet es una estupenda cinta de animación con mensaje ecológico y con unos números musicales impresionantes.*
Para establecer un determinado orden en las informaciones del texto.	**primero... segundo** **por un lado... por otro** **por una parte... por otra** **en primer término... en último término**	*Me gustaría exponer mi punto de vista, por un lado como profesional, por otro como representante de una clase de profesionales.*

3.3. Los conectores textuales

USOS	FORMAS	EJEMPLOS
Para expresar oposición o contraste.	**no obstante** **sin embargo** **por el contrario** **en cambio** **ahora bien** **con todo** **de todas maneras** **tampoco**	*Se ha aprobado la construcción de un parque industrial. Ahora bien, no se sabe cuál será el impacto, principalmente en el río que corta el área.* *No sé prácticamente nada de ordenadores. No obstante, quiero configurar uno.*
Para expresar contraste, sucesión o simultaneidad en el tiempo entre los enunciados relacionados.	**ahora… antes/después** **más tarde** **más adelante** **al mismo tiempo**	*Para viajar en autobús, antes le pagábamos el boleto al conductor o a un cobrador; ahora hay una máquina.*

	mientras entonces	*Se subastaron los primeros bienes de los responsables del fraude financiero.* **Más adelante** *se venderán las mansiones y las embarcaciones.*
Para introducir nuevas informaciones de forma enfática.	también tampoco además incluso igualmente asimismo encima más aún así como (también) no solo… sino (que) tanto… como sobre todo	*Mi novio es un egoísta y* **encima** *está acostumbrado a que le hagan todos los cumplidos.* *El nivel del mar podría subir hasta nueve metros en los próximos cien años,* **incluso** *si las temperaturas medias se lograran estabilizar en los dos grados Celsius.*
Para introducir una causa.	porque visto que a causa de por razón de con motivo de ya que puesto que gracias a (que) por culpa de pues como a fuerza de dado que considerando que teniendo en cuenta que	*Las demandas de divorcio han aumentado* **gracias a** *las redes sociales,* **ya que** *los usuarios las usan para conocer gente y cometer infidelidades.* **Considerando que** *el asunto es de alta transcendencia para todos, será incluido en el orden del día de la próxima asamblea del consorcio del edificio.*
Para introducir una consecuencia.	en consecuencia consecuentemente como resultado de por consiguiente por (lo) tanto así (que) de modo que de ahí que de suerte que por lo cual/que la razón por la cual por esto por esta razón pues conque/con lo cual	*Desde la psicología, la ceguera no es solo la falta de visión, sino una reestructuración muy profunda de percibir el entorno que afecta a la personalidad de forma creativa.* **Por consiguiente** *la ceguera se puede considerar, paradójicamente, tanto una debilidad como también una ventaja.* *Hyman Minsky es uno de los pocos economistas que predijo el colapso del sistema financiero.* **De ahí que** *se lo considere como el analista que mejor ha entendido la crisis.*

	por ende total que	
Para aclarar un concepto ya expresado por medio de una reformulación.	**mejor dicho** **o sea** **esto es** **es decir**	*En un texto persuasivo, la forma de escribir, **mejor dicho**, la forma de argumentar es fundamental.* *Es necesario hacer avanzar. **Es decir**: debemos cambiar.*
Para aclarar una idea ya expresada por medio de una ejemplificación.	**por ejemplo** **pongo por caso** **como** **tal es el caso de**	*Prácticas individuales son importantes para crear una acción colectiva. **Por ejemplo**: no arrojar papeles por la ventanilla del auto.*

3.4. Los marcadores de la conversación

USOS	FORMAS	EJEMPLOS
Para presentar la información como algo evidente.	**en efecto** **efectivamente** **desde luego** **naturalmente** **por supuesto** **claro** **está claro/claro está** **sin duda**	*–¿Te puedo pedir un favor?* *–¡**Naturalmente**! ¿Qué necesitas?*
Para introducir una información como algo ya conocido.	**por lo visto/que se ve** **al parecer** **según parece**	*–Hoy no voy a poder reunirme en la casa de Juan y el domingo tampoco.* *–**Por lo visto** andas muy ocupada últimamente…*
Para expresar que el hablante consiente/acepta una información.	**bueno** **bien** **vale** **de acuerdo**	*–¿Vamos al cine por la tarde?* *–¡**Vale**!*
Para referirse al interlocutor o llamarle la atención.	**hombre** **oye/oiga** **vamos** **mira/mire**	*–**Oiga**, se le ha caído este papel.* *–¡Gracias!*
Para expresar cortesía a la hora de hacer un pedido o disculparse.	**por favor** **(con) permiso** **perdón**	*–**Con permiso**, ¿puedo entrar?* *–Sí, adelante. Siéntate.*
Para demostrar que se está acompañando la conversación.	**sí** **ya**	*–No vine porque no me avisaron con tiempo.* *–**Ya**.*
Para hacer tiempo mientras se organiza o reformula lo que se quiere decir.	**bueno** **bien** **este**	*Lo que pienso es que… **este**… no hay otra salida a no ser aceptar la situación.*

4. Ejercicios

4.1. Identifica

Lee los dos textos extraídos de la sección Reportajes del periódico *La Nación de Chile* y resuelve las tareas.

A) **Esta terapia ancestral se utiliza para sanar, en tratamientos de belleza. Sin embargo, hay que adoptar ciertas precauciones porque puede provocar reacciones alérgicas.**

La aromaterapia consiste en la utilización de aceites esenciales puros, aplicados, principalmente, a través de masajes. Su aroma posee un potente efecto psicológico y fisiológico. Existen numerosos estudios realizados que han determinado su efectividad tanto en pacientes que padecen enfermedades como en personas sanas. Paola Tapia, académica de la Escuela de Química y Farmacia de la Universidad Andrés Bello, explica que distintos experimentos apoyan la tesis de que la aromaterapia puede ejercer un efecto beneficioso en patologías como el estreñimiento, dolor crónico, los cólicos, alteraciones del ánimo, insomnio, cuadros de estrés, entre otras. «En las personas sanas, en cambio, la aromaterapia es una alternativa para la relajación, así como también para la estimulación de los sentidos», dice la especialista.

REACCIONES ALÉRGICAS

Si bien esta técnica tiene innumerables beneficios, también se deben tomar algunas precauciones para evitar problemas de salud. Efectivamente, Paola Tapia aclara que los aceites esenciales pueden provocar reacciones alérgicas o de hipersensibilidad.

B) **Si quiere lograr un efectivo descanso, relájese, tómese su tiempo de ocio y, lo más importante, deje la «pega» en la oficina. Si no lo hace, el estrés lo atormentará.**

¿ADICTO AL TRABAJO?

Si quiere saber si usted es un trabajólico, o también denominado *workaholic*, aquí le damos algunas claves para que se analice. Según el psicólogo Emilio Solís, se trata de individuos ansiosos, hiperexigentes, a quienes les es más sencillo cumplir de forma permanente con obligaciones, que dejar de hacerlo. «Cuando estas personas son sometidas a factores que les producen mayor ansiedad o estrés, como puede ser el ocio, están más predispuestas a padecer trastornos de ansiedad», agrega el especialista.

CUIDADO CON EL ESTRÉS

El principal problema que puede causar este tipo de actitud es, sin duda, el estrés acumulado, cuyas consecuencias son ampliamente conocidas para la salud. Dicho de otra manera, la acumulación de estrés modifica los hábitos relacionados con el bienestar físico. La falta de tiempo y la tensión aumentan conductas no saludables como fumar, beber o comer en exceso, y se reducen las conductas sanas como hacer ejercicio físico, mantener una dieta o dormir lo suficiente. En segundo lugar, el estrés «puede producir una alta activación fisiológica que, si dura mucho, puede ocasionar disfunciones físicas y psíquicas, tales como dolores de cabeza, problemas cardiovasculares, digestivos y sexuales. También puede producir cambios en otros sistemas, por ejemplo, ocasionar una inmunodepresión», comenta el psicólogo clínico. Finalmente, esta patología, es decir, el estrés, «puede comenzar a desarrollar trastornos de ansiedad en una persona», aclara el profesional.

a) Marca las alternativas correctas.

TEXTO A	Según el texto, es correcto afirmar:
	( ) la aromaterapia no es recomendable para las personas sanas.
	(X) la aromaterapia es recomendable para todas las personas.
	La especialista:
	( ) condena la aromaterapia.
	( ) habla bien de la aromaterapia.
	( ) hace aclaraciones sobre la aromaterapia.
TEXTO B	Según el texto, es correcto afirmar que:
	( ) el ocio puede provocar ansiedad y estrés en los trabajólicos.
	( ) el ocio no provoca ansiedad ni estrés en los trabajólicos.
	( ) el estrés no se considera una patología.
	( ) el estrés es considerado una patología.
	El psicólogo afirma que el estrés afecta:
	( ) a la conducta y lo emocional del individuo.
	( ) al bienestar físico del individuo.

b) Identifica los marcadores y organizadores textuales presentes en los textos y transcríbelos en el cuadro según si:

	TEXTO A	TEXTO B
introducen una reformulación para aclarar un concepto		es decir,
introducen una ejemplificación		
introducen una información de forma enfática		
expresan contraste		
introducen una causa		
indican la fuente de un enunciado		
presentan una información como evidente		
indican el término de la secuencia informativa		
ordenan informaciones en el texto		

4.2. Practica

1. Se han mezclado los párrafos del comentario que ha dejado un huésped sobre el hotel en una página web. ¡Organízalos!

1	Para aquellos que aprecien la calidad a un buen precio, en un entorno privilegiado y con un trato familiar.
	Por esta razón puedo afirmar que el hotel es un gran hotel rural, es como hacer vacaciones en casa de un amigo. Y, además, la propietaria destila amabilidad y profesionalidad.
	A mi entender, con todo, este hotel es especial e innovador, para aquellos que valoren sus vacaciones y que no se conformen con ser el número de una habitación.
	Por cierto, el lavabo era grande y nuevo. ¡Y que quede claro que nuestra habitación solo era una doble estándar!
	Por poner un pero, me gustaría comentar algo sobre la cena: aunque reconozco que la calidad es muy alta, puede resultar bastante caro. No estaría de más algún menú especial para los clientes del hotel un poco más económico.
	Primero de todo me gustaría decir que soy diplomado en Turismo, y que mi opinión aparte se basa también en mis conocimientos sobre el tema.
	En lo que concierne a las instalaciones y a los servicios, las habitaciones están muy bien decoradas y la limpieza es excelente. Combina con elegancia lo rústico con todas las ventajas y servicios propios de un hotel de cinco estrellas: minibar, wifi, secador, *amenities*, televisión, caja de seguridad, calefacción, aire acondicionado, *parking*, etc.
	Para finalizar, solo quería decir alto y claro que no soy amigo de nadie del hotel, y si hablo bien del lugar es porque se lo han ganado a pulso y se lo merecen.

2. Lee los dos textos y tacha los marcadores que no corresponden.

a. ¿Qué papel juega la alimentación en la prevención de enfermedades?

Una alimentación correcta, variada y completa permite **en resumen/por un lado/finalmente** que nuestro cuerpo funcione con normalidad, **es decir/por ejemplo/sin embargo**, que cubra nuestras necesidades biológicas básicas, **en cambio/ya que/de ahí que** necesitamos comer para poder vivir, y **para terminar/primero de todo/por otro lado**, previene el riesgo de enfermedades. **Incluso/Esto es/En cambio** ciertos tipos de cáncer se relacionan con una alimentación desequilibrada. **Normalmente/Ya que/Como**, no es una relación directa de causa-efecto, pero sí es uno de los factores que aumentan el riesgo de dichas enfermedades. **En aquella época/En las palabras de/Actualmente**, se reconoce la importancia de los alimentos, **sobre todo/sin embargo/también** de aquellos que se comportan como protectores. **Tal es el caso de/A continuación/Es decir** las fibras, que actúan como antioxidantes naturales, y de los vegetales, que contribuyen a disminuir el riesgo de patologías crónicas.

b. La importancia del desayuno

Cada vez se valora más la importancia del desayuno **en consecuencia/ya que/incluso** los especialistas no paran de repetir que hay que empezar el día nutriendo nuestro organismo. **En algunas culturas/Por lo que** respecta a/**A su entender** el desayuno es la principal comida del día **tanto/incluso/además** por la cantidad de alimentos que se ingieren **y también/como/además** por su función social **puesto que/de ahí que/mejor dicho** implica comenzar el día en familia. Cuando hablamos de la importancia del desayuno, **desde el punto de vista fisiológico/a su entender/no obstante,** podemos decir que es la primera toma de alimento desde un ayuno prolongado, **en cambio/además/es decir,** las horas de sueño. **Dado que/Total que/Igualmente** nuestro cuerpo necesita una reactivación después del descanso, es de vital importancia desayunar con alimentos de aporte energético.

3. **Completa el texto con los marcadores y organizadores textuales de la caja. Utiliza solamente una vez cada uno.**

> es decir – como – finalmente – ~~por un lado~~ – desde un punto de vista financiero – no solo – por lo que – sino que también – a continuación – por ejemplo – en general – por otro – para empezar – por supuesto

Se acerca la cuesta de enero: consejos para superarla

El primer mes del año suele ser el más duro principalmente porque confluyen dos factores: ___por un lado___ el sobre gasto navideño y _____ la subida del precio en determinados productos y servicios. _____, el presupuesto con el que se cuenta para superar enero suele ser limitado gracias al coste de la Navidad, los aumentos del nuevo año y, _____, la tentación o ahorro de las rebajas. _____, enero es el mes ideal para empezar a tomar el control de las cuentas y las finanzas personales. _____ es el primer mes del año, _____ se puede planificar todo el ejercicio, _____ es uno de los más precarios para el bolsillo. _____, algunos consejos:

– Eliminar gastos innecesarios, suscripciones a las que no se presta atención, o tarjetas de crédito que no se utilizan, _____.
– Aprovechar para replantearse determinados hábitos de consumo. _____ se trata de ajustar las pautas de gasto a los nuevos costes y sobre todo crear una serie de costumbres saludables a la hora de comprar y consumir.
– Rebajas: comenzar a consumir de forma responsable, _____, aprovecharlas de manera controlada para no gastar más de la cuenta.
– _____ el dinero escasea, crear un presupuesto ajustado con los gastos e ingresos previstos para enero y febrero.
_____, se trata de que la dichosa cuesta de enero sea lo más llevadera posible para que el inicio del año no vaya acompañado por gastos mayores al presupuesto disponible.

Adaptado de http://estrategiaynegocios.net/mundo/Default.aspx?option=16647

60

LA FORMACIÓN DE PALABRAS

1. En contexto

(1) Con un *golazo* de Raúl, el equipo quedó a un solo punto del título.

(2) Denuncian la caza *ilegal* del yaguareté, especie autóctona protegida.

(3) El ***archiconocido*** Tren Articulado Ligero Goicoechea Oriol (TALGO) cumple 100 años.

(4)

Corazón, *corazoncito*
Cuando tú quieras dejarme,
déjame poco a *poquito*
o, si no, vas a matarme,
corazón, *corazoncito*.
Si me abandonas,
acuérdate *tantito*
de quien te diera
primero aquel *besito*

Autores: Conjunto Atardecer

(5)

Cómo simplificar tu vida

365 placeres sencillos

INSPIRACIONES PARA CADA DÍA QUE AYUDAN A CRECER POR DENTRO

UN LIBRO DE GOTTFRIED KERSTIN

(6)

CHURRERÍA DEL MERCADO

EXQUISITOS CHURROS Y TOSTADAS
MERCADO DE ABASTOS

....

De los textos anteriores extrae:

a) Una palabra que tenga el sentido de *espectacular, contundente, impresionante*:

b) Una palabra equivalente a *muy sabido*:

c) Dos sustantivos usados en un tono muy afectivo:

d) Una palabra que signifique transformar algo complicado en algo sencillo:

e) Una palabra que signifique algo que va contra la ley:

f) Una palabra que indique un lugar donde se consume cierto tipo de comida:

Para crear nuevas palabras se añaden ciertas partículas que pueden ubicarse al comienzo, **los prefijos** (*ilegal*, *archiconocido*), o al final, **los sufijos** (*golazo*, *poquito*, *corazoncito*). La presencia de estos prefijos o sufijos en una palabra puede producir algunos cambios de significado, como en *gol – golazo*, *legal – ilegal*, o puede cambiar la categoría de la palabra.

2. Las formas

2.1. Prefijos que cambian el significado de las palabras

SIGNIFICADO	PREFIJOS	EJEMPLOS
Negación	a-	*amoral, asimétrico, asocial*
	de-	*degenerar, devaluar, depreciar*
	dis-	*disculpar, disfunción, disconforme, discapacidad*
	des-	*desconfiar, descontar, deshacer, desinteresado*
	i- (con palabras que comienzan con *l-*)	*ilógico*
	im- (con palabras que comienzan con *b-* y *p-*)	*imposible, imbebible, imbatible, impertinente, impiadoso, impagable*
	in- (en todos los otros casos)	*inalcanzable, insuficiente, injusticia, inútil, inservible*
	ir- (con palabras que comienzan con *r-*)	*irreal, irracional, irrespetuoso*
Lugar	ante- significa «delante», también «temporalmente»	*antecámara, anteayer, antediluviano, anteponer*
	extra- significa «fuera de», también en «grado sumo»	*extraterrestre, extramuros, extragrande*
	pro- significa «antes de» o «en lugar de»	*promover, pronombre*
	retro- significa «hacia atrás»	*retrógrado, retropropulsión, retroproyector*
	super-/sobre- significa «encima de» o «en exceso»	*superponer, superpuesto, superposición, sobrevolar, sobreponer, sobreactuar,*
	trans-/tras- significa «al otro lado», «en la parte opuesta»	*transportar, transformar, transacción, trasponer, traspasar*
	ultra- significa «más allá», también «mucho»	*ultramar, ultratumba, ultraligero*
Tiempo	pos-/post- posterioridad en el tiempo	*posguerra, posgrado, posponer, pos(t)operatorio, pos(t)meridiano*
	pre- anterioridad en el tiempo	*prematuro, predecir, preescolar, preexistente.*
Intensidad	archi- equivale a «muy»	*archiconocido, archimillonario, archisabido, archifamoso, archivisitado*
	hiper- en exceso	*hiperconocido, hipernervioso, hiperactivo*
	re-/requete- equivale a «muy». Con verbos y sustantivos significa «otra vez»	*rebueno, requetebueno, reinteligente, requeteinteligente, rebonito, requetebonito, rever, reasentamiento, revisión, repensar*

Tamaño y cantidad	**super-** grado máximo de un elemento o propiedad	*super*protectora, *super*dotado, *super*mercado, *super*producción, *super*potencia, *super*secreto
	bi-/bis- significa «dos veces», «el doble»	*bis*abuelo, *bis*nieto (biznieto) *bi*anual, *bi*mensual, *bi*semanal, *bi*siesto
	macro- significa «muy grande»	*macro*economía, *macro*fiesta
	micro- significa «muy pequeño»	*micro*economía, *micro*scopio
	mini- significa «pequeño»	*mini*falda, *mini*curso, *mini*mercado, *mini*espacio
	multi- expresa «abundancia, pluralidad y variedad»	*multi*rracial, *multi*facético, *multi*millonario, *multi*forme, *multi*procesador, *multi*función
Oposición	**anti-** significa «contrario a»	*anti*natural, *anti*sistema

2.2. Sufijos que matizan las palabras

Los diminutivos

Transmiten la idea de algo pequeño y también tienen una connotación afectiva y cariñosa. Los sufijos diminutivos más usuales son *-ito* e *-illo*, que se utilizan con el mismo sentido, aunque hay otros que se emplean dependiendo de la zona geográfica: *-cio, -ete, -ino, -uelo*.

FORMACIÓN DE LOS DIMINUTIVOS		
Sufijos	En palabras...	Ejemplos
-ecito/-ecita -ecillo/-ecilla	de una sílaba.	el pan → el pan*ecito*, pan*ecillo* el pez → pec*ecito*, pec*ecillo*
	de dos o más sílabas terminadas en *-e*.	la gente → la gent*ecita*, la gent*ecilla* la carne → la carn*ecita*, la carn*ecilla*
-cito/-cita -cillo/-cilla	terminadas en vocal tónica.	el sofá → el sofa*cito*, el sofa*cillo*
	terminadas en *-n* o en *-r*.	el melón → el melon*cito* el cajón → el cajon*cito*
-ito/-ita -illo/-illa	terminadas en vocal átona o en consonante distinta a *-n* o *-r*.	el perro → el perr*ito*, el perr*illo* la palmera → la palmer*ita*, la palmer*illa*
Excepciones	la madre → la madr*ecita* el patio → el pati*ecito* nuevo → nuev*ecito*	el cuerpo → el cuerp*ecito* la siesta → la siest*ecita* la fiesta → la fiest*ecilla*

MÁS

Los diminutivos tienen dos formas: *-ito* o *-illo* para masculino e *-ita* o *-illa* para femenino, la terminación corresponde al género de la palabra:

La casa, la casita

Excepto en los sustantivos masculinos terminados en *-a* y en los femeninos terminados en *-o*:

la foto, la fotito	*la mano, la manito* (solo en América)
la moto, la motito	*el planeta, el planetita*

> **¡Atención!**
>
> Las palabras terminadas en *c-* + vocal, cambian la *c* por *qu*.
> *chico/a* → *chiquillo/a, chiquito/a*
> *cerca* → *cerquita*

Los aumentativos

Transmiten la idea de algo grande y también tienen una connotación afectiva.

SUFIJOS	EJEMPLOS	
-azo/-aza	el perro → el perr**azo** la mano → la man**aza**	el coche → el coch**azo** bueno(a) → buen**azo(a)**
-ón	fortuna → fortun**ón** el bolso → el bols**ón** la maleta → el malet**ón**	cobarde → cobard**ón** fácil → facil**ón** torpe → torp**ón**
-ote/-ota	la palabra → la palabr**ota** la cabeza → la cabez**ota**	el papel → el papel**ote** serio → seri**ote**
-udo/-uda	la barba → barb**udo** el vello → vell**udo**	la fuerza → forz**udo**

Los despectivos o peyorativos

Transmiten la idea de algo desagradable o ridículo.

SUFIJOS	EJEMPLOS		
-ucho/-ucha	el cuarto → el cuart**ucho** el abogado → el abogad**ucho**	la casa → cas**ucha** débil → debil**ucho**	
-aco/-aca	libro → libr**aco**	pájaro → pajarr**aco**	bicho → bicharr**aco**
-acho/-acha	rico → ric**acho** viejo → viej**acho**	el pueblo → el pobl**acho**	
-astro/-astra	el poeta → el poet**astro**		
-oide Tiene el valor de «pseudo-», es decir, indica algo falso.	sentimental → sentimental**oide** el humanista → human**oide** el animal → animal**oide**		

Curiosidades de la lengua

Con el sufijo -*astro* se forman algunos nombres de parentesco:

padre → *padrastro*   *madre* → *madrastra*   *hijo(a)* → *hijastro(a)*

Estas palabras señalan relación familiar con un valor peyorativo moderado, no necesariamente tienen un significado negativo. Sin embargo, en algunos contextos puede interpretarse como un «mal padre», una «mala madre» o un «mal hijo».

2.3. Sufijos para crear sustantivos a partir de otros sustantivos o de adjetivos

SUFIJO	SIGNIFICADO	FORMACIÓN	EJEMPLOS
-ería	Indica el lugar de venta o de fabricación.	Los sustantivos terminados en vocal pierden la vocal y añaden el sufijo.	*la lech(e)* → *la lechería* *la verdur(a)* → *la verdulería* *la pizz(a)* → *la pizzería* *el boll(o)* → *la bollería*
		Con los terminados en consonante, añaden directamente el sufijo.	*el carbón* → *la carbonería* *el papel* → *la papelería*
	También forma sustantivos abstractos a partir de adjetivos generalmente negativos.	El adjetivo pierde la última vocal y añaden el sufijo.	*groser(o)* → *la grosería* *tont(o)* → *la tontería* *altaner(o)* → *la altanería* *tacañ(o)* → *la tacañería*
-ero/-era	Expresa profesión u ocupación.	En los sustantivos terminados en vocal, pierden la vocal y añaden el sufijo.	*la verdur(a)* → *el/la verdulero/a* *la tiend(a)* → *el/la tendero/a*
		En los terminados en consonante, añaden el sufijo.	*el carbón* → *el/la carbonero/a* *el cartón* → *el/la cartonero/a*
	Señala el recipiente que contiene los objetos expresados por la palabra.	En los sustantivos terminados en vocal, pierden la vocal y añaden el sufijo. En los terminados en consonante, añaden el sufijo. Excepto en las palabras compuestas terminadas en -*s*.	*la ensalad(a)* → *la ensaladera* *la moned(a)* → *el monedero* *el billet(e)* → *la billetera* *el pan* → *la panera* *la flor* → *el florero* *el azúcar* → *el azucarero* *el paragu(as)* → *el paragüero*

| -ismo | Expresa actitudes, movimientos políticos, ideológicos, religiosos o culturales. Designa también especialidades deportivas. | En los sustantivos terminados en vocal, pierden la vocal y añaden el sufijo. | compañer(o) → el compañerismo
amig(o) → el amiguismo
social → el socialismo
femenin(o) → el feminismo
católic(o) → el catolicismo
atlet(a) → el atletismo |
| | | En los terminados en consonante, añaden el sufijo. | Perón → el peronismo
islam → el islamismo |

2.4. Sufijos para crear sustantivos abstractos a partir de verbos

SUFIJO	SIGNIFICADO	VARIANTES	USOS	EJEMPLOS
-sión/-ción	A partir de un verbo se forman sustantivos abstractos que indican acción.	-ación	Si el verbo termina en -ar.	organiz(ar) → la organización recaud(ar) → la recaudación program(ar) → la programación
		-ición	Si el verbo termina en -er o en -ir.	opon(er) → la oposición aparec(er) → la aparición repet(ir) → la repetición
		-sión	Si el verbo termina en -der o en -dir.	compren(der) → la comprensión preten(der) → la pretensión conce(der) → la concesión alu(dir) → la alusión
		-ción	Si la raíz del verbo termina en -cer o -cir. Si el verbo termina en -ger o -gir.	satisfa(cer) → la satisfacción produ(cir) → la producción redu(cir) → la reducción proteger → protección elegir → la elección corregir → la corrección
-miento/ -mento	A partir de un verbo se forman sustantivos abstractos que indican proceso.	-miento	Es la forma más general para cualquier tipo de verbo.	atrever → el atrevimiento conocer → el conocimiento aburrir → el aburrimiento abastecer → el abastecimiento
		-mento	Se encuentra solo en pocos casos.	jurar → el juramento armar → el armamento cargar → el cargamento impedir → el impedimento
-dor(a)	A partir de un verbo se forman sustantivos que señalan la persona o el instrumento que realiza la acción.	-ador/a	Para los verbos terminados en -ar.	nadar → el/la nadador(a) ganar → el/la ganador(a) lavar → la lavadora (máquina que lava)
		-edor/a	Para los verbos terminados en -er.	vender → el/la vendedor(a) vencer → el/la vencedor(a) tener → el tenedor

| | | -idor/a | Para los verbos terminados en -ir. | consumir → el/la consumidor(a) batir → la batidora |
| | | -tor | Para los verbos terminados en -ducir. | traducir → el/la traductor(a) producir → el/la productor/a |

2.5. Sufijos para crear sustantivos abstractos a partir de adjetivos de cualidad

SUFIJO	VARIANTE	USO	EJEMPLOS	
-dad/-tad	-dad	En las siguientes palabras.	bueno → la bondad igual → la igualdad humilde → humildad	cruel → la crueldad malo → la maldad verdadero → verdad
	-edad	En general, con adjetivos de dos sílabas terminados en vocal. Son excepciones los siguientes casos.	breve → la brevedad corto → la cortedad	solo → la soledad grave → la gravedad
			claro → la claridad digno → la dignidad	denso → la densidad sano → la sanidad
	-idad	Si tiene dos sílabas y la palabra termina en -l.	sexual → la sexualidad hábil → la habilidad	rival → la rivalidad real → la realidad
		Si tiene dos sílabas, pero termina en -z.	feliz → la felicidad	veloz → la velocidad
		Si tiene más de dos sílabas.	honesto → la honestidad	activo → la actividad
	-iedad	Si el adjetivo termina en -io.	serio → la seriedad	sucio → la suciedad
	-bilidad	Si el adjetivo termina en -ble.	posible → la posibilidad amable → la amabilidad	
	-tad	En las siguientes palabras.	la amistad, la lealtad, la dificultad, la enemistad, la libertad y la pubertad	
	-tud		la altitud, la amplitud, la aptitud, la esclavitud, la exactitud, la juventud, la longitud, la magnitud, la multitud	

2.6. Sufijos para crear adjetivos a partir de sustantivos

SIGNIFICADO	SUFIJOS	EJEMPLOS
Que pertenece o está relacionado con lo que expresa el sustantivo.	-al	profesión → profesional nación → nacional educación → educacional
	-ario/-aria	soledad → solitario(a) reglamento → reglamentario(a) parlamento → parlamentario(a)

	-esco/-esca	gaucho → gauch**esco**
		príncipe → princip**esco**
Que posee la cualidad expresada por el sustantivo o el verbo.	-iento/-ienta	hambre → hambr**iento**
		sangre → sangr**iento**
	-il	fiebre → febr**il**
		varón → varon**il**
	-oso/-osa	fastidio → fastidi**oso**
		sospecha → sospech**oso**
Que puede llegar a realizar la acción que se expresa.	-able/-ible	practicar → practic**able**
		manejar → manej**able**
		temer → tem**ible**
Que tiene disposición o propensión para la cualidad que se expresa.	-adizo(a)	enamorar → enamor**adizo**
	-edizo(a)	correr → corr**edizo**
	-idizo(a)	huir → hu**idizo**
Que realiza la acción o el estado que expresa la palabra.	-ante/-ente/ -iente	contaminar → contamin**ante**
		equivaler → equival**ente**
		crecer → crec**iente**
	-ador(a)	acoger → acog**edor**
	-edor(a)	prometer → promet**edor**
	-idor(a)	servir → serv**idor**

2.7. Sufijos para crear adverbios a partir de adjetivos

Los adverbios se forman agregando la terminación -*mente* a la forma femenina de los adjetivos.

Rápido → rápidamente

Violento → violentamente

Ágil → ágilmente

Alegre → alegremente

¡Atención!

Los adverbios terminados en -*mente* deben llevar acento gráfico si el adjetivo del que provienen lo lleva.
ágil → ágilmente   alegre → alegremente
fácil → fácilmente   pesado → pesadamente

2.8. Sufijos para crear verbos a partir de sustantivos y adjetivos

SUFIJO	EJEMPLOS		
-ar	asfalto → asfalt**ar**	asalto → asalt**ar**	gordo → engord**ar**
-ear	agujero → agujer**ear**	relámpago → relampagu**ear**	párpado → parpad**ear**
-ecer	agrado → agrad**ecer**	pálido → palid**ecer**	lánguido → languid**ecer**
-izar	impermeable → impermeabil**izar**	simpático → simpat**izar**	
-ificar	paz → pac**ificar**	puro → pur**ificar**	

MÁS

Nuevas palabras, llamadas *neologismos*, se han creado a partir de los avances de la informática. Las acciones que ejecutamos en la computadora están entre ellas. Te damos algunos ejemplos:

Chatear: 'conversar con alguien a través de Internet'.

Cliquear: 'hacer clic con el ratón de la computadora'.

Deletear: 'borrar algún contenido'.

Zipear: 'comprimir un archivo'.

Escanear: 'acción de utilizar un escáner'.

Formatear: 'acción de dar formato a un disco u otro dispositivo como cintas, etc., con el fin de prepararlo para que puedan grabarse datos en él'.

3. Los usos

3.1. Los diminutivos

SEGÚN EL CONTEXTO, SE USAN…	EJEMPLOS
con el sentido de algo «pequeño».	*Ponga la **mesita** en el centro de la sala, por favor.*
para transmitir un valor afectivo y emotivo.	*Pobrecito mi **gatito** lindo, ¿qué le pasa, que tiene **sequita** la **naricita**? ¿Está **enfermito**?*
con sentido irónico.	*¿**Miguelito**, quieres hacerme el **favorcito** de sacar tus **piecitos** de encima de la mesa? Molestan un **poquito**.*

3.2. Los aumentativos

SEGÚN EL CONTEXTO, SE USAN…	EJEMPLOS
con valor positivo y para expresar idea de grandeza o admiración.	*¡Baremboim es un **artistazo**! Es un músico completo.*
con valor negativo y con un cierto sentido despectivo.	*¡Qué **barrigón** estás! Tienes que comer menos.*

3.3. Los peyorativos

En general, los peyorativos o despectivos tienen la característica de disminuir la importancia del objeto o persona a la que se refiere la palabra o a tratarlas humorísticamente.

Alfredo vivía en un cuartucho de mala muerte, en una pensión de dudosa reputación. El camastro donde dormía había sido de madera.

Carlos me mandó un mensaje escrito en un tono tan sentimentaloide que ni me molesté en terminarlo de leer.

4. Ejercicios

4.1. Practica

1. Utiliza los prefijos de negación para formar los opuestos de estos adjetivos.

a. útil – _____inútil_____

b. servible – _____

c. puro – _____

d. tolerante – _____

e. relevante – _____

f. legal – _____

g. remediable – _____

h. personal – _____

i. borrable – _____

j. lícito – _____

k. respetuoso – _____

l. alterable – _____

2. Escribe la palabra que equivale a las siguientes definiciones. Para formar las palabras usa los prefijos: *ante – super – sobre – hiper – bi – multi – trans (tras) – re.*

a. Ambiente que está delante de la sala principal de una casa: _____antesala_____

b. Poner algo encima de otra cosa: _____

c. Persona muy sensible a estímulos afectivos o emocionales: _____

d. Que tiene dos colores: _____

e. Recargo en el precio normal de una mercadería: _____

f. En la noche anterior a la noche de ayer: _____

g. Llevar o portar cosas de un lugar a otro: _____

h. Parte del brazo que va desde el codo hasta la muñeca: _____

i. Lo que está o parece estar más allá del fondo de algo: _____

j. Que tiene muchos colores: _____

k. Volver a afirmar: _____

3. Reescribe las siguientes frases de manera más afectiva, usando los diminutivos cuando sean adecuados.

a. Abuelo, ¿quieres otro café?

Abuelito, ¿quieres otro cafetito? _____

b. La tortuga ya estaba cansada de tanto caminar.

_____

c. Manuela, ve a la panadería y tráeme dos panes.

_____

d. Había una vez una hormiga muy trabajadora que durante todo el día juntaba hojas para dar de comer a sus hijos.

_____

4. Completa las frases con los aumentativos de las palabras de la caja.

huevos – codo – ~~ojos~~ – bueno – muchacho – simpático – tomates – boca – serio

a. Muchacha de _____ojazos_____ negros, no puedo vivir sin ti. (Juan Vicente Torrealba)

b. Durante la cena, me dio un _____ para indicarme que tenía que cerrar mi _____.

c. Estábamos jugando en la calle cuando se nos acercó un _____ y nos quitó la pelota.

d. Marcelo es más _____ que los ángeles y, además, es un chico _____. Sin embargo, se

pone _____ cuando le toman el pelo.

e. Con _____ y _____, salimos a la calle a protestar por el aumento de los impuestos.

5. Cambia las palabras subrayadas por sus correspondientes despectivos o peyorativos.

a. Entramos en una tienda/ _____tienducha_____ de mala muerte y compramos unos refrescos.

b. Nos encontramos un perro/_____ abandonado en la calle. El pobre estaba tan

flaco/_____ que nos dio pena y nos lo llevamos a casa.

c. Es un político/_____ corrupto y sinvergüenza.

d. Me atendió un médico/_____ incapaz de curarse él mismo.

e. El escultor ha creado una figura humana/_____ que ha causado el estupor del público.

6. A partir de las raíces que te damos, forma un verbo, un sustantivo y un adjetivo.

RAÍZ	VERBO	SUSTANTIVO	ADJETIVO
Destru-	destruir	destrucción	destruido
Admir-			
Imped-			
Comprend-			
Abund-			
Edific-			
Orden-			
Atrev-			

7. Sustituye la parte subrayada por un adjetivo.

a. Pedro es un hombre muy <u>apegado a su profesión.</u> > <u>Pedro es un hombre muy profesional.</u>

b. Esta situación se <u>puede manejar tranquilamente.</u> > Esta situación es _____.

c. Ana es <u>una chica que se enamora con mucha facilidad.</u> > Ana es _____.

d. Hay sustancias <u>que contaminan.</u> > Hay sustancias _____.

e. Se escuchan ruidos <u>que ensordecen.</u> > Se escuchan ruidos _____.

f. Este frasco de vidrio <u>no se rompe con nada.</u> > Este frasco de vidrio es _____.

8. A partir de la palabra que te damos, forma otras de la misma familia, teniendo en cuenta los significados.

Leche	Papel	Pan
- Lugar donde se compra: Lechería	- Lugar donde se compra: _____	- Lugar donde se compra: _____
- Persona que la vende: Lechero	- Recipiente donde se arrojan papeles: _____	- Persona que lo fabrica o vende: _____
- Que tiene el color de la leche: Lechoso	- Papel grueso; acto ridículo de una persona: _____	- Recipiente, cesta donde se pone el pan: _____

Alto	Baño	Grueso
- Distancia vertical de un cuerpo respecto a la tierra: _____	- Recipiente grande que sirve para tomar baños: _____	- Espesor de una superficie o sustancia: _____
- Persona altiva y soberbia: _____	- Persona que va a tomar baños en una playa o piscina: _____	- Descortesía y falta de respeto: _____
- Tratamiento dado a algunas personas de las casas reales: _____	- Persona que cuida a quienes se bañan: _____	
- Habitación situada en la parte más alta de la casa: _____	- Prenda usada para bañarse en una playa o piscina: _____	

9. Transforma las frases cambiando los verbos subrayados por sustantivos. Haz todos los cambios que sean necesarios en las frases.

a. Se redujo el sueldo de todos los trabajadores. > _La reducción del sueldo de todos los trabajadores._ .

b. El presidente organizó una reunión. > _____.

c. El museo abrirá a las 14 horas. > _____.

d. Un incendio destruyó varias escuelas. > _____.

e. Los manifestantes se niegan a dejar la plaza y rechazan los cambios propuestos por el régimen. >

_____

f. En la localidad de Los Perales: secuestraron 21 armas de fuego y detuvieron a 55 personas. >

_____

10. Completa los espacios del texto con las palabras de la caja transformadas en verbos en infinitivo.

> renovación – simple – creación – organización – cuidado – economía – ~~disposición~~ – rico –
> instalación – cambio – elección – instalación – ajuste – impermeable

Así como ocurre con otras partes de la casa, también es necesario renovar la terraza de vez en cuando, tanto el

mobiliario como la distribución y el uso. Hoy día se considera muy elegante ____disponer____ de una

cómoda terraza para _____ cenas y fiestas al aire libre.

Si queremos una terraza totalmente descubierta, una buena idea puede ser _____ una pérgola

a modo de cerramiento para _____ el ambiente en un lugar más acogedor.

_____ un ambiente natural y salvaje se consigue con la profusión de diferentes plantas que

ayudan a _____ el decorado. Pero no olvidemos que es necesario _____

y renovar las plantas de vez en cuando.

El suelo es una parte fundamental; el aspecto del mismo puede _____ totalmente una terraza.

Los tres suelos más recurridos son el de madera, césped y gravilla. Si optamos por el césped, recordemos que

primero hay que _____ el suelo y luego hay que tratarlo con cariño.

Por último vamos a _____ el mobiliario que se ha de _____ a las

necesidades de la terraza y ha de ser lo más práctico y funcional posible. En este caso, _____

es la consigna más importante y recordemos que los muebles más prácticos son los plegables. Así será más fácil

_____ espacio.

Texto adaptado de http://www.greendesign.es/blog/2010/06/30/renovar-la-terraza/

4.2. Aplica

1. Lee el perfil de Ignacio y escribe otro texto transformando a Ignacio en exactamente lo opuesto con la ayuda de los prefijos y los sufijos.

Ignacio es alto, delgado y con una barba larga y cuidada que le da el aspecto de un hombre honesto. Es una de las personas más civilizadas que conozco. Es sumamente equilibrado, justo y sensato en todas sus decisiones.

Atento y preocupado por los problemas de los demás, su moralidad es inobjetable. Por otro lado, es un ser muy sociable, siempre está con amigos quienes, de su boca, solo escuchan palabras corteses.

Es un hombre rico, pero vive como pobre. Es sentimental con las mujeres y tolerante con los errores de los demás. En definitiva, Ignacio es una suma de perfecciones difíciles de superar.

_____

_____

_____

_____

_____

_____

_____

_____

_____

_____

2. Lee el texto y reemplaza las expresiones subrayadas por otras equivalentes.

Las hortalizas sufrieron daños que no se pueden reparar debido a las altas temperaturas.

La sequía causó que se perdiera la quinta parte de la suma de los productos hortícolas de Tucumán, estimó el director del Instituto Nacional de Tecnología Agropecuaria (INTA) de Famaillá, Héctor Zamudio. «Las temperaturas durante 23 días de octubre fueron superiores a las normales y, durante tres o cuatro días, las máximas han superado los valores de los últimos 120 años; a este efecto térmico, las hortalizas, cultivos que están a 50 centímetros del suelo, lo han sufrido de manera drástica», dijo a la agencia Télam. En esta situación de riesgo se encuentran otras regiones del país.

Adaptado de www.lagaceta.com.ar

Apéndice I
EL ABECEDARIO

Está formado por veintisiete letras.

LETRA	NOMBRE	PRONUNCIACIÓN
A	a	[a]
B	be	[b]
C	ce	[k] + a/o/u; [θ] + e/i
D	de	[d]
E	e	[e]
F	efe	[f]
G	ge	[g]; [x]
H	hache	No se pronuncia
I	i	[i]
J	jota	[x]
K	ka	[k]
L	ele	[l]
M	eme	[m]
N	ene	[n]
Ñ	eñe	[ɲ]
O	o	[o]
P	pe	[p]
Q	cu	[q]
R	erre	[r]; [r̄]
S	ese	[s]
T	te	[t]
U	u	[u]
V	uve	[b]
W	uve doble	[gu]
X	equis	[ks]
Y	ye	[y] ; [i]
Z	zeta	[θ]

MÁS

✓ Seseo: en algunas regiones españolas y en América, la *z* y la *c* ante *e, i*, se pronuncian como la *s* [s].

✓ Yeísmo: en algunas regiones, la *ll* se pronuncia como la *y* [y].

✓ Los nombres de las letras del alfabeto son femeninos: *la a, la efe, la jota, la equis,* etc.

✓ La *ch* (che), la *ll* (elle), la *rr* (erre doble), la *gu* (*ge* ante *e* o *i*) y la *qu* (*cu* ante *e* o *i*) son dígrafos, o sea, están formados por dos letras que representan un único sonido: [c], [y], [r], [g] y [k].

✓ ¡Atención! Cuando se escribe *gü* (con diéresis) ante *e* o *i*, sí se pronuncia la *u*: Agüero, pingüino.

B/V se pronuncian igual, [b]

Se escriben con b:	Ejemplos
Los verbos terminados en *-bir*. **Excepto:** *hervir, servir* y *vivir*.	escri**bir**, reci**bir**
Los verbos terminados en *-buir*.	contri**buir**, atri**buir** y retri**buir**
Las terminaciones *-bil, -ble, –bunda, -bundo* y *-bilidad*. **Excepto:** *civil* y *móvil*, y sus derivados.	há**bil**, vaga**bundo**, ama**bilidad**
Los elementos *biblio-, bu-, bur-* y *bus-*. **Excepto:** *vudú* y sus derivados.	**biblio**teca, **bu**la, **bur**la, **bus**ca
Los elementos *bi-, bis-, biz-*.	**bi**polar, **bis**nieto, **biz**cocho
El elemento *bio*.	**bio**sfera, anaero**bio**, micro**bio**
Los elementos *bien-* o *bene-*.	**bien**venido, **bene**plácito
Los elementos *ab-, ob-* y *sub-*.	**ab**negación, **ob**tención, **sub**versión
El pretérito imperfecto del indicativo de los verbos de la primera conjugación (*-ar*) y del verbo *ir*.	cantaba, amábamos, cenaban, iba, ibas, íbamos, iban, ibais
Los verbos *haber, beber, deber, saber* y *caber*.	había, bebe, deben, sabíamos, cabe

Se escriben con v:	Ejemplos
Las terminaciones *-ave, -ava, -avo, -eva, -eve, -evo, -iva, -ive, -ivo*. **Excepto:** *estribo, mancebo* y *suabo*.	su**ave**, escl**avo**, nu**evo**, act**ivo**

Los elementos *eva-, eve-, evi-, evo-*. **Excepto:** *ébano* y sus derivados.	*eva*sión, *eve*ntualidad, *evi*tar, *evo*lución
Los elementos *vice-, viz-* y *vi-*.	*vice*presidente, *viz*conde, *vi*rrey
Las terminaciones *-ívoro* e *-ívora*. **Excepto:** *víbora*.	insect*ívoro*, carn*ívora*
Las palabras que empiezan por *ob-, ad-* y *sub-*.	*ob*vio, *ad*vertencia, *sub*versión
El pretérito perfecto simple y los tiempos derivados de los verbos *tener, estar* y *andar.*	*tuve, estuve, anduvieran, tuviera*
El presente de indicativo y de subjuntivo y el imperativo del verbo *ir*	*voy, vas, ve, vayamos, vamos*
Las terminadas en *-olver*.	*v*olver, abs*olver*, dis*olver*, rev*olver*

MÁS

–Antes de *p* o *b*, siempre se escribe *m*: *im*probable, ta*m*bién, a*m*paro, a*m*biente.
–Antes de *v*, siempre se escribe *n*: e*n*vidia, e*n*vío, e*n*vase, i*n*vitación.

C/Qu representan el sonido [k]

Se escribe *c* delante de *a, o, u*.	*ca*sa, *co*mida, *cu*biertos
Se escribe *qu* delante de *e, i*.	*que*so, *qui*mera

C/Z representan el sonido [θ]

Se escribe *c* delante de *e, i*.	*ce*ro, *ci*ne
Se escribe *z* delante de *a, o, u*.	*za*pato, *zo*na, *zu*mo

G/J se pronuncian [x] cuando van ante *e/i*

Se pronuncia [g] la letra *g* delante de *a, o, u* y el dígrafo *gu* delante de *e, i*.	*ga*nar, *go*ma, *gu*star *gue*rra, *gui*tarra
Se pronuncia [x] la letra *j* y la letra *g* delante de *e, i*.	*ge*nte, *gi*mnasia *ja*más, *je*fe, *ji*rafa, *jo*ven, *jue*ves

Se escriben con *g*:	Ejemplos
Las palabras que empiezan por *gest-*.	***gest**ión, **gest**ionar, **gest**or, **gest**ación*
El elemento *geo-*.	***geo**grafía, **geo**política, **geo**metría*
Las terminaciones *-gélico, -genario, -géneo, -génico, -genio, -génito, -gesimal, -gésimo, -gético*.	*an**gélico**, sexa**genario**, homo**géneo**, foto**génico**, in**genio**, primo**génito**, cuadra**gesimal**, vi**gésimo**, apolo**gético***
Las terminaciones *-giénico, -ginal, -gíneo, -ginoso*.	*hi**giénico**, va**ginal**, vir**gíneo**, olea**ginoso***
Las terminaciones *-gia, -gio, -gión, -gional, -gionario, -gioso, -gírico*. **Excepto:** las terminaciones *-plejía, -plejia* y *-ejía*.	*ma**gia**, re**gio**, re**gión**, re**gional**, le**gionario**.*
Las terminaciones *-gente, -gen* y *-gencia*.	*vi**gente**, a**gente**, ori**gen**, a**gencia**, indul**gencia***
Las terminaciones *-ígeno, -ígena, -ígero, -ígera*.	*ind**ígena**, ox**ígeno**, al**ígera**, bel**ígero***
Las terminaciones *-logía, -gogia, -gogía, -ígena*.	*pato**logía**, dema**gogia**, peda**gogía***
La terminación *-algia*.	*cefal**algia**, neur**algia***
Todas las formas conjugadas (menos las acabadas en *-ja* y *-jo*) de los verbos terminados en *-igerar, -ger, -gir*. **Excepto:** *tejer* y *crujir*.	*prote**gía**, prote**ge**, prote**gió**, prote**gerá**, prote**gería**, de prote**ger***

Se escriben con *j*:	Ejemplos
Las terminaciones *-aje, -eje*.	*carru**aje**, cor**aje**, **eje**, gar**aje***
Las terminaciones *-jería, -jerío, -jera, -jero*.	*conser**jería**, cerra**jería***
Las formas verbales de los infinitivos que terminan en *-jar, -jer, -jir, -jear*.	*traba**jo**, traba**jáis**, de traba**jar**; te**je**, te**jen**, de te**jer**; cru**jen**, cru**je** (cru**jir**), can**jeo** (can**jear**)*
Las formas verbales de los verbos que terminan en *-jear*.	*can**jeo**, can**jeas**, del verbo can**jear**; homena**jearon**, homena**jean**, del verbo homena**jear***
El pretérito perfecto simple y los tiempos derivados de los verbos *traer, decir* y los terminados en *-ducir*.	*tra**jo**, tra**jera**, de traer; di**jera**, di**jimos**, de decir; introdu**jo**, introdu**jera**, de intro**ducir***

Se escriben con h:	Ejemplos
Las formas de los verbos *haber, hacer, hallar, hablar, habitar*.	***h**ay, **h**allado, **h**ablamos, **h**ago, **h**abitando*
Las palabras que empiezan con *ia, ie, ue, ui*.	***h**iato, **h**ierba, **h**ueso, **h**uida*
Las palabras que tengan en el medio una sílaba que empiece con *ue* y que esté precedida por una vocal.	*caca**h**uete, alca**h**uete, alde**h**uela*

Los elementos *hecto-, helio-, hema-, hemato-, hemo-, hemi-, hepta-, hetero-, hidra-, hidro-, higro-, hiper-, hipo-, holo-, homeo-, homo.*	**hect**ógrafo, **heli**ómetro, **hema**toma, **hemo**diálisis, **hemi**sferio, **hept**ágono, **hetero**sexual, **hidrá**ulico, **hidr**ógeno, **hiper**trofia, **hipo**campo, **holo**causto, **homeó**pata, **homo**fonía
Los elementos *histo-, hosp-, hum-, horm-, herm-, hern-, holg-, hog.*	**histo**riografía, **hosp**ital, **hum**orista, **horm**iguero, **herm**ita, **hern**ia, **holg**azán, **ho**gar

R /RR

Se escriben con *r* y suena suave:	Ejemplos
cuando va entre vocales.	*cara, pero*
cuando va delante de una consonante.	*árbol, torno*
al final de palabra.	*comer, vivir, dolor*

Se escriben con *r* y suena fuerte:	Ejemplos
cuando va al principio de palabra.	*rosa, Ramón*
cuando va detrás de una *n, l* o *s*	*Enrique, alrededor*

Se escriben con *rr* y suena fuerte:	Ejemplos
cuando va entre vocales.	*perro, carro*

Y

Se escriben con *y*:	Ejemplos
Las palabras que terminan en vocal + sonido de *i*. **Excepto:** *bonsái,* entre otras.	*buey, hoy, hay, estoy, ley, rey, muy, Uruguay*
La conjunción *y*. **Excepto:** delante de palabras que empiezan por *i-* o *hi-*	*Juan y Sofía; banana y manzana*
Las palabras que empiezan con *ad-, dis-, sub-*	**ad**yacente, **dis**yuntor, **sub**yugar
Algunas formas de los verbos *caer, raer, creer, leer, poseer, proveer, sobreseer* y de los verbos terminados en *-oír* y *-uir*.	*cayeron, leyendo, creyeron, oyó, poseyese*
El gerundio del verbo *ir*.	*yendo*
La sílaba *-yec-*	pro**yec**tor, in**yec**tar, ab**yec**to

En las palabras españolas de dos o más sílabas, la posición del acento (la sílaba tónica o la sílaba que se pronuncia con más fuerza) cambia. En general, la mayoría de las palabras españolas termina en vocal, en -n o en -s y se pronuncia más fuerte la penúltima sílaba (Ej.: *paciencia, amaban, crisis*). De no ser así, la palabra lleva un acento gráfico (tilde), que indica la posición de la sílaba fuerte (Ej.: *comprará, canción, anís*). Las palabras que no terminan en vocal, en -n o en -s suelen llevar el acento tónico en la última sílaba (Ej.: *papel, aprendiz, estudiar*). De no ser así, la palabra lleva un acento gráfico (tilde) que indica la posición de la sílaba fuerte (Ej.: *fácil, lápiz, cárcel*).

Sílaba fuerte		Clasificación	Ejemplo
... _ _ _	Última	agudas	a–*zul*
... _ _ _	Penúltima	graves	de–par–ta–*men*– to
... _ _ _	Antepenúltima	esdrújulas	cua–*drú*–pe–do

MÁS

Los verbos conjugados que llevan dos pronombres átonos tienen la cuarta sílaba fuerte y siempre llevan acento ortográfico.
cómpratelo, pídemelo, sírveselas, explícanoslo

Palabras monosilábicas

En español, las palabras formadas por una única sílaba no llevan acento ortográfico, excepto las que tienen más de un significado o desempeñan más de una función gramatical.

De (preposición) Juan es el novio **de** mi hermana.	*Dé* (verbo *dar*) Por favor, no le **dé** dinero a un desconocido.
Mi (pronombre posesivo) A **mi** madre no le gusta que vuelva tarde a casa.	*Mí* (pronombre personal) A **mí** me parece que esto es interesante.
Si (conjunción) **Si** llama el Sr. López, dígale que estoy en una reunión.	*Sí* (adverbio afirmativo y pronombre personal) ¿Quieres un pedazo de torta?/**Sí**, gracias. Mónica debería pensar más en **sí** misma y menos en el trabajo.
El (artículo) **El** piso de Javier tiene cuatro dormitorios.	*Él* (pronombre personal) ¿Has visto hoy a Raúl?/No, pero he hablado con **él**.
Se (pronombre personal) Ese libro **se** lo regalé a Norma para su cumpleaños. Julieta siempre **se** despierta tarde.	*Sé* (verbo *saber*) No **sé** cómo mejorar la imagen del televisor.

Tu (pronombre posesivo) ¿Me prestas **tu** vestido negro para ir a la fiesta?	Tú (pronombre personal) Yo ya estoy lista, así que cuando **tú** digas salimos.
Te (pronombre personal) **Te** he visto esta mañana.	Té (sustantivo) El médico le ha dicho que no tome ni **té** ni café.
Mas (conjunción) El gobierno dice que cambiará las leyes, **mas** no ha especificado cuáles.	Más (adverbio de cantidad) Tienes que comer **más**, estás demasiado delgada.
Aun (adverbio sinónimo de incluso) Puedo prestarte mil pesos y **aun** más si prometes devolvérmelos mañana.	Aún (adverbio de tiempo sinónimo de todavía) **Aún** no hemos terminado el informe, pero lo tendremos listo mañana.

Diptongos y hiatos

Las vocales en español se dividen en abiertas (a, e, o) y cerradas (i, u). Si en una palabra hay dos vocales juntas y una de ellas es una cerrada (i, u), estas se pronuncian en una misma sílaba. Es lo que se llama diptongo. La combinación de vocales que forman diptongo es:

–Una vocal abierta y una cerrada: ai (ai-re, a-máis), au (rau-do), ei (rei-no-, co-méis), eu (eu-ca-lip-to) y oi (coi-ma).
–Una vocal cerrada y una abierta: ia (hia-to), ie (quie-re), io (io-do), ua (a-gua), ue (hue-vo) y uo (cuo-ta).
–Dos vocales cerradas: iu (ciu-dad) y ui (cui-da-do).

Los diptongos siguen las reglas generales de pronunciación y escritura. Si en una palabra hay dos vocales juntas y una de ellas es una vocal cerrada (i, u), pero cae sobre ella el acento (tónico y gráfico, pues siempre se escribe), se rompe el diptongo, es decir se pronuncian en sílabas separadas. Es lo que se conoce como hiato.

Oído (o-í-do), secretaría (se-cre-ta-rí-a), ataúd (a-ta-úd), baúl (ba-úl)

Adverbios terminados en -mente

Llevan acento ortográfico cuando el adjetivo del que derivan también lo lleva.

difícil – difícilmente   hábil – hábilmente   cálido – cálidamente
fácil – fácilmente   única – únicamente

Pronombres interrogativos y exclamativos

Siempre llevan acento ortográfico.

¿Cómo te llamas?
¡Qué lindo tu collar! ¿Dónde lo compraste?
No te imaginas qué linda quedó la casa después de la reforma.
No sabemos cuándo llegará el avión.

¡Atención!

Por qué – porque – porqué
– Para preguntar: ¿Por qué has llegado tarde?
– Para responder o afirmar: Porque convocaron una reunión extraordinaria en la empresa.
– Cuando es un sustantivo: No quiso explicarme el porqué de su malhumor.